suhrkamp taschenbuch
wissenschaft 695

In der modernen Linguistik hat sich in den letzten zehn Jahren auf allen Ebenen ihrer Theoriebereiche eine vehemente Entwicklung vollzogen.

In der *Phonologie* wurde mit der sogenannten nichtlinearen Phonologie ein theoretisches Instrumentarium entwickelt, das die systematische Analyse so schwer zu erfassender Phänomene wie Akzent, Intonation, Töne in Tonsprachen, Silbenstruktur usw. erlaubt.

In der *Syntax* ist N. Chomsky mit seinen neuesten Arbeiten dem theoretischen Anspruch, einzelsprachliche grammatische Strukturen aus universellen kognitiven Prinzipiensystemen abzuleiten, weitgehend nachgekommen.

In der *Morphologie* ist es gelungen, die hierarchischen Prinzipien der syntaktischen Ebene mit gleichem Erklärungswert auf die Analyse von Wortstrukturen zu übertragen.

Der Semantik wurde durch die neuesten Entwicklungen der formalen Logik die Möglichkeit eröffnet, diffizilste Aspekte der sprachlichen Bedeutung (Ambiguität, Tempus, Quantoren) präzise zu beschreiben.

In der *Pragmatik* liegen mit den Fortschritten im Bereich der Sprechakttheorie, Präsuppositionstheorie und Theorie der konversationellen Implikaturen leistungsfähige Beschreibungsmittel zur systematischen Analyse sprachlicher Kommunikation vor.

Diese Fortschritte in der strukturellen Beschreibung natürlicher Sprachen haben z. B. in der Computerlinguistik und in der Psycholinguistik einen aktuellen Anwendungsbereich gefunden.

Die vorliegende Monographie bietet eine systematische, gut verständliche Einführung in die neuesten Entwicklungen dieser strukturellen Beschreibungsmittel. Die Entwicklung der modernen Linguistik in Richtung einer kognitiven Wissenschaft hat zu einer engen interdisziplinären Verflechtung mit den Bereichen der Psychologie, Sprachphilosophie, künstlichen Intelligenz und Informatik geführt. Die Kenntnis der strukturellen Eigenschaften natürlicher Sprachen hat daher auch in diesen Bereichen zunehmende Relevanz erlangt.

Günther Grewendorf, geb. 1946, ist Professor für Linguistik an der Universität Frankfurt. Veröffentlichungen im Suhrkamp Verlag: *Sprache und Ethik* (Hg. mit Georg Meggle), 1974; *Sprechakttheorie und Semantik* (Hg.), 1979; *Rechtskultur als Sprachkultur. Zur forensischen Funktion der Sprachanalyse* (stw 1030); *Sprache als Organ – Sprache als Lebensform*, 1995.

Fritz Hamm, PD Dr., geb. 1953, und Wolfgang Sternefeld, Professor, geb. 1953, sind am Institut für Sprachwissenschaft an der Universität Tübingen.

Günther Grewendorf
Fritz Hamm
Wolfgang Sternefeld

Sprachliches Wissen

Eine Einführung
in moderne Theorien
der grammatischen
Beschreibung

Suhrkamp

Die Deutsche Bibliothek – CIP-Einheitsaufnahme
Ein Titeldatensatz dieser Publikation
ist bei Der Deutschen Bibliothek erhältlich.

suhrkamp taschenbuch wissenschaft 695
Erste Auflage 1987
Dritte, durchgesehene Auflage 1989
© Suhrkamp Verlag Frankfurt am Main 1987
Suhrkamp Taschenbuch Verlag
Satz: Wagner GmbH, Nördlingen
Druck: Nomos Verlagsgesellschaft, Baden-Baden
Printed in Germany
Umschlag nach Entwürfen von
Willy Fleckhaus und Rolf Staudt

13 14 15 16 17 – 06 05 04 03

Inhalt

VI SEMANTIK

VII PRAGMATIK

Vorwort

In der modernen Linguistik hat sich in den letzten zehn Jahren auf allen Ebenen ihrer Theoriebereiche eine vehemente Entwicklung vollzogen.

In der *Phonologie* wurde mit der sog. nichtlinearen Phonologie ein theoretisches Instrumentarium entwickelt, das die systematische Analyse so schwer zu erfassender Phänomene wie Akzent, Intonation, Töne in Tonsprachen, Silbenstruktur etc. erlaubt.

In der *Syntax* ist Noam Chomsky mit seinen neuesten Arbeiten dem theoretischen Anspruch, einzelsprachliche grammatische Strukturen aus universellen kognitiven Prinzipiensystemen abzuleiten, weitgehend nachgekommen.

In der *Morphologie* ist es gelungen, die hierarchischen Prinzipien der syntaktischen Ebene mit gleichem Erklärungswert auf die Analyse von Wortstrukturen zu übertragen.

Der *Semantik* wurde durch die neuesten Entwicklungen der formalen Logik die Möglichkeit eröffnet, diffizilste Aspekte der sprachlichen Bedeutung (Ambiguität, Tempus, Quantoren) präzise zu beschreiben.

In der *Pragmatik* liegen mit den Fortschritten im Bereich der Sprechakttheorie, Präsuppositionstheorie und der Theorie der konversationellen Implikaturen leistungsfähige Beschreibungsmittel zur systematischen Analyse sprachlicher Kommunikation vor.

Diese Fortschritte in der strukturellen Beschreibung natürlicher Sprachen haben z. B. in der Computerlinguistik und in der Psycholinguistik einen aktuellen Anwendungsbereich gefunden.

Angesichts dieser Entwicklungen muß es als Desiderat angesehen werden, daß es weder eine deutschsprachige noch eine englischsprachige Einführung in die Linguistik gibt, die den Forschungsstand der letzten zehn Jahre in allen grammatischen Theoriebereichen berücksichtigt. Dieses Buch soll dazu dienen, dieser prekären Situation Abhilfe zu verschaffen. Es entstand aus Einführungsveranstaltungen, die wir in den letzten Jahren an der Universität Frankfurt abgehalten haben und für die wir angesichts des geschilderten Desiderats eigene Skripten zusammengestellt haben, um unseren Zuhörern eine komprimierte, leicht verständliche Einführung in den aktuellen Stand dieser Wissenschaft zu präsentieren. Das nun vorliegende Buch ist ein erweitertes, modifiziertes und systematisiertes Resultat dieser Arbeiten, zu denen wir angesichts der großen Nachfrage nun sowohl einem größeren Studenten- und Kollegenkreis als auch dem allgemein an dieser Wissenschaft Interessierten Zugang verschaffen wollen. Es ist nicht nur als Grundlage für universitäre Einführungsveranstaltungen gedacht; es soll auch für den interessierten Laien oder für den Vertreter benachbarter Wissenschaften die Möglichkeit bieten, sich im Selbststudium einen Einblick in die Fragestellungen, Probleme und aktuellen Lösungsansätze in den grammatischen Theoriebereichen der Linguistik zu erarbeiten.

Das Buch ist schwerpunktmäßig im generativen Paradigma konzipiert. Die sprachtheoretischen Grundannahmen dieses Paradigmas werden in Kapitel I *Sprachtheorie* dargestellt. Sie betreffen u. a. die universalgrammatische Hypothese, daß der Erwerb eines grammatischen Systems nur vor dem Hintergrund angeborener Prinzipien der Sprachfähigkeit erklärbar ist. Dies heißt, daß eine Rekonstruktion dieses Systems auf diese Prinzipien Bezug nehmen muß. Die Darstellung der einzelnen grammatischen Theorienbereiche ist daher, soweit es der jeweilige theoretische Entwicklungsstand erlaubt, universalgrammatisch orientiert, d. h. es wird aufzuzeigen versucht, inwieweit sich einzelsprachliche grammatische Phänomene auf universelle Prinzipien zurückführen lassen.

In Kapitel II *Phonetik* werden die Grundlagen der artikulatorischen Phonetik sowie die Theorie phonetischer Merkmale unter Bezugnahme auf den Konsonantismus und Vokalismus des Deutschen dargestellt. Mit dem Begriff der natürlichen Klasse und der Natürlichkeitsbedingung wird die universalgrammatische Grundlage der Merkmalstheorie deutlich gemacht.

Kapitel III *Phonologie* stellt in einem ersten Abschnitt die Grundzüge der sog. linearen generativen Phonologie dar. Dabei wird zum einen besonderer Wert auf eine Rekonstruktion der Prinzipien phonologischen Argumentierens gelegt, zum anderen der universalgrammatische Rückstand dieses Theoriebereichs (im Vergleich zur Syntax) problematisiert. In einem zweiten Abschnitt wird die Konzeption der sog. nichtlinearen Phonologie in bezug auf Phänomene wie Ton, Akzent, Harmonieprozesse etc. motiviert und in ihren durch unterschiedliche Gegenstandsbereiche und Problemstellungen bedingten Hauptrichtungen dargestellt.

Daß Kapitel IV *Syntax* vor Kapitel V Morphologie erscheint, hat seinen Grund in der historischen Tatsache, daß zahlreiche strukturelle Beschreibungsmittel der Syntax in der modernen Morphologie übernommen wurden. Mehr als alle anderen Kapitel hat das Syntax-Kapitel einen universalgrammatischen Bezug. Dies liegt daran, daß in diesem Theoriebereich die konkretesten und elaboriertesten empirischen Versuche vorliegen, den Erwerb eines bestimmten Systems grammatischer Fähigkeiten, eben des syntaktischen Systems, auf der Basis universeller angeborener Prinzipien in expliziter Weise zu charakterisieren. Durch die Bezugnahme auf universelle Prinzipiensysteme, auf die einzelsprachliche syntaktische Phänomene, speziell des Deutschen, zurückgeführt werden, stellt dieses Kapitel einen unmittelbaren Anschluß an die Grundlagen der neueren Syntaxforschung her.

In derselben Weise wird in Kapitel V *Morphologie* darauf Wert gelegt, universelle Prinzipien der Wortstruktur herauszuarbeiten. Nach einer knappen Darstellung der spezifisch morphologischen Begriffsbildung wird gezeigt, wie universalgrammatische Strukturtheorien des Satzes auch auf die Analyse von Wortstrukturen angewandt werden können, was die Einheitlichkeit und Leistungsfähigkeit dieser Theorien unterstreicht.

Kapitel VI *Semantik* ist partiell an einem Vorlesungsskript von T. E. Zimmermann orientiert. Hier werden die Grundannahmen der modelltheoretischen Semantik motiviert und in groben Zügen dargestellt. Ziel dieses Kapitels ist es, den Leser an die selbständige Lektüre einer Semantik-Einführung wie z. B. Dowty/Wall/Peters (1981) heranzuführen. Der Abschnitt über Quantoren stellt die Voraussetzungen bereit, universalgrammatische Reflexionen in der Semantik, wie sie in der komplizierten Literatur zu Beschränkungen für Quantoreninterpretationen in Ansätzen zu finden sind, zu verstehen.

In Kapitel VII *Pragmatik* wurde eine starke Selektion vorgenommen. Von den zahlreichen Pragmatikbegriffen, die zu Beginn dieses Kapitels kurz charakterisiert werden, wurde unserer Darstellung jene Version zugrundegelegt, die in theoretischen Konzeptionen vorliegt und in einem deutlichen Bezug zu Problemen der grammatischen Analyse gesehen werden kann. Welche

Formen dieser Bezug annehmen kann, wird an einigen Problemen exemplarisch vorgeführt.

Das Manuskript dieses Buches wurde im April 1987 abgeschlossen. Wir danken Herrn Friedhelm Herborth, der uns als Lektor des Suhrkamp-Verlags in allen redaktionellen Fragen freundlich und intensiv beraten hat. Gereon Müller gilt unser Dank für seine kritischen Anregungen und seine sachkundige Betreuung des Manuskripts.

Frankfurt, April 1987   G. G./F. H./W. S.

Vorwort zur dritten Auflage

Bereits kurz nach Erscheinen dieses Buches haben wir von vielen Kolleginnen und Kollegen ermutigende Reaktionen und hilfreiche Kommentare erhalten. Das schnelle Zustandekommen einer dritten Auflage gibt uns die Möglichkeit, Druckfehlern, Flüchtigkeiten sowie einer Reihe inhaltlicher Defekte ein schnelles Ende zu bereiten. Auf viele der Unzulänglichkeiten wurden wir von kritischen Lesern und konstruktiven Rezensenten aufmerksam gemacht. Besonderen Dank schulden wir Manfred Bierwisch, Manfred Krifka, Jürgen Lenerz, Frans Plank, Dieter Wunderlich sowie zahlreichen Studenten unserer Grundkurse, deren Fragen und Einwände uns manchen Schnitzer erkennen ließen.

Frankfurt, Juli 1988   G. G./F. H./W. S.

1 Sprachtheorie

1. Grundfragen der Sprachwissenschaft

Fangen wir mit der allgemeinsten Frage an: »Warum untersucht man die Sprache?«

Abgesehen von einem diffusen Interesse an diesem zwar spannenden, aber noch diffuseren Gegenstand lautet die nächstliegende Antwort vermutlich: Weil Sprache Mittel der menschlichen Kommunikation ist, und weil die Untersuchung dieses Mittels aufgrund der persönlichen, zwischenmenschlichen, gesellschaftlichen, politischen Implikationen seiner Funktion wichtig ist.

Wenn man nun allerdings zur Kenntnis nimmt, daß auch Tiere kommunizieren – der bekannte Bienentanz (cf. Fromkin/Rodman (1978), Kap. 3) oder die Signalsprache des Borkenkäfers (cf. L. C. Ryker (1984)) liefern Beispiele für die Kommunikation zwischen Tieren; die alltäglichen Erfahrungen mit Haustieren oder die berühmten Untersuchungen David Premacks mit der Schimpansin Sarah (cf. zu einem Überblick E. Garfield (1985)) zeigen Formen von Tier-Mensch-Kommunikation – wenn man diese Phänomene also zur Kenntnis nimmt, dann muß man zugestehen, daß es keine einzigartige Eigenschaft *der Sprache* ist, Mittel der Kommunikation zu sein. Wenn man etwas über *die spezifischen Eigenschaften der Sprache* erfahren will, muß man sich also nach weiteren, weniger allgemeinen Charakteristika umsehen als nur ihrer Kommunikationstauglichkeit.

Wenn man sich nun weiterhin überlegt, was dieses *spezifische* Mittel zur Kommunikation auszeichnet, so kommt man zu einer anderen Antwort auf die einleitende Frage: Das Interessante an der Sprache ist, daß *nur der Mensch* über dieses spezielle Mittel der Kommunikation verfügt, daß daher eine Untersuchung dieses speziellen Kommunikationsmittels eine Untersuchung spezifischer Eigenschaften des Menschen, vielleicht sogar *der* differentia specifica ist.

Eine Untersuchung der definierenden Charakteristika der Sprache, also dessen, was sozusagen »eine Sprache ausmacht«, ist eine *sprachtheoretische* Untersuchung. Eine spezielle Auffassung davon, was eine Sprache ist, ist eine spezielle *Theorie der Sprache* oder *Sprachtheorie*.

Es ist klar, daß sprachtheoretische Untersuchungen mit der *Untersuchung spezieller natürlicher Sprachen* in Zusammenhang stehen müssen: Die Eigenschaften, die einer Sprachtheorie zufolge wesentliche Eigenschaften der Sprache sind, müssen sich an den einzelnen natürlichen Sprachen nachweisen lassen, und eine Sprachtheorie, die eine existierende natürliche Sprache als Sprache ausschließt, bedarf zumindest einer Revision.

Die Untersuchung spezieller natürlicher Sprachen ist natürlich nicht nur für die Zwecke einer Sprachtheorie interessant. Man untersucht die Vielfalt menschlicher Sprachen, um etwa für die Zwecke zwischensprachlicher Verständigung Grammatiken dieser Sprachen anzufertigen, um die historischen Bezüge und Entwicklungen der einzelnen Sprachen zu studieren etc.

Solche sprachwissenschaftlichen Untersuchungen von Einzelsprachen werden in den *einzelnen philologischen Disziplinen* vorgenommen: In der Germanistik geht es um die Analyse und Geschichte der deutschen Sprache, in der Slavistik geht es um die slavischen Sprachen, in der Romanistik um die romanischen Sprachen etc. In all diesen Fächern geht es also auch um Sprachwissenschaft. Wir können sagen, daß in diesen Disziplinen Theorien der jeweiligen speziellen Sprachen erstellt werden. Zu fragen ist, wie solche Theorien aussehen bzw. *unter welchen Gesichtspunkten* sie eine Sprache analysieren. Dieselbe Frage ist im Hinblick auf Sprachtheorien zu stellen.

Wir können diese Fragen als *die ersten beiden zentralen Fragen der Sprachwissenschaft* ansehen und sie wie folgt formulieren:

(i) Was heißt es, sprachliches Wissen zu besitzen, also über eine *Sprach*fähigkeit etwa im Gegensatz zu den Ausdrucksformen der Tiere zu verfügen?

(ii) Was heißt es, ein ganz spezielles sprachliches Wissen zu besitzen, also ein Wissen, das etwa als die Kenntnis des Deutschen im Gegensatz zur Kenntnis des Englischen oder Italienischen bezeichnet werden kann?

Die Unterscheidung dieser beiden Fragen mag verblüffen. Ist es überhaupt sinnvoll, von einem sprachlichen Wissen zu sprechen, das wir unabhängig von unserer ganz speziellen Kenntnis unserer Muttersprache besitzen? Die Beantwortung dieser Frage hängt mit einer weiteren Frage zusammen, die wir als *die dritte der zentralen Fragen der Sprachwissenschaft* ansehen wollen. Sie lautet:

  (iii) Wie wird sprachliches Wissen erworben?

Schließlich sei bereits hier die in Abschnitt (4.) betrachtete *vierte zentrale Frage der Sprachwissenschaft* angeführt:

  (iv) Wie wird das erworbene sprachliche Wissen verwendet?

2. Die universale Grammatik

Wenn man sich überlegt, wie Kinder ihre Sprache lernen, so ist man geneigt, sich dieses Lernen nach dem folgenden Modell vorzustellen.

Kinder werden mit sprachlichen Daten konfrontiert, und ausgehend von diesen Daten werden *Generalisierungen* vorgenommen. Die Reaktion der Umwelt – also Bestätigung richtiger und Korrekturen falscher Generalisierungen – liefert das Kontrollinstrument, an dem sich dieser Lernprozeß orientiert.

Dieses vereinfachte Modell einer, wie man auch sagt, *»empiristischen« Erklärung* des Spracherwerbs läßt sich jedoch nicht aufrechterhalten. Folgendes spricht dagegen.

Die sprachlichen Daten, mit denen Kinder konfrontiert sind, sind zum großen Teil defekt, also entsprechen häufig gar nicht genau den Regeln der jeweiligen Sprache, die das Kind durch Generalisierung erschließen soll. Dies liegt an Faktoren wie etwa: unzureichende Gedächtnisleistung bei komplizierteren syntaktischen Konstruktionen, Versprecher, idiosynkratische Sprachverwendung, also individuelle und regionale Variationen. Wenn man genau hinhört, stellt man fest, daß nicht nur unterschiedliche Sprecher, sondern sogar ein und derselbe Sprecher bei unterschiedlichen Gelegenheiten ein und dasselbe Wort verschieden aussprechen. Wie soll ein Kind also entscheiden, welche der vielen Aussprachen ein und desselben Wortes die richtige ist? Doch selbst wenn man noch nicht weiß *wie*, feststeht – und das ist das zu erklärende Faktum – *daß* das Kind dies problemlos kann.

Zu der Tatsache, daß trotz defekter Daten die richtigen Regeln gelernt werden, kommt ein weiteres Phänomen, das gegen das skizzierte Spracherwerbsmodell spricht: Die Daten sind nicht nur teilweise defekt, es sind auch *viel zu wenige*.

In der kurzen Zeit, in der eine Sprache erworben wird (etwa drei bis vier Jahre), kann das Kind gar nicht mit so vielen Daten konfrontiert werden, daß das, was es nach diesem Zeitraum alles kann, Resultat von Generalisierungen sein könnte. Das Kind kann dann nämlich Sätze bilden, mit denen es noch nie konfrontiert war; es kann Wörter richtig aussprechen, die es noch nie gehört hat etc. So »weiß« das deutsche Kind etwa, daß »Plasch« aber nicht »Plaschtsch« ein potentielles deutsches Wort sein könnte; es weiß, daß in

(1)   Er glaubt, daß Hans fleißig ist.

nicht der Hans es ist, der glaubt; es weiß, daß dagegen in folgenden Beispielen

(2)   Er glaubt, daß er fleißig ist.
(3)   Hans glaubt, daß er fleißig ist.

Haupt- und Nebensatzsubjekt die gleiche Person sein können. Und es weiß diese Dinge, selbst wenn es die betreffenden Sätze noch nie gehört hat.

Die empiristische Theorie kann nicht nur nicht erklären, warum Sprecher einer natürlichen Sprache immer neue, noch nie gehörte Sätze korrekt bilden können; sie kann auch nicht erklären, warum diese Sprecher bestimmte noch nie gehörte Sätze *nicht* bilden. Wäre nämlich Generalisierung aus vorgefundenen Daten der entscheidende Mechanismus des Spracherwerbs, so bliebe unerklärlich, warum bestimmte *offensichtliche Generalisierungen* von natürlichen Sprechern *nicht vorgenommen werden*.

Ein Beispiel aus dem Englischen mag dies verdeutlichen. Die Bildung von W-Fragen kann hier vereinfacht so beschrieben werden, daß ein Ausdruck durch ein W-Wort ersetzt wird und dieses an die Anfangsposition gebracht wird, cf.

(4)   (a) Peter kissed Mary.
        (b) Who did Peter kiss   ?

Nun kann dieser Prozeß auch auf Ausdrücke aus Nebensätzen ausgedehnt werden, cf.

(5)   (a) Who did you say that Peter kissed   ?

        (b) Why do you believe that Peter left   ?

Sollte ein englisches Kind mit solchen Daten konfrontiert sein, so wäre die offensichtliche Generalisierung, daß der betreffende Prozeß für Nebensätze generell möglich ist. Dies ist aber nicht der Fall, da Subjekte von Nebensätzen nicht in der betreffenden Weise erfragt werden können, cf. (der Stern indiziert Ungrammatikalität):

(6) *Who did you say that ⌐_____ kissed Mary?

Es gibt unter der empiristischen Perspektive keinen plausiblen Grund dafür, warum diese Generalisierung blockiert sein sollte, also von englischen Muttersprachlern nicht vorgenommen wird; i. e. es ist schwer vorstellbar, daß der Sprachlerner all das relevante Training oder die Erfahrung erhalten haben soll, um die offensichtliche Generalisierung auf die schlechten Beispiele zu blockieren bzw. nicht vorzunehmen; noch dazu, wo der betreffende Prozeß auch bei dem Subjekt möglich ist, wenn der Nebensatz nicht durch »that« eingeleitet ist, cf.

(7) Who did you say ⌐_____ kissed Mary?

Daß sprachliches Wissen die Fähigkeit einschließt, immer neue, ja potentiell sogar unendlich viele Sätze zu bilden, die man noch nie gehört hat, wollen wir den *kreativen Aspekt der Sprache* nennen. Dieser *kreative Aspekt der Sprache* sowie das Phänomen der *Defizienz der Erfahrungsgrundlage* kann man als Argument gegen ein Spracherwerbsmodell der oben geschilderten Art anführen. Wir wollen dieses Argument *das Argument von der Unzulänglichkeit des Stimulus* nennen.

Eine Alternative zu dem skizzierten empiristischen Modell des Spracherwerbs ist das sog. *nativistische Modell.* Sein berühmtester Vertreter ist Noam Chomsky. Diesem Modell zufolge sind wir mit einem geistigen Apparat der Sprachfähigkeit ausgestattet, dessen Mechanismen durch Konfrontation mit Erfahrungsdaten *lediglich ausgelöst* werden.

Diese Mechanismen müssen einerseits so *restriktiv* sein, daß sie erklären, wieso wir uns in kürzester Zeit überhaupt eine Sprache aneignen können, und sie müssen so *liberal* sein, daß sie die – in Abhängigkeit von Erfahrungsdaten sich entwickelnde – Vielfalt menschlicher Sprachen zulassen. Was spricht für dieses Modell?

Für dieses Modell spricht, daß es genau das erklären kann, was das empiristische Modell nicht erklären konnte, nämlich wieso wir uns in einer relativ kurzen Zeitspanne (etwa bis zum 6. Lebensjahr) ein so unglaublich komplexes, kompliziertes und kreatives System wie eine Sprache aneignen können.

Man hat dies auch als das *Argument der besten Erklärung* bezeichnet.

Weitere Unterstützung erhält die nativistische Position nicht nur dadurch, daß sich auch für andere kognitive Fähigkeitssysteme wie z. B. für das visuelle System die Annahme angeborener Fähigkeiten als unvermeidbar erwiesen hat; sie erfährt auch eine Bestätigung durch die Vielzahl psychologischer Untersuchungen, die im letzten Jahrzehnt beträchtliche Evidenz zugunsten dieser Position präsentiert haben. Um nur ein Beispiel zu nennen: Landau/Gleitman (1985) haben die Sprachentwicklung – insbesondere den Erwerb des perzeptuellen Vokabulars (Farbwörter, Verben der Wahrnehmung etc.) – bei von Geburt an blinden Kindern untersucht und gezeigt, daß diese Entwicklung im großen und ganzen das gleiche Muster aufweist wie bei nicht blinden Kindern. Dies ist nur unter Rekurs auf angeborene Fähigkeiten zu erklären, denn eine Hypothese, die von der hinreichenden Rolle der Erfahrung für den Spracherwerb ausgeht, müßte hier angesichts der unterschiedlichen sensorisch-perzeptuellen Erfahrungsgrundlage ganz verschiedene Verläufe der Sprachentwicklung prognostizieren (zu weiteren Argumenten dieser Art cf. Fanselow/Felix (1987)).

Voraussetzung für den Erfolg dieses Modells ist natürlich, daß es tatsächlich gelingt, die angeborenen Mechanismen und Prinzipien ausfindig zu machen, die unseren Spracherwerb determinieren.

Damit kommen wir zurück zu unserer ersten zentralen Frage der Sprachwissenschaft und können uns nun eine Vorstellung davon machen, was ein sprachliches Wissen sein kann, das jeder, der eine Sprache spricht, unabhängig von dem speziellen Charakter seiner Sprache besitzt: Es sind *angeborene Prinzipien*, die ermöglichen, daß er überhaupt eine Sprache erwerben kann, und die – im Verein mit den Daten, denen er ausgesetzt ist – determinieren, welche Sprache er erwirbt.

Diese angeborenen Prinzipien der Sprachfähigkeit wollen wir *universale Grammatik* (UG) nennen, und wir können sagen, daß es ein zentrales Ziel der Sprachwissenschaft ist, diese Universalgrammatik zu ermitteln oder, wie wir oben gesagt haben, die richtige Sprachtheorie aufzustellen.

Bevor wir eine etwas klarere Vorstellung von der universalen Grammatik zu gewinnen versuchen, ein Wort zu der Frage, inwiefern es sinnvoll ist, in bezug auf sie von einem »Wissen«, das wir besitzen, zu sprechen.

Es ist klar, daß hier nicht in dem Sinne von »Wissen« die Rede ist, in dem wir wissen, daß die Erde um die Sonne kreist, daß der Montblanc der höchste Berg in Europa ist, oder daß zwei mal zwei vier ist. Wir sprechen in bezug auf die UG von »Wissen« *nicht im Sinne unseres Alltagsausdrucks*, demzufolge ein Wissen eben das ist, was wir unter dem Ausdruck »Wissen« verstehen. Denn danach gehört zum Wissen etwa, daß wir Gründe vorbringen können, daß man das Gewußte bezweifeln kann, etc., Eigenschaften, die für das »Wissen« oder die »Kenntnis« der UG natürlich nicht zutreffen.

Man muß also im Auge behalten – und das ist wichtig, um Konfusionen zu vermeiden –, daß der Begriff des Wissens oder der Kenntnis, den wir in bezug auf die UG gebrauchen, nicht der Begriff unserer natürlichen Sprache, sondern ein *theoretischer Begriff* der Sprachwissenschaft ist, der von der Theorie der UG seine Bedeutung erhält und der von dem natürlich-sprachlichen Begriff des Wissens ebenso zu unterscheiden ist, wie die physikalischen Begriffe der Kraft oder der Masse von ihren umgangssprachlichen Pendants zu unterscheiden sind.

Wie man sich die UG vorzustellen hat, und daß damit nicht irgendwelche ontologischen Implikationen hinsichtlich einer zweiten Substanz »Geist« verbunden sind, kann man sich am besten am Modell eines Computers klarmachen.

Der Hardware eines Computers entsprechen die »Verdrahtungen« im menschlichen Gehirn, nämlich anatomische Strukturen und neurophysiologische Prozesse. Wie erstere die Möglichkeiten der Programmierung beschränkt, beschränken letztere die Möglichkeiten des Spracherwerbs. Diese Beschränkungen sind formulierbar als allgemeine Prinzipien, die mögliche Programme determinieren. Die Programme entsprechen einer Sprache bzw., wie wir auch sagen können, einer Grammatik.

Die Vorstellung von der Sprachfähigkeit im Sinne der UG als angeborener Ausstattung des menschlichen Organismus hat Chomsky immer wieder dazu geführt, die Sprache in Analogie zu menschlichen Organen zu betrachten, ja die *Sprache selbst als ein Organ* zu bezeichnen.

Diese Vorstellung macht auch verständlich, wie Chomskys These zu verstehen ist, *daß die Sprache nicht gelernt, sondern erworben wird,* daß die Bezeichnung »lernen« hier ebenso deplaziert ist wie die Redeweise, daß wir lernen, Beine und keine Flügel zu entwik-keln. Wie bei letzteren Organen wäre es auch in bezug auf die Sprache am zutreffendsten, wenn man sagen würde, *daß die Sprache wächst.*

Wenn man nun auf die erste Grundfrage der Sprachwissenschaft zurückblickt und ihre Beantwortung durch eine nativistische Theorie betrachtet, so versteht man, warum Chomsky die Linguistik zur *kognitiven Psychologie* rechnet und die Erforschung der Sprache letztlich sogar als *Teil der Humanbiologie* ansieht.

3. Sprache versus Grammatik

Wenn man die Sprache als ein Organ ansieht, dann kann man sie, wie andere Organe auch, etwa nach folgenden Gesichtspunkten untersuchen:

  (i) nach ihrer Funktion
 (ii) nach ihrer Struktur
(iii) nach ihrer physischen Grundlage
(iv) nach ihrer Entwicklung im Individuum, also nach ihrer ontogeneti-schen Entwicklung
 (v) nach ihrer evolutionären, also ihrer phylogenetischen Entwicklung.

Wenn man sagt, daß das Auge zum Sehen da ist, hat man damit eine wesentliche Erkenntnis über das Auge formuliert? Wenn man sagt, daß die Funktion der Sprache in der Kommunikation besteht, hat man damit eine Erkenntnis über die Sprache formu-liert, die über die entsprechende bzgl. des Auges hinausgeht?

Man könnte so sagen: Diese »Erkenntnis« ist von einem Allge-meinheitsgrad, der sie für eine wissenschaftliche Untersuchung wenig relevant sein läßt. Bevor man nicht weiß, was Kommunika-tion überhaupt ist, welche vielfältigen Faktoren – es sind wahr-scheinlich fast alle, die das gesellschaftliche Wesen des Menschen ausmachen – daran beteiligt sind, was es heißen soll, daß die

Sprache diesem Zweck dient (man vergleiche die nicht weniger aufschlußreiche Aussage, daß das Auge dem Zweck des Sehens dient), solange diese Fragen nicht geklärt sind, ist die These von der kommunikativen Funktion der Sprache für eine wissenschaftliche Untersuchung nicht sonderlich fruchtbar.

Wenn wir wissen wollen, wie die Sprache funktioniert, dann müssen wir uns ihre Mechanismen und Strukturen ansehen. Dem Aspekt der Funktion kann man dabei – wie bei anderen Organen auch – primär nur unter Bezug auf evolutionäre, also phylogenetische Fragestellungen Sinn abgewinnen. Erst wenn wir Klarheit über Mechanismen und Strukturen der Sprache haben, können wir untersuchen, wie sie im Verein mit anderen interagierenden Systemen menschlicher Fähigkeiten zur Kommunikation beiträgt.

Dies sind sicher provozierende Aussagen, und man wird ihnen entgegenhalten, daß hier ein ganz enger und spezieller Begriff der Sprache zugrundegelegt ist, auf dessen Basis diese Aussagen sich vielleicht rechtfertigen lassen, daß es jedoch durchaus andere Begriffe der Sprache gibt, die zu ganz anderen Auffassungen Anlaß geben.

Ist man damit bei einer linguistischen Gretchenfrage *»Was ist überhaupt eine Sprache?«* angelangt? Und wenn ja, warum wird sie erst jetzt gestellt und nicht gleich am Anfang einer Einführung in die Sprachwissenschaft?

Es ist richtig, daß der hier zugrundegelegte Begriff der Sprache ein enger und spezieller Begriff ist. Dies ist aber keine willkürliche Beschränkung. *Dieser* Begriff der Sprache hat seinen Stellenwert in einer ganz bestimmten Theorie – es ist ein fachsprachlicher Terminus –, und *seine Brauchbarkeit bemißt sich nach den Erfolgen der Theorie, die mit ihm arbeitet.*

Wenn also die Theorie, der sich dieser spezielle Begriff der Sprache verdankt, den Vorzug hat, im Gegensatz zu anderen, einen anderen Begriff der Sprache benutzenden Theorien eine ganze Reihe der zentralen linguistischen Fragen beantworten zu können, dann ist dies ein gutes Argument dafür, an diesem speziellen Begriff der Sprache festzuhalten.

Aber sehen wir uns nach *Alternativen* um. Nur im Vergleich mit anderen, möglicherweise weiteren und weniger speziellen Begriffen der Sprache und deren theoretischer Fruchtbarkeit (sofern sich überhaupt eine ausgearbeitete, wissenschaftlichen Standards genügende, überprüfbare Theorie damit formulieren läßt) läßt sich ja eine entsprechende Bewertung vornehmen.

Es gibt einen Standard-Flachs, demzufolge eine Sprache ein Dialekt ist zusammen mit einer Armee und einer Flotte. Der Kern dieses Flachses ist, daß der Begriff der Sprache *gar kein linguistischer Begriff ist.*

Man kann sich das verdeutlichen, wenn man sich überlegt, warum man etwa von dem Chinesischen als *einer* Sprache spricht, aber die romanischen Sprachen als verschiedene Sprachen ansieht.

Aus rein linguistischen Gründen läßt sich dies nicht rechtfertigen. Die Verschiedenheit chinesischer Dialekte wie etwa des Kantonesischen und des Mandarin ist der Verschiedenheit romanischer Sprachen wie etwa des Italienischen und des Französischen durchaus vergleichbar. Die Gründe für solche Kategorisierungen sind *politischer* Natur. »Fragen der Sprache sind letztlich Fragen der *Macht*«, wie Chomsky sagt, d. h. sie hängen mit der Art von politischer Macht zusammen, die z. B. für die Bildung von Nationalstaaten verantwortlich ist. Den Problemen im Zusammenhang mit Minderheitensprachen ist jeder schon einmal begegnet, und es ist bekannt, daß sich sog. »exotische« Sprachen primär in Räumen eines Imperialismus-Vakuums erhalten.

Ein *politisch-geographischer Begriff der Sprache* ist für eine linguistische Theorie nicht brauchbar, oder anders ausgedrückt: Wenn von Sprachen als im wesentlichen politisch determinierten Kategorien die Rede ist, dann ist eine linguistische Theorie nicht das geeignete Instrument ihrer Untersuchung.

Wir haben andererseits gesehen, daß ein kommunikationsbezogener Sprachbegriff zu allgemein ist, um theoretisch fruchtbar zu sein, bzw. daß er bislang noch gar nicht in eine Theorie eingebettet ist, mit deren Vorzügen oder Nachteilen über seinen Wert argumentiert werden könnte. Diese Überlegungen verleihen unseren im Hinblick auf die Fruchtbarkeit einer linguistischen Theorie vorgenommenen Beschränkungen des Sprachbegriffs Plausibilität.

Wie die Bezeichnung »universale Grammatik« für die angeborenen Prinzipien unserer »Sprach«-Fähigkeit bereits ankündigte, lassen sich diese Beschränkungen dahingehend konkretisieren, daß *der zentrale Begriff der Sprachwissenschaft nicht der Begriff der Sprache, sondern der Begriff der Grammatik ist,* dessen Gegenstand die Strukturen von Sprachen sind.

Um Mißverständnissen in bezug auf diese Restriktion vorzubeugen, sei auf die folgenden Punkte hingewiesen. Zum einen berührt diese Restriktion nicht die Tatsache, die nach den bisherigen Ausführungen vielleicht nicht mehr selbstverständlich erscheint, nämlich daß man Sprachen natürlich auch unter politischen Gesichtspunkten untersuchen kann. Untersuchungen zur politischen Sprache, zur Sprachpolitik, zur Sprachlenkung, zur Werbesprache, zu sprachlichen Minderheiten etc. illustrieren dies zur Genüge. Der zweite Punkt betrifft den Einwand *»Aber eine Sprache ist doch...!?«* Dazu soll die scheinbar paradoxe Auffassung begründet werden, daß der Einwand zwar richtig ist, die bisherigen Ausführungen über die Sprache aber nicht berührt.

Der paradoxe Anschein dieser Auffassung verschwindet, wenn man erkennt, daß diesem Einwand eine andere wissenschaftliche Methodologie zugrundeliegt als den bisherigen Ausführungen über die Sprache (cf. Grewendorf (1985)).

Zunächst noch einmal die folgende *Klarstellung:* Daß der zentrale Begriff der Sprachwissenschaft der Begriff der Grammatik ist, heißt nicht, daß die Sprache sozusagen »auf die Grammatik reduziert« wird. Es heißt vielmehr – und zwar in methodologischer Bescheidenheit: Wie auch immer eine Sprache charakterisiert werden mag, der Begriff der Sprache ist zu komplex, als daß der Sprachwissenschaftler beanspruchen könnte, diese »Totalität« theoretisch in den Griff zu bekommen.

Damit ist schon angedeutet, wodurch die Ersetzung des Begriffs der Sprache durch den der Grammatik bzw. die entsprechende Restriktion des Sprachbegriffs bedingt ist: Durch den Versuch, eine abstrakte erklärende Theorie zu konstruieren, die uns ein Modell eines Realitätsausschnitts liefert, und deren Begriffe aus ihren theoretischen Zusammenhängen heraus zu deuten sind. Dies ist das *Verfahren der Naturwissenschaften,* und diese »galileische Methode« liegt der oben geschilderten Sprachtheorie zugrunde.

Die andere Methode, auf der der zitierte Einwand beruht, ist bereits im Zusammenhang mit dem Begriff des sprachlichen Wissens angesprochen worden. Sie soll die *»analytische Methode«* genannt werden. Diese Methode nimmt eine *begriffliche Analyse* der Sprache vor, fragt also danach, welche Bedeutung bzw. welchen Gebrauch der Begriff der Sprache in *unserer* Sprache hat, bezieht sich also darauf, was *wir* unter »Sprache« verstehen. Die analytische Methode sucht also alle *begrifflichen Merkmale* des Begriffs der Sprache zu ermitteln, Merkmale also, deren Nicht-Vorliegen uns dazu veranlassen würde, etwas nicht »Sprache« zu nennen. Eine solche Untersuchung ergibt sicherlich, daß alle die Eigenschaften, von denen oben bewußt abstrahiert wurde, zur Sprache gehören; die Frage ist nur, was man mit dem Ergebnis einer solchen Untersuchung anfängt.

Auch auf der Basis der analytischen Methode wird von »universellen Eigenschaften« von Sprachen oder sog. »Universalien« gesprochen. Nur sind hier *begrifflich notwendige* Eigenschaften gemeint und nicht *biologisch notwendige* Eigenschaften wie bei unserem theoretischen Begriff der Sprache bzw. der universalen Grammatik. Zu den begrifflich notwendigen Eigenschaften einer Sprache gehört z. B. nicht, daß eine Sprache *auf der Erde* gesprochen wird. Vermutlich würde die Eigenschaft, auf dem Mond gesprochen zu werden, nicht verhindern, daß wir etwas als »Sprache« bezeichnen.

Der Unterschied zwischen diesen beiden Methoden wird hier zum einen deshalb betont, weil seine Nichtbeachtung für zahlreiche Konfusionen in linguistischen Diskussionen verantwortlich ist. Zum anderen läßt er erkennen, daß die verschiedenen innerhalb der Linguistik etablierten und institutionalisierten »Beschäftigungsformen« mit der Sprache von einer Unterscheidung begrifflicher Eigenschaften und nicht von theoretisch motivierten Abstraktionen ihren Ausgang nehmen. Solche Eigenschaften und die außerhalb der grammatischen Theoriebereiche der Linguistik mit ihnen verbundenen »Disziplinen« seien im folgenden kurz zusammengestellt (cf. Lieb (1976)). Es handelt sich um:

(a) Eigenschaften, die den allgemeinen Zeichencharakter der Sprache und ihre Beziehungen zu anderen Zeichensystemen betreffen. Damit befaßt sich die *Semiotik*.

(b) Eigenschaften, die allgemeine Bedingungen sprachlicher Kommunikation betreffen. Die zuständige und in mehreren Fächern (Linguistik, Soziologie, Philosophie) angesiedelte Disziplin ist, allgemein gesagt, die *Kommunikationstheorie*.

(c) Eigenschaften, die die Entwicklung sowie das Entstehen und Vergehen von Sprachen betreffen. Mit diesen Eigenschaften befaßt sich die *historische bzw. diachrone Sprachwissenschaft*.

(d) Eigenschaften, die zeitlich koexistente regionale Ausprägungen einer Sprache betreffen. Mit diesen Eigenschaften befaßt sich die *Dialektologie*.

(e) Eigenschaften, die im weitesten Sinne die Beziehungen zwischen Sprache und Gesellschaft betreffen, also etwa den schon angesprochenen Zusammenhang zwischen Sprache und Macht oder schichtenspezifische Sprachausprägungen oder die ideologische manipulative Verwertbarkeit der Sprache. Mit diesen Problemen befaßt sich die *Soziolinguistik*.

(f) Eigenschaften, die das Verhältnis der Sprache zum Denken, Wollen, Fühlen oder Handeln betreffen. Damit befaßt sich die *Psycholinguistik*. Simulationen oder Modelle dieses Verhältnisses werden im Rahmen der Forschungen zur *künstlichen Intelligenz* u. a. in der *Computerlinguistik* zu erstellen versucht.

(g) Eigenschaften, welche die ontogenetische Sprachentwicklung, also den Primärsprachenerwerb betreffen. Damit befaßt sich ebenfalls die *Psycholinguistik*.

(h) Eigenschaften, die die neurophysiologischen Grundlagen der Sprache betreffen. Damit befaßt sich die *Neurolinguistik*. Mit entsprechenden pathologischen Erscheinungen, wie sie etwa in Aphasien sichtbar werden, befaßt sich die *Patholinguistik*.

(i) Eigenschaften, die die phylogenetische Sprachentwicklung betreffen. Damit befassen sich *(Sprach-)Biologie, Evolutionstheorie, Genetik, Anthropologie* etc.

Man sieht, daß eine auf die Struktur einer Sprache konzentrierte, »galileisch« verfahrende Sprachwissenschaft von den Eigenschaften (a)-(e) abstrahiert und nur bzgl. der Eigenschaften (f)-(i) Anknüpfungspunkte mit *unserem* Begriff der Sprache aufweist. Man könnte also sagen, daß der theoretische Begriff der Sprache als Organ lediglich in dem Sinne mit *unserem* Sprachbegriff zusammenhängt bzw. eine Explikation dieses Begriffs darstellt, in dem unser Verständnis von Sprache neben den grammatischen Eigenschaften die Eigenschaften (f)-(i) betrifft.

Die Einschränkungen, die der theoretische Begriff der Sprache in Form der universalen Grammatik aufweist, übertragen sich natürlich auf die Konzeption einer bestimmten natürlichen Einzelsprache.

In bezug auf die in Abschnitt (1.) angeführte zweite zentrale Frage der Sprachwissenschaft – was es heißt, ein ganz spezielles sprachliches Wissen zu besitzen – sind damit dieselben Abstraktionen zu unterstellen, die dem Begriff der universalen Grammatik zugrundeliegen. Wenn also im folgenden von den Komponenten sprachlichen Wissens, die mit der Kenntnis einer bestimmten natürlichen Sprache verbunden sind, die Rede ist, so ist klar, daß wir uns damit auf die Kenntnis einer *bestimmten Grammatik* beziehen.

Bevor wir uns genauer ansehen, wie diese Komponenten aussehen und wie sie von Prinzipien der universalen Grammatik determiniert werden, sei noch eine allgemeine Anmerkung zum *Verhältnis von universaler Grammatik und einzelsprachlicher Grammatik* gemacht.

Zunächst eine terminologische Klarstellung. Der Begriff »Grammatik« wird häufig, und so auch hier, in doppeltem Sinn verwendet. Zum einen ist damit *das sprachliche Wissen* gemeint, das mit der Kenntnis der universalen Grammatik bzw. einer einzelsprachlichen Grammatik verbunden ist. Zum anderen ist damit aber auch die *Beschreibung* oder *Theorie des jeweiligen sprachlichen Wissens* gemeint. Aus dem Kontext geht meist klar hervor, in welchem Sinne von »Grammatik« die Rede ist, so etwa, wenn man sagt, daß das Kind eine Grammatik »internalisiert« hat, daß der Ausländer die deutsche Grammatik beherrscht, daß die und die deutsche Grammatik inkorrekt ist, daß die Grammatik adäquat zu sein hat, daß eine Grammatik anzufertigen das Ziel des Sprachwissenschaftlers ist, daß die deutsche Grammatik schwerer ist als die italienische etc.

Die allgemeine Anmerkung betrifft nun die Frage, wie man sich das Verhältnis von universaler Grammatik und einzelsprachlicher Grammatik vorzustellen hat. Wie hängt der Erwerb einer bestimmten natürlichen Sprache von den universellen Prinzipien der universalen Grammatik, also der angeborenen Sprachfähigkeit ab? Oder anders ausgedrückt: Wenn der angeborene Sprach-Schematismus bei allen Menschen gleich ist, wie ist dann die Vielfalt natürlicher Sprachen zu erklären, und wovon hängt es ab, daß der eine die deutsche und der andere die russische Grammatik erwirbt?

Oben wurde gesagt, daß die Daten, mit denen das Kind konfrontiert ist, die Prinzipien der universalen Grammatik »auslösen«. Nun gibt es zu jedem sprachlichen Datum eine unendliche Menge von Regeln – und entsprechend eine unendliche Menge von Grammatiken –, die diesem Datum zugrundeliegen könnte. Machen wir uns das an einem einfachen Beispiel klar. Die Bildung eines einfachen Ja/Nein-Fragesatzes aus einem Deklarativsatz wie bei

(8) Peter kommt.

(9) Kommt Peter?

kann im Prinzip durch eine Vielzahl von Regeln »erklärt« werden. Die Regel könnte lauten, daß das zweite Wort an die erste Stelle kommt, daß das letzte Wort an die erste Stelle kommt, daß das erste und das letzte Wort miteinander vertauscht werden, daß das vorletzte und das letzte Wort vertauscht werden usw. Ein Kind käme nie dazu, die »richtige« Regel zu finden, wenn nicht die in Betracht kommende Regelmenge durch Prinzipien der universalen Grammatik drastisch eingeschränkt würde. Solche Prinzipien betreffen z. B. die Tatsache, daß Regeln der betreffenden Art *strukturabhängig* sind, also nicht einfach auf bloße Abfolgen von Wörtern bezogen sind, sondern in bestimmter Weise strukturierte sprachliche Einheiten betreffen. Da weder die Daten allein eine Regel determinieren, noch die universellen Prinzipien allein bestimmte sprachliche Regeln fixieren – schließlich handelt es sich ja um *universelle* Prinzipien –, da vielmehr erst das Zusammenwirken beider zum Erwerb einer speziellen Grammatik führt, muß angesichts der Vielfalt natürlich-sprachlicher Grammatiken angenommen werden, daß die determinierende Rolle der universellen Prinzipien *parametrisiert* ist. D. h. diese universellen Prinzipien lassen für bestimmte Bereiche *Alternativen* zu, deren Wahl durch die jeweiligen sprachlichen Daten bestimmt wird.

Um eine Vorstellung davon zu erhalten, wie solche Parameter aussehen können, wollen wir noch einmal den in Abschnitt (2.) bereits illustrierten Prozeß der Bildung von W-Fragen betrachten.

Wenn wir ein direktes Objekt durch ein W-Wort ersetzen, so können wir im Deutschen durch Voranstellung dieses W-Wortes eine solche Frage bilden, cf.

(10) (a) Hans sah den Mann.
      (b) Wen sah Hans?

Diese Voranstellung eines W-Wortes ist im Deutschen auch dann möglich, wenn dieses W-Wort das direkte Objekt eines Nebensatzes darstellt, cf.

(11) (a) Hans glaubt, Peter habe den Mann gesehen.
      (b) Wen glaubt Hans, habe Peter gesehen?

Ist der Nebensatz durch eine Konjunktion *daß* eingeleitet, dann geht die betreffende Fragesatzbildung nur noch in bestimmten regionalen Varianten des Deutschen, cf.

(12) (a) Hans glaubt, daß Peter den Mann gesehen hat.
      (b) Wen glaubt Hans, daß Peter gesehen hat?

In allen regionalen Varianten des Deutschen ist diese Fragesatzbildung jedoch unmöglich, wenn der Nebensatz selbst durch ein
W-Wort eingeleitet wird, cf.

(13) (a) Hans fragt, wer den Peter gesehen hat.
      (b) *Wen fragt Hans wer gesehen hat?

Genauso unmöglich ist es im Deutschen, einen Ausdruck zu er-
fragen, der innerhalb eines präpositionalen Ausdrucks steht, cf.

(14) (a) Hans hat ein Foto von Wittgenstein gesehen.
      (b) *Wem hat Hans ein Foto von gesehen?

Die hier kurz dargestellten Verhältnisse im Deutschen lassen sich
nicht ohne weiteres auf andere Sprachen übertragen. So ist z. B.
das englische Pendant zu dem zuletzt genannten Beispiel des
Deutschen grammatisch, cf.

(15) (a) You saw a picture of Wittgenstein.
      (b) Who did you see a picture of?

Und im Italienischen kann man ein W-Wort auch dann aus einem
Nebensatz voranstellen, wenn dieser selbst durch ein W-Wort
eingeleitet ist, cf.

(16) (a) Mi domando che storie abbiano raccontato a Pietro. (Ich frage
          mich, welche Geschichten sie dem Peter erzählt haben.)
      (b) L'uomo a cui mi domando che storie abbiano raccontato. (Der
          Mann, welchem ich mich frage, welche Geschichten sie erzählt
          haben.)

Offenkundig gibt es Beschränkungen für die Voranstellung von
W-Wörtern, und diese Beschränkungen könnten irgendwie etwas
zu tun haben mit dem »Weg«, den ein W-Wort bis zur Spitze des
Satzes zurücklegen muß.
Nehmen wir einmal an, ein W-Wort dürfte auf diesem Weg eine
bestimmte Anzahl von »Grenzen« nicht überschreiten. Dann
könnte ein universelles Prinzip lauten, daß nicht mehr als zwei
Grenzen überschritten werden dürfen. In einem universellen
Prinzip dieser Art würde nun die Kategorie der »Grenze« als
Parameter aufzufassen sein, denn wie der Vergleich zwischen
dem Deutschen, dem Englischen und dem Italienischen zeigt,
könnten die illustrierten Unterschiede daran liegen, daß in den

jeweiligen Sprachen jeweils unterschiedliche Kategorien als eine Grenze fungieren. Der Parameter der Grenze könnte also insofern unterschiedlich fixiert werden, als in den verschiedenen Sprachen unterschiedliche Dinge als Grenze anzusehen sind.

Man kann also sagen, daß die Anwendungsformen bestimmter Prinzipien, also die Art, wie sie zur Geltung gelangen, durch die Art der Daten, von denen sie ausgelöst werden, bestimmt sind. Oder formaler ausgedrückt: Die Prinzipien enthalten Parameter, die durch Konfrontation mit sprachlichen Daten in einer für verschiedene Sprachen variierenden Weise fixiert werden. Wie das konkret für bestimmte grammatische Regeln aussieht, werden wir in späteren Abschnitten sehen.

4. Kompetenz und Performanz

Im Zusammenhang mit dem Argument von der Unzulänglichkeit des Stimulus wurde darauf hingewiesen, daß die sprachlichen Daten, denen das Kind ausgesetzt ist, vielfach defekt sind. Dies fängt schon bei der Aussprache an. Rein lautlich gesehen gleicht keine Äußerung einer anderen. Aber obwohl zwei Äußerungen eines Ausdrucks A lautlich voneinander abweichen, ist das Kind in der Lage, eine richtige Aussprache dieses Ausdrucks zu lernen, und jeder Sprecher des Deutschen ist in der Lage, die zweite Äußerung als *Wiederholung des Ausdrucks A* zu identifizieren.

Die Tatsache, daß wir also in einem gewissen Sinne mehr lernen, als der Gebrauch der uns begegnenden Daten uns zeigt, hat ihre Entsprechung darin, daß wir nach diesem Lernprozeß mehr können, als wir im tatsächlichen Sprachgebrauch zeigen. Wenn man z. B. den Satz betrachtet (Drach (1963))

(17) Derjenige, welcher denjenigen, welcher den Pfahl, welcher an der Brücke, welche über den Fluß führt, steht, umgeworfen hat, anzeigt, erhält eine Belohnung.

so ist klar, daß man ihn kaum verwenden wird und seiner Äußerung aufgrund unseres begrenzten Kurzzeitgedächtnisses auch nur schwer folgen kann. Dennoch ist dieser Satz grammatisch einwandfrei, was wir sofort beurteilen können; und wenn wir ihn lesen wie einen Isokrates-Text im Griechischunterricht, bereitet er unserem Verständnis auch keine Schwierigkeiten.

Unsere *sprachlichen* Fähigkeiten gehen sogar noch weiter. Wir können durch Anfügen von »und«-Sätzen, Verschachtelung von Relativsätzen, Aneinanderreihung von Adjektiven etc. Sätze bilden, die *unendlich* lang sind. Daß uns dabei das Gedächtnis im Stich läßt, daß uns die Zeit, der Atem oder das Leben ausgehen wird, ist kein Defekt unserer *Sprach*fähigkeit.

Wir wollen die Fähigkeit, die unserem Sprachgebrauch zugrundeliegt, *sprachliche Kompetenz* nennen, und die Art und Weise, wie wir von dieser Fähigkeit im Sprachgebrauch – bedingt durch Faktoren wie Gedächtnis, Konzentration, Müdigkeit etc. – mehr oder weniger einwandfreien Gebrauch machen, wollen wir als *sprachliche Performanz* bezeichnen.

Daß der Unterschied zwischen Kompetenz und Performanz bereits Alice im Wunderland geläufig war, kann man der folgenden Passage aus Lewis Carrolls Buch entnehmen (cf. Fromkin/Rodman 1978)):

(18) »Ich bin ganz deiner Meinung«, sagte die Herzogin; »und die Moral davon ist: ›Scheine, was du bist, und sei, was du scheinst‹ – oder einfacher ausgedrückt: ›Sei niemals ununterschieden von dem, als was du jenen in dem, was du wärst oder hättest sein können, dadurch erscheinen könntest, daß du unterschieden von dem wärst, was jenen so erscheinen könnte, als seiest du anders!‹«
»Ich glaube, das könnte ich leichter verstehen«, erwiderte Alice sehr höflich, »wenn ich es geschrieben vor mir hätte; beim bloßen Zuhören komme ich leider nicht ganz mit.«
»Das ist noch gar nichts gegen das, was ich alles sagen könnte, wenn ich nur wollte!« sagte die Herzogin geschmeichelt.

Wir wollen uns nicht weiter damit abgeben, was die Herzogin alles sagen könnte, sondern uns vielmehr genauer ansehen, was alles außer der Fähigkeit, beliebig viele und beliebig lange Sätze zu bilden und zu verstehen, zur Kompetenz eines Muttersprachlers zu rechnen ist, bzw., um genauer zu sein: worin sie sich äußert. Denn worin sie besteht, ist klar: in der Beherrschung der Regeln, die einer Sprache zugrundeliegen.

Die sprachliche Kompetenz äußert sich u. a. in folgendem. Der kompetente Sprecher kann

(a) über die Identität zweier Äußerungen entscheiden;
(b) Ausdrücke korrekt segmentieren, d. h. z. B. eine Folge von Lauten korrekt in einzelne Ausdrücke zerlegen;
(c) entscheiden, ob ein Ausdruck grammatisch ist oder nicht;

(d) die Bedeutungsgleichheit von Ausdrücken sowie die Ambiguität eines Ausdrucks feststellen, z. B. die Ambiguitäten in den Beispielen

(19) Der Mann überrascht den Liebhaber im Schlafanzug.
(20) Der Vater läßt die Kinder für sich sorgen.

(e) Grade der sprachlichen Abweichung unterscheiden, wie sie in zunehmendem Maße in den folgenden Beispielen vorliegt:

(21) Hans kommt aus Fallingbostel.
(22) Hans kommt aus Liebe.
(23) Hans kommt aus Liebe und aus Fallingbostel.
(24) Von mir wird ein Film gesehen.
(25) Er hat aus Berlin gestammt.
(26) Ich habe gestürzt.
(27) Er sagte, daß du hast in Italien gelebt.
(28) Mancher in Deutschland wollen gehen in Italien.
(29) Huming la burbu loris singen vorn.

(f) Typen sprachlicher Abweichung unterscheiden, wie etwa in den Beispielen (26) und (27);
(g) Unterschiede in den strukturellen Beziehungen innerhalb von Sätzen erkennen, z. B. die Unterschiede zwischen

(30) Lehrer sind schwer zu überzeugen.
(31) Schüler sind bereit zu arbeiten.

Wir haben Kompetenz hier auf die Fähigkeit bezogen, Sätze zu bilden und zu verstehen. Von dieser Kompetenz haben wir die Performanz unterschieden als eine Art des Gebrauchs von Sätzen, die die Kompetenz nicht immer in ihrer »reinen« Form widerspiegelt.
Nun ist es aber nicht so, daß der Gebrauch von Sätzen nur eine defiziente Form der Kompetenz ist. Dem Gebrauch von Sätzen liegt vielmehr eine eigene Form der Kompetenz zugrunde.
Es handelt sich hier um eine Kompetenz, die sich nicht auf die *strukturelle Bildung und Rezeption von Sätzen* bezieht, sondern auf die kompetente *Verwendungsweise kompetent gebildeter Sätze in den angemessenen Kontexten.* Diese Art von Kompetenz betrifft also Fähigkeiten wie sie sich etwa darin äußern
(h) daß der kompetente Sprecher die Äußerung

(32) Ich verspreche dir, daß ich dir das Buch morgen zurückbringe.

unter entsprechenden Umständen als ein Versprechen versteht
und zu einem Versprechen verwenden kann;
(i) daß er den Unterschied zwischen

(33) Kannst du mir helfen, den Schrank hochzutragen?
(34) Kannst du mir wenigstens helfen, den Schrank hochzutragen?

beurteilen kann;
(j) daß er die Äußerung bei Tisch

(35) Kannst du mir das Salz reichen?

nicht nur mit »Ja« beantwortet und sonst nichts tut;
(k) daß er die Äußerung

(36) Hans ist ein Lügner, aber ich glaube nicht, daß er ein Lügner ist.

als merkwürdig auffaßt;
(l) daß er die Äußerung

(37) Hans weiß, daß Peter Maria liebt, aber Peter liebt Maria nicht.

als in irgendeinem Sinne abweichend empfindet;
(m) daß er einen Akzeptabilitätsunterschied zwischen den folgenden Beispielen feststellt;

(38) Hans und Maria haben geheiratet. Er ist blond und sie ist fast
schwarz.
(39) Ich habe mir heute eine Schreibmaschine und einen Computer gekauft. Sie ist rot und er ist fast schwarz.

(n) daß er den Logbucheintrag des Steuermanns in folgender Anekdote als eine Diffamierung des Kapitäns versteht: Der Kapitän ist erbost über die Trunkenheit des Steuermanns und
trägt ins Logbuch ein:

(40) »8. 1. 86: Der Steuermann ist heute betrunken.«

Als der wieder nüchtern gewordene Steuermann diesen Ein-
trag liest, ärgert er sich, und schreibt darunter:

(41) »8. 1. 86: Der Kapitän ist heute nicht betrunken.«

Wir wollen die *den Gebrauch von Sätzen* regelnde Kompetenz
pragmatische Kompetenz nennen und die vorher dargestellte, die
Satzbildung betreffende Kompetenz als *grammatische Kompetenz* bezeichnen.
Um den Unterschied noch einmal an einem Beispiel zu illustrieren: Während wir aufgrund pragmatischer Kompetenz verstehen,
auf wen sich – bei entsprechendem Kontext – »sie« im folgenden
Beispiel bezieht

(42) Sie glaubt, daß Maria schwanger ist.

verstehen wir aufgrund grammatischer Kompetenz, daß diese durch »sie« bezeichnete Person eine andere als die schwangere Maria ist.

Halten wir fest, daß sich die Frage nach dem Gebrauch sprachlicher Äußerungen auf zweierlei beziehen kann. Zum einen auf die die pragmatische Kompetenz konstituierenden Regelhaftigkeiten, zum anderen auf die durch Performanzfaktoren bedingten »Realisierungsweisen« der grammatischen (oder auch pragmatischen) Kompetenz.

Da es die Aufgabe des Linguisten ist, die die Kompetenz konstituierende Regelbeherrschung von Muttersprachlern zu rekonstruieren, sieht er sich bei der Überprüfung seiner diesbezüglichen Hypothesen mit einem gravierenden Problem konfrontiert. Da sich die Kompetenz aufgrund von Performanzfaktoren in den sprachlichen Daten niemals in ihrer reinen Form präsentiert, muß der Linguist, wenn er diese Daten zur Überprüfung seiner Hypothesen heranzieht, von diesen Performanzfaktoren abstrahieren. D. h. er muß Idealisierungen vornehmen. Eine dieser Idealisierungen betrifft die Annahme einer sog. »homogenen Sprachgemeinschaft«. Damit ist gemeint, daß der Linguist, wenn er seine grammatischen Hypothesen an sprachlichen Daten überprüft, von Individuen- oder Gesellschafts-spezifischen Ausprägungen der in diesen Daten sich widerspiegelnden Kompetenz abstrahiert. Solche, den Datenbereich betreffenden Idealisierungen bilden jedoch auch in anderen Bereichen eine übliche Maßnahme bei dem Versuch wissenschaftlicher Systematisierungen.

5. Die Modularität sprachlichen Wissens

Im letzten Abschnitt wurde die pragmatische Kompetenz als eine Fähigkeit *sui generis* von der grammatischen Kompetenz unterschieden. Diese Form der Kompetenz regelt die Situierung von Sätzen in Kontexten. Wie die zu ihrer Illustration angeführten Beispiele zeigen, kann die geregelte Situierung von Sätzen in Kontexten aber nicht als eine *einzige* spezifische Fähigkeit angesehen werden. Dabei spielen vielmehr eine ganze Reihe unterschiedlicher Faktoren eine Rolle.

Diese Faktoren betreffen etwa das System unserer generellen Überzeugungen (vgl. z. B. das Kapitän/Steuermann-Beispiel); sie betreffen Prinzipien, die unsere Wahrnehmung steuern, das System der sozialen Beziehungen, Prinzipien, nach denen wir begriffliche Unterscheidungen vornehmen, affektive Prozesse etc. D. h., wir müssen diese pragmatische Kompetenz als ein komplexes, »systematisches« Konglomerat unterschiedlicher, zusammenspielender Faktoren ansehen.

Wenn es nun richtig ist, wie wir bzgl. der grammatischen Kompetenz angenommen haben, daß ein angeborener Schematismus in Form der universalen Grammatik den Erwerb unseres einzelsprachlichen *grammatischen Wissens* ermöglicht und determiniert, die theoretische Annahme eines solchen Schematismus also das Faktum dieses Erwerbs erklären kann, dann drängt sich die Frage auf, ob nicht der Erwerb der *pragmatischen* Kompetenz durch vergleichbare universelle Prinzipien ermöglicht und gesteuert ist.

Da wir schon annehmen dürfen, daß die pragmatische Kompetenz Resultat vielfältiger interagierender Fähigkeitssysteme ist, hieße das, daß diesen Fähigkeiten jeweils ein eigenes, durch universelle Prinzipien gesteuertes – und das hieße, letztlich auch neurophysiologisch differenzierbares – System zugrundeliegt.

Eine solche Annahme, daß komplexe Fähigkeiten durch das Zusammenspiel autonomer kognitiver Fähigkeitssysteme erklärbar sind, wollen wir *Modularitätsannahme* nennen, bzw. wir wollen sagen, daß die betreffende komplexe Fähigkeit *modular organisiert* ist (cf. dazu u. a. Fodor (1983), Fanselow/Felix (1987)). Ob und inwieweit eine solche modulare Struktur für eine Fähigkeit anzunehmen ist, und ob ihr wie der grammatischen Fähigkeit universelle Prinzipien zugrundeliegen, ist eine empirische Frage, die ebenso wie im Fall der letzteren durch die entsprechenden Argumente zu entscheiden ist.

Es gibt allerdings bereits Erkenntnisse der Naturwissenschaften, die auch bzgl. einiger die pragmatische Kompetenz konstituierender Fähigkeiten die Annahme angeborener, erbfixierter, universeller Prinzipien plausibel erscheinen lassen. So geben etwa die – durch den Nobelpreis populär gewordenen – Untersuchungen von *Hubel* und *Wiesel* über das visuelle System bei Säugetieren Anlaß zu dem Schluß, daß unsere Perzeption nicht nur modular organisiert ist – etwa durch die autonomen Bereiche des visuellen, des auditiven oder des taktilen Systems – sondern auch, daß für diese autonomen Teilsysteme jeweils sozusagen eine »universale Grammatik sui generis« anzunehmen ist.

Im folgenden soll provisorisch und ohne Anspruch auf Vollständigkeit lediglich illustriert werden, welche einer pragmatischen Kompetenz zugrundeliegenden interagierenden Systeme man unterscheiden könnte (cf. Bierwisch (1981)):

– das *perzeptive* System, das den Bereich der Wahrnehmung als autonomes, selbst wiederum modular organisiertes Verhaltenssystem ausweisen würde;

– das *motorische* System, das für die Effektor-Organe (z. B. Artikulationsorgane, Gestik etc.) und deren interne Steuerung einen autonomen Bereich postuliert;

– das *motivationale* System, das unsere Verhaltensabläufe als durch strukturierte Hierarchien von Zielen und Teilzielen organisiert sieht, deren oberste Dominanten in fundamentalen, phylogenetisch herausgebildeten Bedürfnissen und Antrieben bestehen;

– das *konzeptuelle* System, das für die Unterscheidungen und Beziehungen in unserem inneren begrifflich strukturierten Modell der Umwelt angeborene autonome Prinzipien annimmt;

– das System der *sozialen Interaktion*, das die Formen, Bedingungen und Konsequenzen interpersonaler Beziehungen und Verhaltensabläufe determiniert, und für das mit Sicherheit ebenfalls eine eigene modulare Organisation angenommen werden muß, da es z. B. schon das System der Kommunikation als Teilbereich enthielte;

– das *affektive* System, das auch für die affektiven und emotionalen Aspekte des Verhaltens Strukturierungen annimmt, die durch eigene Prinzipien determiniert sind und Repräsentationen spezifischer Art besitzen.

Man könnte diese Aufzählung weiterführen mit Systemen, die nur noch potentiell mit einer pragmatischen Kompetenz in Zusammenhang gebracht werden können, wie etwa das logische und arithmetische System, das System der ästhetischen Wertung, das System der ethischen Wertung, das musikalische System etc.

Wenn sich für die pragmatische Kompetenz eine modulare Organisation annehmen läßt, und wenn sich diese Organisation repräsentierende, autonome, durch universelle Prinzipien determinierte Teilsysteme unterscheiden lassen, so stellt sich die Frage, ob für das der grammatischen Kompetenz zugrundeliegende *grammatische System* nicht ebenfalls eine modulare Organisation angenommen werden muß, und ob sich entsprechende, interagierende Teilsysteme ausmachen lassen.

In der Tat ist auch das grammatische System als eine komplexe Organisation verschiedener Teilsysteme aufzufassen. Wie sich in neueren Forschungen bei der gesonderten Behandlung der einzelnen Teilsysteme gezeigt hat, liegen diesen selbst wiederum modulare Organisationen zugrunde, die bisweilen sogar »quer« zu diesen Teilsystemen stehen, so daß spätere Forschung diese Teilsysteme möglicherweise sogar als obsolete Klassifikation erweisen wird. Da sie bis heute allerdings fest in der grammatischen Tradition verankert sind, wollen wir solche Spekulationen vorerst außer acht lassen.

Die die grammatische Kompetenz konstituierenden Fähigkeiten bzw. die dem *grammatischen* System zugrundeliegenden Teilsysteme sind:
– das phonetisch/phonologische System
– das morphologische System
– das syntaktische System
– das semantische System

Zu den *phonologischen* Fähigkeiten eines deutschen Muttersprachlers gehört z. B., daß er die Lautregeln, die der Aussprache deutscher Äußerungen zugrundeliegen, beherrscht, daß er über die lautliche Wohlgeformtheit und Lautstruktur von Äußerungen des Deutschen intuitiv richtige Urteile abgeben kann. Diese Fähigkeiten betreffen also z. B. die Tatsache, daß ein Sprecher des Deutschen »weiß«, daß das »b« in dem Wort *Diebe* als ein *b*, daß es im Singular dieses Wortes, also in *Dieb*, jedoch als ein *p* ausgesprochen wird.

Zu den *morphologischen* Fähigkeiten gehört das »Wissen«, wie aus bedeutungstragenden sprachlichen Einheiten korrekte Wörter gebildet werden, wie also z. B. Wortstämme und Flexionsendungen kombiniert werden, daß es z. B. *trink-bar* und nicht *bar-trink* heißen muß, daß zwar von *anfangen Anfänger* gebildet werden kann, aber von *ankommen* nicht *Ankommer*.

Zu diesem Wissen gehören auch Intuitionen über die morphologische Struktur eines Wortes, daß also z. B. der Sonnenschutz ein Schutz vor der Sonne, der Arbeitsschutz aber kein Schutz vor der Arbeit ist, daß ein Gasthof etwas anderes ist als ein Hofgast etc.

Daß dieses die Struktur von Wörtern betreffende Wissen produktiv ist – also auch neue, noch nicht gehörte Wörter betrifft – sieht man an der Vielzahl von Wortneubildungen, die es in spezifischen Bereichen des Deutschen gibt.

Die zur grammatischen Kompetenz gehörenden *syntaktischen* Fähigkeiten umfassen die Fähigkeit, Wörter zu Wortgruppen und Wortgruppen zu grammatischen Sätzen zu kombinieren, sowie das Beurteilungsvermögen, Wortfolgen in grammatische und ungrammatische Sätze einzuteilen. Sie umfassen auch Intuitionen über die syntaktische Struktur von Sätzen, etwa das »Wissen«, daß in dem Satz *Hans liebt sehr schnelle Autos* das *sehr* das *schnelle* modifiziert und nicht etwa das *liebt*.

Die zur grammatischen Kompetenz gehörenden *semantischen* Fähigkeiten betreffen die Art, wie wir mit Hilfe von Wörtern oder Sätzen Bedeutungen zum Ausdruck bringen; sie betreffen unsere Intuitionen darüber, wie sich die Bedeutung von Sätzen aus den Bedeutungen ihrer Bestandteile ergibt; und sie betreffen schließlich unsere Intuitionen darüber, welche Bedeutungsrelationen zwischen Satzteilen und Sätzen bestehen bzw. bestehen müssen.

Die grammatische Kompetenz umfaßt also Fähigkeiten, die unser »Wissen« bzgl. der phonologischen/morphologischen/syntaktischen/semantischen Wohlgeformtheit und Struktur sprachlicher Ausdrücke betreffen. Dieses Wissen besitzen wir, weil wir die phonologischen / morphologischen / syntaktischen / semantischen Regeln unserer Grammatik, d. h. der Grammatik unserer Sprache, beherrschen. Die vom Linguisten vorzunehmende Beschreibung dieser Regeln, also die Grammatik, ist ein *Modell der grammatischen Kompetenz*.

6. Aufgaben und Komponenten der Grammatik

Fragen wir uns noch einmal, was eine Grammatik ist und woraus sie besteht. Als Sprecher des Deutschen sind wir in der Lage,
– die Sätze des Deutschen weitgehend korrekt zu bilden
– Urteile über die grammatische Korrektheit von deutschen Sätzen abzugeben
– Urteile über die Strukturen von deutschen Sätzen abzugeben.
Eine Grammatik ist eine Imitation dieser Fähigkeit bzw. ein Mo-

dell der Kompetenz des Muttersprachlers. Geht man davon aus, daß dieser Fähigkeit die Beherrschung von Regeln zugrundeliegt, so soll eine Grammatik die Regeln rekonstruieren,

– die die Bildung aller grammatisch korrekten Sätze des Deutschen erlauben, und zwar nur der grammatisch korrekten Sätze des Deutschen
– nach denen Sätze solche Strukturen haben, wie wir sie ihnen intuitiv zuschreiben (die Grammatik soll Sätzen korrekte Strukturbeschreibungen zuschreiben).

Die Frage, welche Form eine Grammatik haben muß, steht im Zusammenhang mit der Frage, was man als die grammatischen Eigenschaften einer Sprache anzusehen hat. Eine *Theorie der Grammatik* kann daher aufgefaßt werden als eine Hypothese über universelle grammatische Eigenschaften und damit als eine Hypothese über die universelle menschliche Sprachfähigkeit. Eine Theorie der Grammatik ist damit letztlich eine Hypothese über Strukturen und Fähigkeiten des menschlichen Geistes.

Mit diesen drei Aufgaben

1. Angabe von Regeln zur Bildung aller und nur grammatischer Sätze
2. Zuordnung korrekter Strukturbeschreibungen
3. Hypothese über die universelle Sprachausstattung

sind drei *Kriterien* verbunden, mit Hilfe derer die Adäquatheit von Grammatiken beurteilt werden kann:

1. Beobachtungsadäquatheit
2. Beschreibungsadäquatheit
3. Erklärungsadäquatheit

Eine Grammatik ist *beobachtungsadäquat,* wenn ihre Regeln alle grammatischen Sätze einer Sprache und nur diese zu bilden erlauben.

Eine Grammatik ist *beschreibungsadäquat,* wenn sie beobachtungsadäquat ist und wenn ihre Regeln den Sätzen dieser Sprache intuitiv korrekte Strukturbeschreibungen zuordnen.

Eine Grammatik ist *erklärungsadäquat,* wenn sie beschreibungsadäquat ist und wenn sie im Einklang mit einer Theorie der Grammatik steht, die eine korrekte Hypothese über die menschliche Sprachausstattung darstellt.

Die Frage, welche Form eine Grammatik für eine menschliche Sprache haben muß, ist keineswegs Gegenstand linguistischer Übereinstimmung. Es besteht allerdings weitgehende Übereinstimmung, daß eine Grammatik die folgenden *Komponenten* haben muß:

(a) ein *Lexikon*, in dem jedes Wort einer Sprache aufgeführt ist zusammen mit folgenden Informationen:

- einer Angabe seiner Bedeutung
- einer Angabe seiner Aussprache
- einer Angabe seiner internen Struktur (Stamm, Kompositum etc.) und Beziehung zu anderen Wörtern der Sprache (Wortart)
- einer Angabe, welche Rolle es bei der Bildung von Sätzen spielt (z. B. transitives oder intransitives Verb; verlangt es ein Objekt, einen daß-Satz etc., also eine Angabe über den grammatischen »Rahmen«, den es verlangt);

(b) eine *phonologische Komponente,* die das Lautinventar einer Sprache beschreibt sowie die Art, wie diese Laute zu Wörtern kombiniert werden;

(c) eine *syntaktische Komponente,* die beschreibt, wie die Wörter einer Sprache zur Bildung von Wortgruppen und Sätzen kombiniert werden;

(d) eine *semantische Komponente,* in der beschrieben wird, wie sich die Bedeutung eines Satzes aus den Bedeutungen seiner Wörter und den speziellen Beziehungen zwischen diesen ergibt.

Diese grammatischen Komponenten sowie systematische Regularitäten der pragmatischen Kompetenz wollen wir nun im weiteren Verlauf dieser Einführung im Detail betrachten.

II Phonetik

1. Gegenstand und Probleme der Phonetik

Wenn man sagt, daß die Phonetik die Laute untersucht, von denen menschliche Sprachen Gebrauch machen, so ist das nicht genau genug. Man möchte wissen, in welchem Sinne diese Sprachen von Lauten Gebrauch machen müssen, damit letztere Gegenstand der phonetischen Beschreibung sind.

Wenn ein Sprecher des Deutschen heiser ist und seine deutschen Sätze nur noch röchelnd hervorbringen kann, so nehmen wir nicht an, daß die betreffenden akustischen Besonderheiten Gegenstand phonetischer Beschreibung sind. Auch wenn ein Sprecher des Deutschen die Gewohnheit hat, seine Sätze mit Schnalzlauten zu untermalen, werden wir nicht sagen, daß das Deutsche von dieser Art von Lauten Gebrauch macht. Andererseits gibt es afrikanische Sprachen, in denen von Schnalzlauten ebensoviel abhängt wie im Deutschen davon, ob man der Lautfolge *ein* den Laut *b* oder den Laut *p* voranstellt.

Wir können also etwas genauer sagen: Solche Laute sind Gegenstand phonetischer Untersuchungen, von denen menschliche Sprachen Gebrauch machen, um *Bedeutungen* auszudrücken.

Ein Beispiel:
Das deutsche Wort *Tor* wird im Gegensatz zu dem deutschen Wort *Stein* mit aspiriertem *t* gesprochen. *Tor* spricht man also so aus, als ob es mit *th* anfangen würde.

Obwohl also der Unterschied zwischen aspiriertem und nichtaspiriertem *t* in der deutschen Aussprache eine Rolle spielt, hat er keine Funktion für die Mitteilung von Bedeutungen. Es gibt nämlich keine zwei bedeutungsverschiedenen Wörter des Deutschen, deren Aussprache sich nur darin unterscheidet, daß im einen ein Laut aspiriert gesprochen wird, der im anderen nichtaspiriert gesprochen wird.

Anders ist dies etwa im Thailändischen.
Wenn man nämlich in dem thailändischen Ausdruck *tam* das *t* so ausspricht, wie in deutsch *Tor*, so bedeutet dieser *tun*; spricht

man es dagegen so aus wie in dem deutschen Wort *Stein*, so bedeutet der Ausdruck *zerstampfen*. Der Lautunterschied zwischen aspiriertem und nichtaspiriertem *t* spielt im Thailändischen also eine Rolle für die Mitteilung von Bedeutungen. Er ist also *Gegenstand phonetischer Untersuchungen*.

Die von der Phonetik zu untersuchenden Laute können prinzipiell unter *drei verschiedenen Gesichtspunkten* analysiert bzw. klassifiziert werden:

(a) artikulatorisch, d. h. nach ihrer Bildungsweise mit den Sprechwerkzeugen

(b) akustisch, d. h. nach ihren physikalischen Eigenschaften (Schallwellen)

(c) auditiv, d. h. nach ihrem Gehöreindruck.

Der Art der Analyse entsprechend wird zwischen *drei Arten von Phonetik* unterschieden:

(a′) artikulatorischer Phonetik

(b′) akustischer Phonetik

(c′) auditiver (perzeptiver) Phonetik.

Wenn man sagt, daß die Phonetik Laute untersucht, so mag dies auf den ersten Blick als ein unproblematisches Unternehmen erscheinen. Dieser Eindruck wird allerdings sofort revidiert, wenn man sich vorstellt, ein Vietnamese sage einem auf vietnamesisch *Guten Tag*, und man solle angeben, welche Laute er geäußert hat. Man ist also mit einem ersten gravierenden phonetischen Problem konfrontiert, der Frage nämlich, *was überhaupt ein einzelner Laut ist*.

Jede Äußerung stellt physikalisch gesehen *ein Kontinuum* dar. Auch der artikulatorische Zugang hilft uns nicht weiter: Die Kontraktionszustände der Muskeln des Sprechapparates weisen ein kontinuierliches Zu- und Abnehmen auf, und wie wenig verläßlich der auditive Eindruck ist, zeigt uns das vietnamesische *Guten Tag*.

Daß Äußerungen ein Lautkontinuum darstellen, fällt uns allerdings erst auf, wenn wir ein Beispiel aus einer uns fremden Sprache betrachten. In *unserer* Sprache haben wir nämlich keine Schwierigkeit, ein geäußertes Wort als eine *Folge von diskreten Lauten* wahrzunehmen. Wenn jemand das Wort *rot* äußert, so hören wir eine Folge von drei Lauten, nämlich *r, o* und *t*, und diese Folge hören wir deshalb, *weil wir deutsch können*. Was wir also hören, hängt u. a. davon ab, was wir wissen.

43

Selbst wenn man also die Äußerungen einer Sprache ohne Kenntnis dieser Sprache kaum adäquat segmentieren können wird, gibt es dennoch gute Gründe für die Annahme, daß jede Äußerung linguistisch gesehen als eine lineare Folge diskreter Lautsegmente (oder, wie wir später sehen werden, sogar als ein mehrdimensional komponiertes Konglomerat solcher Segmente) aufzufassen ist.

Einer dieser Gründe besteht darin, daß Native Speaker auf die Frage, aus wie vielen Lauten eine Äußerung ihrer Sprache besteht, im allgemeinen übereinstimmende Antworten geben.

Einen weiteren Grund liefert die Tatsache, daß zahlreiche lautliche Prozesse wie z. B. die Tilgung, Einfügung, Umgruppierung von Lauten (cf. z. B. *Roland* vs. *Orlando* oder Lautvertauschungen in Versprechern), wie wir in Kap. (III.) sehen werden, in der Tat einzelne Segmente betreffen, also voraussetzen, daß die involvierten Laute in der Tat voneinander und vom Rest der Äußerung unterschieden werden können.

Dem Problem, *ein sprachliches Schallereignis in adäquater Weise zu segmentieren*, korrespondiert ein anderes Problem. Wer genau hinhört, wird feststellen, daß es nie vorkommt, daß verschiedene Sprecher des Deutschen ein und dasselbe Wort in exakt der gleichen Weise aussprechen. Bei hinreichender phonetischer Selbstreflexion kann man sogar zu dem Schluß gelangen, daß auch bei ein und demselben Sprecher zwei Äußerungen ein und desselben Wortes niemals die genau gleiche Aussprache aufweisen. Wir können dann ein zweites phonetisches Problem so formulieren: *Wann sind zwei Laute gleich?*

Obwohl wir also unter lautlichen Gesichtspunkten niemals dasselbe sagen, haben wir dennoch keine Schwierigkeit, physikalisch verschiedene Laute als gleich zu beurteilen. Wiederum haben wir diese Schwierigkeiten genau deshalb nicht, *weil wir deutsch können*.

Die beiden angeführten phonetischen Probleme wurzeln in dem, was man allgemein als *die kategoriale Wahrnehmung von Lauten* bezeichnet. Diese nicht auf die Lautwahrnehmung beschränkte Eigenschaft unserer Perzeption, nämlich durch Wissen im Sinne kognitiver Fähigkeiten beschränkt bzw. determiniert zu sein, zeigt, daß offenbar auch hinsichtlich der Steuerung unserer Lautproduktion und Lautwahrnehmung von einem sprachlichen *Wissen* geredet werden kann, und daß dieses sprachliche Wissen die

Funktion betrifft, die Laute in unserer Sprache zur Vermittlung von Bedeutungen haben.

Angesichts der kategorialen Wahrnehmung von Lauten könnten wir die Perspektive eines omni-lingualen Sprechers einnehmen und eine *minimale Bedingung* für die Verschiedenheit von Lauten so formulieren: Zwei Laute sind dann verschieden, wenn es eine Sprache gibt, in der die Äußerung dieser Laute im oben genannten Sinne bedeutungsdifferenzierend ist.

Daß man zwei Laute als verschieden beurteilt, liegt nicht daran, daß die Wörter, in denen diese Laute vorkommen, verschieden geschrieben werden. Die orthographische Gestalt eines Wortes korrespondiert nicht immer mit seiner linguistisch relevanten Lautgestalt. *Leonardo da Vinci* wird *Wintschi* ausgesprochen, und obwohl wir in *ghoti* das *gh* aus *enough*, das *o* aus *women* und das *ti* aus *nation* haben, wird niemand diesen Ausdruck als engl. *fish* identifizieren (cf. Fromkin/Rodman (1978)).

Der gutgemeinte Vorschlag G. B. Shaws, die Orthographie so zu revidieren, daß Buchstabe und Laut eine eindeutige Korrespondenz eingehen, scheitert am Veto der Leser, für die angesichts der sprachgeschichtlichen Lautentwicklung alle Bücher in entsprechenden Zeitabständen neu gedruckt werden müßten.

Wenn man also Laute beschreibt, kann man sich nicht auf die *Orthographie* verlassen. Man benötigt eine neue Notation, die die gewünschte Korrespondenz zwischen Buchstabe und linguistisch relevantem Laut bereitstellt. Eine solche Notation hat in dem Sinne universell zu sein, daß sie es erlaubt, *jede Äußerung einer beliebigen Sprache* so zu transkribieren, daß ihre linguistisch wichtigen Laut-Aspekte erfaßt werden. Ein solches *sprachunabhängiges Transkriptionssystem* für Laute ist das sog. *International Phonetic Alphabet* (IPA), von dem es verschiedene Varianten gibt.

Wir wollen uns im folgenden jenen Ausschnitt dieses Alphabets ansehen, der für die Beschreibung des deutschen Lautsystems relevant ist. Wir halten uns dabei an die Konvention, daß *phonetische Symbole immer in eckigen Klammern* geschrieben werden.

2. Ein phonetisches Alphabet
für das Deutsche

Das folgende phonetische Alphabet für das Deutsche ist vereinfacht. Es berücksichtigt wichtige Eigenschaften, wie etwa Aspi-
rierung (pʰ) nicht. Es ist an der deutschen Standardsprache orientiert und läßt umgangssprachliche Besonderheiten und regionale
Varianten unberücksichtigt.

Vokale:

	[a]	Fall	[fal]	
	[ɑ]	fahl	[fɑːl]	
	[ɑ]	Fabrik	[fɑbʀɪk]	(nicht-nativ) (s. S. 62)
	[ɛ]	stellen	[ʃtɛlen]	
	[ɛː]	stählen	[ʃtɛːlən]	
	[eː]	stehlen	[ʃteːlən]	
	[e]	steril	[ʃteʀiːl]	(nicht-nativ)
	[ə]	Hexe	[hɛksə]	(»Schwa«)
	[ɔ]	Rotte	[ʀɔtə]	
	[oː]	rot	[ʀoːt]	
	[o]	Monolog	[monoloːk]	(nicht-nativ)
[ö]	[œ]	Hölle	[hölə]	
[öː]	[øː]	Höhle	[höːlə]	
[ö]	[ø]	Ökonom	[ʔökonoːm]	(nicht-nativ)
	[ɪ]	Schiff	[ʃɪf]	
	[iː]	schief	[ʃiːf]	
	[i]	Schikane	[ʃikɑːnə]	(nicht-nativ)
	[ʊ]	Rum	[ʀʊm]	
	[uː]	Ruhm	[ʀuːm]	
[ü]	[y]	dünn	[dön]	
[üː]	[ʏː]	Düne	[düːnə]	
[ü]	[ʏ]	Physik	[füzɪk]	(nicht-nativ)

Gleitlaute:

[j]	jung	[jʊŋ]
[w]	blau	[blaw]

Konsonanten:

[p]	Pein	[pajn]
[b]	Bein	[bajn]
[f]	fein	[fajn]

	[v]	Wein	[vajn]	
	[m]	mein	[majn]	
	[t]	Teich	[tajç]	
	[d]	Seide	[zajdə]	
	[s]	reißen	[ʀajsn]	
	[z]	reisen	[ʀajzn]	
	[n]	nein	[najn]	
	[ʀ]	rein	[ʀajn]	(Zäpfchen-*r*)
	[r]			(gerolltes *r*)
	[l]	Leinen	[lajnən]	
[š]	[ʃ]	Tasche	[taʃə]	
[ž]	[ʒ]	Loge	[lo:ʒə]	(nicht-nativ)
	[ç]	reich	[ʀajç]	(ich-Laut)
	[x]	Rauch	[ʀawx]	(ach-Laut)
	[k]	König	[kö:nɪk]	
	[g]	Gans	[gans]	
	[ŋ]	singen	[zɪŋən]	konkret [kɔŋkʀe:t]
	[h]	Haus	[haws]	
	[ʔ]	in	[ʔɪn]	(Glottisverschluß, Knacklaut)

für das Englische:

	[θ]	through	[θru:]
	[ð]	this	[ðɪs]
	[ʌ]	but	[bʌt]

3. Klassifizierung von Lauten

3.1. Warum klassifiziert man Laute?

Man kann Laute nach der Art klassifizieren, wie sie hervorgebracht werden. Schon vor mehreren tausend Jahren haben die Hindugrammatiker auf diese Weise die Laute des Sanskrit zu Gruppen zusammengefaßt, und das Verfahren, Laute nach artikulatorischen Gesichtspunkten zu klassifizieren, hat bis heute seine Aktualität nicht verloren. Der Grund für diese Art der Klassifikation ist darin zu sehen, daß die ähnliche Artikulation verschiedener Laute in allen möglichen Aussprachregeln eine wichtige Rolle spielt. Sehen wir uns dazu wieder ein Beispiel an (cf. Fromkin/Rodman (1978)): die Pluralbildung im Englischen.

47

Englische Kinder wissen schon im Alter von 2-3 Jahren, wie man den regulären Plural von Substantiven aus dem Singular bildet, und sie wissen dies, *bevor sie zu schreiben angefangen haben*. Sie gehen also nicht davon aus, daß einfach ein »s« angehängt wird. Die Regeln für die *Pluralbildung* im Englischen sehen folgendermaßen aus:

(1)   (a) Füge ein [s] an alle Wörter, die auf [p], [t], [k], [θ] oder [f] enden: caps, cats, sacks, myths, muffs.

(b) Füge ein [z] an alle Wörter, die auf [b], [d], [g], [v], [ð], [l], [r], [y], [w], [m], [n], [ŋ] oder auf einen Vokal enden: cabs, cads, bags, dives, lathes, mills, cars, boys, cows, cans, rams, things, zoos.

(c) Füge ein [əz] an alle Wörter, die auf [s], [z], [ʃ], [ʒ], [tʃ], [dʒ] enden: buses, causes, bushes, garages, beaches, badges.

Müssen Kinder das so umständlich lernen? Eine Antwort auf diese Frage erhalten wir, wenn wir uns ansehen, wie reguläre englische Verben in die *Vergangenheitsform* gesetzt werden.

(2)   (a) Füge ein [t] an Verben, die auf [p], [k], [θ], [f], [s], [ʃ] enden: reaped, peeked, unearthed, huffed, kissed, wished, pitched.

(b) Füge ein [d] an Verben, die auf [b], [g], [ð], [v], [z], [ʒ], [n], [m], [ŋ], [l], [r], [y], [w] oder einen Vokal enden: grabbed, hugged, seethed, loved, judged, manned, named, longed, killed, cared, tied.

(c) Füge ein [əd] an Verben, die auf [t] oder [d] enden: stated, clouded.

Wenn man nun jeweils die ersten Klauseln der beiden Regeln (1) und (2) vergleicht, so stellt man fest, daß [p], [k], [θ], [f] in beiden vorkommen. Vergleicht man jeweils die zweiten Klauseln, so stellt man fest, daß sie fast gleich sind.

Wenn es nun eine interessante gemeinsame Eigenschaft von Lauten, auf die ein [s] bzw. [t] folgt, einerseits und von Lauten, auf die ein [z] bzw. [d] folgt, andererseits gibt, können wir unsere Regeln vereinfachen. Das Kind hat dann nur noch zu lernen, welche Eigenschaft die eine Klasse von der anderen unterscheidet.

Wir stellen folgende artikulatorische Gemeinsamkeiten fest: Laute, auf die ein [s], bzw. [t] folgt, sind wie [s] und [t] selbst *stimmlos*; Laute, auf die ein [d] oder [z] folgt, sind wie diese selbst *stimmhaft*.

Ohne Berücksichtigung der dritten Klauseln ergibt sich also die folgende Vereinfachung:

(3)   (a) Füge ein [s] im Plural und ein [t] für die Vergangenheitsform an alle Wörter, die auf einen *stimmlosen* Laut enden.

       (b) Füge ein [z] im Plural und ein [d] für die Vergangenheitsform an alle Wörter, die auf einen *stimmhaften* Laut enden.

Oder noch einfacher:

(3')   (a) Füge den passenden *stimmlosen* Laut an alle Wörter, die stimmlos enden.

       (b) Füge den passenden *stimmhaften* Laut an alle Wörter, die stimmhaft enden.

Noch eine Bemerkung zu den dritten Klauseln.
Nach den bisherigen Regeln müßte ein [t] an Wörter angehängt werden, die auf [t] enden, und ein [d] an Wörter, die auf [d] enden; entsprechend für [s] und [z]. Da im Englischen aber zwischen einfachem und doppeltem [t] bzw. [d] nur schwer zu unterscheiden ist, wird ein sog. Schwa dazwischengeschoben; entsprechendes gilt für [s] und [z].
Wenn wir nun feststellen, daß ähnliche Eigenschaften wie stimmlos/stimmhaft auch in anderen Sprachen eine regelrelevante Rolle spielen, dann können wir davon ausgehen, daß es sich lohnt, eine Klassifizierung von Lauten nach artikulatorischen Gesichtspunkten vorzunehmen. Oder umgekehrt: Wenn wir Laute artikulatorisch klassifizieren, können wir u. U. die Frage beantworten, warum in ganz verschiedenen Sprachen ähnliche lautliche Vorgänge zu beobachten sind.

3.2. Nach welchen Gesichtspunkten klassifiziert man Laute? – Phonetische Merkmale

3.2.1. Die Klassifikationskriterien

Bei der Lautbildung wird ein Luftstrom in Bewegung gesetzt. Diese Bewegung kann *egressiv* sein; die Luft wird dann ausgestoßen. Man spricht in diesem Fall von einer *exspiratorischen Lautbildung*. Die Bewegung kann aber auch *ingressiv* sein; die Luft wird dann eingezogen. In diesem Fall spricht man von einer *inspi-*

ratorischen Lautbildung. Die meisten Sprachen sind durch exspiratorische Lautbildung gekennzeichnet. Lediglich den bereits erwähnten Schnalzlauten einer afrikanischen Sprache oder etwa einem kurzen initialen »Ja ...« im Deutschen liegt inspiratorische Lautbildung zugrunde.

Daß die Luft also bei der exspiratorischen Lautbildung aus der Lunge kommt, durch die Stimmritze geht und dann entweder durch den Mund oder die Nase entweicht, liefert uns erste *Kriterien* für die Klassifikation von Lauten:

(4)   (i) nach dem Zustand der Stimmbänder
        (ii) nach dem Weg des Luftstroms, also danach, ob der Luftstrom durch den Mund oder die Nase entweicht

Der durch den Mund entweichende Luftstrom wird in bestimmter Weise »bearbeitet«; in der Nase geht das nicht, da wir dort z. B. keine Zunge haben.

Die Frage, *wo bzw. durch welches Sprechwerkzeug diese Bearbeitung im Mund stattfindet,* liefert ein weiteres Klassifikationskriterium:

(4)   (iii) nach der Artikulationsstelle bzw. dem artikulierenden Organ

Die weitere Frage, *worin diese Bearbeitung besteht,* liefert uns schließlich ein viertes Klassifikationskriterium:

(4)   (iv) nach der Artikulationsart

3.2.2. Zustand der Stimmbänder

Dieses Kriterium liefert uns die Unterscheidung zwischen *stimmhaften* und *stimmlosen* Lauten.

Auf seinem Weg aus der Lunge durch die Luftröhre in den Mundraum passiert der Luftstrom die durch die Stimmbänder gebildete *Stimmritze* (Glottis). Sind die Stimmbänder weit auseinander, kann der Luftstrom diese Öffnung ungehindert passieren, und es entstehen *stimmlose Laute* wie z. B. [p], [k], [t], [s].

Sind die Stimmbänder jedoch zusammen, so werden sie von der durchströmenden Luft zum Schwingen gebracht, und es entstehen *stimmhafte Laute.* Alle Vokale sind stimmhaft, außerdem

Konsonanten wie [b], [g], [z], [n], [m], [l], [r] (alle Nasale, die Liquide, sowie ein Teil der Verschlußlaute und der Frikative).

Wenn man zwei Finger in die Ohren steckt und ein stimmhaftes [z-z-z-z] summt, dann fühlt man die Stimmbänder schwingen; bei [s-s-s-s] ist dies nicht der Fall. Beim Flüstern sind alle Laute stimmlos.

Wir können die Laute jetzt also in zwei große Gruppen einteilen: stimmhafte und stimmlose. Wir kennzeichnen die Elemente dieser Gruppen durch *die Merkmale* [+*stimmhaft*] bzw. [−*stimmhaft*]. Die folgenden minimalen Paare unterscheiden sich nur dadurch, daß der jeweils erste Laut in der ersten Spalte das Merkmal [−stimmhaft], in der zweiten Spalte das Merkmal [+stimmhaft] hat; ansonsten werden sie gleich artikuliert:

(5) packen – backen
    Torf – Dorf
    Pein – Bein
    platt – Blatt
    Teich – Deich
    Kreis – Greis
    Fall – Wall
    finden – winden

3.2.3. Weg des Luftstroms

Vergleicht man *Pein, Bein, mein,* so stellt man fest, daß die Anfangslaute jeweils sehr ähnlich sind. In allen drei Wörtern werden sie durch Schließen der Lippen gebildet. Daß sich [b] gegenüber [p] durch die Stimmhaftigkeit unterscheidet, haben wir bereits gesehen; aber wenn man nun die Finger in die Ohren steckt und [m-m-m-m] äußert, so wird man feststellen, daß auch dieser Laut stimmhaft ist. Worin unterscheiden sich also [b] und [m]?

[m] ist ein *nasaler Laut*. Der Luftstrom entweicht hier nicht durch den Mund, sondern durch die Nase. Wie funktioniert das? Orientieren wir uns an Abb. 1:

Wenn man Abb. 1 (S. 52) betrachtet, so sieht man, daß das »Dach« des Mundes eingeteilt ist in den harten Gaumen (palatum) und den weichen Gaumen (velum). Wenn man mit dem Finger den Gaumen von vorne nach hinten entlang fährt, merkt man, wie der knochige Teil in den fleischigen Teil übergeht. Das

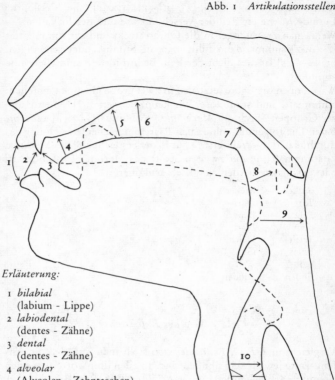

Abb. 1   *Artikulationsstellen*

Erläuterung:

1 *bilabial*
   (labium - Lippe)
2 *labiodental*
   (dentes - Zähne)
3 *dental*
   (dentes - Zähne)
4 *alveolar*
   (Alveolen - Zahntaschen)
5 *palatoalveolar*
   (palatum - Gaumen)
6 *palatal*
   (palatum - Gaumen)
7 *velar*
   (velum - Gaumensegel,
   weicher Gaumen)
8 *uvular*
   (uvula - Zäpfchen)
9 *pharyngal*
   (pharynx - Rachen)
10 *laryngal*
   (larynx - Kehlkopf)

Merke außerdem:

apikal
(apex - Zungenspitze)
koronal
(corona - Zungenkranz)
dorsal
(dorsum - Zungenrücken)
glottal
(glottis - Stimmritze)

Velum ist beweglich. Ist es gehoben, ist dem Luftstrom der Weg durch die Nase versperrt, und es entstehen *orale Laute*; ist es gesenkt, kann der Luftstrom sowohl in den Mund gelangen als auch durch die Nase entweichen, und es entstehen *nasale Laute*.

Nasale Laute sind z. B. [m], [n], [ŋ].

Wir können also zwei weitere Klassen von Lauten unterscheiden: orale und nasale Laute. Wir kennzeichnen sie durch *die Merkmale* [+nasal] und [−nasal].

3.2.4. Artikulationsstelle bzw. artikulierendes Organ

Man vergleiche die Laute [b], [d], [g].
Alle sind stimmhaft und oral. Wir stellen jedoch fest, daß etwa der Laut [b] mit den Lippen, der Laut [g] jedoch mit dem hinteren Teil des Gaumens gebildet wird. Wir können diese Laute also nach ihrer Artikulationsstelle bzw. dem Organ, mit dem sie artikuliert werden, unterscheiden. Orientieren wir uns an Abb. 1 (S. 52) und sehen wir uns an, was es hier für Möglichkeiten gibt.

Bilabiale:
Hier handelt es sich um Laute, die wir artikulieren, indem wir die Lippen zusammenbringen, z. B. [p], [b], [m].

Labiodentale:
Bei der Bildung dieser Laute berührt die Unterlippe die oberen Zähne. Labiodentale sind: [f], [v].
Bilabiale und Labiodentale fassen wir zusammen als *labiale Laute*.

Interdentale:
Bei der Bildung dieser Laute wird der vordere Teil der Zunge zwischen die Zähne geschoben wie bei [θ], [ð].

Alveolare:
Bei der Bildung dieser Laute stößt die Zungenspitze gegen die Alveolen (Zahntaschen). Alveolare sind: [d], [t], [n], [s], [z], [l],

[r]. Diese Laute werden bisweilen (so z. B. in Wurzel (1981)) auch als »dentale« charakterisiert. Die Unterscheidung dental vs. alveolar wird auch benutzt, um den Artikulationsort genauer zu fixieren. So kann z. B. ein [t] unmittelbar am Zahnansatz oder weiter hinten an den Zahntaschen artikuliert werden.

Palatoalveolare:
Bei der Bildung dieser Laute geht der vordere Teil der Zunge gegen den vorderen Teil des harten Gaumens (palatum). Palatoalveolare sind [ʃ], [ʒ]. Diese Laute werden bisweilen auch als »alveolar« oder »alveopalatal« charakterisiert. Die Unterscheidung palatoalveolar vs. alveopalatal wird manchmal benutzt, um den Artikulationsort zwischen Alveolen und Palatum genauer zu fixieren.

Palatale:
Bei der Bildung dieser Laute geht der Zungenrücken gegen den harten Gaumen (palatum). Palatale sind: [ç], [j].

Velare:
Bei der Bildung dieser Laute wird der Zungenrücken (dorsum) gegen den hinteren Gaumen (velum) bewegt. Velare sind: [k], [g], [x], [ŋ].

Uvulare:
Bei der Bildung dieser Laute wird der Zungenrücken (dorsum) gegen das Zäpfchen (uvula) bewegt wie bei [ʀ] (dem französischen *r*). Dieser Laut entsteht inspiratorisch beim Schnarchen. [χ] ist ein uvularer Engelaut (Frikativ), wie er etwa für das Schweizerdeutsche charakteristisch ist, cf. [χʊχɪχaʃtə] (Küchenkasten).

Pharyngale:
Diese Laute werden im Rachen gebildet. Das Deutsche verfügt über solche Laute nicht.

Laryngale (Glottale):
Diese Laute werden im Kehlkopf gebildet. Im Deutschen gibt es einen glottalen Engelaut (Frikativ), der durch Verengung der Stimmlippen erzeugt wird: [h] dtsch. *Haus.* Glottal ist auch der

sog. Knacklaut [ʔ] wie in [ʔɪç]. Es ist uns nicht bewußt, daß wir im Deutschen vor jedem Vokal am Silbenanfang diesen Laut »aussprechen«. Ein Griff an den »Adamsapfel« kann dieses Faktum jedoch bestätigen.

Einen Überblick über die durch Artikulationsstellen unterschiedenen Lautklassen gibt die Abb. 2 auf S. 56.

Man könnte nun die Artikulationsstellen als Merkmale zur Charakterisierung der Laute verwenden. In diesem Falle würden aber wichtige Gemeinsamkeiten verloren gehen, und Zusammenhänge blieben unausgedrückt. So stellen wir in Abb. 2 etwa die folgenden Zusammenhänge fest:

(a) Palatale/Velare/Uvulare werden dorsal (mit dem Zungenrükken) gebildet, während andere Lautklassen koronal (also mit dem Zungenkranz) gebildet werden.

(b) Labiale und Dentale befinden sich in enger artikulatorischer Nachbarschaft im Gegensatz etwa zu Labialen und Uvularen.

(c) [p], [t], [k] werden alle auf eine bestimmte Weise, nämlich durch Verschluß des Mundes gebildet, während bei [f], [s], [x] eine kleine Öffnung im Mundraum bleibt.

All dies spricht dafür, Klassifizierungen wie »labial«, »dental«, etc. nicht durch Einzelmerkmale, sondern durch Merkmalskombinationen auszudrücken. Auf diese Weise erhalten wir *größere Klassen* von Lauten, und unser Ziel ist es ja, Lautklassen zu bilden, die in einem gewissen Sinne *regelrelevant* sind, die also bei *Generalisierungen* eine Rolle spielen. Die dafür relevanten Merkmale werden wir in Abschnitt (4) kennenlernen. Doch vorher betrachten wir jene Lautklassen, die uns das vierte Kriterium liefert.

3.2.5. Artikulationsart

Verschlußlaute (Plosive):
Worin unterscheiden sich [d] und [z]?
Beide Laute sind alveolar, stimmhaft und nicht nasal.
Wenn der Luftstrom in die Mundhöhle kommt, kann er völlig blockiert, teilweise behindert oder gar nicht behindert werden. Laute, bei denen er (wenn auch nur kurz) völlig gestoppt wird, heißen *Verschlußlaute*. Alle anderen Laute sind *dauernde* Laute, weil die Luft *ohne totale Unterbrechung* passieren kann. In die-

Abb. 2 *Artikulationsstelle und Artikulierendes Organ*

	bilabial	labiodental	alveolar	palatoalveolar	palatal	velar	uvular
Artiku.-stelle	Oberlippe (labium)	Oberzähne (dentes)	oberer Zahndamm (Alveolen)	Gaumen/Alveolen	harter Gaumen (palatum)	weicher Gaumen (velum)	Zäpfchen (uvula)
Artikul.organ	Unterlippe (labium)	Unterlippe (labium)	Zungenkranz (corona)	vorderer Teil der Zunge	Zungenrücken (dorsum)	Zungenrücken (dorsum)	Zungenrücken (dorsum)
	[p], [b], [m]	[f], [v]	[t], [d], [s], [z], [n], [l], [r]	[ʃ], [ʒ]	[ç], [j]	[k], [g], [x], [ŋ]	[ʀ]

sem Sinne, d. h. im Sinne einer *völligen Blockierung* des Luftraums *in der Mundhöhle*, sind auch die *Nasale* Verschlußlaute. Man unterscheidet daher zwischen *oralen* und *nasalen* Verschlußlauten. Stimmlose orale Verschlußlaute sind: [p], [t], [k], stimmhafte orale Verschlußlaute sind: [b], [d], [g].

Daß die Klasse der Verschlußlaute in der Tat eine regelrelevante Klasse ist, zeigt eine Regel des Englischen. In einem englischen Wort, das mit drei Konsonanten beginnt, muß der erste Konsonant ein [s] sein, der zweite muß aus der Menge [p, t, k] und der dritte aus der Menge [l, r, w, j] sein. Ein Teil dieser Regel besagt also, daß der zweite Konsonant ein *stimmloser Verschlußlaut* sein muß.

Der Knacklaut [ʔ] ist ein *glottaler Verschlußlaut*. Er leitet z. B. im Deutschen Wörter ein, die (vermeintlich) mit Vokal anlauten.

Frikative (Spiranten, Reibelaute, Engelaute):

Bei diesen Lauten wird der Luftstrom *nicht völlig* unterbrochen. Sie werden gebildet durch eine artikulatorische Enge, bei der durch Reibung ein Geräusch entsteht. Wie der Verschluß bei den Verschlußlauten, so kann auch hier der Engpaß, den die Luft passieren muß, an unterschiedlichen Stellen sein:

– Unterlippe und Zähne: [f], [v]
– Zungenkranz und Alveolen: [s], [z]
– alveopalatal bzw. palatal: [ʃ], [ʒ],[ç]
– velar: [x]
– laryngal: [h]

Affrikaten:

Dies sind Laute, die durch einen Verschluß erzeugt werden, der sofort wieder gelockert wird. D. h., unmittelbar auf den Verschluß folgt ein für Frikative typisches Reibegeräusch. Diese Laute entstehen also durch eine Kombination von Verschluß und Engpaßbildung.

Im Prinzip ist Affrizierung bei allen Verschlußlauten möglich. Am häufigsten findet man sie jedoch bei:

– [t]   [tʃ], [ts]   wie in *Latschen, Ziegel*
– [d]   [dʒ]   wie in *Loggia* (vgl. engl. *cheap – jeep*)
                 (ital. *cucina – cugina*)
– [p]   [pf]   wie in *Apfel*

Die Frage, ob es sich bei den Affrikaten um einen oder um zwei Laute (also um eine Folge von Verschlußlaut + Frikativ) handelt, ist umstritten. Wenn man der Meinung ist, es handle sich um einen Laut, schreibt man den Spiranten häufig hochgestellt.

Liquide:
Dies sind die *r*-Laute und der *l*-Laut, Laute also, bei denen der Luftstrom im Mund zwar behindert wird, aber nicht so stark, daß das für Frikative typische Reibungsgeräusch entsteht.
[l] ist ein lateraler Laut. Die Zungenspitze geht zu den Alveolen, aber die Zungenseiten sind gesenkt, so daß die Luft an den Zungenseiten vorbei kann.
[ʀ] wird durch Vibrieren des Zäpfchens (Uvula) gebildet. Es handelt sich um einen nicht-lateralen Liquid (das französische *r*).
[r] ist das sog. gerollte *r*. Die Zungenspitze geht zu den Alveolen. Es gibt noch sehr viel mehr *r*'s, etwa als Frikativ oder unterschieden nach der Anzahl der »Anschläge« der Zunge an die Alveolen.
Daß *r*- und *l*-Laute hier zusammengefaßt werden, hängt zum einen mit der artikulatorischen und akustischen Ähnlichkeit dieser Laute zusammen, zum anderen (und nicht zuletzt bedingt durch diese Ähnlichkeit) damit, daß es interessante, diese Laute betreffende Generalisierungen gibt. So können z. B. im Deutschen nach anlautendem [k], [g], [p], [b], [f], [pᶠ] genau zwei Konsonanten die zweite Stelle einnehmen, nämlich [l] und [r], vgl.

(6) prall   [pr...]   platt   [pl...]
     Brot   [br...]   Blut   [bl...]
     Frucht   [fr...]   Flucht   [fl...]
     Pfriem   [pᶠr...]   Pflaume   [pᶠl...]
     Kragen   [kr...]   klagen   [kl...]
     Greis   [gr...]   Gleis   [gl...]

     (*pneumatisch*, *Psyche* kommen aus dem Griechischen.)

Manche Sprachen haben überhaupt keine Liquide, andere verfügen nur über einen Teil derselben. Der kantonesische Dialekt des Chinesischen beispielsweise hat nur den lateralen Laut als Liquid. Die diesbezüglichen Witze sind bekannt.

Gleitlaute (Halbvokale):
Die Laute [j] und [w] werden mit wenig oder keiner oralen Behinderung des Phonationsstromes erzeugt. Die Zunge »gleitet«
hier von einem vorangehenden Vokal weg oder auf einen folgenden zu. Es handelt sich hier um Zwitter zwischen Konsonanten
und Vokalen. Daher bezeichnet man diese Laute auch oft als
Halbvokale.
[j] ist ein *palataler Gleitlaut*. Er bildet quasi die obere Grenze des
[i] (vgl. [i] → [j] → [ç]).
Bei [w] wird der Zungenrücken zum Velum gehoben, und gleichzeitig werden die Lippen gerundet. Man spricht daher von einem
labiovelaren Gleitlaut (wie in engl. *well*). Dieser Laut bildet quasi
die obere Grenze des [u] und darf nicht mit dem labiodentalen [v]
wie in *Werner* verwechselt werden. Es handelt sich auch nicht um
einen bilabialen Frikativ.

3.2.6. Vokalismus im Deutschen

Im Schriftbild des Deutschen unterscheiden wir *acht verschiedene
Vokalbuchstaben*: *i, e, u, o, a, ü, ö, ä*. Sie bezeichnen acht verschiedene Vokale, die sich lautlich unterscheiden.
Vokale sind Laute, bei deren Bildung *keinerlei orale Behinderung
des Luftstroms* stattfindet. Auch die Unterscheidung zwischen
Vokalen und Konsonanten kann durch die Verwendung von
Merkmalen durch eine genauere Differenzierung ersetzt werden.
Ursprünglich verwendete man dazu die Merkmale [±konsonan-
tisch] und [±vokalisch]. Durch das Merkmal [+konsonantisch]
können dann Liquide, Nasale, Verschlußlaute und Frikative charakterisiert werden, während das Merkmal [−konsonantisch] Vokale und Gleitlaute kennzeichnet. Die Differenzierung zwischen
letzteren kann dann durch das Merkmal [+vokalisch] für Vokale
und [−vokalisch] für Gleitlaute vorgenommen werden. Wie wir
in Abschnitt (4.) sehen werden, wurde das Merkmal [±vokalisch]
später durch das Merkmal [±silbisch] ersetzt.
Man klassifiziert Vokale unter artikulatorischen Gesichtspunkten
nach folgenden *Kriterien*:

(7) (i) der vertikalen Zungenbewegung (Höhenbewegung der Zunge)
     (ii) der horizontalen Zungenbewegung (welcher Teil der Zunge
          bewegt sich, welcher ist angehoben, welcher gesenkt)
     (iii) der Lippenrundung

Auf der Basis von (i), also nach der Höhenlage des Zungenrük-
kens, unterscheidet man zwischen *hohen, mittleren* und *niedrigen
Vokalen*.
Auf der Basis von (ii) unterscheidet man zwischen *vorderen* und
hinteren Vokalen. Bei der Bildung der ersteren befindet sich der
höchste Punkt des Zungenrückens im vorderen Teil des Mundes,
bei der Bildung der letzteren im hinteren Teil des Mundes.
Auf der Basis von (iii) schließlich unterteilt man je nach Lippen-
rundung in *runde* und *nicht-runde Vokale*.
Für die deutschen Vokale lassen sich diese Klassifizierungen im
folgenden Schema veranschaulichen:

(8)

	vordere Vokale		hintere Vokale	
hohe Vokale	i	ü	u	runde Vokale
mittlere Vokale	e	ö	o	
niedere Vokale	ä		a	nicht-runde Vokale

Entsprechend den aufgeführten artikulatorischen Kriterien können also auch die Vokale mit Hilfe von Merkmalen klassifiziert
werden, nämlich
(a) [±hoch]/[±niedrig] (mittlere Vokale werden durch die

Merkmale $\begin{bmatrix} -\text{hoch} \\ -\text{niedrig} \end{bmatrix}$ charakterisiert).

(b) [±vorn]
(c) [±rund]
Daß diese Merkmale regelrelevante Vokalklassen liefern, zeigt
sich z. B. in folgendem.
Im Althochdeutschen gibt es eine Regularität, derzufolge Vokale
durch ein [i] oder [u] in der Folgesilbe angehoben werden, cf.

(9) gast → gesti
     geban → gibu

Bei dieser als »Umlaut« bekannten Regularität spielt also offenkundig die Klasse jener Vokale eine Rolle, die durch das Merkmal
[+hoch] (nämlich [i] und [u]) charakterisiert werden kann.

Das Merkmal in (b) spielt z. B. eine Rolle in Lautprozessen, bei denen vordere Vokale angrenzende Konsonanten »erweichen«. So wurde z. B. lat. [k] vor [i] und [e] zu ital. [tʃ], während vor [a], [o], [u] auch im Italienischen ein [k] gesprochen wird, cf.

(10) lat. centum [k] – ital. cento [tʃ]
          facilis [k] – facile [tʃ]
          casa [k] – casa [k]
          culpa [k] – colpa [k]

Auch für die Verteilung des »ich«-Lauts und des »ach«-Lauts im Deutschen spielt das Merkmal (b) eine Rolle. Die Distribution des »ach«-Lauts kann als Resultat einer Regularität beschrieben werden, derzufolge hintere Vokale benachbarte Konsonanten »velarisieren«, d. h. der »ach«-Laut wird nach hinteren Vokalen gesprochen.
Es wurde bereits darauf hingewiesen, daß *alle* Vokale des Deutschen die Merkmale [+vokalisch], [−konsonantisch], [+stimmhaft], [−nasal] haben.
Vokale werden allerdings nicht nur nach qualitativen Gesichtspunkten klassifiziert. Eine *allgemeinere Klassifizierung der deutschen Vokale* kann nach den folgenden Kriterien vorgenommen werden:

(11) (i) nach der Länge
      (ii) nach der Gespanntheit
      (iii) nach der Zentralisierung

Aufgrund der Vokallänge unterscheiden wir beispielsweise zwischen *Mitte* und *Miete* oder zwischen *Bett* und *Beet*.
Dabei ist festzustellen, daß sich kurze und lange Vokale nicht nur in der Quantität, sondern auch in der Qualität unterscheiden: Bei *längeren Vokalen* beobachtet man eine *stärkere Muskelanspannung* des artikulatorischen Apparates sowie eine geringere Mundöffnung. Auf der Basis des zweiten Kriteriums wird daher unterschieden zwischen

(a) langen, *gespannten*, geschlossenen Vokalen wie [i:], [e:]
(b) kurzen, *ungespannten*, offenen Vokalen wie [ɪ], [ɛ].

Weitere Beispiele sind etwa:

(12) Huhn [u:] vs. Hunne [ʊ]
      wohne [o:]   Wonne [ɔ]

Düne	[ü:]	Dünne	[ö]
Höhle	[ö:]	Hölle	[ɔ]

Während bei den nicht-niedrigen Vokalen Länge und Gespanntheit korrespondieren, ist dies bei den Vokalen, die durch das
Merkmal [+niedrig] gekennzeichnet sind, anders. Bei *Fall* [a] und
fahl [ɑ:] wird der kurze Vokal (das helle *a*) weiter vorn gebildet
als der lange (das dunkle *a*); außerdem ist das kurze *a* gespannter
als das lange. Man merke sich also, daß *im Deutschen alle nicht-
niedrigen Kurzvokale ungespannt sind*. Bei den *e*-Lauten, wo es
drei nicht-hohe, vordere, nicht-runde Vokale gibt, verhält es sich
so, daß [ɛ:], also der niedrige, zwar lang, aber ungespannt ist,
z. B.

(13) gespannt: stehlen [e:]
     ungespannt: stellen [ɛ]
     ungespannt: stählen [ɛ:]

Daß Länge und Gespanntheit in deutschen Aussprachregeln eine
Rolle spielen, zeigt sich daran, daß nicht-niedrige Vokale, denen
im gleichen Wort zwei oder mehr Konsonanten folgen, normalerweise kurz und ungespannt sind, vgl. *Kirsche, Ende, Burg, Gold,
fünf, zwölf*.
Wir haben das Kriterium der Zentralisierung bisher noch unberücksichtigt gelassen. Dieses Kriterium verdankt sich einer voka-
lischen Eigenart einer Reihe von uns vertrauten Wörtern. Es gibt
nämlich im Deutschen Wörter, in denen kurze Vokale vorkommen, die allerdings nicht von der Art jener kurzen Vokale sind,
die uns bisher begegnet sind. Es handelt sich dabei vielmehr um
die kurzen Varianten jener Vokale, die wir bisher als lang kennengelernt haben. Beispiele für solche Wörter sind:

(14) [i]   direkt, Idee
     [e]   Metalle, Melodie, Chemie
     [ü]   Physik, Synagoge, parfümieren
     [ö]   Ökonom, möblieren
     [u]   kulinarisch, aktuell, Union
     [o]   Kolonne, Hotel, Protest
     [ɑ]   Kalender, Kanone, Atom

Um die wenig präzisen Begriffe »Fremdwörter«, »Lehnwort«,
»Erbwort« zu vermeiden, wollen wir diese Wörter im Anschluß
an Wurzel (1981) als *nicht-native* Wörter bezeichnen, und darun-

ter (ungeachtet ihrer Herkunft) solche Wörter des deutschen Vokabulars verstehen, die den generellen grammatischen Regularitäten des Deutschen nicht entsprechen.

Die Frage ist nun, wie sich die kurzen Vokale in diesen Wörtern von den uns geläufigen kurzen Vokalen, wie sie gängigerweise in deutschen Wörtern vorkommen, unterscheiden. Wie das Vokalviereck in Abb. 3, das in etwa den Mundraum schematisieren soll, zeigt, werden die *gängigen Kurzvokale des Deutschen näher am Zentrum des Mundraumes* (wo das [ə] zu lokalisieren ist) gebildet als die in nicht-nativen Wörtern vorkommenden kurzen Varianten der gängigen Langvokale des Deutschen. Man kennzeichnet erstere daher durch ein Merkmal [+zentralisiert] und ordnet den langen Vokalen sowie ihren kurzen Analoga das Merkmal [−zentralisiert] zu.

Vokalviereck   Abb. 3

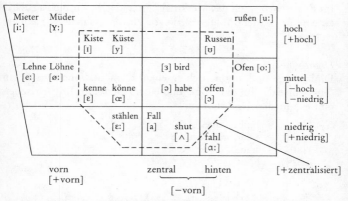

Merke: Alle gerundeten Vokale werden etwas weiter hinten artikuliert als die ungerundeten.

In bezug auf das Deutsche ist die Klassenbildung in zentralisierte und nicht-zentralisierte Vokale allerdings von linguistisch geringerem Interesse, da die kurzen Langvokale in nicht-nativen Wörtern von den meisten Deutschen ohnehin kurz und zentralisiert ausgesprochen werden, also so wie die geläufigen Kurzvokale des Deutschen. Wir können hier also eine lautliche Anpassung des Vokalismus der nicht-nativen Wörter an den Vokalismus der nativen Wörter beobachten.

Nasalierte Vokale:
Wie Konsonanten können auch Vokale mit einem gesenkten Velum gebildet werden. Die Luft entweicht dann durch die Nase. In den »echt deutschen« Wörtern kommen allerdings keine Nasalvokale vor; daher sind, wie bereits angeführt, alle Vokale im Deutschen [-nasal] spezifiziert. Allerdings hat das Deutsche aus dem Französischen Wörter übernommen, die dort Nasalvokale enthalten. Im Deutschen gibt es für deren Aussprache meist zwei Möglichkeiten:
– entweder mit Nasalvokal, z. B. [balkõ], [basẽ] für *Balkon/Bassin*
– oder mit nicht-nasalem Vokal und velarem Nasalkonsonanten z. B. [balkɔŋ], [basɛŋ].
Im Englischen spielt das Merkmal [±nasal] z. B. für die Regularität eine Rolle, derzufolge Vokale vor Nasalkonsonanten nasaliert werden.

Diphthonge:
Diphthonge sind, phonetisch gesehen, Kombinationen aus einem (im Deutschen kurzen) *Vokal* und einem *Gleitlaut*. Im Deutschen gibt es nur drei Diphthonge:

(15) [aj] – freien, leiten, Reihe
      [aw] – Frau, lauten, rauhe
      [ɔj] – freuen, läuten, Reue

4. Laute als Komplexe phonetischer Merkmale

Wir hatten gesagt, daß man Laute klassifiziert, weil sich herausgestellt hat, daß es in den verschiedensten menschlichen Sprachen immer wieder bestimmte Klassen von Lauten sind, die in regelmäßigen lautlichen Vorgängen dieser Sprachen eine Rolle spielen. Man könnte sich nun bei den Konsonanten mit den Klassen zufriedengeben, die die vier formulierten Kriterien geliefert haben. Es läßt sich jedoch zeigen, daß in diesem Falle wichtige Generalisierungen nicht formuliert werden könnten und regelrelevante Zusammenhänge unausgedrückt bleiben müßten.

Die notwendige Verfeinerung betrifft die auf der Basis des dritten und vierten Kriteriums erhaltenen Klassifikationen von Konsonanten. Wie sich zeigen wird, ist es z. B. zweckmäßig, nicht die Artikulationsstellen selbst als Merkmale zur Charakterisierung der Laute zu verwenden, sondern Klassifizierungen wie »dental«, »alveolar« oder »velar« durch Merkmalskombinationen auszudrücken, um auf diese Weise *größere Klassen* von Lauten charakterisieren zu können, denn unser Ziel ist es ja, Lautklassen zu bilden, die in einem noch zu illustrierenden Sinne regelrelevant sind.

Daß dabei auch größere Klassen eine Rolle spielen als nur die durch einen bestimmten Artikulationsort bzw. eine bestimmte Artikulationsart gekennzeichnete Klasse, kann man sich durch die Überlegung plausibel machen, daß bei regelmäßigen lautlichen Vorgängen sehr wahrscheinlich *»Artikulationsverwandtschaften«* eine Rolle spielen werden, und bzgl. solcher Artikulationsverwandtschaften kann man z. B. feststellen,

– daß sich etwa Labiale und Dentale in engerer artikulatorischer Nachbarschaft befinden als etwa Labiale und Uvulare

– daß etwa Palatale, Velare und Uvulare alle dorsal (also mit dem Zungenrücken) gebildet werden, während Dentale, Alveolare und Palatoalveolare koronal (also mit dem Zungenkranz) gebildet werden.

– daß die stimmlosen und stimmhaften Verschlußlaute mit den nasalen Lauten die Gemeinsamkeit haben, daß der Mundraum für das Entweichen der Luft total geschlossen wird etc.

Im folgenden soll daher ein kurzer Überblick über die wichtigsten Merkmale gegeben werden, wie sie in Chomsky/Halle, »The sound pattern of English« (1968) (abgekürzt SPE) eingeführt und in den meisten Analysen lautlicher Regularitäten in menschlichen Sprachen verwendet werden. Die Regelrelevanz dieser Merkmale wird jeweils an Lautregeln verschiedener Sprachen illustriert.

Die drei sog. *Oberklassenmerkmale* (major class features) (a)-(c) definieren die Unterschiede zwischen Vokalen, Konsonanten, Liquida, Nasalen und Gleitlauten (Halbvokalen). Da die Unterscheidung zwischen diesen Klassen von Lauten in allen Sprachen eine Rolle spielt, sind die Oberklassenmerkmale also von fundamentalerer Bedeutung als Merkmale, die wir später kennenlernen werden.

(a) *das Merkmal* [±*silbisch*]
Silbisch sind Laute, die einen »Silbengipfel« (Nukleus der Silbe) bilden können. Da wir über die Struktur der Silbe noch nicht Bescheid wissen, sei hier lediglich angemerkt, daß in allen Sprachen normalerweise Vokale den Nukleus der Silbe darstellen. Daher sind also die Vokale silbische Laute, während Gleitlaute, Liquide, Nasale, Verschlußlaute, Frikative in der Regel nicht silbisch sind. In zahlreichen Sprachen – so auch im Deutschen – können jedoch auch Liquide und Nasale einen Silbengipfel darstellen, cf.

(16) Tadel   [d*l̩*]
     Himmel [m*l̩*]
     pumpen [p*m̩*]

Das Merkmal [±silbisch] spielt z. B. eine Rolle für die Bestimmung, welche Laute einen Akzent erhalten, da Akzentzuweisung nur an silbische Laute erfolgt (im Tschechischen z. B. sowohl an Vokale als auch an silbische Liquide).

Das Hauptargument für die Einführung des Merkmals silbisch, das es erlaubt, alle Laute *mit Ausnahme* der Vokale zu einer Klasse zusammenzufassen, betrifft jedoch eine Beobachtung zur Liaison im Französischen (cf. Clements/Keyser (1983), Kap. (3.8.), sowie v. d. Hulst (1984), Kap. (2.2.2.)). Zunächst sieht es hier so aus, als würde z. B. ein Verschlußlaut vor einem Konsonant, nicht aber vor Vokal oder Gleitlaut, getilgt (i.f. ist oft nur das jeweils Relevante phonetisch transkribiert),

(17) (a) [pəti] garçon (b) [pətit] ami (c) [pətit] oiseau

während ein Schwa am Ende eines Wortes vor einem Vokal oder Gleitlaut getilgt wird:

(17) (a′) le garçon (b′) l'ami (c′) l'oiseau

Es sieht also so aus, als müßte man zur Formulierung dieser Regularitäten nur Vokale und Gleitlaute zu einer Klasse zusammenfassen. Nun zeigt sich aber, daß Lehnwörter, die mit einem Gleitlaut (also wie *oiseau*) beginnen, Tilgung des vorhergehenden Konsonanten auslösen, aber nicht Tilgung eines vorhergehenden Schwa, cf.

(17) (d) [pəti] whisky, [pəti] yogi
      (d') le whisky, le yogi

In diesen Lehnwörtern verhalten sich Gleitlaute also wie echte
Konsonanten. Die zur Beschreibung dieser Regularität nötige
Klassenbildung wird ermöglicht durch das Merkmal [±silbisch].

(b) *das Merkmal* [±*konsonantisch*]
Konsonantisch sind Laute, bei deren Produktion im Artikulationstrakt eine Enge gebildet wird, die in etwa der bei der Bildung
von Frikativen notwendigen Enge entspricht. Nicht-konsonantisch sind Vokale und Gleitlaute. Liquide, Nasale, Verschlußlaute, Frikative sind konsonantisch.
Die Unterscheidung zwischen Vokalen und Gleitlauten (Halbvokalen) auf der einen und Konsonanten auf der anderen Seite
spielte z. B. bereits bei der Liaison-Regel für native Wörter des
Französischen eine Rolle. Als weiteres Beispiel sei eine Regularität im Malaiischen (cf. Kenstowicz/Kisseberth (1979), S. 243), angeführt. Dort werden z. B. Vokale, die auf einen Nasalkonsonanten folgen, nasal ausgesprochen, wenn sie nicht durch ein [+konsonantisch]-Segment von diesem Nasalkonsonanten getrennt
sind, also z. B. das erste, nicht aber das zweite *a* in

(18) (a) [mãkan] (essen)

oder der erste, nicht aber die anderen Vokale in

(18) (b) [mõlaraŋ] (verbieten)

Gleitlaute sind demgegenüber nasalitätsdurchlässig, cf.

(18) (c) [mẽw̃ãh̃] (luxuriös sein)

(c) *das Merkmal* [±*sonorant*]
Sonorante Laute werden mit einer Konfiguration des Artikulationstrakts erzeugt, die nur stimmhafte Laute hörbar macht. Dies
ist der Fall, wenn die Engebildung im Artikulationstrakt einen
bestimmten Wert des ungehinderten Ausströmens der Luft nicht
überschreitet. Sonorant sind Vokale, Gleitlaute, Nasale, Liquide.
Die Nicht-Sonoranten heißen auch *Obstruenten*. Obstruenten
sind also Verschlußlaute, Frikative und Affrikaten.

Die Klassenbildung der Sonoranten und Obstruenten spielt für zahlreiche Aspekte lautlicher Regularitäten eine Rolle. So betrifft die für die französische Liaison festgestellte Tilgung eines Verschlußlautes vor einem Konsonanten nicht nur die Klasse der Verschlußlaute, sondern die der Obstruenten.

Eine wichtige lautliche Generalisierung aus dem Deutschen, wo diese Klassenbildung eine Rolle spielt, ist die sog. *Auslautverhärtung*, derzufolge Obstruenten am Silbenende immer stimmlos sind, cf.

(19)	Dieb	[p]	Die-be	[b]	Dieb-stahl	[p]
	Kind	[t]	Kin-der	[d]	Kind-heit	[t]
	Berg	[k]	Ber-ge	[g]	Berg-station	[k]
	Kreis	[s]	Krei-se	[z]	Kreis-stadt	[s]
	doof	[f]	doo-fer	[v]	Doof-mann	[f]

Dieselbe Regel der Auslautverhärtung gibt es z. B. auch im Russischen, cf. z. B.

(20)	pirog	[k]	piroga	[g]
	chleb	[p]	chleba	[b]

Die Klassenbildungen, die uns durch die Oberklassenmerkmale ermöglicht werden, lassen sich in folgendem Schema veranschaulichen:

(21)		silbisch	konsonantisch	sonorant
	Vokale	+	−	+
	Gleitlaute	−	−	+
	Liquide u. Nasale	−	+	+
	Obstruenten	−	+	−

Bei den folgenden Merkmalen werden Zusammenhänge zwischen Artikulationsorten ausgenutzt.

(d) *das Merkmal* [±*anterior*]

Durch dieses Merkmal wird eine Aufteilung des Mund-Rachenraumes hinsichtlich der Konsonantenbildung in zwei große Regionen vorgenommen: Anteriore Laute sind Laute, bei denen ein Hindernis aufgebaut wird, das *vor der palatoalveolaren Artikulationsstelle*, also vor der Bildungsstelle des [ʃ] liegt. Anterior sind demnach Labiale, Dentale/Alveolare. Laute mit einem Hindernis hinter der genannten Region sowie alle Laute, die überhaupt kein Hindernis haben, also Vokale und Gleitlaute, sind charakterisiert als [−anterior].

Dieses Merkmal hat nur die Funktion, Labiale und Dentale/Alveolare von anderen Konsonanten zu unterscheiden. Nach Kenstowicz/Kisseberth ist kein lautlicher Prozeß bekannt, der auf diese Klasse Bezug nimmt. Ihr Nutzen könnte lediglich darin gesehen werden, daß sie zusammen mit dem folgenden Merkmal eine Definition des Artikulationsortes [±labial] erlaubt.

(e) *das Merkmal* [±*koronal*]

Koronal sind Laute, bei denen der Zungenkranz aus seiner neutralen Lage angehoben wird, also Dentale/Alveolare und Palatoalveolare. Alle anderen Konsonanten sind [−koronal]. Diese Klassenbildung spielt wiederum in zahlreichen lautlichen Regularitäten eine Rolle.

Als erstes Beispiel sei eine Regularität aus dem klassischen Arabisch angeführt (cf. Kenstowicz/Kisseberth, S. 249). In dieser Sprache assimiliert das [l] des definiten Artikels [ʔal] vollständig an einen folgenden dentalen/alveolaren oder palatoalveolaren Konsonanten, bleibt aber unverändert vor Labialen, Velaren, Uvularen, Pharyngalen, Laryngalen; man vergleiche (22a) mit (22b):

(22) (a) [ʔal baab] (Tür)   (b) [ʔat taxt] (Bett)
           [ʔal faras] (Pferd)   [ʔad door] (Haus)
           [ʔal kalb] (Hund)   [ʔaz zayt] (Öl)
           [ʔal xaatam] (Ring)   [ʔar ražul] (Mann)
                                       [ʔan naas] (die Leute)
                                       [ʔaš šams] (Sonne)

Ein zweites Beispiel betrifft eine Regularität aus dem Deutschen, und zwar mögliche Konsonantenkombinationen am Silbenende (cf. Moulton (1956)). Nach Kurzvokal können im Deutschen *innerhalb einer Silbe* nicht mehr als fünf Konsonanten auf den Silbengipfel folgen. Dabei gilt die zusätzliche Restriktion, daß die erste oder zweite Position nach dem Silbengipfel von allen Konsonanten eingenommen werden kann, daß aber die Positionen drei bis fünf nur von den Konsonanten [š,t,s] eingenommen werden können, cf.

(23) (des) Herbsts, (des) Ernsts
(Man beachte, daß *es herbstlt* kein Gegenbeispiel darstellt, da das *l* hier silbisch ist.)

Unter Bezugnahme auf das Merkmal [±koronal] kann diese Restriktion also dahingehend formuliert werden, daß die Positionen drei bis fünf nur von stimmlosen koronalen Lauten eingenommen werden können.

Das letzte Merkmal schließlich, das hier dargestellt werden soll, betrifft *Zusammenhänge zwischen Artikulationsarten.*

(f) *das Merkmal* [±*dauernd*]

Dauernde Laute sind dadurch gekennzeichnet, daß bei ihrer Artikulation das Entweichen des Luftstromes durch den Mund nicht blockiert wird. Dauernde Laute sind also Vokale, Gleitlaute, Liquide und Frikative. Eine solche Blockierung des Luftstroms im Mundraum findet demgegenüber statt bei Verschlußlauten, Affrikaten und Nasalkonsonanten. Daher sind diese [−dauernd]. (Manche Linguisten wollen auch die Nasalkonsonanten zu den Dauerlauten rechnen.)

Auch diese Klassenbildung spielt für zahlreiche lautliche Regularitäten eine Rolle. So gibt es z. B. im Türkischen eine Ausspracheregel, derzufolge die Klasse der [−dauernd]-Obstruenten stimmlos auszusprechen ist, wenn diese vor einem Konsonanten oder am Ende eines Wortes stehen, cf. z. B. (Kenstowicz/Kisseberth, S. 252):

(24) kap (Lid)   kap-lar (pl.)   kab-ɪ (sein Lid)
     kanat (Flügel)   kanat-lar   kanad-ı
     renk (Farbe)   renk-ler   reng-i
     aač (Baum)   aač-lar   aaj-ı
     Aber: kız (Tochter)   kız-lar   kız-ı

Wie die Merkmale (d)-(f) zur Klassenbildung von Lauten beitragen, wird in Abbildung 4 veranschaulicht.

Wir haben jetzt also eine Reihe von Merkmalen kennengelernt, mit denen man Laute klassifizieren und charakterisieren kann. Von dieser Charakterisierungsmöglichkeit wird in *phonetischen Repräsentationen* Gebrauch gemacht. D. h., was wir bisher zur phonetischen Repräsentation verwendet haben, nämlich Transkriptionen mit Hilfe des IPA, sind genaugenommen nur praktische Abkürzungen. Eigentlich werden Laute auf der phoneti-

Abb. 4

Artikul. Stelle / Artikul.-Art		+ KORONAL								− ANTERIOR		
		+ ANTERIOR				− ANTERIOR						
		LABIAL (Bilabial/Labial)		ALVEO-LAR		PALATO-ALV.		PALA-TAL		VELAR		UVULAR
		stl.	sth	stl.	sth.	stl.	sth.	stl.	sth.	stl.	sth.	stl. sth.
SONORANT.	LIQUIDE			l,r								R
	NASALE	m		n						ŋ		
OBSTRUENTEN	(oral.) VERSCHLL.	p	b	t	d					k	g	
	AFFRIKATEN	p^f		t^s		t^ʃ	d³					
	FRIKATIVE	f	v	s	z	ʃ	ʒ	ç		x		

(− DAUERND)

schen Ebene als *Komplexe von spezifizierten Merkmalen* repräsentiert, jenen dargestellten Merkmalen also, die die artikulatorischen und perzeptuellen Möglichkeiten zur Unterscheidung von Lauten charakterisieren.

Die Symbole [p], [f], [t], etc. sind so gesehen nur Abkürzungen für die Komplexe von spezifizierten phonetischen Merkmalen (sog. »*Merkmalmatrizen*«), die den Lauttyp definieren. So stehen etwa »[p]«, »[f]« und »[ɔ]« als Abkürzungen für

$$
(25) \quad
\begin{bmatrix}
-\text{sonorant} \\
-\text{koronal} \\
-\text{stimmhaft} \\
-\text{dauernd} \\
+\text{anterior} \\
\cdot \\
\cdot
\end{bmatrix}
\begin{bmatrix}
-\text{sonorant} \\
-\text{koronal} \\
-\text{stimmhaft} \\
+\text{dauernd} \\
+\text{anterior} \\
\cdot \\
\cdot
\end{bmatrix}
\begin{bmatrix}
-\text{hoch} \\
-\text{niedrig} \\
+\text{hinten} \\
+\text{rund} \\
-\text{lang/gespannt} \\
\cdot
\end{bmatrix}
$$

Einen solchen Laut bzw. seine Merkmalmatrix nennt man »*phonetisches Segment*« oder »*Phon*«.

Warum repräsentiert man die Laute in Form von Merkmalmatrizen? Sprachlaute sind das Produkt der menschlichen Anatomie und Physiologie. Es ist daher nicht überraschend, daß man zahlreiche Ähnlichkeiten zwischen den Lautstrukturen verschiedener

Sprachen findet. Indem man nun Laute als Mengen von Merkmalen der angegebenen Art repräsentiert, möchte man zum einen eine *an den artikulatorischen und perzeptuellen Möglichkeiten der Lautunterscheidung orientierte*, eindeutige und möglichst ökonomische Beschreibung *aller* in natürlichen Sprachen vorkommenden Sprachlaute möglich machen.

In diesem Sinne dürfte eine vollständige Erfassung der relevanten Eigenschaften von Lauten natürlich nicht auf artikulatorische Gegebenheiten beschränkt sein. Ein »optimales« Merkmalsystem müßte ebenso akustische und auditive Gegebenheiten berücksichtigen. Ein solches integriertes Merkmalsystem gibt es zum gegenwärtigen Zeitpunkt trotz verschiedener Ansätze noch nicht. Es hat sich jedoch gezeigt, daß artikulatorisch gefaßte Merkmalsysteme für eine angemessene Beschreibung sprachlicher Lautsysteme ausreichen.

Wenn man sagt, daß eine Matrix phonetischer Merkmale die artikulatorischen und akustischen Eigenschaften eines Segments beschreibt, so kann man sich dies unter kognitionspsychologischem Aspekt auch so vorstellen, daß im artikulatorischen Fall jedes Merkmal als eine Information anzusehen ist, die das Gehirn an den Stimmapparat leitet, damit er jene Operationen ausführt, die die Produktion des betreffenden Lautes herbeiführen. Akustisch gesehen kann ein Merkmal als jene Information angesehen werden, die das Gehirn in den Schallwellen auszumachen versucht, um ein bestimmtes Segment als den und den Laut zu identifizieren.

5. Natürliche Klassen und die Natürlichkeitsbedingung

Wir haben bereits an den Pluralregeln für englische Substantive gesehen, daß mit Hilfe von Merkmalcharakterisierungen die Formulierung von Regularitäten der Lautstruktur einfacher wird als mit anderen Beschreibungsmitteln. Wie sich außerdem an diesem Beispiel oder am Beispiel der deutschen Auslautverhärtung gezeigt hat, betreffen die Lautregeln einer Sprache nicht willkürliche Mengen von Lauten, sondern Mengen, die bestimmte Merkmale gemeinsam haben (die stimmhaften und stimmlosen Laute im ersteren Fall, die Obstruenten im letzteren Fall).

Betrachten wir noch ein weiteres Beispiel: die zulässigen Drei-

Konsonanten-Anfänge englischer Wörter (cf. Halle/Clements (1983)). Sie sind Gegenstand der Restriktion, daß der erste Konsonant in diesem Fall [s] sein muß, daß der zweite aus der Menge [p,t,k] und der dritte aus der Menge [r,l,w,j] stammen muß. Alle diese Mengen haben Merkmale gemeinsam:

– die Menge [p,t,k] z. B. die Merkmale [−stimmhaft, −dauernd]
– die Menge [r,l,w,j] die Merkmale [+sonorant, −nasal, (−silbisch)].

Lautregeln in allen Sprachen betreffen Lautklassen, die durch gemeinsame Merkmale ihrer Elemente definierbar sind. Solche Lautklassen nennt man *natürliche Klassen*.

Der Begriff der natürlichen Klasse läßt sich wie folgt präzisieren. Da wir ja einen Laut als eine *Menge* von Merkmalen auffassen, können wir sagen:

(26) *Begriff der natürlichen Klasse*

Eine Menge X von Lauten bildet eine natürliche Klasse genau dann, wenn (a) und (b) gilt:

(a) Es gibt eine (nicht leere) Menge von Merkmalen, die Teilmenge eines jeden dieser Laute ist.

(b) Jeder Laut, der diese (nicht leere) Menge von Merkmalen als Teilmenge enthält, gehört zur Menge X.

Ein weiteres Beispiel für natürliche Klassen liefert uns die folgende Illustration. Wir wissen, daß der Laut [p] durch folgende Merkmale definierbar ist:

(27) [−sonorant, +labial, −stimmhaft, −dauernd]

Jedes dieser Merkmale ist nötig, um den betreffenden Laut eindeutig zu charakterisieren. Betrachten wir nun die Mengen

(28) (a) [p] = [−sonorant, +labial, −stimmhaft, −dauernd]
      (b) [f] = [−sonorant, +labial, −stimmhaft, +dauernd]

Da die Menge [−sonorant, +labial, −stimmhaft] sowohl Teilmenge von [p], als auch Teilmenge von [f] ist, und da [p] und [f] sämtliche Laute sind, für die dies gilt, bildet [p,f] eine natürliche Klasse.

Analog zeigt sich, daß

(29) (a) [p,b]
      (b) [p,t,k]

jeweils natürliche Klassen darstellen.

Im Gegensatz dazu ist etwa eine Menge wie [p,r] keine natürliche Klasse. Zwar haben die Merkmalmengen [p] und [r] gemeinsame Merkmale (z. B. [+anterior]), aber wegen Klausel (b) in (26) liefert uns das Merkmal [+anterior] eine sehr viel größere Klasse von Lauten als nur [p,r]. Will man demgegenüber eine Menge von Lauten L_1 und L_2, die keine gemeinsamen Merkmale haben, eindeutig charakterisieren, so wären *alle* Merkmale nötig, die L_1 charakterisieren, *und alle* Merkmale, die L_2 charakterisieren. In diesem Fall ist aber ebenfalls klar, warum die entsprechende (Vereinigungs-)Menge keine natürliche Klasse charakterisiert: Klausel (a) von (26) wäre nicht erfüllt.

Daß sich menschliche Sprachen in ihren Lautregeln in überwiegendem Maße auf natürliche Klassen von Lauten beziehen, daß es also kaum Lautregeln gibt, in denen z. B. die Lautmenge [p,r] involviert ist, heißt, daß von solchen Regeln Lautmengen bevorzugt werden, die durch wenige spezifizierte Merkmale zu identifizieren sind, und deren Elemente artikulatorische Gemeinsamkeiten aufweisen.

Es ist klar, daß die formale Unterscheidung zwischen natürlichen Klassen von Segmenten und beliebigen Lautmengen nur dann möglich ist, *wenn wir Laute in der Tat als Merkmalmengen* auffassen. Würden Laute nur alphabetisch mit Hilfe des IPA repräsentiert, so wären in dieser Notation alle Symbole formal nicht weiter differenzierbar. Über die Mengen [p,t,k] und [t,ŋ,e] ließen sich daher, außer daß sie jeweils drei Elemente enthalten, keine weiteren phonologisch relevanten Aussagen machen.

Bei den vorangehenden Überlegungen und insbesondere bei der Charakterisierung natürlicher Klassen wurde implizit davon ausgegangen, daß bei der Formulierung lautlicher Regularitäten *phonetische Repräsentationen* verwendet werden; i.e. es wurde davon ausgegangen, daß phonetische Repräsentationen, also eine Darstellung in Form von Merkmalmatrizen, *auch für die Zwecke der phonologischen Beschreibung* die adäquate Darstellungsform sind.

Diese Annahme ist in der Tat eine zentrale Annahme der generativen Phonologie. Sie ist keineswegs trivial und hat gravierende empirische Konsequenzen. Ein wesentliches Argument für diese Annahme besteht genau darin, daß sie es erlaubt, die fundamentale Rolle natürlicher Klassen in den Lautregeln aller menschlichen Sprachen zu erfassen. Die Bestimmung, was eine natürliche

Klasse ist, verlangt jedoch die Bezugnahme auf phonetische Kategorien. D. h., man kann sagen, daß die natürlichen Lautklassen, die zur Formulierung von Generalisierungen über regelhafte lautliche Zusammenhänge benötigt werden, zu einem großen Teil (cf. jedoch das phonetische Korrelat von *sonorant*??) durch Eigenschaften definiert sind, auf die man rekurrieren muß, um die die artikulatorische Realisation betreffenden Laute zu beschreiben.

Diese phonetische Fundierung natürlicher Lautklassen ist nicht selbstverständlich. Es könnte sein, daß Sprachen so organisiert sind, daß phonetisch inkohärente Mengen wie z. B. [t,ŋ,e] oder [ʔ,p,r], aber nicht phonetisch kohärente Mengen wie [p,t,k] die für Aussracheregeln relevanten Klassen darstellen. Wenn man also die phonetische Merkmal-Notation für die Zwecke der phonologischen Beschreibung übernimmt, dann geht damit die Hypothese einher, daß phonologische Regeln phonetisch fundiert, bzw. *daß natürliche Klassen phonetisch definierbar sind.* Diese Hypothese hat man auch als die »*Natürlichkeitsbedingung*« bezeichnet.

III Phonologie

A. Lineare Phonologie

1. Zur Motivation der phonologischen Komponente der Grammatik

1.1. Ist die phonologische Komponente überflüssig?

Wir wissen bereits, daß eine zentrale Aufgabe der phonologischen Komponente der Grammatik darin besteht, die Mechanismen, Prinzipien und Regeln herauszufinden bzw. zu rekonstruieren, die der Aussprache von Äußerungen einer bestimmten Sprache zugrundeliegen.

In ähnlicher Weise hatten wir in Kap. (I.) die Aufgabe der *syntaktischen Komponente* einer Grammatik darin gesehen, die Mechanismen, Prinzipien und Regeln herauszufinden bzw. zu rekonstruieren, die der Bildung wohlgeformter Sätze in einer Sprache zugrundeliegen. Die Überlegung, die einen zu der Annahme führt, daß es offenkundig syntaktische Regeln geben muß, ist, daß Sprecher einer natürlichen Sprache in der Lage sind, unendlich viele Sätze korrekt zu bilden, insbesondere solche, die sie noch nie gehört haben. Man kann also die Bildung von Sätzen nicht in der Weise gelernt haben, daß man jeden Satz irgendwann einmal gehört hat und sich gemerkt hat, welche Form er hat.

Überträgt man diese Überlegung auf die Phonologie, so ist auf den ersten Blick nicht klar, daß es eine zur syntaktischen Aufgabe analoge Funktion einer phonologischen Komponente geben muß. Es könnte sich ja mit der Art und Weise, wie natürliche Sprecher die Aussprache von Äußerungen ihrer Sprache lernen, folgendermaßen verhalten.

Zunächst ist klar, daß die Tatsache, daß die Bedeutung des italienischen Wortes *lago* im Deutschen durch die Folge der Laute [z], [e:] verbalisiert wird, eine mehr oder weniger zufällige Erscheinung ist. Wir müssen das betreffende Wort ausgesprochen hören, um seine Aussprache zu lernen, müssen uns merken, daß dies die

Aussprache für das Wort ist, das im Deutschen die Bedeutung von *See* wiedergibt.

Nun ist im Gegensatz zu der Anzahl von Sätzen, die wir bilden können, *die Anzahl der Wörter einer Sprache endlich* und ebenso die Anzahl von Wortendungen, Affixen etc. Könnte es also nicht so sein, daß wir wissen, wie eine Äußerung im Deutschen auszusprechen ist, weil wir die Aussprache der Wörter mit ihren Endungen, Affixen etc. in der genannten Weise gelernt haben und die Aussprache der Äußerungen sich eben ergibt, wenn wir diese ihre Teile in der gelernten Weise aussprechen?

Wenn dies so wäre, dann gäbe es in der Tat für eine phonologische Komponente der Grammatik nichts zu tun. Wie die einzelnen Wörter auszusprechen sind, wäre *im Lexikon* der betreffenden Sprache repräsentiert. Wie Sätze gebildet werden, sagen die syntaktischen Regeln, und wie sie ausgesprochen werden, bzw. welche phonetischen Repräsentationen ihnen zuzuordnen sind, ergibt sich aus der Aussprache der Wörter. Daß diese Erklärung unserer Fähigkeit, die Sätze unserer Muttersprache korrekt auszusprechen, jedoch falsch ist, zeigen die folgenden Überlegungen.

1.2. Das Phänomen der Alternation

Ein erstes Argument gegen die angeführte Hypothese liefert die Beobachtung, daß es in den meisten Sprachen Wörter, Endungen, Affixe, also bedeutungstragende sprachliche Einheiten *(Morpheme)*, gibt, die *mehr als eine Aussprache*, d. h. mehr als eine phonetische Realisierung besitzen.

Am Beginn des Phonetik-Kapitels haben wir bereits zwei Beispiele aus dem Englischen kennengelernt, die dieses Phänomen illustrieren: Das Suffix zur Bildung des Präteritums wird manchmal als [t] *(kissed)*, manchmal als [d] *(killed)* und manchmal als [ǝd] *(stated)* ausgesprochen; das Suffix zur Pluralbildung wird manchmal als [s] *(cats)*, manchmal als [z] *(cads)*, manchmal als [ǝz] *(buses)* ausgesprochen. Auch ein diesbezügliches Beispiel aus dem Deutschen ist uns schon begegnet: Es handelt sich um die Daten, die die sog. Auslautverhärtung im Deutschen illustrierten. Das Wort *Dieb* wird im Singular mit [p], im Plural mit [b] ausgesprochen. Ein weiteres Beispiel aus dem Deutschen liefert die Velarisierung des »ich«-Lauts, wie wir sie in der Aussprache des Singulars [bax] nicht aber des Plurals [bɛçə] von *Bach* finden.

Dieses Phänomen, daß ein Morphem je nach Kontext variierende oder alternierende Aussprachen hat, nennt man *»Alternation«* bzw. *»Morphemalternanz«*. Die verschiedenen Ausspracheweisen nennt man *»Alternanten«* oder auch *»Allomorphe«* des betreffenden Morphems.

Widerlegt das Phänomen der Alternation also die Hypothese von der Überflüssigkeit der phonologischen Komponente? Könnte man nicht einwenden, daß wir, wenn wir die Aussprache eines Morphems lernen, eben alle Alternanten dieses Morphems mitlernen, bzw. daß wir eben nicht die Aussprache von Morphemen, sondern die Aussprache von Wörtern lernen, also sowohl die des Wortes *Dieb* als auch die des Wortes *Diebe*?

Diesen Einwänden wäre folgendes entgegenzuhalten. Selbst wenn wir mit der Aussprache eines Morphems alle Alternanten dieses Morphems lernten, wüßten wir immer noch nicht, *wann* welche Alternante zu wählen ist, d. h. es wären immer noch *Regeln* nötig, die garantieren, daß bei *kissed* die [t]-Variante und bei *killed* die [d]-Variante zu selegieren ist. Die Kenntnis genau dieser Regeln aber würde über das hinausgehen, was wir über die lexikalisch repräsentierte Aussprache von Morphemen gelernt haben.

Gravierender ist jedoch, daß diesen Einwänden folgendes entgegengehalten werden kann. Jeder englische Muttersprachler ist in der Lage, auch bei Verben, die er noch nie gehört hat, ein Präteritum korrekt auszusprechen. Legen wir ihm z. B. die im Englischen nicht vorhandenen (aber möglichen) Verben *to mag* [mæg], *to maf* [mæf] vor und bitten ihn, davon die (starken) Präteritumformen zu bilden, so wird er diese aussprechen als [mægd] und [mæft]. Und wenn wir ihm sagen, es handle sich bei den betreffenden Wörtern nicht um Verben, sondern um Substantive, so würde er deren Plural bilden als [mægz] und [mæfs]. Ebenso wird ein deutscher Sprecher, den wir bitten, die von ihm noch nie gehörten (weil nicht vorhandenen) potentiellen deutschen Wörter *schech* bzw. *schoch* auszusprechen, dies im ersteren Fall mit dem »ich«-Laut, im letzteren mit dem »ach«-Laut tun.

Dies zeigt, daß das Wissen des Muttersprachlers bzgl. der Selektion von Alternanten in einem Sinne »projektiv« ist, der nur durch die Annahme erklärbar ist, daß dieser Selektion Regeln zugrundeliegen, deren Beherrschung zum sprachlichen Wissen, i.e. zu den grammatischen Fähigkeiten eines Native Speakers gehört. Die Existenz solcher Regeln aber zeigt, daß es eine phonologische Komponente in der internalisierten Grammatik einer Sprache gibt und damit auch auf der linguistischen Beschreibungsebene geben muß.

Daß das Phänomen der Alternation in der Tat zu diesem Schluß zwingt, läßt sich durch ein letztes – vermutlich das stärkste – Argument wie folgt untermauern. Es gibt Sprachen, in denen die Aussprache eines Morphems nicht nur von angrenzenden Morphemen im selben Wort abhängt, sondern von der Position dieses Morphems *in einer Phrase*, also einer größeren grammatischen Einheit als dem Wort. Dann kann aber die Aussprache eines solchen Morphems nicht in der in (1.1.) beschriebenen Weise gelernt worden sein, da es eine unendliche Anzahl von Phrasen gibt, in denen es vorkommen kann. D. h. es ist unmöglich, daß das Lexikon alle Wörter und Phrasen enthält, in denen dieses Morphem vorkommt, und für jeden Fall seine Aussprache spezifiziert. Es muß also Regeln geben, die diese Aussprache steuern.

1.3. Idiosynkratische und systematische Lauterscheinungen

Ein weiteres Phänomen, das eine phonologische Komponente der Grammatik motiviert, besteht in der Tatsache, daß sich *zwei Arten von phonetischer Information* unterscheiden lassen.

Am Beispiel des Wortes *See* wurde bereits darauf hingewiesen, daß es eine mehr oder weniger zufällige Erscheinung ist, daß dieses Wort im Deutschen durch die Lautgestalt [ze:] phonetisch realisiert wird. Ebenso repräsentiert die Tatsache, daß das Wort *krank* eine Lautgestalt hat, die mit einem velaren und nicht etwa mit einem alveolaren Verschlußlaut beginnt, eine idiosynkratische, einen Einzelfall betreffende Eigenschaft.

D. h., solange ein deutscher Muttersprachler dieses Wort noch nicht kennt, liefert ihm seine Beherrschung des Deutschen *keine Möglichkeit vorherzusagen*, daß der erste Laut jenes deutschen Wortes, das die Bedeutung des italienischen *malato* hat, ein velarer Laut ist. Es ist für ihn nicht ausgeschlossen, daß dieser Laut auch alveolar bzw. labial sein könnte, das betreffende deutsche Wort daher die Lautgestalt von *trank* oder *prank* hätte. D. h., daß das betreffende Wort mit einem velaren Laut beginnt, muß der deutsche Muttersprachler also ganz speziell für dieses deutsche Wort lernen. Dasselbe gilt natürlich für die Tatsache, daß dieser velare Laut ein stimmloser Laut ist. Solche nicht-prognostizierbaren, für jedes einzelne Morphem speziell zu lernenden Lauterscheinungen wollen wir *idiosynkratische lautliche Eigenschaften* nennen.

Nun könnte man meinen, daß nicht nur Stimmlosigkeit und Velarität, sondern alle phonetischen Eigenschaften des ersten Lautes in *krank* von der genannten idiosynkratischen Natur sind, und daß dasselbe für die gesamte Lautfolge gilt, als die dieses Wort phonetisch realisiert wird. Dies ist aber nicht der Fall.

Vergleichen wir nämlich das Wort *krank* mit der Aussprache anderer deutscher Wörter, die mit einem stimmlosen Verschlußlaut beginnen und aus genau einer Silbe bestehen, wie z. B. *Trost* oder *Prost*, so stellen wir fest, daß in jedem dieser Fälle der anlautende Verschlußlaut *aspiriert* ausgesprochen wird, und erstaunlicherweise gilt das Folgende. Selbst wenn der deutsche Muttersprachler nicht wüßte, ob das betreffende deutsche Wort für den Zustand der Krankheit *krank, prank* oder *trank* lautet, das eine wüßte er: *Wenn* es mit dem stimmlosen labialen Verschlußlaut anlautet, dann wird dieser als [pʰ] gesprochen; *wenn* es mit dem stimmlosen alveolaren Verschlußlaut anlautet, dann wird dieser als [tʰ] gesprochen; und *wenn* es mit dem stimmlosen velaren Verschlußlaut anlautet, dann wird dieser als [kʰ] ausgesprochen. D. h. die Tatsache, *daß stimmlose Verschlußlaute im Deutschen im unmittelbaren Silbeneinsatz (cf. »mattrosa« vs. Matrose«) aspiriert werden*, ist eine *regelhafte Erscheinung* der deutschen Aussprache; es handelt sich nicht um eine mit den betreffenden Lauten notwendigerweise verbundene Eigenschaft, wie die Existenz nichtaspirierter stimmloser Verschlußlaute im Deutschen, z. B. in *Spiel* [ʃpiːl], zeigt.

Dieser Unterschied zwischen *idiosynkratischen* und *systematischen* lautlichen Eigenschaften spielt noch an anderer Stelle in dem Wort *krank* eine Rolle. So ist es sicherlich eine nicht-prognostizierbare Eigenschaft dieses Wortes, daß der vierte Laut in ihm ein nasaler Laut ist und nicht etwa ein liquider. Daß dieser nasale Laut jedoch velar artikuliert wird, ist ein prognostizierbares Resultat der generellen Regularität des Deutschen, derzufolge ein alveolarer Nasal vor [g] oder [k] velarisiert wird, wie z. B.

auch in *tanken* vs. *Tanten* oder *bunter* vs. *Bunker*. Wir können also sagen, daß die phonetische Repräsentation [kʰʀaŋk] des Wortes *krank* ein Konglomerat aus idiosynkratischen und systematischen Lautmerkmalen darstellt. Es ist klar, daß eine Hypothese, die alle Lautmerkmale eines Wortes als lexikalische Idiosynkrasien ansieht, diesen Unterschied unterschlägt.

Es gibt überdies – abgesehen von den dargestellten »internen« lautlichen Regularitäten – auch eine Reihe von »externen« Phänomenen, die man nur als signifikante Konsequenzen systematischer lautlicher Eigenschaften von Sprachen erklären kann. Wir möchten zwei solcher Phänomene hier anführen: zum einen den sogenannten »*Akzent*« *beim Sprechen einer Fremdsprache* und zum anderen Erscheinungen bei *Versprechern* (»slips of the tongue«), nach einem diesbezüglich berühmten Mitglied der Universität Oxford, Reverend Spooner, auch »Spoonerismen« genannt (Kostprobe (cf. Fromkin/Rodman): *You have hissed my mystery lecture – you have tasted the whole worm* statt: *You have missed my history lecture – you have wasted the whole term*).

Wenn ein Native Speaker des Deutschen die französische Sprache erlernt, so hat er z. B. bei der Aussprache von Wörtern wie *peuple*, das ausgesprochen wird als [pœpl], spezielle Schwierigkeiten. Obwohl, wie wir gesehen haben, das Deutsche über den nichtaspirierten stimmlosen Verschlußlaut [p] verfügt, endet der Versuch des deutschen Muttersprachlers, dieses französische Wort auszusprechen, meist bei [pʰœpl], ja, er wird sogar Schwierigkeiten haben, den Unterschied zwischen [pœpl] und [pʰœpl] überhaupt zu hören.

Es ist klar, daß diese Schwierigkeiten damit zusammenhängen, daß Aspiration im Deutschen eine regelgeleitete Erscheinung ist, und daß der deutsche Sprecher die diesbezügliche Ausspracheregel des Deutschen auf das Französische überträgt. Da die betreffenden Schwierigkeiten stets mit systematischen Lauteigenschaften der Muttersprache zusammenhängen, kann der deutsche/englische/russische etc. Akzent beim Erwerb einer Fremdsprache also angesehen werden als die Projektion spezifischer systematischer Lauterscheinungen der jeweiligen Muttersprache auf die betreffende Fremdsprache.

Auch an Versprechern läßt sich die Existenz systematischer lautlicher Regularitäten illustrieren. Z. B. wurde, einer Anekdote zufolge, ein Lehrer namens *Gasteiger* von einem Schüler einmal versehentlich *Astgeiger* genannt. Die Vertauschung des [g] hatte dabei den Effekt, daß das »a« der ersten Silbe nicht mehr als [a] (wie in *Gasteiger*), sondern als [ʔa] ausgesprochen wurde. Diese automatische lautliche Veränderung ist erklärbar unter Bezug auf die bereits des öfteren erwähnte systematische Regularität im Deutschen, derzufolge Vokale am Silbenanfang glottalisiert werden.

Ein anderer bei Kenstowicz/Kisseberth (1979), Kap. (5.), angeführter Versprecher im Englischen

(1) [sprɪg]time for [hīntlər] (statt *springtime for Hitler*)

ist gleich in bezug auf mehrere systematische Regularitäten des Englischen interessant. Zum einen gibt es im Englischen wie im Deutschen die regelhafte Erscheinung, daß

(a) *n* vor [g] und [k] zu [ŋ] velarisiert wird
(b) [g] nach [ŋ] getilgt wird (cf. im Deutschen die Aussprache von *singen* vs. *sinken*).

Zum anderen werden im Englischen Vokale vor Nasalkonsonanten nasaliert.

Nun betrachte man die Effekte der Vertauschung des nasalen Alveolars in obigem Versprecher. Dadurch, daß er aus dem ersten Wort eliminiert war, entfiel die Gelegenheit zu seiner Velarisierung und damit die Notwendigkeit zur g-Tilgung. Das in [sprɪŋ]*time* nicht vorhandene [g] konnte also wieder erscheinen. Als zweiter Effekt entfiel die Nasalierung des *i*-Lautes in *spring* und es erfolgte eine Nasalierung des *i*-Lautes in *Hintler*.

Es ist klar, daß Phänomene wie die eben dargestellten zeigen, daß die Unterscheidung zwischen idiosynkratischen und systematischen lautlichen Eigenschaften von großer linguistischer Bedeutung ist.

Der Linguist sieht sich daher mit der Forderung konfrontiert, seine Theorie der Lautstrukturen einer Sprache so zu konstruieren, daß sie dem Unterschied zwischen diesen beiden Typen von phonetischen Eigenschaften Rechnung trägt. Wie dies auf der Basis einer phonologischen Komponente der Grammatik geleistet werden kann, soll im folgenden Abschnitt illustriert werden.

Alle idiosynkratischen phonetischen Eigenschaften eines Morphems werden in der lexikalischen Repräsentation dieses Morphems aufgeführt. Systematische phonetische Eigenschaften werden *durch phonologische Regeln in der phonologischen Komponente* der Grammatik zugeordnet.

Mit dieser Strategie ist die Annahme *zweier unterschiedlicher Repräsentationsebenen* der phonologischen Struktur verbunden.

Wenn man sich den Aufbau einer Grammatik so vorstellt, daß die syntaktische Komponente die wohlgeformten, syntaktischen Strukturen unserer Sätze erzeugt, dann ist klar, daß das Endprodukt der syntaktischen Komponente mit lexikalischen Elementen »gefüllt« werden muß. Diese lexikalischen Elemente werden dem Lexikon entnommen. Die jeweiligen Lexikoneinträge sehen so aus, daß sie u. a. Informationen über die notwendige syntaktische Umgebung eines lexikalischen Elementes, über seine Bedeutung *und über seine idiosynkratischen phonetischen Eigenschaften* enthalten.

Da die Endprodukte der syntaktischen Komponente *durch Lexikoneinträge als ganzes* »gefüllt« werden, liefert dieser lexikalisch gefüllte Output der syntaktischen Komponente zugleich auch eine Repräsentation der idiosynkratischen Lauteigenschaften der syntaktischen Einheiten. Wir wollen diese die *zugrundeliegende* oder *phonologische Repräsentation* dieser Einheiten nennen.

Nun muß dafür gesorgt werden, daß dieser zugrundeliegenden, idiosynkratische phonetische Eigenschaften repräsentierenden phonologischen Struktur die *tatsächliche Lautgestalt* unserer Aussprache verliehen wird; i.e. dieser Struktur müssen systematische phonetische Eigenschaften hinzugefügt werden. Dies geschieht durch *phonologische Regeln*, die die *phonologische Komponente der Grammatik* ausmachen. Resultat dieser Regeln ist die *phonetische Repräsentation*, jener zweite Typ der phonologischen Struktur also, der sowohl die idiosynkratische als auch die prognostizierbare Information über die Aussprache einer Äußerung enthält.

Wir können also zusammenfassend sagen, daß das lexikalisch angereicherte Endprodukt der syntaktischen Komponente den Input für die phonologische Komponente darstellt, daß in dieser phonologische Regeln auf phonologischen Repräsentationen operieren, und daß phonetische Repräsentationen das Resultat dieser Operationen darstellen.

Machen wir uns das kurz an einem Beispiel klar. Daß und warum auch die zugrundeliegende Repräsentation mit Hilfe phonetischer Merkmale geschieht, haben wir bereits gesehen. Merken wir uns, daß die Einheiten der zugrundeliegenden Repräsentation, also die (Abkürzungen für die) Merkmalkomplexe der zugrundeliegenden Struktur *zwischen Schrägstrichen*, z. B. »/p/« notiert werden, im Gegensatz zur Notation der phonetischen Repräsentation, die mittels *eckiger Klammern* erfolgt.

Wir haben uns bereits klargemacht, daß die Glottalisierung von Vokalen am Silbenanfang im Deutschen eine systematische phonetische Eigenschaft ist: Sie kommt nur an dieser Stelle vor, und sie alterniert mit der leeren Stelle, d. h. sie fehlt, wenn der betreffende Vokal nicht am Silbenanfang steht (cf. *auf* und *aus* mit Knacklaut, aber *hinauf* und *heraus* ohne Knacklaut). Die systematische Eigenschaft dieser Glottalisierung kann nun durch eine phonologische Regel der folgenden Art eingeführt werden:

(2) *Glottalisierung*
$\emptyset \rightarrow ?/\$\underline{\quad}V$

In dieser Notation soll der Pfeil bedeuten »wird zugeordnet«; der Schrägstrich heißt »im Kontext von«; der waagerechte Strich zeigt die Position des Segments an, das der Regel unterliegt; und was links und rechts von diesem Strich steht, gibt die Umgebung an, in der dieses Segment der Regel unterliegt, in unserem Fall also nach der Anfangsgrenze der Silbe (symbolisiert als »\$«) und vor Vokal (symbolisiert als »V«).

Diese Glottalisierungsregel bewirkt, daß die zugrundeliegende Repräsentation von *auf* wie folgt in die phonetische Repräsentation überführt wird:

(3)   *Glottalisierung*
/awf/ $\implies$ [?awf]

Wir werden uns in Abschnitt (4.) das Wirken phonologischer Regeln noch genauer ansehen.

2. Phone, Phoneme, Allophone

Wir hatten gesagt, daß wir auch die Einheiten der zugrundeliegenden Repräsentation als Merkmalmengen auffassen. Die Aufgabe der Phonologie besteht nun nicht nur darin, die phonologischen Regeln einer Sprache zu rekonstruieren, sondern auch darin zu ermitteln, *aus welchen konkreten Einheiten die zugrundeliegenden Repräsentationen einer Sprache bestehen*, d. h. anzugeben, wie die jeweiligen Merkmalmengen aussehen, die die in einer Sprache vorkommenden Einheiten der zugrundeliegenden Repräsentationen ausmachen.

Betrachten wir z. B. die beiden Merkmalmengen [p] und [p^h]. Beide kommen in englischen oder deutschen Wörtern vor. Sie kommen dort allerdings nicht in demselben Sinne vor wie etwa im Thai. Während es nämlich im Thai zwei *bedeutungsverschiedene* Wörter gibt, z. B.

(4) p^{h}aa = stoßen
    paa = Wald

die sich lautlich nur darin unterscheiden, daß in dem einen der aspirierte Laut [p^h] durch den nichtaspirierten Laut [p] ersetzt ist, ist dies im Englischen oder Deutschen nicht der Fall. Man sagt, daß [p^h] im Thai, nicht aber im Englischen oder Deutschen ein *bedeutungsdifferenzierender Laut* ist.

Die bedeutungsdifferenzierenden Laute in einer Sprache ermittelt man über sogenannte *Minimalpaare*. Das sind bedeutungsverschiedene Wörter, die sich nur durch *einen* Laut unterscheiden, z. B.

(5) *Minimalpaare*
    Schein – Sein
    Pein – Bein
    Tisch – Fisch
    mein – dein
    kopieren – kapieren
    Designation – Resignation
    Bund – Band

Die einzelnen Sprachen wählen aus der Menge der artikulierbaren Möglichkeiten jeweils nur einen bestimmten – und häufig verschiedenen – Bereich von Lauten zur Bedeutungsdifferenzierung aus. Im allgemeinen sind dies etwa 30-50 Laute (Merkmalmengen); Extremfälle sind Hawaiisch mit 13 und eine bestimmte afrikanische Sprache mit 141 solcher Laute.

Die bedeutungsdifferenzierenden Laute einer Sprache bezeichnet man auch als die *Phoneme* einer Sprache. Der klassischen Erläuterung des Phonembegriffs zufolge gilt:

(6) *Klassischer Phonembegriff*
   Phoneme sind die *kleinsten bedeutungsdifferenzierenden Einheiten.*

Diese Erläuterung des Phonembegriffs sagt allerdings noch nicht genügend darüber aus, was für eine Art von Entität ein Phonem ist. Wenn oben gesagt wurde, daß [pʰ] im Deutschen oder Englischen kein bedeutungsdifferenzierender Laut ist, so könnte man dem das Minimalpaar *packen – backen* entgegenhalten, und den bedeutungsdifferenzierenden Charakter von [p] unterstreicht etwa *Spiel – Stiel.* Um einzusehen, daß nicht sowohl [pʰ] als auch [p] im Deutschen bedeutungsdifferenzierend ist, genügt die Beobachtung, daß [pʰ] und [p] im Deutschen niemals *in derselben Umgebung* vorkommen. Man sagt auch, daß [p] und [pʰ] im Deutschen eine *komplementäre Distribution* besitzen.

Die komplementäre Distribution deutet darauf hin, daß die Frage, ob im Deutschen [p] oder [pʰ] zu sprechen ist, eine *umgebungsabhängige Realisierungsform* einer zugrundeliegenden idiosynkratischen *p*-Präsenz betrifft, einer Realisierungsform also, die durch eine phonologische Regel als systematisches Phänomen beschrieben werden kann. In der Tat hatten wir ja oben bereits angedeutet, wie die Aspiration von Verschlußlauten im Deutschen durch eine Regel beschrieben werden kann.

Wenn wir nun sagen, daß [p] und [pʰ] verschiedene phonetische Realisierungsweisen einer zugrundeliegenden phonologischen Einheit sind, dann stellt sich natürlich die Frage, ob diese Einheit die Merkmalmenge des [p] oder des [pʰ] ist. Es sei schon hier darauf hingewiesen, daß *im Prinzip* jede dieser beiden Alternativen möglich ist.

Wenn wir uns nun vergegenwärtigen, daß es genau die Einheiten der zugrundeliegenden phonologischen Repräsentation sind, die wir als Phoneme bezeichnet haben, so sieht man an der Frage, ob [p] und [pʰ] phonetische Realisierungen des Phonems /p/ oder des Phonems /pʰ/ sind, daß das Phonem eine *abstrakte Entität* ist, daß es also nicht Phoneme sind, was wir äußern bzw. ausspre- chen, sondern phonetische Realisierungen von Phonemen, oder, wie wir in dem Phonetik-Abschnitt gesagt haben, *Phone*. Ein Phonem ist also das, wovon Phone lautliche Realisierungen sind.

Wie man nun ermittelt, bzw. mit welchen Argumenten man entscheiden kann, ob die Phone [p] und [p^h] Realisierungen des Phonems /p/ oder des Phonems /p^h/ sind – denn, wie gesagt, im Prinzip existieren beide Möglichkeiten –, werden wir im nächsten Kapitel betrachten.

Wenn wir sagen, daß Phoneme als abstrakte Entitäten durch Laute/Phone realisiert werden, dann ist klar, daß die Art der Realisierung *durch phonologische Regeln* zu beschreiben ist.

Wird ein Phonem durch mehrere Laute/Phone realisiert, so bezeichnet man diese auch als *Allophone dieses Phonems*. Angenommen, im Deutschen ist /p/ und nicht /p^h/ Phonem, dann haben wir zwei Allophone dieses Phonems kennengelernt, nämlich [p] und [p^h]. Inwiefern die diesbezügliche Situation im Deutschen von der oben erwähnten Situation im Thai verschieden ist, läßt sich an folgendem Schema verdeutlichen, wobei der Pfeil »X → Y« zu lesen ist als »X realisiert Y«:

(7) *Thai-Phoneme*   *Phone*   *Deutsche Phoneme*
     /p/ ⟵——————   [p]   ——————⟶ /p/
     /p^h/ ⟵——————   [p^h]
     /b/ ⟵——————   [b]   ——————⟶ /b/

3. Phonologische Argumentation

3.1. Das Problem

Als wesentliche Annahme der sog. generativen Phonologie hatte sich ergeben, daß für alle Äußerungen zwischen einer zugrundeliegenden phonologischen Repräsentation und einer phonetischen Repräsentation unterschieden wird. Letztere wird, wenn diese beiden Repräsentationen nicht identisch sind, durch eine oder mehrere phonologische Regeln, die systematische, i.e. prognostizierbare Eigenschaften der Aussprache betreffen, aus ersterer abgeleitet.

Die zentrale Frage ist nun, wie sich entscheiden läßt, welche von zwei alternierenden Formen als die zugrundeliegende anzusehen ist. Es wurde bereits angedeutet, daß etwa im Deutschen im Prinzip nicht nur die Möglichkeit besteht, den palatalen Frikativ [ç] in *Bäche* als phonetische Realisierung eines zugrundeliegenden /x/ anzusehen, sondern auch die alternative Möglichkeit, den velaren Frikativ [x] in *Bach* als phonetische Realisierung eines zugrundeliegenden /ç/ anzusehen.

Gibt es Argumente, mit denen sich zwischen solchen Alternativen entscheiden läßt, mit denen also die Wahl *bestimmter* zugrundeliegender Repräsentationen begründet werden kann? Es sind im großen und ganzen *zwei Arten von Argumenten*, die zu solchen Begründungen angeführt werden: Die einen betreffen interne, die anderen externe Evidenz.

»Interne Evidenz« bezieht sich dabei auf das dem Grammatiker vorliegende Datenmaterial, auf grammatische Zusammenhänge, auf Prinzipien der grammatischen Theorienbildung, kurz gesagt, auf Grammatik-interne Gesichtspunkte.

»Externe Evidenz« bezieht sich auf den Anspruch der generativen Analyse, daß die vom Linguisten ermittelten grammatischen Regeln und Prinzipien mit einer Theorie der tatsächlichen Sprachkenntnis der Muttersprachler gleichzusetzen sind, also die »internalisierte Grammatik« des Native Speaker repräsentieren und damit »psychologische Realität« besitzen.

Dies aber heißt, daß die grammatischen Hypothesen des Linguisten auch an anderen als speziell grammatischen Phänomenen zu überprüfen sein müssen, in denen sich diese »psychologische Realität« ebenfalls manifestieren kann. Einige solcher für phonologische Hypothesen relevanten Phänomene kamen bereits zur Sprache: Versprecher und Akzent beim Fremdsprachenerwerb. Andere betreffen den Primärsprachenerwerb, weitergehende sprachpathologische Erscheinungen, historische Sprachveränderungen, sprachrhythmische und sprachästhetische Kategorien, wie sie in der Sprache der Dichtung verwendet werden.

3.2. Interne Evidenz

Wir möchten in diesem Abschnitt einige Prinzipien und Argumente darstellen (cf. Kenstowicz/Kisseberth (1979), Kap. (5.)), die im allgemeinen zur Begründung zugrundeliegender phonologischer Repräsentationen herangezogen werden.

(i) *Das Prinzip der Singularität*
 Wenn es keine gewichtigen Gründe dagegen gibt, ist für jedes Morphem genau eine zugrundeliegende Repräsentation anzunehmen.

Diesem Prinzip zufolge sind kontextabhängige phonetische Oberflächenalternanten eines Morphems (wie z. B. in *Bach* vs. *Bäche*) von genau einer zugrundeliegenden Repräsentation abzuleiten. Eine Ausnahme bilden Alternationen, wo keine phonetische Beziehung zwischen den Alternanten erkennbar ist, wie z. B. bei Suppletivstämmen (cf. lateinisch *ferro – tuli – latum* oder englisch *go – went*).

(ii) *Das Prinzip der phonologischen Motiviertheit*
 Wenn keine gewichtigen Gründe dagegen sprechen, sollte sich die zugrundeliegende Repräsentation eines Morphems von seiner phonetischen Repräsentation nicht unterscheiden.

Es muß also besondere Gründe geben, wenn man eine von der phonetischen Repräsentation verschiedene zugrundeliegende Repräsentation annimmt. Es ist klar, wie solche Gründe aussehen können. Sie betreffen Morphemalternanz sowie systematische, also prognostizierbare phonetische Eigenschaften.
Obwohl z. B. im Deutschen die folgenden Verschlußlaute im Wortanlaut vorkommen, cf. [p,t,k,b,d,g,ʔ], wird man nur den anlautenden glottalen Verschlußlaut [ʔ] durch eine phonologische Regel ableiten. Nur dieser ist nämlich in seiner Distribution auf den Silbenanlaut beschränkt, und es gibt eine Morphemalternation mit einer Alternante ohne diesen Laut, wenn der Anlaut des betreffenden Morphems nicht mit dem Silbenanlaut zusammenfällt (cf. [ʔübəʀ] vs. [hinübəʀ]). D. h. nur wenn mit einer phonologischen Regel ein Erklärungswert für das phonologische Verhalten eines Morphems verbunden ist, wird man die zugrundeliegende Repräsentation dieses Morphems abstrakter ansetzen als die phonetische Repräsentation.

(iii) *Das Prinzip der phonologischen Erklärung*
 Wenn es keine besonderen Gründe dagegen gibt, wird man eine phonologische Lösung einer lexikalischen Lösung vorziehen.

Dieses Prinzip besagt folgendes. Wenn zu beobachten ist, daß ein Segment x in einem bestimmten Kontext K mit einem Segment y in einigen Fällen alterniert (z. B. [f] mit [v] in (8)) in anderen nicht ([f] in (9)) dann gibt es folgende Möglichkeiten:
(a) Man nimmt sowohl die alternierenden als auch die konstanten

x'e als zugrundeliegend an. Einer *lexikalischen Lösung* zufolge hätte man dann in (8) zwei zugrundeliegende Formen anzunehmen.

Sie hätte jedoch die unerwünschte Konsequenz, daß die Alternation nicht mehr als ein prognostizierbares Phänomen analysiert würde, daß dafür im Lexikon arbiträre Klassenbildungen vorgenommen werden müßten: in eine Klasse von x'en die konstant bleiben, und eine Klasse von x'en, die alternieren.

(b) Man nimmt nur die nicht-alternierenden x'e als zugrundeliegend an und leitet die alternierenden x'e mittels einer phonologischen Regel aus einer anderen Quelle, nämlich einem zugrundeliegenden y (z. B. [v] in (8)) ab.

Dies wäre die *phonologische Lösung*.

Sie hat den Vorteil, daß das Lexikon nicht willkürlich aufgebläht wird und daß Alternation als eine prognostizierbare, systematische Lauterscheinung rekonstruiert wird.

Verdeutlichen wir uns dies an einem Beispiel.

In der deutschen Auslautverhärtung beobachten wir eine Alternation zwischen stimmhaften und stimmlosen Obstruenten, z. B.

(8) brav [f] – brave [v]
     Berg [k] – Berge [g]

Diese Alternation ist bei anderen Morphemen in genau demselben Kontext nicht zu beobachten, cf.

(9) Schaf [f] – Schafe [f]
     Werk   [k] – Werke   [k]

Den x-Segmenten aus der allgemeinen Darstellung entsprechen hier also die stimmlosen Obstruenten, den y-Segmenten die stimmhaften. Im Kontext K (sagen wir, vor einem Vokal-anlautenden Suffix) beobachten wir sowohl Alternanz (1. Beispielgruppe) als auch Konstanz (2. Beispielgruppe) von x'en (stimmlosen Obstruenten).

Eine lexikalische Lösung, die auch im ersteren Fall im Lexikon stimmlose Obstruenten annehmen würde, muß es als Zufälligkeit stehen lassen, daß hier Morphemalternanz zu beobachten ist, im zweiten Fall aber nicht.

Umgekehrt wird die phonologische Lösung schon durch die Beobachtung nahegelegt, daß unser Kontext K offenbar bezüglich Stimmhaftigkeit bzw. Stimmlosigkeit keine Beschränkungen zeigt: Es ist also offenkundig eine idiosynkratische Angelegenheit, ob hier ein stimmloser oder ein stimmhafter Obstruent erscheint. Daß eine Entstimmungsregel »Inlauterweichung« angesichts der zweiten Beispielgruppe inadäquate Resultate liefern würde, ist offensichtlich.

Gemäß der uns schon bekannten Devise, daß Idiosynkrasien ins Lexikon gehören, wird man also den stimmlosen Obstruenten in *Schafe* und den stimmhaften Obstruenten in *brave* als zugrundeliegend ansehen und den stimmlosen Obstruenten im Auslaut von *brav* durch eine phonologische Regel (Auslautverhärtung) ableiten.

Es ist klar, daß eine Argumentation dieser Art wesentlich davon abhängt, daß unser y-Segment nicht selbst sowohl alternierende als auch konstante Vorkommnisse aufweist, auf unser Beispiel bezogen, daß also nicht auch stimmhafte Obstruenten im Auslaut vorkommen. In einem solchen Fall wird bisweilen versucht, einen sowohl von x als auch von y verschiedenen Laut z als zugrundeliegend anzunehmen und dann die alternierenden Fälle gegenüber den konstanten x's und y's unter Rekurs auf dieses z phonologisch abzuleiten. Läßt sich eine derartige abstrakte Analyse nicht unabhängig motivieren, wird man zu einer lexikalischen Lösung Zuflucht nehmen müssen. Damit sind wir beim nächsten Prinzip.

(iv) *Das Prinzip der unabhängigen Motivation*
    Eine zugrundeliegende Repräsentation ist um so besser motiviert, je mehr separate Phänomene sich auf sie zurückführen lassen.

Als Beispiel für die unabhängige Motivation einer zugrundeliegenden Repräsentation sei eine Regularität aus dem Englischen zitiert (cf. Kenstowicz/Kisseberth (1979), Kap. (6.)).

In zahlreichen Dialekten des Englischen werden dentale Verschlußlaute nach einem Nasal getilgt, wenn ein Pluralsuffix folgt, z. B.

(10) Sing.: [plɑːnt]   Plur.: [plɑːn- s]

Das Morphem *plant* hat also zwei Alternanten, nämlich [plɑːnt] und [plɑːn]. Eine unabhängige Motivation für die Wahl von »/plɑːnt/« als zugrundeliegende Repräsentation liefert die Tatsache, daß mit dieser Wahl eine andere, nämlich das Pluralsuffix betreffende Alternation erklärt werden kann, cf.

(11)   Sing. Plural
     (a)   plant   plan-[s]
     (b)   hand   han-[z]
     (c)   plan   plan-[z]

Warum wird der Plural von *plant* nach Nasal mit dem stimmlosen
Frikativ [s], der Plural von *plan* aber ebenfalls nach Nasal mit
dem stimmhaften Frikativ [z] ausgesprochen?

Wie (a) versus (b) zeigt, hängt die Wahl des Plural-Allomorphs
offenkundig von dem getilgten dentalen Verschlußlaut ab. Dann
ist die Subsumption der obigen Pluralalternation unter die uns
bekannte Regularität der englischen Pluralbildung aber nur möglich, wenn /plaːnt/ und nicht /plaːn/ als zugrundeliegende Repräsentation der ersteren Alternation gewählt wurde.

(v) *Das Prinzip der Ökonomie bzw. Vereinfachung des Phoneminventars*
   Bei einer eingeschränkten Distribution eines Lautes ist einer Analyse der Vorzug zu geben, die diesen Laut aus dem Phoneminventar
   eliminiert bzw. das Phoneminventar vereinfacht.

Durch dieses Prinzip ist z. B. eine Analyse des velaren Nasals im
Deutschen motiviert (cf. Kloeke (1982), S. 199 f), derzufolge man
diesen nicht als zugrundeliegend annimmt, sondern ihn durch
eine Assimilationsregel aus einem dentalen /n/ abzuleiten versucht, cf.

(12) /zɪngən/ → [zɪŋgən] (→ [zɪŋən])

Das Phoneminventar des Deutschen kann damit um ein Segment
reduziert werden. Es ist aber klar, daß eine solche Analyse durch
zusätzliche Argumente gestützt werden muß.

Diesem Prinzip folgt auch eine Analyse der Nasalvokale im Französischen (cf. Kenstowicz/Kisseberth (1979), Kap. (5.)), die eine
ansonsten unmotivierte zugrundeliegende Repräsentation sele-
giert.

Eine durch Alternation zwischen Nasalvokal und oralem Vokal
+ Nasalkonsonant, cf.

(13) genre   [žãʀ]   générique   [ženeʀik]
     prendre   [pʀãdʀ] prenez   [pʀən-e]

motivierte phonologische Regel leitet vor Konsonant den Nasalvokal aus der zugrundeliegenden Repräsentation Oralvokal +
Nasalkonsonant, also

(14) /žen-/ bzw. /pʀren-/

ab (wobei überdies ein nasaliertes [ẽ] zu [ã] wird).
Diese Ableitung von Nasalvokalen wird nun in einigen Analysen
des Französischen auf alle Vorkommnisse von Nasalvokalen
übertragen. D. h. es werden auch in solchen Morphemen Nasalvokale aus einer zugrundeliegenden Repräsentation der Art Oralvokal + Nasalkonsonant + Konsonant abgeleitet, die an der
Oberfläche niemals eine Alternation der bei *genre* vs. *générique*
beobachteten Art zeigen, die also kein Allomorph mit Oralvokal
+ Nasalkonsonant besitzen.
Ein Beispiel ist die zugrundeliegende Repräsentation

(15) /vend-/

für das Morphem *vend-* [vãd].
Diese ansonsten unmotivierte zugrundeliegende Repräsentation
(die Prinzip (ii) zuwiderlaufen würde) könnte nun durch ein
Prinzip der Art (v) legitimiert werden, da sie es erlaubt, Nasalvokale gänzlich aus dem zugrundeliegenden französischen Vokalin-
ventar zu eliminieren.
Nun geht aber diese Strategie mit einer Verletzung von Prinzip
(ii) einher, und dieses Prinzip würde man wohl intuitiv als ge-
wichtiger einschätzen. Sollte sie sich also nicht durch weitere
Argumente stützen lassen, wird man die betreffende Analyse
kaum für adäquat halten.
Solche zusätzlichen Argumente betreffen andere Aspekte von
Prinzip (v), nämlich Vereinfachungen des Phoneminventars z. B.
unter Symmetrie-Gesichtspunkten.
So haben Nasalkonsonanten im Französischen im allgemeinen
dieselbe Distribution wie Liquida und Gleitlaute. Die Lücke, daß
zwar letztere, nicht aber erstere zwischen Oralvokal und Konsonant vorkommen können, würde durch die generelle Selektion
der zugrundeliegenden Repräsentation Oralvokal + Nasalkonsonant + Konsonant plus unabhängig motivierter Nasalierungsre-
gel geschlossen.
Halten wir, ohne diese Argumentation bewerten zu wollen, fest,
daß die einzelnen Prinzipien kollidieren können, und daß in solchen Fällen Präferenzkriterien notwendig sind. Ein solches Präfe-
renzkriterium kann bisweilen von dem folgenden Prinzip geliefert werden:

(vi) *Das Prinzip der phonetischen Plausibilität*
  Solchen phonologischen Analysen ist der Vorzug zu geben, deren
  phonologische Regeln natürliche phonetische Prozesse repräsentieren.

Diesem Prinzip verdanken sich eigenständige phonologische
Richtungen, wie z. B. die sog. *Natürliche Phonologie*, die *nur*
phonologische Regeln zulassen, die einem solchen Natürlich-
keitsanspruch genügen.

»Natürlich« sind phonologische Regeln, die phonologische Prozesse durch phonetische Vorgänge plausibel machen, die also in
gewisser Weise die Dynamik und Struktur unseres Artikulations-
apparates widerspiegeln. Beispiele für solche Regeln sind z. B.
Assimilationsregeln, Silbengesetze (z. B. Auslautverhärtung) oder
Reduktionsregeln, die auf artikulatorische Vereinfachungen Bezug nehmen.

Da Prozesse dieser Art in fast allen Sprachen nachweisbar sind,
wird für solche natürlichen Regeln häufig ein großer Erklärungswert beansprucht. Es ist jedoch zu beachten, daß der ausschließli-
che Rekurs auf ein Prinzip wie (vi) die Möglichkeit nimmt, durch
Rekurs auf abstrakte Kategorien unter Umständen tieferliegen-
dere Zusammenhänge zu entdecken, die unter Gesichtspunkten
der psychologischen, i.e. mentalen Realität der phonologischen
Komponente möglicherweise einen weitaus größeren Erklärungswert besitzen.

Wir hatten gesehen, daß ein Erklärungsanspruch dieser Art die
Suche nach und Möglichkeit von externer Evidenz zur Überprüfung phonologischer Hypothesen mit sich brachte. Einige Beispiele für diesbezügliche Argumentationen sollen im folgenden
Abschnitt kurz skizziert werden.

3.3. Externe Evidenz

Beispiele von externer Evidenz für phonologische Regularitäten
wurden in Abschnitt (1.3.) bei der Illustration systematischer
Lauterscheinungen bereits angeführt.

In diesem Abschnitt sollen diese Demonstrationen für die psychologische Realität phonologischen Wissens zur Argumentation
über zugrundeliegende Repräsentationen und phonologische Regeln herangezogen werden.

Dabei liegt der Zusammenhang mit den Ausführungen in Abschnitt (1.3.) auf der Hand: Was als systematische Lauterscheinung nachgewiesen werden kann, wird nicht in zugrundeliegenden Repräsentationen erscheinen, sondern durch phonologische Regeln abgeleitet werden.

Die Beispiele in Abschnitt (1.3.) betrafen den ausländischen Akzent sowie Lautphänomene bei Versprechern.

Die dargestellte Tatsache, daß deutsche Sprecher mit den nichtaspirierten stimmlosen Verschlußlauten im Anlaut französischer Wörter spezielle Schwierigkeiten haben, wurde darauf zurückgeführt, daß die betreffende Aspiration eine regelgeleitete Erscheinung des Deutschen ist.

Auf der Basis dieser Überlegung wird man etwa für *kam* als zugrundeliegende Repräsentation

(16) /kɑ:m/

annehmen und die phonetische Repräsentation

(17) [kʰɑ:m]

durch eine phonologische Regel, die das Merkmal [+aspiriert] einführt, ableiten.

Als externes Indiz für die Regel der Auslautverhärtung im Deutschen kann angeführt werden, daß deutsche Sprecher, wenn sie Englisch lernen, dazu tendieren, Obstruenten im Auslaut englischer Wörter generell stimmlos auszusprechen, ein Hinweis darauf, daß die betreffende Regel tatsächlich zur internalisierten Grammatik des Deutschen gehört, daß damit also die Strategie bestätigt wird, bei der betreffenden Alternation zwischen stimmlosem und stimmhaftem Obstruenten den letzteren als zugrundeliegend anzunehmen. Dies erhält nicht zuletzt auch durch die generellere Beobachtung eine Bestätigung, daß aus anderen Sprachen entlehnte Wörter, die in ihren Herkunftssprachen auf einen stimmhaften Obstruenten enden, im Deutschen konsequent den entsprechenden stimmlosen Laut aufweisen (cf. *Snob* [p], *Rekord* [t], *Dialog* [k], *seriös* [s], *aktiv* [f]).

Bisweilen haben Aussprachefehler auch mit der Tatsache zu tun, daß ein in einer fremden Sprache zu erlernender Laut in der Muttersprache gar nicht existiert. In diesem Fall hängt die Art des Aussprachefehlers häufig damit zusammen, daß der Sprecher statt des neuen Lautes der fremden Sprache einen Laut seiner Muttersprache gebraucht, der diesem am nächsten kommt. Doch was diesem Laut am nächsten kommt, ist von Sprache zu Sprache verschieden.

So führen Kenstowicz/Kisseberth (1979), Kap. (5.), an, daß es weder im Französischen noch im Serbokroatischen die englischen dentalen Frikative [θ] (in *think*) und [ð] (in *these*) gibt, daß französische Sprecher diese jedoch durch die Laute [s] und [z], serbokroatische Sprecher durch die Laute [t] und [d] ersetzen. Man kann daraus den Schluß ziehen, daß es in den phonologischen Strukturen dieser beiden Sprachen Unterschiede im Status der dentalen Verschlußlaute und Frikative gibt.

Eine zweite Art von externer Evidenz betrifft Sprechfehler, insbesondere Versprecher. Die Analyse des in Abschnitt (1.3.) angeführten Beispiels

(18) (=(1))   [sprɪg]time for [hɪntlər]

zeigt, daß als zugrundeliegende Repräsentation für »spring« tatsächlich

(19) /sprɪng/

anzusetzen ist, und daß die phonetische Repräsentation

(20) [sprɪŋ]

durch die zwei phonologischen Regeln der *n*-Velarisierung vor [g] und [k] und der *g*-Eliminierung nach [ŋ] abzuleiten ist. Darauf verweist der angeführte Versprecher insofern, als er durch die Vertauschung des Nasalkonsonanten die Wirkung dieser Regeln obsolet macht, und [sprɪg] daher als der nach der Eliminierung des Nasalkonsonanten hinterlassene Rest der zugrundeliegenden Repräsentation angesehen werden kann.

Das Wirken der deutschen phonologischen Regel »Glottalisierung«, derzufolge Vokale im Silbenanlaut glottalisiert (i.e. durch [ʔ] eingeleitet) werden, kann an einem Versprecher illustriert werden, der in Freuds »Zur Psychopathologie des Alltagslebens« angeführt wird: *Ich bin so verschnupft, ich kann kaum durch die Ase natmen* (statt *Nase atmen*).

Es ist klar, daß dieser Versprecher ausgesprochen wurde als

(21) [ʔɑːzə] [nɑːtmən]

wobei die Vertauschung des [n] die Glottalisierung des ersten

Vokals in *atmen* verhinderte und des zweiten Vokals in *Nase* bewirkte.

Ein letztes Beispiel zeigt die Wirkung der Aspirationsregel im Englischen (cf. Fromkin/Rodman (1978)). Statt des intendierten

(22) stick in the mud [stɪk īn ðə mʌd]

sagte der Sprecher

(23) smuck in the tid [smʌk īn ðə tʰɪd]

Hier wird das vertauschte /t/ im Anlaut des letzten Wortes aspiriert, obwohl es an seiner ursprünglichen Position im ersten Wort nach dem /s/ als [t] gesprochen wird.

Es wurde bereits erwähnt, daß externe Evidenz mehr umfassen kann als nur ausländischen Akzent und Versprecher.

So wird z. B. in Kloeke (1982), S. 126/27, externe Evidenz aus dem Bereich aphatischer Sprachstörungen herangezogen, um eine abstrakte Analyse des velaren Nasals im Deutschen (also eine phonologische Ableitung dieses Nasals aus zugrundeliegendem /ng/) zu stützen.

Phonologische Hypothesen können mit externer Evidenz aus u. a. den folgenden Bereichen diskutiert werden (cf. z. B. Tonelli/Hurch (1982)): Primärspracherwerb, weitergehende sprachpathologische Erscheinungen wie z. B. Aphasie, historische Sprachveränderungen, Entwicklung von Schriftsystemen, sprachrhythmische und sprachästhetische Erscheinungen in der Dichtung, Wortspiele, Sprachverballhornungen, Geheimsprachen etc.

4. Was phonologische Regeln
tun können

Wir haben gesehen, daß phonetische Repräsentationen, die nicht mit der zugrundeliegenden Repräsentation identisch sind, durch phonologische Regeln aus letzterer abgeleitet werden.

Wir wollen uns nun einen kursorischen Überblick darüber verschaffen, von welcher Art die phonologischen Prozesse sein können, die durch phonologische Regeln beschrieben werden. Phonologische Regeln können das Folgende tun (cf. Fromkin/Rodman (1978)):

(i) *Neue Merkmale einführen*
Ein Beispiel dafür ist die Aspiration im Englischen oder Deutschen.
Für das Englische haben wir diese Regel schon formuliert. Danach sind stimmlose Verschlußlaute am Silbenanfang zu aspirieren.
Für das Deutsche ist sie etwas schwieriger zu formulieren (cf. Kloeke (1982), S. 33 und 232); daher wird hier die bereits bekannte vereinfachte Version (zur vollständigen cf. Kenstowicz/ Kisseberth (1979), S. 258 bzw. Selkirk (1982)) der englischen Regel wiederholt

(24) *Aspiration im Englischen* (Affrikaten ausgeklammert)

$$\begin{bmatrix} -\text{dauernd} \\ -\text{stimmhaft} \end{bmatrix} \rightarrow [+\text{aspiriert}]/\$\underline{\quad}$$

Die Wirkungsweise dieser Regel läßt sich wie folgt am Beispiel *colour* veranschaulichen:

(25) /k ∧lə/⇒ [kʰ ∧lə]

$$\begin{bmatrix} -\text{sonorant} \\ -\text{dauernd} \\ -\text{stimmhaft} \\ +\text{velar} \end{bmatrix} \qquad \begin{bmatrix} -\text{sonorant} \\ -\text{dauernd} \\ -\text{stimmhaft} \\ +\text{velar} \\ +\text{aspiriert} \end{bmatrix}$$

(ii) *Merkmalwerte verändern*
Beispiele für diesen Regeltyp liefern Assimilationsregeln wie z. B. die Bildung sog. »homorganer Verbindungen«. Dies sind Lautfolgen, wo bei der Artikulation aufeinanderfolgender Segmente dasselbe Artikulationsorgan bzw. derselbe Artikulationsort beteiligt ist. Z. B. sind die Konsonanten [p] und [m] homorgan, da sie beide bilabial gebildet werden. Ein diesbezügliches Beispiel aus dem Deutschen ist die (progressive, d. h. nach rechts wirkende) Nasalassimilation.

(26) *Progressive Nasalassimilation*
Nasale müssen an einen vorangehenden Laut homorgan assimiliert werden.

Diese Regel besagt also, daß nach einem labialen Laut ein Nasal labial, nach einem dentalen Laut dental und nach einem velaren Laut velar artikuliert werden muß.
Beispiele sind:

(27) kippen   [pm] aus [pn]   nach Schwa-Tilgung in [pən] (cf. (iii))
     bitten   [tn]
     schicken [kŋ] aus [kn]   nach Schwa-Tilgung in [kən]
     Rachen   [xŋ] aus [xn]   nach Schwa-Tilgung in [xən]

     singen   [ŋŋ] aus [ŋn]   nach Schwa-Tilgung in [ŋən]

Nasalassimilation kommt im Deutschen auch regressiv vor. Sie betrifft Velarisierung eines dentalen Nasals vor einem velaren Obstruenten wie in

(28) sinken [ŋk]
     Enkel   [ŋk]
     Tank   [ŋk]

Allerdings spielen hier zusätzliche Faktoren wie z. B. die Morphemgrenze eine Rolle, wie etwa die Opposition

(29) U[ŋg]ar (Magyar) vs. u[ng]ar (nicht gar)

zeigt (cf. dazu Kloeke (1982), S. 120).

(iii) *Segmente tilgen*
Ein Beispiel für diesen Regeltyp liefert im Deutschen etwa die *Schwa-Tilgung,* derzufolge ein Schwa nach einem Konsonanten vor einem nasalen oder lateralen Konsonanten getilgt wird (cf. v. Stechow (1984/85)):

(30) *Schwa-Tilgung*
     ə → Ø / Kons ___ Kons
                      { + nasal }
                      { + lateral }

Ein anderes Beispiel im Deutschen, wo ein ganzes Segment getilgt wird, ist die sog. (cf. Kloeke (1982), S. 121 u. 212):

(31) *g-Eliminierung*
     g → Ø / nach [ŋ] (vor einem fakultativen Liquid) am Wortende (a),
              sowie vor Obstruent (b), Nasal (c), Schwa (d) und Morphemgrenze mit nativem Suffix (e)

Beispiele für die Fälle (a)-(e) sind:

(32) (a) lang, Single, Mangel
     (b) Jungfer, langweilig, Hengst, Bengt
     (c) Ingmar, Langner
     (d) Finger
     (e) Diphthonge

Vor nicht-nativen Suffixen sowie morphemintern vor Vollvokalen bleibt das /g/ erhalten, cf.

(33) Diphthongie   [ŋg]
      Ingolstadt   [ŋg]
      Ungar   [ŋg]

(iv) *Segmente umstellen*
Regeln, die Segmente umstellen (permutieren), nennt man »*Metathesenregeln*«. Das Phänomen der Metathese liegt etwa vor bei

(34) Roland vs. Orlando

oder (cf. Mayerthaler (1974))

(35) angelsächsisch *bren* vs. englisch *burn*

Als Beispiel für eine phonologische Regel sei eine Metathesenregel aus dem Palästinensischen (einem arabischen Dialekt) angeführt (cf. Kenstowicz/Kisseberth (1979), S. 230), derzufolge ein Wortstamm, der mit der Folge CCVC (»C« für Konsonant, »V« für Vokal) endet, zu CVCC permutiert wird, wenn ein Suffix hinzugefügt wird, das mit einem Vokal beginnt, cf.

(36) (a)   CCVC   CVCC
              |||| ||||
         [símsim] (Sesamsamen) → [símism-e]   (ein Sesamsame)

                                      CVCC
                                      ||||
                                 → [símism-u]   (seine Sesamsamen)

                                      CCVC
                                      ||||
                                 aber: [simsím-na] (unsere Sesamsamen)

(b)   CCVC   CVCC
      | | | | | | | |
      [zúʔruṭ] Bienen   →   [zúʔurṭ-a]   (eine Biene)

                                  CCVC
                                  | | | |
                          aber: [zuʔrúṭ-na]   (unsere Bienen)

(v) *Segmente hinzufügen*
Prozesse dieser Art nennt man auch »*Epenthese*«.
Beispiele für phonologische Regeln dieser Art liefern etwa die
Schwa-Epenthese bei der englischen Pluralbildung in Wörtern
wie

(37) base – bases [əz]

oder die sog. »*e-Prothese*« (von griech. *prosthesis*) (cf. Kloeke
(1982), S. 198) vor dentalen Suffixen in der deutschen Verbfle-
xion, wenn der Stamm auf einen dentalen Verschlußlaut auslautet
wie in

(38) rett-et – rett-est
      red-et   – red-est

Dabei sind allerdings zusätzliche Bedingungen nötig, cf.

(39) läd-t   – läd-st
      trit-t – tritt-st

5. Regelordnung

Nachdem wir nun eine Reihe von phonologischen Regeln für das
Deutsche kennengelernt haben, stellt sich die Frage, ob die *Anwendung dieser Regeln* in irgendeiner Weise geregelt ist. Ein
wichtiger Aspekt dieser Frage betrifft dabei Bedingungen für die
Reihenfolge solcher Anwendungen.
Daß diese nicht beliebig sein kann, zeigt sich daran, daß wir bei
unterschiedlichen Reihenfolgen von Regelanwendungen jeweils
verschiedene Outputs der phonologischen Komponente erhalten.
Wenn wir z. B. gesagt haben, daß die Regel der Auslautverhärtung stimmhafte Obstruenten am Silbenende stimmlos macht,
dann ist klar, daß diese Regel nur »greift«, wenn vorher durch

eine phonologische Maßnahme der »Syllabifizierung« die Segmente in Silben gruppiert worden sind.

Dieselbe Überlegung gilt für die Glottalisierungsregel. Daß diese Regel in *über,* nicht aber in *hinüber* Glottalisierung bewirkt, hängt davon ab, daß *vor ihrer Anwendung* eine Syllabifizierung von *hinüber* erfolgt ist, derzufolge sich das [ü] hier nicht am Silbenanfang befindet.

Wir können also nach diesen kurzen Überlegungen schon sagen, daß die phonologische Komponente uns nur dann adäquate Resultate liefert, wenn die Reihenfolge der Regelanwendungen in einer bestimmten Weise festgelegt ist, bzw. wenn eine bestimmte *Regelordnung* vorliegt.

Wie auch immer der Prozeß der Syllabifizierung genau aussehen mag – wir werden in Teil (B.) von Kap. (III.) darauf zurückkommen –, soviel können wir über die Reihenfolge schon sagen, daß gelten muß:

(40) Syllabifizierung vor Auslautverhärtung bzw. Glottalisierung

Über die Reihenfolge von Auslautverhärtung und Glottalisierung wurde nichts gesagt.

Man repräsentiert die Regelordnung in einer Klammernotation, derzufolge in eckigen Klammern die obere Regel vor der unteren anzuwenden ist, während in geschweiften Klammern die Reihenfolge beliebig ist. Optionale Regelanwendungen werden in runden Klammern geschrieben.

Nach dem bisher Gesagten erhalten wir also

$$(41) \quad \left[\begin{array}{l} \text{Syllabifizierung} \\ \left\{ \begin{array}{l} \text{Auslautverhärtung} \\ \text{Glottalisierung} \end{array} \right\} \end{array} \right]$$

Wenn wir für *singen* die korrekte phonetische Repräsentation ableiten wollen, dann ist klar, daß auch eine Reihe der anderen uns bekannten phonologischen Regeln in einer bestimmten Weise geordnet sein muß (cf. v. Stechow (1984/85)).

Da z. B. die Regel der g-Eliminierung besagt, daß ein /g/ nach dem velaren Nasal getilgt wird, ist klar, daß die *Velarisierung des alveolaren Nasals* in *singen vor der g-Eliminierung* erfolgen muß. Eine solche Ordnung, wo eine Regel R nur angewendet werden kann, wenn vorher eine Regel R′ den Input für R geliefert hat, bezeichnet man auch als *»intrinsische Ordnung«.*

Bei der intrinsischen Ordnung ist es nicht notwendig, eine Reihenfolge der Regelanwendung *gesondert* festzulegen. Die Regel der Nasalvelarisierung erzeugt erst die Vorbedingung für die Anwendbarkeit der *g*-Eliminierung: Diese Regel tilgt ja das [g] vor einem *velaren* Nasal. Der velare Nasal ist aber kein zugrundeliegendes Phonem, sondern kann nur durch die Regel der Nasalvelarisierung erzeugt werden.

Man sagt dann, daß diejenige Regel R_1 (hier: Nasalvelarisierung), welche die notwendige Voraussetzung für die Anwendbarkeit von R_2 (hier: *g*-Tilgung) schafft, die Regel R_2 »füttert« (engl. *»feeding«*).

Stehen zwei Regeln nicht in dieser »feeding«-Beziehung, so ist die Reihenfolge ihrer Anwendung von keiner inneren Logik bestimmt und daher im Prinzip zunächst willkürlich. Trotzdem besteht in einigen Fällen die Notwendigkeit, die Abfolge von Regelanwendungen explizit einzuschränken. Eine solche Ordnungsfestlegung bezeichnet man als *»extrinsische Ordnung«*.

Betrachten wir dazu das Verhältnis zwischen *g*-Tilgung und Auslautverhärtung im deutschen Wort *Ding*. Es ist klar, daß die Regel der Auslautverhärtung in diesem Wort nicht mehr anwendbar ist, nachdem [g] getilgt wurde. Man sagt, daß die *g*-Tilgung die Auslautverhärtung »ausblutet« (engl. *»bleeding«*). Und umgekehrt kann die *g*-Tilgung nicht angewendet werden, wenn [g] zu [k] verhärtet wird. Eine ungeordnete Anwendbarkeit von phonologischen Regeln würde nun vorhersagen, daß [dıŋk] eine mögliche Aussprache des Wortes *Ding* ist.

Um dies zu verhindern, muß man gewährleisten, daß die *g*-Tilgung die Auslautverhärtung ausblutet. Dies geschieht durch die extrinsische Regelordnung. Diese legt fest, daß der Auslautverhärtung erst relativ spät eine Anwendungschance gegeben wird. Wir fordern also:

– *g*-Tilgung vor Auslautverhärtung

Wir erhalten nunmehr:

(42) $$\begin{bmatrix} \text{Syllabifizierung} \\ \text{\textit{g}-Eliminierung} \\ \left\{ \begin{array}{l} \text{Auslautverhärtung} \\ \text{Glottalisierung} \end{array} \right\} \end{bmatrix}$$

Diese Illustrationen sollten zeigen, daß es in dem bisher dargestellten phonologischen Ansatz so etwas wie Regelordnung geben muß, daß die einzelnen phonologischen Regeln also durch Bedingungen für ihre Anwendung zu ergänzen sind.

Wenn wir an dieser Stelle einen Blick zurückwerfen auf das, was in Kap. (I.) über die universale Grammatik und deren Anspruch gesagt wurde, dann ist klar, daß *unter universalgrammatischen Gesichtspunkten* das theoretische Niveau der generativen Phonologie (im Gegensatz zur generativen Syntax, wie wir noch sehen werden) eher retardiert ist.

Obwohl wir annehmen können, daß auch die phonologischen Fähigkeiten natürlicher Sprecher durch angeborene Kategorien determiniert sind, sind bislang kaum überzeugende universelle Prinzipien formuliert worden, die es z. B. gestatten würden, die Beschränkungen für phonologische Regeln in einer (natürlich parametrisierten) universellen Weise zu formulieren, statt sie durch einzelne Anwendungsbedingungen jeweils regelspezifisch festzulegen.

6. Das Problem der Abstraktheit

Die Frage nach universellen Prinzipien für die generelle Beschränkung phonologischer Regeln hängt eng mit einem Problem zusammen, das in diesem Abschnitt vorgestellt, aber nicht diskutiert werden soll: dem Problem der Abstraktheit.

Wenn der Ansatz der generativen Phonologie richtig ist, zwischen zwei Repräsentationsebenen zu unterscheiden und die (die idiosynkratischen und systematischen Lauterscheinungen einer Sprache aufweisende) phonetische Repräsentation mit Hilfe einer geordneten Menge phonologischer Regeln aus einer (nur die idiosynkratischen Lauterscheinungen aufweisenden) zugrundeliegenden Repräsentation abzuleiten, dann stellt sich natürlich die Frage, wie stark die beiden Repräsentationsarten voneinander abweichen dürfen, damit der durch die phonologischen Regeln gestiftete Zusammenhang überhaupt plausibel und lernbar erscheint.

Da die zugrundeliegende Struktur um so abstrakter (i.e. weiter von der tatsächlichen Aussprache entfernt) ist, je mehr die beiden Repräsentationsformen divergieren, ist dies die Frage danach, ob zugrundeliegende Repräsentationen in beliebigem Ausmaß abstrakt sein können oder ob es Beschränkungen für eine derartige Abstraktheit gibt. Dies ist das *Problem der Abstraktheit.*

Eine ganz generelle Beschränkung dieser Art haben wir bereits kennengelernt. Sie bestand in der sog. Natürlichkeitsbedingung, derzufolge natürliche phonologische Klassen phonetisch definierbar sind und damit die Einheiten der zugrundeliegenden Repräsentation in phonetisch fundierter Weise, nämlich wie in der phonetischen Repräsentation als Merkmalmatrizen, zu repräsentieren sind.

Auch universelle Prinzipien für die Beschränkung phonologischer Regeln sind Beschränkungen der Abstraktheit zugrundeliegender phonologischer Repräsentationen. Denn wenn zur Ableitung phonetischer Repräsentationen nur noch bestimmte Arten phonologischer Regeln zugelassen sind, dann heißt dies, daß damit auch nur noch bestimmte Arten von zugrundeliegenden Repräsentationen zugelassen sind.

Im folgenden soll kurz skizziert werden, welche Art von Lösungen für das Abstraktheitsproblem vorgeschlagen worden ist, ohne diese Lösungen im Detail zu diskutieren. Es sind im wesentlichen *drei Arten von Beschränkungen*, die hier zu unterscheiden sind.

Der ersten zufolge gibt es überhaupt keine zugrundeliegenden Repräsentationen. Vertreter dieser Auffassung lassen sich in verschiedene Gruppen unterteilen, je nachdem, wie die Alternative aussieht, die sie propagieren.

Die einen, wie z. B. bestimmte amerikanische Strukturalisten, schlagen vor, das Phänomen der Alternation ausschließlich lexikalisch zu lösen.

Die anderen, wie z. B. die Verfechter der sog. »Natürlichen Generativen Phonologie« (cf. z. B. Hooper (1976)) akzeptieren zwar die Existenz phonologischer Regeln; die entsprechenden Ableitungszusammenhänge existieren für sie jedoch nur zwischen phonetischen Repräsentationen.

Die Anhänger der sog. »Natürlichen Phonologie« schließlich (cf. z. B. Stampe/Donegan (1979)) akzeptieren ebenfalls keine zugrundeliegenden Repräsentationen; für sie gibt es jedoch nicht einmal phonologische Regeln in einem formalen Sinn. Sie erklären lautliche Regularitäten vielmehr als natürliche artikulatorische Vereinfachungen.

Da wir die Annahme zugrundeliegender Repräsentationen bereits zu motivieren versucht haben, ist klar, daß diese Ansätze vor dem Hintergrund der Leistungsfähigkeit der generativen Phonologie zu bewerten sind. In Kenstowicz/Kisseberth (1979), Kap. (6.), findet sich eine ganze Reihe von Argumenten, die zeigen, daß sie die Beschreibungsadäquatheit der generativen Phonologie nicht erreichen.

Bei einem zweiten Typ von Beschränkungen wird von der Existenz zugrundeliegender Repräsentationen ausgegangen. Ihre Abstraktheit wird dahingehend beschränkt, daß die Wahl einer zugrundeliegenden Repräsentation für ein Morphem an seinen phonetischen Alternanten zu orientieren ist. In seiner allgemeinsten Form kann dieser Typ von Beschränkung so charakterisiert werden (cf. Kenstowicz/Kisseberth (1979), S. 204), daß eine zugrundeliegende Repräsentation eines Morphems nur solche Segmente enthalten darf, *die in mindestens einer seiner phonetischen Realisierungen vorkommen.*

Die verschiedenen Versionen innerhalb dieses Beschränkungstyps betreffen dann Gesichtspunkte, nach denen aus den verschiedenen phonetischen Alternanten eine zugrundeliegende Repräsentation auszuwählen bzw. zu konstruieren ist.

Zunächst ist darauf hinzuweisen, daß nur alternierende phonetische Eigenschaften von diesen Beschränkungen betroffen sind; i.e. es wird nicht verlangt, daß die zugrundeliegende Repräsentation solche nicht-alternierenden und allein dem phonetischen Kontext entnehmbaren Merkmale wie z. B. die Aspiration im Englischen enthalten muß.

Dieser Typ von Beschränkungen verbietet, daß zugrundeliegende Repräsentationen sog. »abstrakte Segmente« enthalten, Segmente also, die in keiner phonetischen Realisierung eines Morphems vorkommen.

Eine Verletzung einer solchen Beschränkung finden wir z. B. in der bereits bekannten Analyse des velaren Nasals im Englischen (oder Deutschen) (Kenstowicz/Kisseberth S. 208), derzufolge z. B. die phonetische Repräsentation [zɪŋən] aus der zugrundeliegenden Repräsentation /zɪngən/ abgeleitet wird. Da das zugrundeliegende /g/ in keiner phonetischen Realisierung dieses Morphems erscheint, haben wir hier ein Beispiel für ein abstraktes Segment. Ist die angenommene zugrundeliegende Repräsentation also inadäquat?

Entsprechend dem hier zur Debatte stehenden Typ von Beschränkung muß diese Frage mit »Ja« beantwortet werden. Nun gibt es aber Argumente der in Abschnitt (3.) dargestellten Art, also sowohl interne als auch externe Evidenz (cf. den Versprecher

sprigtime for Hintler), die eindeutig für die betreffende zugrundeliegende Repräsentation zu sprechen scheinen. Dies aber würde
bedeuten, daß abstrakte Analysen der vom zweiten Beschrän-
kungstyp verbotenen Art zugelassen werden müßten.

Natürlich ist mit einer derartigen Liberalisierung die Gefahr verbunden, daß phonologische Abstraktheit Formen annehmen
kann, die unter dem Gesichtspunkt der psychologischen Realität
der phonologischen Komponente, also unter universalgrammatischen Gesichtspunkten, nicht mehr zu vertreten sind.

Man kann daher als *dritten Typ von Beschränkung* formulieren,
daß abstrakte Analysen dieser Art nur dann zuzulassen sind,
wenn ansonsten eine durch interne und externe Evidenz gut
gestützte phonologische Analyse ausgeschlossen wäre. Eine
derartige Beschränkung sucht einen Kompromiß zwischen Abstraktheit und Beschreibungsadäquatheit. Dabei ist klar, daß der
Kompromiß selbst unbegründet bleibt.

Das notwendige Maß an Abstraktheit phonologischer Repräsentation kann aber nicht durch intuitiv plausible Kompromisse begründet werden; es muß sich vielmehr aus empirisch begründeten
universellen Prinzipien der Phonologie ergeben. Wie diese jedoch
auszusehen haben, ist ein offenes Problem in der Phonologie.
Man kann daher sagen, daß das Problem der Abstraktheit noch
auf seine Lösung wartet.

B. Nichtlineare Phonologie

1. Zur Motivation der nichtlinearen Phonologie

Charakteristisch für die auf Chomsky/Halle (1968) zurückge-
hende lineare generative Phonologie sind die folgenden Annahmen:

(i) Es gibt zugrundeliegende und abgeleitete Repräsentationen
der Lautgestalt von Äußerungen, wobei die Ableitung durch
phonologische Regeln erfolgt, deren sukzessive Anwendung
(bis zur phonetischen Oberflächen-Repräsentation) in bestimmter Weise geordnet ist.

(ii) Die phonologischen bzw. phonetischen Repräsentationen bestehen aus einer linearen, durch Grenzsymbole (z. B. für Silben) strukturierten Folge von Segmenten, d. h. (nicht-geordneten) Mengen von Merkmalen, von denen jedes entweder positiv oder negativ spezifiziert ist.

Nennen wir (i) den *Derivations-(-Ableitungs-)Aspekt* und (ii) den (die Art der Repräsentation betreffenden) *Repräsentations-Aspekt* der linearen generativen Phonologie.

Die neueren Entwicklungen in der generativen Phonologie, die unter dem Etikett »nichtlineare Phonologie« firmieren, betreffen den Repräsentationsaspekt. Auch hier gibt es also Ableitungszusammenhänge und geordnete phonologische Regeln, aber die Art und Struktur der phonologischen Repräsentationen ist verschieden.

Bevor wir uns ansehen, wie diese neuen phonologischen Repräsentationen aussehen, wollen wir einen Blick auf die Gründe werfen, die zu ihrer Entwicklung geführt haben.

In der linearen Phonologie konnten die durch Merkmale repräsentierten Lauteigenschaften immer nur jeweils *einem* Segment zugeordnet werden. Den Anlaß zu der neuen Entwicklung lieferte die Betrachtung von Lautphänomenen (sog. »prosodischen Eigenschaften«), *die in gewisser Weise von einzelnen Segmenten unabhängig sind*, sei es, daß sie auch ohne zugeordnetes Segment realisiert sind, sei es, daß der von ihnen betroffene Bereich kleiner ist als ein Segment, oder sei es, daß von ihnen mehrere Segmente auf einmal betroffen sind.

Letzteres läßt sich z. B. am Phänomen der *Intonation* illustrieren. Betrachtet man etwa den Intonationsverlauf, mit dem man den Deklarativsatz *Du gehst ins Kino?* zu einer Frage benutzen kann, dann ist klar, daß von der betreffenden lautlichen Eigenschaft der steigenden Intonation größere Einheiten betroffen sind als nur ein Segment.

Die anderen Phänomene lassen sich an Eigenschaften der *Töne* in sog. Tonsprachen verdeutlichen. Dies sind Sprachen wie z. B. Chinesisch, Vietnamesisch, Thai oder mehr als tausend afrikanische Sprachen (die meisten der menschlichen Sprachen sind Tonsprachen!), in denen die Tonhöhen, mit denen ein Vokal ausgesprochen wird, in ähnlicher Weise bedeutungsdifferenzierende Funktion haben wie die uns bekannten Konsonantenphoneme oder Vokalphoneme. Man unterscheidet im allgemeinen zwi-

schen sog. »Ebenentönen« (»Registertönen«) wie *hoch, niedrig, mittel* und sog. »Konturtönen« wie *steigend* oder *fallend*.
Wie bei den Vokal- oder Konsonantenphonemen auch verwenden die einzelnen Tonsprachen unterschiedliche Tonmengen in ihrem Phoneminventar. So bedeutet z. B. vietnam. *ma* je nach unterschiedlicher Tonhöhe entweder *Teufel* oder *aber* oder *Wange* oder *Pferd* oder *junge Reispflanze* (cf. Bußmann (1983)).
Für unseren Zusammenhang ist nun die folgende Überlegung von Bedeutung.
Man könnte meinen, daß auch Töne durch Merkmale repräsentiert werden können, die jeweils einem Segment zugeordnet sind. Es läßt sich jedoch zeigen, daß diese Töne in gewisser Weise ein von den Segmenten unabhängiges »Eigenleben« führen. So kann es z. B. vorkommen, daß ein Segment getilgt wird, der mit diesem verbundene Ton aber erhalten bleibt. Dann gibt es entweder die Möglichkeit, daß er »segmentlos« bleibt, oder daß er einem Segment zugeordnet wird, das bereits einen Ton trägt. Umgekehrt kann es vorkommen, daß ein und derselbe Ton auf verschiedene Segmente verteilt ist.
Ein weiterer Anlaß, der für die Entwicklung der neuen phonologischen Repräsentationsformen eine Rolle spielte, bestand in der Tatsache, daß *die Silbe* als für phonologische Prozesse relevante phonologische Einheit immer mehr in das Zentrum der Aufmerksamkeit rückte. Wenn man nun auch die Eigenschaft, eine Silbe zu sein, als ein phonologisches Merkmal auffaßt, dann ist klar, daß auch von diesem Merkmal eine größere Einheit betroffen ist als ein einzelnes Segment.
Eine Silbe besteht also in den meisten Fällen aus einer Folge von Segmenten. Wie wir in Abschnitt (4.) sehen werden, läßt sich sogar zeigen, daß die Segmente einer Silbe nicht nur eine lineare Folge darstellen, sondern in einer hierarchischen Struktur stehen. Es ist klar, daß auch eine derartige Hierarchie in den uns bekannten linearen phonologischen Repräsentationen nicht darzustellen ist.
In ähnlicher Weise läßt sich zeigen, daß auch für die Frage, welche Äußerungsteile einen wie starken *Akzent* erhalten, hierarchische phonologische Strukturen eine Rolle spielen.
Halten wir also fest, daß die Betrachtung solcher *»supra-segmentalen« Lautphänomene* wie Intonation, Ton, Akzent etc. zu der

Erkenntnis führte, daß lineare phonologische Repräsentationen nicht adäquat sind. Die Alternative bestand in sog. *»nichtlinearen«* oder *«multilinearen«* phonologischen Repräsentationen.

Hinsichtlich der Entwicklung dieser nichtlinearen Alternative sind im großen und ganzen zwei theoretische Richtungen zu unterscheiden, die *»autosegmentale«* und die *»metrische« Phonologie*.

Die im Rahmen der ersteren entwickelten Konzepte waren vorwiegend bedingt durch Untersuchungen zum Ton, zur Intonation, zu sog. Harmonieprozessen (qualitative Angleichung von Lauten bzgl. ihres Artikulationsortes, wie z. B. beim Umlaut) und zur Längequalität von Lauten.

Die im Rahmen der letzteren entwickelten Konzepte waren vorwiegend bedingt durch Untersuchungen zum Akzent und zur Silbenstruktur. Schematisch lassen sich die erwähnten phonologischen Entwicklungen demnach wie folgt darstellen.

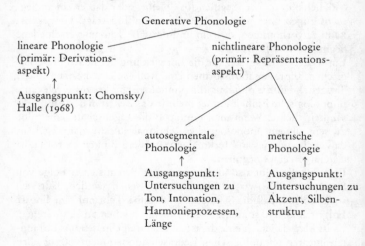

Generative Phonologie

lineare Phonologie
(primär: Derivations-
aspekt)
↑
Ausgangspunkt: Chomsky/
Halle (1968)

nichtlineare Phonologie
(primär: Repräsentations-
aspekt)

autosegmentale
Phonologie
↑
Ausgangspunkt:
Untersuchungen zu
Ton, Intonation,
Harmonieprozessen,
Länge

metrische
Phonologie
↑
Ausgangspunkt:
Untersuchungen zu
Akzent, Silben-
struktur

Wie nun die nichtlinearen Alternativen der phonologischen Repräsentation in der autosegmentalen und der metrischen Phonologie aussehen, wollen wir uns in den folgenden beiden Abschnitten ansehen.

2. Autosegmentale Phonologie

Die Beobachtung, daß bestimmte Merkmale unabhängig von Segmenten sein können, führte in der autosegmentalen Phonologie zu der Konsequenz, diese Merkmale auf einer von der Segmentebene verschiedenen Repräsentationsebene zu repräsentieren. Betrachtet man den Fall, wo ein solches Merkmal (z. B. »Silbe«) mehrere Segmente auf einmal betrifft, so stellt sich die Frage nach der Zuordnung. Man könnte annehmen, daß sie so aussieht, daß das Merkmal Silbe (σ) mehreren Segmenten zugeordnet wird, z. B.

(1) Merkmalebene:

Segmentebene:

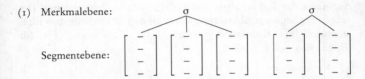

Es läßt sich jedoch zeigen, daß der Bereich, dem ein solches Merkmal zugeordnet wird, nicht die Segmente selbst, sondern abstraktere Einheiten sind, die auf einer Ebene zwischen der Merkmalebene und der Segmentebene angesiedelt sind.
Wir wollen diese Einheiten *CV-Einheiten* und die entsprechende Ebene das »*CV-Gerüst*« (oder auch »*CV-Skelett*«) nennen.
Die Einheiten »C« bzw. »V« sollen zwar Anspielungen auf die Einheiten »Konsonant« und »Vokal« sein, sind aber in folgendem Sinne abstrakter. Ein langer Vokal wird z. B. durch zwei V-Einheiten repräsentiert, so daß die CV-Einheiten in gewissem Sinne als »*Zeit-Einheiten*« aufgefaßt werden können. Der Grund für diese Repräsentation liegt darin, daß es, wie in Abschnitt (4.) illustriert wird, z. B. silbenabhängige phonologische Prozesse gibt, die von einem diesbezüglichen »Zeitmaß« einer Silbe abhängig sind.
Wenn man nun noch zur Kenntnis nimmt, daß die einzelnen Repräsentationsebenen in der phonologischen Fachsprache mit dem englischen Ausdruck »*tier*« (Lage, Reihe) bezeichnet werden, dann kann man die Tatsache, daß das Wort *Kater* zwei Silben darstellt, autosegmental wie folgt repräsentieren:

(2) Merkmal-tier:

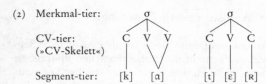

Ebenso können wir das in Abschnitt (1.) erwähnte Phänomen der Unabhängigkeit von Tönen und Segmenten dadurch repräsentieren, daß wir die Töne auf einem gesonderten Merkmal-tier repräsentieren.

Betrachten wir dazu gleich jenen (für afrikanische Sprachen typischen) Fall (cf. v. d. Hulst (1984)), daß nach der Tilgung eines Segments der Ton erhalten und auf ein anderes, bereits einen Ton tragendes Segment übertragen wird, so daß aus den beiden Ebenentönen ein Konturton entsteht (»L« für »low«, »H« für »high«):

(3) Merkmal-tier:
$$
\begin{bmatrix}
\text{H} & \text{L} & \text{H} & \text{L} \\
| & | & | & | \\
\text{V} & \text{C} & \text{V} & \text{V} & \text{C} & \text{V} \\
| & | & | & | & | & | \\
[0] & [w] & [a] & [0] & [w] & [a]
\end{bmatrix}
\Rightarrow
\begin{bmatrix}
\text{H} & \text{L} & \text{H} & \text{L} \\
| & & \ddots & | \\
\text{V} & \text{C} & \text{Ø} & \text{V} & \text{C} & \text{V} \\
| & | & & | & | & | \\
[0] & [w] & \text{Ø} & [0] & [w] & [a]
\end{bmatrix}
$$

Auf drei Punkte möchten wir in dieser rudimentären Darstellung noch kurz zu sprechen kommen.

Der erste Punkt betrifft die Frage nach der Bedeutung von »autosegmental«, der zweite die Frage, wie die Zuordnungen zwischen den einzelnen »tiers« geregelt sind, und der dritte die Frage, was passiert, wenn man mehrere Merkmale gleichzeitig (also z. B. Tonhöhen und Silbeneinteilung) auf dem Merkmal-tier repräsentieren will.

Der erste Punkt ist schnell abgehandelt. Da die Merkmale auf einem Merkmal-tier nun selbst einen Status besitzen wie eigenständige Segmente, bezeichnete man sie als »*Autosegmente*«.

Der zweite Punkt verlangt eigentlich einen tieferen Einstieg in die Konzeption der autosegmentalen Phonologie. Wir wollen uns mit folgenden Hinweisen zufriedengeben.

Es gibt allgemeine *Wohlgeformtheitsbedingungen* für die durch Verknüpfungslinien repräsentierten Zuordnungen. Eine davon besagt z. B., daß sich die Verknüpfungslinien nicht kreuzen dürfen. Es ist klar, daß dies Konsequenzen für mögliche Zuordnungen von z. B. Tönen zu den Ton-tragenden Einheiten hat. Es gibt des weiteren Verknüpfungskonventionen, die regeln, wann die Zuordnung eineindeutig ist, wann ein Merkmal mehreren Elementen des CV-tiers zugeordnet wird (»spreading«), und wann mehrere Merkmale einem Element des CV-tiers zugeordnet werden (»dumping«).

Es ist klar, daß die Art dieser Zuordnungen davon abhängt, um welches Merkmal es sich handelt. So wird die Theorie der Töne andere Zuordnungen zwischen den Merkmalen und den CV-Einheiten verlangen (z. B. daß nur die V-Einheiten als Ton-tragende Einheiten ein Merkmal zugeordnet bekommen), als dies etwa eine Theorie der Silbe für das autosegmentale Merkmal »σ« verlangt.

Der dritte Punkt schließlich betrifft noch einmal einen Vorteil der autosegmentalen Repräsentation. Wenn man sich das CV-Skelett wie eine Achse vorstellt, so ist klar, daß man um diese Achse herum die verschiedensten tiers simultan repräsentieren, i.e. mehrere Merkmale gleichzeitig »autosegmentalisieren« und damit natürlich auch Interdependenzen zwischen diesen Merkmalen zum Ausdruck bringen kann:

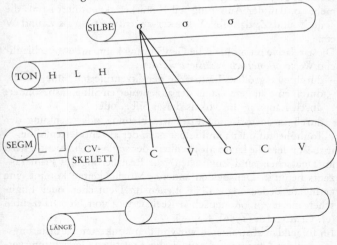

Man hat diese Art der phonologischen Repräsentation daher auch als »*dreidimensionale Phonologie*« bezeichnet.

3. Metrische Phonologie

3.1. Grundbegriffe: Baum und Gitter

Die metrische Phonologie nimmt ihren Ausgangspunkt in Untersuchungen zum Akzent oder allgemeiner: in Untersuchungen zur relativen lautlichen Gewichtung von Äußerungsteilen.

Versuchen wir, uns den Gegenstand der metrischen Phonologie an folgenden Beispielen klarzumachen. In dem zweisilbigen Wort *König* trägt die erste Silbe den Akzent, die zweite ist unakzentuiert. In dem dreisilbigen Wort *Feuersbrunst* ist die erste Silbe akzentuiert, die zweite Silbe ist unakzentuiert und die dritte hat einen schwächeren Akzent als die erste. In dem zweisilbigen Wort *Schleppkahn* trägt zwar auch die erste Silbe den Primärakzent (Hauptakzent); die zweite ist aber nicht unakzentuiert, sondern trägt einen deutlichen Sekundärakzent (Nebenakzent).

Diese Beispiele zeigen bereits, daß die Kategorie »Akzent« *keine absolute, sondern eine relative Größe* ist: Es ist nicht so, daß ein Äußerungsteil akzentuiert ist und andere Teile nicht; es ist vielmehr so, daß der Äußerungsteil X stärker akzentuiert ist als die Teile Y und Z, daß Teil Y stärker akzentuiert ist als Z und W etc.

Diese relative phonologische Gewichtung kann auf unterschiedliche Weise *phonetisch realisiert* werden:

- durch eine größere Lautstärke der akzentuierten Silbe,
- durch eine längere Dauer der akzentuierten Silbe, insbesondere durch Längung des Vokals dieser Silbe, oder
- durch intonatorische Mittel wie Hebung oder Senkung der Tonhöhe auf oder unmittelbar nach der akzentuierten Silbe.

Insbesondere die letzte Möglichkeit, der sog. »pitch accent«, wird im Deutschen (und Englischen) zur Realisierung des Primärakzents benutzt. Den beiden anderen Möglichkeiten kommt eine geringere Bedeutung zu, sie dienen im Deutschen oder Englischen meist zur phonetischen Realisierung von Nebenakzenten (cf. Cruttenden (1986), Kap. 1).

Im folgenden abstrahieren wir von den konkreten Realisierungsformen des Akzents und nennen diese relativen Gewichtungsverhältnisse ganz allgemein *»Prominenzrelationen«*.

Eine zentrale Idee der metrischen Phonologie ist es nun, die Prominenzrelationen in Äußerungen dadurch zu repräsentieren, daß man diese Äußerungen in ihre strukturellen Teile zergliedert und die Prominenzrelationen zwischen diesen strukturellen Teilen in einer Weise repräsentiert, die es erlaubt, das prominenteste Element, das zweitprominenteste Element etc. der ganzen Äußerung zu »errechnen«.

Dies geschieht zunächst in der Weise, daß die einzelnen strukturell relevanten Teile nach bestimmten Regeln mit Etikettierungen *s* (»strong«) und *w* (»weak«) versehen werden. Dabei ist der mit *s* versehene Teil stärker akzentuiert als der mit *w* versehene Teil. Machen wir uns diese Repräsentationsform am Beispiel der Akzentuierung des Kompositums *Straßenbahnen* klar. Für die einzelnen Wörter *Straßen* und *Bahnen* werden die Prominenzverhältnisse entsprechend unserer intuitiven Beurteilung wie folgt repräsentiert:

(4)

Die strukturell relevanten Teile sind hier die Silben. Die erste Silbe ist akzentuierter als die zweite. Wendet man das gleiche Verfahren auf das Kompositum an, muß das erste Wort mit *s* versehen werden, weil es stärker akzentuiert ist als das zweite; der Hauptakzent liegt auf *Straßen*, nicht auf *Bahnen*:

(5)

Die Darstellungen (4) und (5) zusammen ergeben folgende Graphik:

(6)

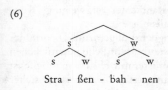

Diese Notation macht klar, daß *Straßen* akzentuierter ist als *-bahnen*. Zugleich ist aus ihr ersichtlich, daß die akzentuierte Silbe von *Straßen*, also die erste Silbe des Kompositums, zugleich die Silbe mit dem stärksten Akzent des ganzen Wortes ist (über ihr stehen nur s-Elemente).

Man nennt solche Repräsentationen *metrische Bäume*. Es ist Aufgabe der metrischen Phonologie, allgemeine Prinzipien und sprachspezifische Regeln für den Aufbau von Bäumen und für die Verteilung der Etiketten *s* und *w* anzugeben.

Beschäftigen wir uns zunächst mit der Struktur von metrischen Bäumen im allgemeinen. Jeder Baum besteht aus *Verzweigungen*. In der Darstellung (6) beispielsweise gibt es drei Verzweigungen der Form $\underset{s}{\overset{\wedge}{}}_{w}$. Im Prinzip sind aber auch Verzweigungen anderer Art zulässig, wie z. B. in (7):

(7)

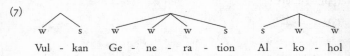

In solchen Darstellungen steht das s-Element der Verzweigung gerade über der akzentuierten Silbe. Man sagt, daß es die akzentuierte Silbe (unmittelbar) *dominiert*. Die nicht oder weniger akzentuierten Silben werden im metrischen Baum von *w* dominiert.

Eine Verzweigung repräsentiert den intuitiv nachvollziehbaren Sachverhalt, daß genau ein Element einer strukturrelevanten Einheit, z. B. eine Silbe in einem Wort oder ein Wort in einem Kompositum, gegenüber allen anderen Elementen dieser Einheit prominent ist. Daher sind Verzweigungen unzulässig, die *mehrere* s-Elemente enthalten.

Zur Beschreibung von metrischen Bäumen hat sich folgende Terminologie als nützlich erwiesen. Man nennt das einzige s-Element einer Verzweigung den *Kopf* der Verzweigung. In allen bisher betrachteten Beispielen war der Kopf einer Verzweigung *peripher*, d. h. am rechten oder linken Rand einer Verzweigung. Können wir diese Beobachtung generalisieren?

Wir wollen im folgenden eine möglichst allgemeine Theorie des Akzents entwickeln, die es uns gestattet, sämtliche in natürlichen Sprachen vorkommenden Akzentmuster mit Hilfe von möglichst einfachen, elementaren Mitteln darzustellen. Daher ist es sicher wünschenswert, die Form von Verzweigungen so weit wie möglich einzuschränken. Mit der Forderung, daß jede Verzweigung nur ein s-Element enthalten darf, haben wir schon einen ersten Schritt in dieser Richtung getan. Als eine weitere Restriktion bietet es sich nunmehr an, für wohlgeformte metrische Bäume zu fordern, daß in jeder Verzweigung der Kopf peripher sein muß. D. h., wir beschreiben Akzentmuster immer so, daß ein Randelement akzentuierter ist als die übrigen Elemente.

Als korrekte empirische Voraussage ergibt sich aus dieser Restriktion, daß in jeder Sprache der Welt der prominenteste Akzent eines Wortes vom Anfang oder Ende des Wortes aus errechnet wird. Weil Verzweigungen immer am Rand akzentuiert sind, könnten wir alternative Regularitäten (z. B., daß der Akzent immer in der Mitte liegt) mit unserem restriktiven Beschreibungsinstrumentarium, also innerhalb des metrischen Baumes, überhaupt nicht formulieren.

Zur Beschreibung von Akzentverteilungen reichen metrische Bäume jedoch noch nicht aus. Die Etikettierungen *s/w* allein sagen uns noch nicht alles über die relative Gewichtung der einzelnen Silben untereinander. Wir wissen zwar, daß die erste Silbe in (6) stärker ist als die zweite, die dritte stärker ist als die vierte. Auch können wir problemlos festlegen, daß in (6) die prominenteste Silbe gerade diejenige ist, von der aus der »Weg nach oben« nur über s-Etikette führt. Ist aber z. B. die zweite Silbe ebenso stark akzentuiert wie die letzte oder die dritte? Sicher entspricht es unserer Intuition, daß die dritte Silbe prominenter ist als die zweite oder vierte, welche beide selber unakzentuiert sind. Diese Information muß aus dem metrischen Baum noch *auf bestimmte Weise* gewonnen werden.

Um nun die relativen Prominenzverhältnisse zwischen *allen* Silben einer Äußerung ermitteln zu können, müssen die metrischen Bäume selbst noch »interpretiert« werden, d. h., es muß festgelegt werden, welche relativen Gewichtungen aller Silben untereinander ein metrischer Baum darstellen soll. Diese Interpretation geschieht mit Hilfe des sog. *metrischen Gitters*. Für *Straßenbahnen* sieht ein mit der Intuition übereinstimmendes Gitter, zusammen mit dem metrischen Baum, wie in (8) aus.

Dieses metrische Gitter interpretiert den Baum so, daß die zweite Silbe ebensowenig akzentuiert ist wie die letzte (nämlich gar nicht), die dritte Silbe ist stärker als ihre beiden Nachbarn, die

(8)

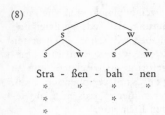

Stra - ßen - bah - nen

erste Silbe ist die stärkste. Je mehr Sterne sich auf einer Silbe versammeln, desto prominenter ist diese im Vergleich zu anderen Silben.

Zur Erstellung eines Gitters benötigt man *Baum-Gitter-Regeln*, welche die Hierarchie des Baumes in ein Gitter überführen. Von der Idee her repräsentiert das Gitter die *rhythmische Struktur* einer Äußerung. Hierarchische Gliederungen wie im Baum werden im Gitter nicht repräsentiert, sie spielen aber in der Konstruktion des Gitters durch Baum-Gitter-Regeln indirekt eine Rolle.

Der Idee der rhythmischen Gliederung folgend repräsentiert das Gitter für *Straßenbahnen* so etwas wie einen 4/4-Takt. Auf diesem Vergleich basiert auch der Begriff des »Schlages«. Die abgebildeten Sterne werden als *Schläge* bezeichnet, wobei *jeder* Stern einen Schlag, also eine Gewichtungseinheit, repräsentiert. (Im betrachteten Beispiel gibt es daher nicht vier, sondern sieben Schläge).

Beim Aufbau des metrischen Gitters erhält jede Silbe einen Stern als rhythmische Grundeinheit zugewiesen. Diese Sterne heißen *Halbschläge*. Sie repräsentieren noch keine Akzente, sondern *rhythmische Zeiteinheiten*. Dann müssen die übrigen Schläge zugewiesen werden. Sie repräsentieren die Haupt- und Nebenakzente. Die Zuweisung dieser Schläge hängt vom metrischen Baum ab.

Die wichtigste Regel, die das metrische Gitter in Abhängigkeit vom metrischen Baum aufbaut, ist die sog. »*Relative Prominence Projection Rule*« (RPPR) von Liberman & Prince (1977). Wir nennen diese Regel die

(9) *Baum-Gitter-Regel*
In jeder Verzweigung erhält mindestens eine von *s* dominierte Silbe mehr Schläge als jede von *w* dominierte Silbe.

Mit der Baum-Gitter-Regel wird die relative Prominenz eines s-Astes auf das Gitter projiziert. Sie stellt eine Wohlgeformtheitsbedingung für metrische Gitter dar und regelt die Beziehung zwischen einem metrischen Baum und dem metrischen Gitter. Man mache sich klar, wie diese Regel funktioniert, indem man sie für Beispiel (8) überprüft. Dazu betrachte man zuerst die oberste Verzweigung. Das s-Element dieser Verzweigung dominiert das Wort *Straßen* und somit die Silben Stra- und -*ßen*. Das w-Element dominiert entsprechend die Silben *bah-* und -*nen*. Die Regel fordert, daß es in *Straßen*- eine Silbe gibt, die mehr Schläge hat als jede Silbe in -*bahnen*. Dies ist der Fall, denn die erste Silbe hat drei Schläge, während jede Silbe von -*bahnen* weniger als drei Schläge hat. Die beiden übrigen Verzweigungen erfüllen die Bedingung ebenfalls, denn die einzige jeweils von *s* (unmittelbar) dominierte Silbe hat mehr Schläge als die entsprechende von *w* dominierte Silbe.

Wenn man sich die Regel von Liberman und Prince so klar gemacht hat, sieht man auch, daß die prominenteste Silbe in einem Gitter gerade diejenige sein muß, die im Baum nur von s-Etiketten dominiert wird. Auch die Baum-Gitter-Regel liefert uns aber noch keine *vollständige* rhythmische Interpretation des Baumes. Sie verbietet es nicht, daß die beiden ersten Silben in (8) jeweils mindestens so viele Schläge bekommen wie die dritte Silbe. Wir erhielten so z. B. Muster wie diese:

(10)   σ   σ   σ   σ   oder   σ   σ   σ   σ
      *   *   *   *   *   *   *   *
      *   *   *   *   *   *
      *   *   *
                             *

Die für *Straßenbahnen* gewünschte Interpretation des Baumes, also das Gitter in (8), erhalten wir am einfachsten, wenn wir zusätzlich fordern, daß in Übereinstimmung mit der Baum-Gitter-Regel *so wenig Schläge wie möglich* benutzt werden sollen, um den Baum zu interpretieren. Es ist klar, daß die dritte Silbe stärker ist als die vierte, also einen Schlag mehr benötigt. Die erste Silbe braucht ebenfalls einen Schlag mehr als die dritte. Die übrigen Silben können sich mit Halbschlägen begnügen. So kommt man bei diesem Beispiel mit maximal drei Sternen auf einer Silbe aus, wobei die von *w* unmittelbar dominierten Silben nur einen

Halbschlag bekommen. Dies ist sicher die ökonomischste Verteilung von Schlägen, die mit Regel (9) noch verträglich ist.

Diese zusätzliche Bedingung, so wenig Schläge wie möglich zu benutzen, ist nur eine von vielen in der Literatur vorgeschlagenen rhythmischen Realisierungen des Baumes. Sie wird von Prince (1983) als »minimale Interpretation« bezeichnet. Wir werden nur diese Interpretation für die Erzeugung von Gittern aus Bäumen verwenden.

3.2. Regeln für metrische Bäume

Nachdem wir die Beziehung zwischen Baum und Gitter eindeutig definiert haben, müssen nun die Regeln für die Errichtung von Bäumen besprochen werden. Wir betrachten daher einige Akzentmuster, wie sie in den Sprachen der Welt häufig anzutreffen sind, und versuchen, Generalisierungen für den Aufbau von Bäumen aus diesen Daten abzuleiten.

Im einfachsten Fall liegt der Wortakzent am Anfang oder am Ende eines Wortes, wobei es

(a) keine Nebenakzente im Wort gibt und
(b) alle Wörter der betrachteten Sprache anfangsbetont bzw. alle Wörter dieser Sprache endbetont sind.

Eine Sprache mit Anfangs-Akzent ist z. B. Tschechisch. Um diesen einfachen Fall metrisch zu beschreiben, genügt folgende Festlegung:

(11) *Akzent im Tschechischen*
Konstruiere über den Silben eines Wortes einen (möglicherweise) mehrfach verzweigenden Baum mit linksperipherem Kopf.

Damit erhält die erste Silbe das s-Element der Verzweigung, alle übrigen werden von *w* dominiert und sind daher unbetont. Eine entsprechende Vorschrift mit rechtsperipherem Kopf, d. h. mit akzentuierter Silbe am rechten Rand eines jeden Wortes, trifft beispielsweise auf das Türkische zu.

Etwas komplizierter sind die Verhältnisse, wenn in einem Wort alternierende Akzentmuster anzutreffen sind, z. B. in (12):

(12)

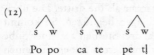

(Der Punkt unter dem Konsonanten bedeutet, daß dieser *silbisch* ist.) Es ist klar, daß wir nach festzulegenden Regeln den Silben des Wortes *binäre* Verzweigungen zuweisen müssen, um die rhythmische Gliederung korrekt zu repräsentieren. In einem weiteren Schritt ist der Hauptakzent des Wortes festzulegen. Dies geschieht durch die Verbindung dieser Verzweigungen zu einem metrischen Baum, der alle Silben des Wortes erfaßt:

(13)

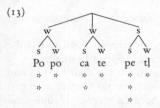

Da der Hauptakzent klarerweise auf der *vorletzten* Silbe liegt, benötigen wir auf der höheren Ebene eine Verzweigung, deren *letzter*(!) Zweig mit *s* etikettiert ist. Während also die Verzweigungen auf der unteren Ebene im Deutschen binär und linksköpfig sind, ist die Verzweigung auf der höheren Ebene, der Ebene des Wortakzents, im Deutschen rechtsköpfig und (bei längeren Wörtern) mehrfach verzweigend.

Ausgehend von diesen wenigen Beispielen können wir schon einige hoffentlich universell gültige Generalisierungen formulieren.

Wir unterscheiden zunächst prinzipiell zwischen binären Verzweigungen und Verzweigungen, die (möglicherweise) mehr als ein w-Element enthalten. Letztere benötigen wir für den Wortakzent insbesondere bei längeren Wörtern. Durch die Zuweisung von solchen (möglicherweise) mehrfach verzweigenden Strukturen wird erreicht, daß genau eine Silbe für den Hauptakzent ausgezeichnet wird, beliebig viele andere Silben sind gegenüber dem Hauptakzent weniger akzentuiert und werden deshalb von *w* dominiert.

Binäre Verzweigungen dienen dagegen zur rhythmischen Gliederung einer Äußerung. Durch die Zuweisung binärer Strukturen wird eine Alternanz zwischen starken und schwachen Silben hergestellt. Diese Alternanz ist, wie man in (13) gut sieht, weniger prominent als die Realisierung des Hauptakzentes, sie wird also phonetisch durch Nebenakzente realisiert.

Diese unterschiedliche Rolle von Verzweigungen wollen wir auch terminologisch festhalten. In Anlehnung an die antike Verslehre nennen wir binäre Verzweigungen unmittelbar über den Silben *metrische Füße*. Solche Verzweigungen haben ein w- und ein s-Element in beliebiger, sprachspezifisch festzulegender Reihenfolge. Verzweigungen mit einer im Prinzip beliebigen Anzahl von w-Elementen nennen wir *unbegrenzt*. Wir können nun das bisher Gesagte wie folgt zusammenfassen:

1. Der Hauptakzent wird durch die Zuweisung einer unbegrenzten Verzweigung bestimmt.
2. Hat eine Sprache Nebenakzente, so werden diese durch die Zuweisung von (binär verzweigenden) Füßen bestimmt.

Für den Rest dieses Abschnitts widmen wir uns dem Aufbau von metrischen Bäumen für unzusammengesetzte Wörter. Nehmen wir an, in der zu untersuchenden Sprache werden Haupt- und Nebenakzente unterschieden. Unserer Theorie zufolge müssen zuerst die Nebenakzente durch die Zuweisung von Füßen festgelegt werden. Diese Füße müssen dann (bei längeren Wörtern) zu einem vollständigen Baume verbunden werden. Wir betrachten zunächst die Zuweisung der metrischen Füße.

Bei der Konstruktion des metrischen Baumes auf der Wortebene kann sich die Zuweisung der Füße nach zwei Parametern richten:

(14) 1. Sie verläuft von (a) rechts nach links oder von (b) links nach rechts.
2. Der Kopf ist (a) rechts- oder (b) linksperipher.

Wir illustrieren die jeweiligen Ergebnisse der Zuweisung bei ungerader Silbenzahl:

(15) (1a) + (2a):

(1a) + (2b):

(1b) + (2a):

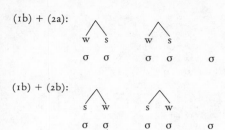

(1b) + (2b):

Die (bei ungerader Silbenanzahl) übrigbleibende Silbe erhält erst bei der Zuweisung des Wortakzents eine metrische Markierung. Ansonsten darf bei der Zuweisung der Füße keine Silbe überschlagen werden.

Nehmen wir nun an, die Regel des Wortakzents weise in allen vier Fällen einen rechtsperipheren Kopf zu. Da diese Mehrfachverzweigungen nur ein s-Element haben dürfen, resultieren daraus vier verschiedene Akzentmuster, vgl. Abbildung (16). Bei der Zuweisung eines linksperipheren Wortakzentes erhielte man hierzu symmetrische Muster.

Es ist von Halle und Clements (1983) gezeigt worden, daß jede

(16) (1a) + (2a):

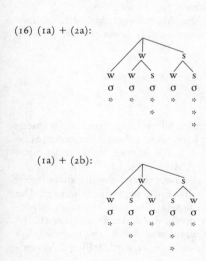

(1a) + (2b):

(1b) + (2a):

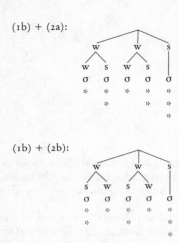

(1b) + (2b):

der in (15) aufgeführten vier Optionen von mindestens einer natürlichen Sprache realisiert wird. Deutsch und Englisch gehören –
von einer Reihe von Komplikationen abgesehen – wohl am ehesten zum Typ (1a) + (2b). Auf die Regeln des deutschen Wortakzents gehen wir erst in Abschnitt (3.4.) näher ein.

Betrachten wir hier jedoch die Akzentregeln des Latein. Der
Hauptakzent muß auf der vorletzten oder der vorvorletzten Silbe
liegen:

(17) Ro . mu . lus   po . pu . lus   se . na . tus

Die Wahl zwischen diesen beiden Silben hängt von ihrer segmentalen Gestalt ab: Der Akzent kann nicht auf einer vorletzten Silbe
liegen, wenn diese *leicht* ist, d. h. mit kurzem Vokal endet (zum
Begriff der leichten Silbe, cf. Abschnitt (4.)).

Nehmen wir nun an, daß es im Latein einen Sekundärakzent gibt;
wir müssen dann zeigen, wie die Füße zugewiesen werden. Die
Verteilung der Sekundärakzente selbst interessiert uns im folgenden nicht, wichtig ist allein die Position des Hauptakzents. Es
läßt sich zeigen, daß der *Hauptakzent* durch eine *rechtsköpfige
(unbegrenzte) Verzweigung* determiniert wird, falls die Akzent-

verhältnisse durch die Zuweisung eines Fußes noch nicht festgelegt sind (cf. (18b): *populusque*). Wir erläutern dies an einem Beispiel:

(18) (a) 1. Schritt: Zuweisung der Füße (s. u.):

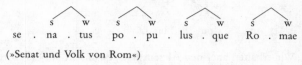

se . na . tus   po . pu . lus . que   Ro . mae

(»Senat und Volk von Rom«)

(b) 2. Schritt: Zuweisung der unbegrenzten Verzweigung:

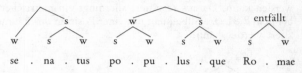

se . na . tus   po . pu . lus . que   Ro . mae

Aus den soeben angegebenen Regeln für den Hauptakzent lassen sich nun einige Schlußfolgerungen ziehen, wie die metrischen Füße zugewiesen werden müssen.

Zunächst deutet das Fehlen eines Akzents auf der letzten Silbe darauf hin, daß wir Füße der Form (s,w), also linksköpfige Füße zuweisen müssen. Bei der Zuweisung von rechtsköpfigen Füßen (w,s) wäre zu erwarten, daß der Akzent bei Wörtern mit gerader Silbenanzahl auch auf die letzte Silbe fallen könnte, was im Latein aber nicht der Fall ist. Für die Richtung der Zuweisung ließe sich aus der Betonung von *senatus* die Folgerung ziehen, daß die Zuweisung eher von rechts nach links (19a) als von links nach rechts (19b) erfolgt:

(19) (a)   (b)*

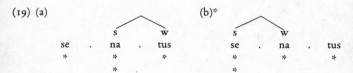

(Der hochgestellte Stern, der die Numerierung (19b) markiert, soll kennzeichnen, daß die abgebildete Struktur ungrammatisch ist.) Weiterhin haben wir gesagt, daß die Akzentzuweisungsregeln auf segmentale Eigenschaften der Silbe, genauer: auf die Eigenschaften des CV-Skelettes, Bezug nehmen können. Die Zuweisung des Fußes in (20) ist nicht erlaubt, denn offene Silben mit Kurzvokal, also solche der Form CV, stoßen den Akzent ab:

(20)*

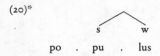

Wir erhalten aber den Akzent wie gewünscht auf der drittletzten Silbe, wenn bei der Akzentzuweisung der Fuß im Sinne der Zuweisungsrichtung, also nach links, um eine Silbe »verschoben« werden kann. Daraus resultiert allerdings ein metrischer Baum, bei dem die letzte Silbe nicht mit einer Position des Baumes assoziiert werden kann:

(21)

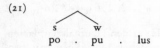

Solche unassoziierten Silben nennt man *extrametrisch*, d. h. sie spielen für die Akzentzuweisungen keine Rolle. Extrametrische Silben sind nur am Schluß oder am Beginn eines Wortes zugelassen. Daß in (21) die letzte Silbe systematisch übersehen werden *muß*, sollte aufgrund der Regel des Hauptakzents (rechtsköpfige Verzweigung!) klar sein. Wäre die letzte Silbe »sichtbar«, so erhielte sie fälschlicherweise den Primärakzent:

(22)*

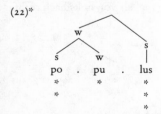

Ob es in einer Sprache extrametrische Silben gibt oder nicht, ist ein sprachspezifischer Parameter. Setzen wir voraus, daß der Hauptakzent durch eine rechtsköpfige Verzweigung bestimmt wird und die Nebenakzente durch Füße der Gestalt (w,s) bzw.

(s,w), so folgt, daß der Hauptakzent in einer Sprache ohne extrametrische Silben nur auf der letzten (23a) oder vorletzten (23b)
Silbe liegen kann:

(23) (a)   (b)

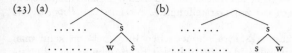

Wir wollen die Beschreibung des Wortakzents im Latein hier
nicht weiter vertiefen. Illustriert werden sollte lediglich, daß es
extrametrische Silben geben kann und daß die Akzentzuweisung
möglicherweise von der CV-Gestalt einer Silbe abhängt. Damit
haben wir die wichtigsten universellen *Parameter* genannt, die für
die Beschreibung von metrischen Bäumen einer Einzelsprache
relevant sein können. Jede Sprache wählt aus dem folgenden Re-
pertoire von Möglichkeiten bestimmte Optionen aus, nämlich
– ob links- oder rechtsköpfige unbegrenzte Verzweigungen zugewiesen werden,
– ob Füße zugewiesen werden,
– ob diese rechts- bzw. linksköpfig sind,
– ob die Zuweisung von links nach rechts oder von rechts nach
   links verläuft,
– ob sie von der Silbenstruktur abhängt, und
– ob extrametrische Silben statthaft sind.
Für die Beschreibung der Akzentmuster einer Einzelsprache mag
es äußerst umständlich anmuten, den Akzent durch eine Schar
von Bedingungen festzulegen, die wir uns hier mühsam erarbeitet
haben. Genügt nicht einfach eine umgangssprachliche Beschreibung, wie wir sie für das Latein gegeben haben? Ein solcher
Einwand verkennt, worum es hier geht: Wir wollen eine *universelle Theorie des Akzents* entwickeln, also eine Theorie, die uns
sagt, welche Akzentmuster überhaupt sprachmöglich sind. Eine
umgangssprachliche Beschreibung einer Einzelsprache, sogar aller Sprachen der Welt zusammen, würde gerade dies nicht leisten
können.

3.3. Regeln für metrische Gitter

In diesem Abschnitt betrachten wir einige Phänomene, die sich besser im metrischen Gitter als im Baum beschreiben lassen. Dazu kehren wir zur Darstellung des Akzents von *Popocatepetl* zurück.

Bei einer aufmerksamen phonetischen Introspektion kann man nämlich feststellen, daß die bisherige Beschreibung (13) die tatsächlichen Akzentverhältnisse noch nicht adäquat wiederzugeben vermag. Man mache sich intuitiv klar, daß die erste Silbe akzentuierter ist als die dritte:

(24) Po po ca te pe tl
       *   *   *   *   *   *
       *   *   *
       *   *
       *

Daher muß für dieses Beispiel zwischen mindestens vier Stärkegraden unterschieden werden, die als Primär-, Sekundär-, Tertiär- und Null-Akzent bezeichnet werden. Halle/Clements (1983) siedeln die entsprechenden Sterne in verschiedenen Ebenen oder Stockwerken an:

(25) Po po ca te pe tl
       *   *   *   *   *   *   (»o-Akzent«)
       _____
       *   *   *   (»3-Akzent«)
       _____
       *   *   (»2-Akzent«)
       _____
                       *   (»1-Akzent«)

Um die gewünschte Differenzierung zu bekommen, müssen wir den Akzent auf der ersten Silbe »verstärken«. Das geschieht am besten durch eine Regel, die auf dem metrischen Gitter operiert. Prinzipiell wäre dies auch durch Modifikationen des metrischen Baumes möglich. Derartige Erweiterungen der Baumstruktur würden aber auch die Erzeugung zusätzlicher, von keiner menschlichen Sprache realisierter Akzentmuster ermöglichen und sind daher inadäquat.

Wie man auf der Ebene des metrischen Gitters die genannte Akzentverstärkung erreicht, zeigt E. Selkirk (1984). Sie formuliert eine (sprachspezifische) Regel der Akzentverstärkung, die *am Rand des Gitters* Schläge hinzufügen kann. Zur Ableitung von (24) aus der durch den Baum erzeugten Struktur (13) fügt man auf der ersten Silbe einen Schlag hinzu. Zu beachten ist dann allerdings, daß die Prominenz des durch den Baum festgelegten Hauptakzentes erhalten bleiben muß. D. h. für unser Beispiel, daß die Schlaghinzufügung auf der ersten Silbe eine weitere Schlaghinzufügung auf der fünften Silbe bedingt, denn letztere muß prominenter als alle anderen Silben bleiben. Erst jetzt erhalten wir – allerdings nur auf der Ebene des Gitters – die gewünschte Differenzierung der Nebenakzente.

(26) σ   σ   σ   σ   σ   σ
      *   *   *   *   *   *
      *   *   *
      *   *
      ↑   *   ← Prominenzerhaltung
   Schlaghinzufügung

Neben der Regel der *Schlaghinzufügung* gibt es noch weitere Regeln, die nur innerhalb des Gitters operieren. Wir nennen hier die *Schlagtilgung* und die *Schlagverschiebung*. Auch diese Prozesse illustrieren wir anhand von Beispielen, ohne die Regeln genau zu formulieren (cf. dazu Selkirk (1984)).
Die Idee der binären Verzweigung impliziert, daß natürliche Sprachen eine Alternanz zwischen betonten und unbetonten Silben herstellen. Es erscheint daher natürlich, daß ein Zusammenstoß zwischen akzentuierten Silben vermieden wird. Dieser natürlichen Tendenz entsprechend gibt es auf der Ebene des Gitters Regeln, die eine Beseitigung von Akzentzusammenstößen bewirken. Wir illustrieren zwei solche Regeln, nämlich die *Entakzentuierung* und die *Akzentverschiebung*.
Die Entakzentuierung wird im Gittermodell der metrischen Phonologie gerade als *Schlagtilgung* beschrieben. Wir finden sie im Deutschen dann, wenn zwei Silben zusammentreffen, die mindestens auf der Ebene des 3-Akzentes Schläge bekommen. Zur besseren Illustration der genannten Regeln betrachten wir ein sehr langes Wort, das Wort *Abrakadabra* (oder *Carabinieri*). Die Zu-

weisung der Füße von rechts nach links liefert zunächst den Baum und das Gitter (27):

(27)

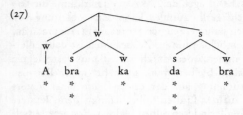

Die oben illustrierte Regel der Schlaghinzufügung erzeugt einen zusätzlichen Schlag auf der ersten Silbe:

(28)   A   bra   ka   da   bra
         *   *   *   *   *
         *   *   *   *
         ‒   ‒   *

Dieses Gitter ist mit dem Baum in (27) verträglich, insbesondere ist die Prominenz der Hauptbetonung gewahrt. Die ersten beiden Silben enthalten jedoch einen Akzentzusammenstoß, denn die unterstrichenen Akzentschläge stehen unmittelbar nebeneinander. (Man beachte, daß die unterste Ebene noch keinen Akzent repräsentiert.) Diese Nachbarschaft betonter Silben wird durch die Schlagtilgungsregel (29) beseitigt (cf. Selkirk (1984), S. 117):

(29)   σ   σ   ⇒   σ   σ
       *   *   *   *
       *   *   *

(30)   A b r a k a d a b r a ⇒ A b r a k a d a b r a
       *   *   *   *   *   *   *   *   *   *
       *   *   *   *   *
                   *   *

Erst jetzt haben wir das korrekte Akzentmuster erhalten.
Betrachtet man höhere Ebenen als das unzusammengesetzte Wort, so stellt sich heraus, daß zur Beseitigung eines Akzentzusammenstoßes keine Schlagtilgung, sondern eine Schlagverschiebung stattfindet. Dazu ist zu beachten, daß man von einem Ak-

zentzusammenstoß im Sinne eines Nebeneinander von Akzent-
schlägen auch dann spricht, wenn die Anzahl der Schläge auf
einer Silbe verschieden ist, wie in (31a). (31b) illustriert dann eine
Akzentbewegung nach rechts (zu Linksverschiebungen, cf. Féry
(1986)):

(31) (a) Nach . mit . tag   (b) Nach . mit . tag
         *   *   *   *   *   *
         *   *   *   ⟶ *
         —   —   *
         *   * Schlagverschiebung

Wenn man davon ausgeht, daß die erste Silbe von *Mittag* grundsätzlich betonter ist als die zweite, sollte dies in *Nachmittag*
ebenso sein, wie in *Ostermittag* oder *Samstagmittag*. In diesen
Wörtern ist jedoch die erste Silbe von *Mittag* von der akzentuierten Silbe des vorangehenden Wortes durch eine unbetonte
Silbe getrennt. In (31a) dagegen fehlt eine solche trennende Silbe;
es kommt zu einem Akzentzusammenstoß. Der Akzentzusammenstoß wird dadurch vermieden, daß der Nebenakzent verschoben wird.

3.4. Einige Akzentregeln des Deutschen

Unsere Beschreibung des Akzents begann damit, daß ein metrischer Baum errichtet wurde, der dann in ein metrisches Gitter
überführt werden muß. Der mit dem Baum verbundene hierarchische Gliederungsaspekt spielte zur Beschreibung der rhythmischen Struktur kaum eine Rolle; er wird aber vor allem dann
wichtig, wenn der Beschreibungsgegenstand der metrischen Phonologie schon hierarchisch gegliedert ist. Insbesondere bezüglich
größerer Einheiten als das unzusammengesetzte Wort, nämlich
für Komposita und für Sätze, werden wir in den Kapiteln (IV.)
und (V.) zeigen, daß sie durch Bäume repräsentierbare hierarchische Strukturen besitzen. Diese Strukturen sind unabhängig von
den metrischen Prominenzverhältnissen motiviert. Sie können
aber zugleich für die Akzentbeschreibung eine Rolle spielen.
Betrachten wir hierzu dreigliedrige Komposita. Die hierarchischen Strukturen von *Fuß-ball-feld* oder *Straßen-bahn-depot*
sind aus semantischen Gründen wie in (32a) dargestellt, nicht
jedoch wie in (32b):

(32) (a)

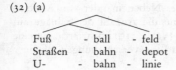

Fuß   - ball   - feld
Straßen - bahn   - depot
U-   - bahn   - linie

(b)

Welt   - spar   - tag
Bundes   - garten - schau
Landes   - haupt   - versammlung

Betrachten wir nun den prominentesten Akzent innerhalb dieser Komposita. In (a) hat die prominenteste Silbe des ersten Wortes den Hauptakzent, in (b) dagegen die prominenteste Silbe des zweiten Wortes. Es ist naheliegend, daß die Akzentverteilung in diesen Komposita einer Regel folgt, die davon abhängt, wie sich das Kompositum zusammensetzt.

Zur Darstellung der Struktur dieser Komposita wollen wir deren Wortbestandteile allgemein durch Großbuchstaben abkürzen. In (32a) ist die Struktur von der Form (33a), in (32b) von der Struktur (33b):

(33) (a)   (b)

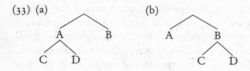

Aufgrund der hier angegebenen Beispiele läßt sich die Regel für den Akzent innerhalb von Komposita so formulieren:

(34) *Regel für den Kompositionsakzent im Deutschen*
In einer Kompositum-Struktur A+B ist die Komponente B dann und nur dann stark, wenn B verzweigt.

Berücksichtigt man, daß es ausgeschlossen ist, daß in einer Verzweigung (X,Y) sowohl X als auch Y das gleiche Etikett erhalten können, also *beide* stark bzw. schwach sind, erhalten wir mit dieser Regel die folgenden metrischen Bäume und Gitter:

(35) (a)

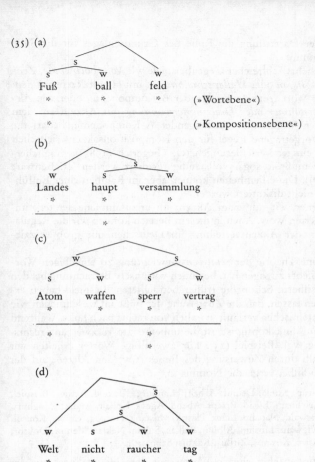

(»Wortebene«)

(»Kompositionsebene«)

(b)

(c)

(d)

In diesen Darstellungen sind die Akzentverteilungen innerhalb eines unzusammengesetzten Wortes der Einfachheit halber unberücksichtigt geblieben, d. h. jedes Wort wird auf der untersten Ebene der Darstellung durch genau einen Stern repräsentiert. Die Interpretation des metrischen Baumes erfolgt genau wie in den vorherigen Beispielen, wobei der Stern des einfachen Wortes in

133

unserer Darstellung die Rolle des Grundschlages für die Silbe übernimmt.

Angesichts zahlreicher Gegenbeispiele wie *Volkshochschule, Zentralflughafen* oder *Hallenschwimmbad* mit Hauptakzent auf dem ersten Wort trotz verzweigender B-Komponente, oder wie *Altweibersommer oder Dreizimmerwohnung* mit Akzent auf dem zweiten Wort trotz verzweigender A-Komponente, bedarf die hier vorgetragene Regel für den Kompositionsakzent sicherlich noch einiger Verfeinerungen (cf. Giegerich (1983)), möglicherweise muß sie sogar vollständig revidiert werden (cf. Benware (1987)). Diese Feinheiten können aber im Rahmen einer Einführung nicht diskutiert werden.

Kommen wir nun zum Akzent im unzusammengesetzten, unflektierten Wort. Auch in diesem Bereich können wir die Regularitäten der Akzentverteilung im Deutschen nur grob skizzieren.

Da eine Theorie der *relativen* Gewichtung zu einsilbigen Wörtern nichts zu sagen hat, beginnen wir unsere Betrachtung bei den Zweisilbern. Schon die früher betrachteten Beispiele haben erkennen lassen, daß die Zuweisung der Füße im wesentlichen wie im Lateinischen verläuft, nämlich von rechts nach links. Während der Fuß linksköpfig ist, ist die unbegrenzte Verzweigung rechtsköpfig, vgl. Beispiel (13). Für zweisilbige Wörter erhalten wir deshalb durch Zuweisung des Fußes (s,w) den Akzent auf der ersten Silbe, vergl. die Nomina in (36):

(36) Sirup, Klima, Demut, Arbeit, Hamburg, Kleinod, Arthur, Beispiel, Leichnam, Elend, Bizeps, Abend, Agens, Kobalt, Andacht, Joghurt, Oswald, Napalm, Index, Plastik, Mustang, Herzog, Sambal, Konsul, Wigwam, Moslim, Album, Balkan, Sultan, Nektar, Mentor, Doktor, Atlas, Kosmos, Zirkus, Kaktus, Sabbat, ...

Wir finden aber ebenso Wörter mit dem Hauptakzent auf der zweiten Silbe:

(37) Tarif, Musik, Kanal, Kamel, Juwel, Profil, Idol, Problem, Atom, Patron, Metall, Polier, Papier, Figur, Anis, Pilot, Smaragd, Triumph, Alarm, Relikt, Basalt, Tumult, Gigant, Klient, Talent, Adept, Protest, Reflex, Lizenz, ...

Eine nähere Analyse dieser Wörter läßt vermuten, daß der Grund für die Abweichung vom vorhergesagten Akzent in der Struktur der Silbe zu suchen ist: In (37) ist die erste Silbe *leicht*, d. h. sie endet mit kurzem Vokal, während die zweite Silbe nicht leicht, also *schwer* ist. In (36) dagegen ist entweder die erste Silbe schwer, oder beide Silben sind leicht. Würde in (37) der Fuß (s,w) zugewiesen, wäre eine leichte Silbe mit einem starken und eine schwere Silbe mit einem schwachen Akzent assoziiert. Nun gibt es allerdings eine universelle Tendenz, so etwas zu vermeiden (cf. van der Hulst (1984)). Wir können daher folgende Bedingung für die Zuweisung von Füßen formulieren:

(38) *Konvention für den Wortakzent*
   Die Assoziation von (s,w) am rechten Rand eines Wortes ist blok-
   kiert, wenn die letzte Silbe schwer und die vorletzte Silbe leicht ist.

Kann aufgrund von (38) kein Fuß zugewiesen werden, so erhält das Wort den Akzent durch die Zuweisung der rechtsköpfigen Verzweigung für den Wortakzent, also in diesem Falle von (w,s). Damit erhalten die Wörter in (37) den Hauptakzent auf der letzten Silbe.

Für eine ganze Reihe von Wörtern bringen unsere Regeln allerdings nicht das richtige Ergebnis. In folgenden Beispielen finden wir Endbetonung, obwohl beide Silben schwer sind:

(39) Oktav, Archiv, Reptil, Emblem, Kostüm, Vulkan, Orkan, Altar, Person, Scharnier, Kultur, Soldat, Despot, Disput, Bandit, Partei, ...

Da die zweite Silbe einen langen, die erste jedoch einen kurzen Vokal enthält, ist hier in gewissem Sinne die zweite Silbe »schwerer« als die erste. Diese gegenüber der Unterscheidung »leicht/schwer« verfeinerte relative Gewichtung der Silbe scheint also ein zusätzlicher Faktor zu sein, welcher die Zuweisung von (s,w) blockiert: Die »schwerere« Silbe darf nicht von *w* dominiert werden (cf. van der Hulst (1984)).

Sieht man von der Vokallänge ab, so bleiben allerdings immer noch eine Reihe von Ausnahmen zur Initialbetonung, die wahrscheinlich durch phonologische Regeln allein nicht zu beschreiben sind:

(40) Konzern, Konzert, Impuls, Kontrakt, Aspekt, Distrikt, Insekt, Konzept, Fragment, Segment, Kontrast, Kompost, Asphalt, ...

Man könnte argumentieren, daß in diesen Wörtern mit zwei schweren Silben gleicher Vokallänge die zweite Silbe relativ zur ersten »schwerer« ist, weil sie zwei Endkonsonanten enthält.

Wenn die Betonung von dieser relativen Gewichtung abhängt, müßte allerdings auch *Hamburg, Andacht* und *Oswald* aus (36) endbetont sein. Es bleibt also nichts anderes übrig, als einen der beiden Fälle explizit als Ausnahme zu markieren. In der Literatur wird hierzu unterschiedlich verfahren (vergleiche etwa Giegerich (1985) mit van der Hulst (1984)).

Kommen wir nun zu *Dreisilbern*. Der Hauptakzent kann auf jeder der drei Silben liegen:

(41) Mazurka, Veranda, Fiasko, Transistor, Atlantis, Gorilla, Spaghetti, Konfetti, Kommando, Espresso, Armada, Nirvana, Alkali, Tornado, Torpedo, Gestapo, Sombrero, Maria, Arena, Salami, Bikini, Bolero, Kasino, Hibiskus, Reaktor, Holunder, Direktor, Banane, …

(42) (a) Mafia, Tombola, Razzia, Pergola, Piccolo, Eskimo, Embryo, Bungalow, Kanada, stereo, Radio, Studio, Domino, Ameise, …
(b) Studium, Radium, Opium, Nukleus, Kaviar, …

(43) Kapital, Paragraph, Mosaik, Diadem, Idiom, ökonom, Dynamit, Pharmazeut, Institut, Dialekt, Diamant, Dissident, Labyrinth, Krokodil, …

Die Beispiele (43) stehen mit unseren bisherigen Akzentregeln im Einklang: Wegen Bedingung (38) kann der Fuß (s,w) nicht den letzten beiden Silben zugewiesen werden, folglich geht er zu den nächsten beiden Silben. Die Endbetonung folgt dann aus der Regel, daß die Verzweigung des Wortakzents rechtsköpfig ist:

(44)

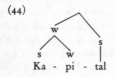

Die Beispiele in (42) erfordern eine zusätzliche Festlegung: Um den Akzent auf die erste Silbe zu lenken, müssen wir die letzte Silbe für extrametrisch erklären (cf. (21)). Extrametrizität ist teilweise eine Eigenschaft der lateinischen Endungen *-us*, *-um* und *-a*, teilweise scheint sie eine Folge von phonologischen Bedingungen, etwa der, daß ein kurzes *i* den Akzent »abstößt« (vgl. auch *Harmonika, Malaria, Faksimile*, aber: *Matthias*), teilweise scheint Extrametrizität aber auch eine nicht-vorhersagbare, daher gesondert festzulegende Eigenschaft eines einzelnen Wortes zu sein.

Ganz regulär dagegen verhalten sich die Daten in (41). Der Zuweisung von (s,w) am rechten Rand steht nichts entgegen, folglich erhalten wir den Hauptakzent auf der vorletzten Silbe. Betrachten wir abschließend noch einige Daten in (45):

(45) Almanach, Ananas, Alkohol, Scharlatan, Albatros, Jaguar, Libanon, Marathon, Abraham, Lazarus, Tetanus, Ammonium, Homunkulus, Basilikum, Anonymus, ...

Müssen wir für jedes dieser Wörter gesondert festlegen, daß es eine extrametrische Silbe enthält? Die Analyse der CV-Gestalt ihrer Silben legt folgende Generalisierung nahe:

(46) *Extrametrizitätsregel*
   Eine Silbe, die aufgrund von (38) überschlagen wurde, ist dann extrametrisch, wenn sie weder einen langen Vokal enthält, noch auf zwei Konsonanten endet.

Damit sind die Beispiele (45) aus allgemeinen Regeln ableitbar. Ebenso folgt das Akzentmuster der Beispiele in (42b). Zu Ausnahmen müssen jetzt allerdings die Beispiele *Dynamit* und *Mosaik* aus (43) erklärt werden. Die Silben *it* und *ik* wären wegen (46) extrametrisch, tragen aber trotzdem den Hauptakzent. Möglicherweise könnte man aber argumentieren (cf. Giegerich (1984)), daß sie wie die Beispiele in (47) auf *zwei* Konsonanten des CV-Skeletts enden und daher nicht extrametrisch sein können:

(47) Aquarell, Flageolett, Etikett, Amulett, Kabinett, Bajonett, Diagramm, ...

Der Hauptakzent auf der letzten Silbe wäre dann durch unsere Regeln vorhersagbar.

Diese kurze Übersicht zum Akzent im einfachen Wort hat gezeigt, daß es im Deutschen kaum möglich ist, Akzentverhältnisse vollständig aus allgemeinen bzw. sprachspezifischen Regeln herzuleiten. Die Aufgabe des Linguisten kann deshalb nur darin bestehen, allgemeine Tendenzen zu erfassen und somit die Zahl der Ausnahmen möglichst zu minimieren. Bezüglich der Frage, was aus allgemeinen Regeln folgt und was für jedes Wort gesondert gelernt werden muß, gibt es in der heutigen Forschung bisher noch keine definitiven Ergebnisse.

Gänzlich unberücksichtigt blieb hier der Einfluß von Flexion und Derivation auf den Akzent. Einiges, was zunächst als Ausnahme erscheinen mag, ließe sich möglicherweise mit Bezug auf die Morphologie erklären, etwa wenn man *Aquarell* oder *Quartett* nicht als einfache, sondern als zusammengesetzte Wörter *Aqua-+r+ell* oder *Quart+ett* analysiert. Die hier angegebenen Regeln gelten ja nur für nicht zusammengesetzte Wörter. Wir nehmen den Zusammenhang zwischen Akzentregeln und der Morphologie erst in Kapitel (v.5.) wieder auf.

4. Die Silbe

4.1. Die Repräsentation der Silbe

Daß die Silbe eine für phonologische Prozesse relevante linguistische Einheit ist, wurde bereits in der linearen Phonologie (Kap. A.) an den silbenabhängigen Prozessen der Auslautverhärtung oder Glottalisierung deutlich.

Es läßt sich zeigen, daß auch suprasegmentale Phänomene wie z.B. Akzent oder Ton nur dann adäquat analysiert werden können, wenn die Silbe als eine mehrere Segmente umfassende phonologische Einheit zur Verfügung steht; d.h. auch Akzent- oder Tonregeln betreffen silbenabhängige Prozesse.

Damit stellt sich die Frage, wie die Silbe phonologisch zu repräsentieren ist. Die einfachste Antwort auf diese Frage würde lauten, daß eine Silbe einfach als eine Folge von bestimmten Segmenten aufzufassen ist. Dies ist aber nicht richtig.

Es lassen sich eine ganze Reihe von Argumenten dafür anführen (cf. Selkirk (1982), Clements/Keyser (1983), v. d. Hulst (1984)), daß eine Silbe eine *interne Struktur* besitzt und daher ebensowenig bloß eine Folge von Segmenten ist wie Sätze nicht bloß eine Folge von Wörtern sind. Die Meinungen gehen allerdings darin auseinander, wie stark eine Silbe strukturiert ist.

Einer traditionellen Auffassung zufolge, für die in neuerer Zeit starke Argumente vorgebracht wurden (cf. z.B. Selkirk (1982), v. d. Hulst (1984)), besitzt eine Silbe die in (S) abgebildete hierarchische Struktur.

Diese Strukturierung besagt also, daß wir die Folge von Segmenten, aus denen eine Silbe besteht, in zwei Einheiten (Anfangsrand

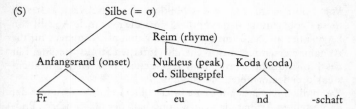

(S)　　　　　　Silbe (= σ)

　　　　　　　　　　Reim (rhyme)

Anfangsrand (onset)　　Nukleus (peak)　　Koda (coda)
　　　　　　　　　　　od. Silbengipfel

Fr　　　　　　　　　eu　　　　　nd　　　　-schaft

und Reim) unterteilen dürfen, wobei letztere wiederum in zwei
Einheiten (Nukleus und Koda) gruppiert werden kann.

Die Argumente, mit denen diese interne Strukturierung der Silbe
begründet wird, sind z. T. von derselben Art, wie wir sie in der
Syntax zur Begründung einer hierarchischen Strukturierung von
Sätzen kennenlernen werden, oder wie sie zur Begründung der
phonologischen Einheit »Silbe« selbst herangezogen wurden:
Man zeigt, daß es phonologische Prozesse gibt, von denen die
betreffenden Teileinheiten der Silbe wesentlich betroffen sind.

Es sind im großen und ganzen *drei Arten von Argumenten*, die
zur Begründung einer hierarchischen Strukturierung der Silbe
herangezogen wurden (cf. v. d. Hulst (1984)).

Die erste Art von Argumenten betrifft die Beobachtung, daß in
zahlreichen Sprachen die Zuweisung des Hauptakzents oder die
Realisierung eines bestimmten Tons von dem »Gewicht« einer
Silbe abhängig ist. Dieses wiederum läßt sich ausschließlich danach bestimmen, was für Segmente der Nukleus einer Silbe enthält (cf. Abschnitt (4.4.)). Die Irrelevanz von Anfangsrand und
Koda für dieses Silbengewicht kann genau mit Hilfe der obigen
internen Silbenstrukturierung ausgedrückt werden.

Der zweite Typ von Argumenten betrifft Beschränkungen für die
Segmentfolgen innerhalb einer Silbe. Die These ist dabei, daß
solche Beschränkungen Segmentgruppierungen innerhalb einer
Silbe betreffen, die genau der obigen Repräsentation entsprechen.
So besagt z. B. eine diesbezügliche Restriktion des Englischen,
daß der zweite Konsonant der Koda das Merkmal [+koronal]
haben muß.

Der dritte Typ von Argumenten schließlich betrifft die Anzahl
der Segmente, die in einer Silbe vorkommen können.

So hat man z. B. beobachtet, daß in einer Silbe mit einem Langvokal (oder Diphthong) dem Vokal ein Konsonant weniger folgen
kann als in einer Silbe mit Kurzvokal. Da man weiß, daß ein

Vokal immer am Beginn des Nukleus der Silbe steht, läßt sich diese Beobachtung als Hypothese über die maximale Anzahl von Segmenten im Reim formulieren und damit als Argument für die Annahme einer dementsprechenden internen Strukturierung. Für das Holländische würde dann z. B. gelten, daß der Reim höchstens drei Segmente enthalten kann.

Wenn die Silbe in der Tat eine interne hierarchische Struktur der dargestellten Art hat, dann stellt innerhalb der nichtlinearen Phonologie *die metrische Phonologie* die geeigneten Mittel zu ihrer Repräsentation bereit. Wie wir gesehen haben, werden in der metrischen Phonologie nicht nur hierarchische phonologische Strukturen, sondern überdies Prominenzrelationen zwischen den Elementen dieser Strukturen repräsentiert. Die metrische Phonologie kann daher auch die Tatsache zum Ausdruck bringen, daß ein bestimmtes Element in der Silbe, nämlich das den Nukleus bildende (bzw. einleitende) Element (gewöhnlich ein Vokal) in einem intuitiv einleuchtenden und in Abschnitt (4.2.) näher erläuterten Sinn das »hervorstechende« Element der Silbe ist.

Es wurde jedoch bereits angedeutet, daß die dargestellte interne Strukturierung der Silbe nicht unumstritten ist. So finden sich auch Auffassungen über die Silbe (z. B. Clements/Keyser (1983)), denenzufolge die Silbe zwar eine hervorstechende interne Segmentfolge (den Nukleus), ansonsten aber keine interne hierarchische Struktur besitzt.

Vertreter dieser Auffassung favorisieren dementsprechend eine *autosegmentale Repräsentation der Silbe*, in der durch Verknüpfungslinien zwischen einem Silben-tier (bestehend aus einer Folge des Merkmals »σ«) und dem CV-tier repräsentiert ist, welche Segmentfolgen eine Silbe bilden, cf. z. B.

(48)

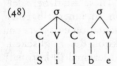

Es ist aber klar, daß eine derartige Auffassung nur dann aufrechtzuerhalten ist, wenn sie für die zugunsten der Struktur-Hypothese (S) vorgebrachten Argumente alternative Erklärungen anbieten kann. Es sieht allerdings nicht so aus (cf. v. d. Hulst (1984)), als ob dies für jedes dieser Argumente möglich sei.

4.2. Beschränkungen der linearen Silbenstruktur

Es wurde bereits erwähnt, daß eine Silbe nicht beliebig viele Elemente enthalten kann. Die angeführte Beobachtung betraf die maximale Länge des Reims im Holländischen. Auch für die anderen Teile der Silbe gibt es Beschränkungen bzgl. ihrer Maximalität. So wird im allgemeinen angenommen, daß z. B. der Nukleus aus maximal zwei Segmenten bestehen kann.

Aber nicht nur die Anzahl der Segmente einer Silbe unterliegt Beschränkungen, auch *die Art der Segmentfolgen*, also die Frage, welche Segmente an welcher Position in einer Silbe vorkommen können, ist nicht beliebig.

Eine Untersuchung von Beschränkungen, die die Anzahl und Kookkurrenz von Segmenten in einer Silbe (einer bestimmten Sprache) betreffen, versucht herauszufinden, welche Gesetze für eine wohlgeformte Silbe in einer Sprache L gelten; sie versucht also eine Spezifikation des Begriffs »wohlgeformte Silbe in einer Sprache L«.

Welche Folgen von Segmenten in den Silben der einzelnen Sprachen zulässig sind, unterliegt sowohl universellen als auch sprachspezifischen Beschränkungen.

Man nimmt an, daß eine *universelle* Beschränkung in der sog. »Generalisierung über die Sonoritätsfolge« besteht (cf. Selkirk (1984)):

(49) *Generalisierung über die Sonoritätsfolge*
In jeder Silbe gibt es ein Segment, das den Silbengipfel bildet, und dem eine Folge von Segmenten vorangeht und/oder folgt, deren Sonoritätswerte zum Silbengipfel hin zunehmen.

Anders ausgedrückt besagt diese Generalisierung, daß der Silbengipfel den höchsten Sonoritätswert einer Silbe besitzt, und daß die Sonoritätswerte von Segmenten vor dem Silbengipfel sukzessive zunehmen müssen und von Segmenten nach dem Silbengipfel sukzessive abnehmen müssen:

(50) $\xrightarrow{\text{Sonorität zunehmend}}$ Gipfel $\xrightarrow{\text{Sonorität abnehmend}}$

Die Sonoritätswerte von Segmenten werden dabei nach einer *Sonoritätshierarchie* bestimmt, für die folgende Skala angenommen wird (cf. z. B. Hankamer/Aissen (1974), Selkirk (1984), v. d. Hulst (1984)):

(51) *Sonoritätshierarchie*
Verschlußlaute < Frikative < Nasale < Liquide < Gleitlaute < Vokale

Diese Hierarchie soll besagen, daß Vokale den höchsten, Verschlußlaute den niedrigsten Sonoritätsgrad haben.

Die Generalisierung über die Sonoritätsfolge besagt dann, daß die Segmentfolge in einer Silbe dahingehend beschränkt ist, daß der Sonoritätsgrad der Segmente bis zum Silbengipfel sukzessive ansteigen und nach dem Silbengipfel sukzessive abnehmen muß.

Mit einer universellen Beschränkung dieser Art haben wir nicht nur die in (4.1.) formulierte Frage geklärt, in welchem Sinne ein Element der Silbe das »hervorstechendste« ist; wir haben auch einen entscheidenden Schritt in der Spezifikation des Begriffs »wohlgeformte Silbe« getan.

Es ist klar, daß eine universelle Beschränkung der angegebenen Art mit zahlreichen Gegenbeispielen konfrontiert ist. Man denke etwa an die zahlreichen Wörter des Deutschen, in denen Silben vorkommen, die mit [s] plus Verschlußlaut anlauten. Soweit man diese Abweichungen nicht als sprachspezifische Erscheinungen erklären kann, wird man Modifikationen an dieser Beschränkung vornehmen müssen. Es sieht jedoch so aus, als besitze sie »im großen und ganzen« tatsächlich Gültigkeit.

Damit ist gesagt, daß der Begriff »wohlgeformte Silbe einer Sprache L« auch durch *sprachspezifische* »Kollokationsbeschränkungen« für die Segmentfolgen in einer Silbe zu spezifizieren ist.

Man unterscheidet hier im allgemeinen zwischen sog. »positiven Silbenstrukturbedingungen«, die spezifizieren, welche Segmentfolgen in den Silben einer Sprache vorkommen können, und »negativen Silbenstrukturbedingungen«, die die nicht realisierten (aber prinzipiell erlaubten) Kombinationsmöglichkeiten ausschließen.

Ein Beispiel für eine positive Silbenstrukturbeschränkung des Englischen ist etwa (cf. Clements/Keyser (1983)):

(52) *Positive Silbenstrukturbeschränkung des Englischen (PSSB)*

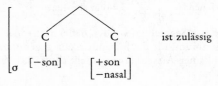

ist zulässig

Dies besagt, daß im Englischen eine Silbe mit zwei Konsonanten anfangen kann, wobei der erste ein Obstruent und der zweite ein nicht-nasaler Sonorant ist wie z. B. in *cluster*. Ein Beispiel für eine negative Silbenstrukturbeschränkung des Englischen ist etwa (cf. Clements/Keyser (1983)):

(53) *Negative Silbenstrukturbeschränkung des Englischen (NSSB)*

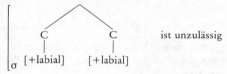

Diese Bedingung filtert aus den durch PSSB zulässigen Silben gewisse als nicht wohlgeformt aus, z. B. Silbenanfänge, die aus dem labialen Obstruenten /p/, /b/ oder /f/ und dem labialen Gleitlaut /w/ bestehen.

4.3. Syllabifizierungsprinzipien

Neben der Spezifikation des Begriffs einer wohlgeformten Silbe in einer Sprache L besteht eine weitere wichtige Aufgabe einer Silbentheorie darin, die Prinzipien und Regeln herauszufinden, nach denen eine beliebige Kette von Segmenten in einer Sprache L in wohlgeformte Silben unterteilt, i.e. »syllabifiziert« wird.
Solche Syllabifizierungsregeln sind insbesondere dann vonnöten, wenn die Spezifikation der wohlgeformten Silbe mehrere Silbeneinteilungen einer Segmentfolge zuließe, wie z. B. in

(54)

wo Syllabifizierungsregeln gewährleisten müssen, daß nur (b) korrekt ist.
Zunächst ist klar, daß die morphologische Struktur von Wörtern für die Syllabifizierung eine Rolle spielt. Beispiele wie

(55) lieb-lich
arg-los
ent-rätseln

Nach-tritt
Nacht-ritt
etc.

könnten nun zu der Hypothese Anlaß geben, daß Morphemgrenzen immer mit Silbengrenzen zusammenfallen. Dies ist aber nicht der Fall, wie die folgenden Beispiele zeigen

(56) leben-dig
ar-tig
Hal-tung

Man muß also zunächst einmal klären, was *der Bereich* ist, auf dem Syllabifizierungsregeln wirken: Stämme, Suffixe, Präfixe oder Kombinationen davon.

Man nimmt im allgemeinen an, daß Wortstämme plus bestimmte – in sprachspezifischer Weise zu bestimmende – Arten von Präfixen und Suffixen (sog. »phonologische (prosodische) Wörter«) den für die Syllabifizierung relevanten Bereich darstellen.

Auch für die Syllabifizierung gelten *universelle Prinzipien* und *sprachspezifische Regeln*.

In der phonologischen Literatur wurde eine ganze Reihe universeller Syllabifizierungsprinzipien vorgeschlagen (z. B. »medial cluster principle«, »maximal contrast principle«, »automatic resyllabification principle«, »maximal onset principle«, cf. z. B. Vennemann (1986)).

Als Beispiel sei hier lediglich das Prinzip des maximalen Anfangsrands als das vermutlich unumstrittenste dieser Prinzipien angeführt:

(57) *Prinzip des maximalen Anfangsrands (»maximal onset principle«)*
Wenn die Beschränkungen für die Segmentfolgen einer Silbe mehrere Silbenbildungen zulassen, dann ist jene zu wählen, bei der der Anfangsrand einer Silbe maximal ist.

Im Deutschen widerspricht z. B. keine der oben angegebenen Syllabifizierungen des Wortes *Zentrum* irgendwelchen Beschränkungen für Segmentfolgen. Dann bestimmt das Prinzip des maximalen Anfangsrands, daß die Syllabifizierung in (b) und nicht in (a) die korrekte ist.

4.4. Das Gewicht der Silbe

4.4.1. Leichte und schwere Silben

Ein wesentliches Argument für die Annahme einer internen Strukturierung der Silbe ergab sich aus der Tatsache, daß in zahlreichen Sprachen eine Beziehung der folgenden Art zwischen der Silbenstruktur und der Zuweisung von Akzenten oder Tönen zu beobachten ist:
Den Hauptakzent oder einen speziellen Ton erhalten nur solche Silben, die eine bestimmte Anzahl von Segmenten oder Segmente eines bestimmten Typs enthalten.
In einer Vielzahl von Fällen sind dies Silben, die eine der folgenden Segmentfolgen enthalten:

(a) Langvokal

(b) Diphthong

(c) Kurzvokal plus Konsonant

Silben dieses Typs bezeichnet man als *schwere Silben* im Gegensatz zu *leichten Silben*, die auf einen Kurzvokal enden. Die Tatsache, daß prävokalisches Material sowie bestimmte Segmente am Silbenende für das »Silbengewicht« offenkundig irrelevant sind, führte zu dem Vorschlag (Clements/Keyser (1983)), das Silbengewicht mit Hilfe der Kategorie »Nukleus« wie folgt zu definieren.

(58) *Definition der leichten und schweren Silbe*
Leichte Silben sind Silben mit einem einfachen (nicht-verzweigenden) Nukleus. Schwere Silben enthalten einen komplexen (verzweigenden) Nukleus.

Danach haben leichte Silben also einen Nukleus der Art (a), während schwere Silben einen Nukleus der Art (b) oder (c) haben:

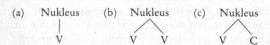

Wenn man die Begriffe der leichten und schweren Silbe in dieser Weise definiert, dann bringt die Feststellung, daß schwere Silben den Akzent auf sich ziehen, insofern ein Problem mit sich, als es sowohl Akzentsysteme gibt (cf. v. d. Hulst/Smith (1984)), in denen nur Silben mit Langvokal (also Typ (b)) den Akzent erhalten, als auch Akzentsysteme, in denen dies nur für geschlossene Silben (also Typ (c)) der Fall ist.

Dann würde im ersten Fall also nur Typ (b), im zweiten nur Typ (c) als schwere Silbe einzuordnen sein, während im ersten Fall Typ (c), im zweiten Typ (b) als leichte Silbe aufzufassen wäre.

Es gibt mehrere Möglichkeiten, dieses Problem zu lösen. Eine bestünde in der Annahme, daß nur die V's (also Nuklei vom Typ (b)) für die schweren Silben entscheidend sind. Man müßte dann zeigen, daß sich in Fällen, wo nur geschlossene Silben den Akzent tragen, der Konsonant im Nukleus wie ein Vokal verhält, also von V dominiert ist, und daß sich ein Langvokal wie eine VC-Folge verhält.

Eine andere Möglichkeit könnte von der Annahme ausgehen, daß der Nukleus nur Vokale enthält, daß bei geschlossenen Silben das C also Bestandteil der Koda ist.

Für Akzentsysteme, wo nur Langvokale den Akzent anziehen, wäre der Begriff der schweren Silbe dann unter Bezug auf einen verzweigenden *Nukleus*, für Akzentsysteme, wo nur geschlossene Silben den Akzent anziehen, unter Bezug auf einen verzweigenden *Reim* zu definieren.

4.4.2. Die Theorie der Mora

Wenn man den Zusammenhang zwischen Akzent/Ton und Silbengewicht unter Bezugnahme auf leichte und schwere Silben formuliert, dann sind von den strukturellen Einheiten der Silbe eigentlich nur der Nukleus und eventuell der Reim involviert. Warum der Anfangsrand für das Silbengewicht keine Rolle spielen soll, bleibt allerdings ungeklärt.

Eine alternative Theorie des Silbengewichts, in der dieses Problem nicht auftritt, ist in Hyman (1985) entwickelt worden.

Dieser Theorie zufolge besitzt die Silbe eine Struktur, in der die Einheiten »Anfangsrand« und »Reim« gar nicht auftauchen. Eine Silbe zerfällt hier vielmehr in sog. »Gewichtseinheiten« (oder auch »Schläge«), die in etwa dem traditionellen Begriff der Mora (lat. *mora* = Zeitraum) als Meßeinheit für eine kurze Silbe entsprechen (cf. z. B. das sog. »Dreimorengesetz« für den Akzent im Griechischen: Auf den Hauptakzent eines Wortes dürfen nicht mehr als drei unbetonte Moren folgen).

Diese Gewichtseinheiten, nennen wir sie »Moren«, werden den zugrundeliegenden Segmenten z. B. wie folgt zugeordnet:

(i) Kurze Vokale bzw. Konsonanten entsprechen einer Mora:

```
    m              m
    |              |
[−cons]        [+cons]
```

(ii) Lange Vokale bzw. Konsonanten entsprechen zwei Moren:

```
  m m            m m
   \/              \/
[−cons]        [+cons]
```

(iii) Kurze Diphthonge bzw. Affrikaten entsprechen einer Mora:

```
        m                      m
       / \                    / \
[−cons]  [−cons]     [+cons]    [+cons]
```

Universelle und sprachspezifische Regeln sorgen dann für die »Errechnung« der Gewichtseinheiten, die aus der Kombination von Segmenten entstehen.

So besagt z. B. eine universelle »Regel zur Bildung des Anfangs-rands« (»onset creation rule« (OCR)), daß folgendes gilt:

(59) *Regel zur Bildung des Anfangsrands (onset creation rule (OCR))*
Ein [+cons]-Segment, das einem [−cons]-Segment vorangeht, ver-liert seine Gewichtseinheit und wird unter die Gewichtseinheit des [−cons]-Segments subsumiert.

D. h., daß aus der Folge in (a) gemäß OCR die Gewichtssituation in (b) entsteht:

```
(60) (a)     m         m      ⟹   (b)           m
             |         |                        /|
         [+cons]   [−cons]             [+cons]    [−cons]
```

Oder anders ausgedrückt: Nach OCR entspricht ein kurzer Vo-kal plus ein vorangehender einfacher Konsonant einer Mora. Diese rudimentäre Darstellung der Theorie der Mora genügt, um zu demonstrieren, wie sich in dieser Theorie der *Unterschied zwischen leichten und schweren Silben* ableiten läßt. Wenn Silben strukturell in Moren zerfallen, dann kann eine Silbe der Struk-tur

(61)

nach dem, was wir bisher wissen, z. B. eine der folgenden Gestalten haben:

(62)
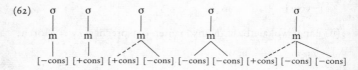

Eine Silbe der Gestalt

(63)

kann demgegenüber z. B. eine der folgenden Gestalten haben:

(64)
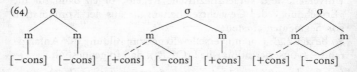

Eine Silbe, die aus zwei Moren besteht, kann also weder aus einem Konsonanten plus einem kurzen Vokal, noch aus einem kurzen Vokal oder Konsonanten allein bestehen.

Dann ist klar, daß sich schwere und leichte Silben auf die folgende einfache Weise definieren lassen:

(65) *Definition der leichten und schweren Silbe*
Schwere Silben sind verzweigende, leichte Silben nicht-verzweigende Silben.

Für Sprachen, in denen z. B. nur geschlossene Silben als leichte Silben aufzufassen sind, würden sprachspezifische Regeln der Morentheorie garantieren, daß der Silben-schließende Konsonant seine Gewichtseinheit verliert und unter die Mora des »Anfangsrands« subsumiert wird.

Die Vorzüge dieser Theorie der Mora können darin gesehen werden (cf. v. d. Hulst (1984)), daß das Problem, das die Irrelevanz des Anfangsrands für das Silbengewicht betraf, nicht mehr auf-

tritt, daß sich die Moren-abhängigen Akzentzuweisungen bestimmter Sprachen problemlos repräsentieren lassen, daß die Kategorien der leichten und schweren Silbe ableitbar sind, und daß schließlich die prosodische Hierarchie vereinheitlicht wird:
So wie phonologische Phrasen aus phonologischen Wörtern und diese wiederum aus Silben bestehen, bestehen Silben aus Moren und nicht aus Kategorien verschiedener Art.
Ein Problem für die Morentheorie muß demgegenüber in all jenen Kollokationsbeschränkungen gesehen werden, die die Existenz einer Silben-internen Einheit »Reim« begründen können.

IV Syntax

1. Einleitung

Gegenstand der Syntax ist die adäquate Beschreibung des Strukturaufbaus von Sätzen. Es geht darum, die Gliederung von Sätzen so zu beschreiben, daß man erklären kann, warum menschliche Sprachen trotz ihrer syntaktischen Verschiedenheiten eine Gemeinsamkeit besitzen, die sie als spezifisch menschliche auszeichnet.

Angesichts der großen Komplexität von Sprachen kann dieser hoch gesteckte Anspruch hier nur in sehr bescheidenem Rahmen erfüllt werden. Am Beginn einer intensiveren Beschäftigung mit Syntax wird lediglich ein grober Überblick zu einigen ausgewählten Fragestellungen der Syntaxforschung stehen können; im Rahmen eines einführenden Textes ist es nicht einmal möglich, eine empirisch adäquate Beschreibung auch nur eines kleinen Ausschnitts der Syntax des Deutschen vorzustellen. Wir hoffen aber, mit den folgenden Hinweisen auf methodische Prinzipien der syntaktischen Analyse ein konkreteres Verständnis davon zu vermitteln, worum es in dieser Disziplin überhaupt geht und wie man zur Beantwortung ihrer Leitfragen systematisch vorgehen kann.

Um zu diesem Verständnis zu gelangen, bedarf es einiger Geduld. Wir werden sehen, daß die Struktur von Sätzen nicht unmittelbar auf der Hand liegt, so daß sie den Sätzen selbst direkt anzusehen wäre. Damit hängt es auch zusammen, daß syntaktische Beschreibungen sehr verschieden ausfallen können, je nach den Zwecken und Methoden, nach denen man sich richtet. Es stellt sich dann die Frage, welche dieser Beschreibungen die richtige bzw. die bessere ist, oder ob alle Beschreibungen gleichberechtigt sind. Schließlich lehrt auch die Geschichte der Disziplin, daß mit schnellen Erfolgen nicht zu rechnen ist, obwohl es seit dem Altertum eine Unmenge von sprachwissenschaftlicher Syntaxforschung gegeben hat (cf. Scaglione (1972)).

In dieser Einführung werden wir weder auf historische Theorien der Satzstruktur eingehen, noch werden wir einzelne zeitgenössi-

sche Theorien miteinander vergleichen können. Wir werden allerdings versuchen, zu einer bestimmten Auffassung von Syntax und
zu bestimmten, schon in Kapitel (I.) genannten Fragestellungen
hinzuführen, die wir für die derzeit wichtigsten und fruchtbar-
sten halten. Diese sind im Laufe der letzten dreißig bis vierzig
Jahre von der sog. generativen Grammatik formuliert und entwickelt worden. Einen Vergleich mit anderen wichtigen Theorien
der syntaktischen Beschreibung könnte man anschließend anhand
des einführenden Buches von Sells (1985) vornehmen.

Um anzudeuten, warum es einiger Geduld bedarf, um zu einem
profunden Verständnis von Syntax zu kommen, sei noch einmal
an die lineare Phonologie erinnert. Bevor wir dort zu ersten phonologischen Argumenten und Beschreibungen kommen konnten,
bevor wir also überhaupt erst in der Lage waren, eine phonologische Regel zu diskutieren, bedurfte es etlicher Grundlegungen,
wie sie u. a. in der Phonetik geschaffen wurden. Ähnlich werden
wir auch im Kapitel über Syntax vorgehen müssen: Bevor wir in
den Abschnitten (5.) und (6.) mit der Formulierung und Diskussion von syntaktischen Prinzipien beginnen, die dem oben formulierten Erklärungsanspruch gerecht werden können, müssen
wir einige Vorarbeiten leisten.

Daher ist es wichtig, sich den folgenden Plan unseres Vorgehens
vor Augen zu halten. In den ersten Abschnitten werden wir sozusagen erst *provisorisch* Syntax betreiben, indem wir mit Hilfe von
leicht zugänglichen (jedoch für die eigentlich syntaktische Argumentation später entbehrlichen) *Strukturtests* eine Vorstellung
davon entwickeln, wie man Sätze gliedern kann (2.).

Nach den Prinzipien zur Gliederung einzelner Sätze werden wir
eine erste Idee davon vermitteln, was man aufgrund solcher Beschreibungen unter der Syntax *einer Sprache* verstehen kann
(3.).

Anschließend werden kritische Aspekte einer solchen Syntax anhand einiger Phänomene des Deutschen aufgezeigt, wobei abgegrenzt werden soll, *was* in der Syntax beschrieben und somit auch
wie es beschrieben wird. Insbesondere zeigen wir, daß zu diesen
Beschreibungen zweckmäßigerweise auf unterschiedliche Methoden und Formalismen zurückzugreifen ist (4.). Damit wird ein
erstes Beispiel dafür gegeben, daß auch syntaktische Beschreibungen im Sinne von Abschnitt (I.5.) *modular* organisiert sind.

Die bis dahin entwickelten Begriffe und Beschreibungstechniken genügen, um nunmehr viele der im ersten Kapitel genannten Fragestellungen wiederaufzugreifen und zu konkretisieren. Als Ergebnis dieser Überlegungen wird sich zeigen, daß einige der provisorisch angenommenen Beschreibungshypothesen und -techniken nicht *adäquat* sein können (5.), daß also die Aufgabe des Syntaktikers, eine erklärungsadäquate Theorie menschlicher Sprache zu entwickeln, noch nicht erfüllt wurde.

Erst jetzt verlassen wir den eher vorbereitenden Teil und beginnen mit der Darstellung einer *Theorie* für einen bestimmten Teilbereich der Syntax, den wir in vorherigen Abschnitten abgegrenzt haben (6.). Es folgen eine Anwendung der Theorie auf den Satzaufbau im Deutschen (7.) sowie ein Überblick über andere, dadurch noch nicht erfaßte Teilbereiche der syntaktischen Beschreibung (8. und 9.).

Am Ende des Kapitels sollte klar geworden sein, daß die Prinzipien der syntaktischen Gliederung durch die ab Abschnitt (6.) dargestellten Theorien bestimmt sind. Wir können diese Theorien aber erst dann erklären, wenn wir über ungefähre Vorstellungen von syntaktischen Gliederungen schon verfügen. Dies erklärt den vorläufigen Charakter der Darstellungen in den Abschnitten (1.) bis (5.). Man sollte sich deshalb nicht dadurch frustrieren lassen, daß zu Beginn einiges *ad hoc* erscheinen mag oder daß manche Begriffe im vagen bleiben. Oftmals wird man später auch selbst überlegen können, wie nur intuitiv eingeführte Konzepte formal zu präzisieren wären. Man ist dann schon auf dem besten Wege, selbst eine syntaktische Theorie zu entwickeln.

Nach dieser Vorrede fragt es sich, was nun am Beginn einer syntaktischen Beschreibung stehen soll. Dazu scheint es eine einfache Antwort zu geben. Am Anfang sollte man ganz klar sagen, was man überhaupt beschreiben will und mit welchen Begriffen und Verfahren dies geschehen kann. Diese methodische Maxime, Gegenstandsbereich, Methode und Vokabular klar abzugrenzen, ist schon in Abschnitt (I.3.) anhand des Begriffes der Sprache problematisiert worden. Übertragen auf die Syntax sollte man sich darüber Gedanken machen, was überhaupt unter Begriffen wie »Struktur« und »Satz« zu verstehen ist. Was ist also unser Gegenstandsbereich, der durch den Begriff des Satzes abgesteckt wird?

Nicht nur der Begriff der Sprache, auch der Begriff des Satzes ist ein geläufiger Begriff der Alltagssprache und als solcher nur scheinbar geeignet, diesen Gegenstand zu charakterisieren. Versucht man nämlich, diesen vagen Begriff »wissenschaftlich« zu präzisieren und genau, möglichst in einer Definition, zu sagen, was ein Satz ist, gehen die Meinungen auseinander. In dem Büchlein »Was ist ein Satz?« hat Ries (1931) Dutzende solcher Definitionen bekannter Sprachwissenschaftler seiner Zeit zusammengetragen. Hieraus ein kurzer Auszug – es kommt nicht darauf an, diese Charakterisierungen zu verstehen:

B. Delbrück:
»eine in artikulierter Rede erfolgende Äußerung, welche dem Sprechenden und Hörenden als ein zusammenhängendes und abgeschlossenes Ganzes erscheint«; »von seiten seiner Form betrachtet: dasjenige, was von zwei Pausen eingeschlossen ist, oder positiv gesprochen: eine aus artikulierter Rede bestehende Expirationseinheit, innerhalb deren, sobald sie eine gewisse Ausdehnung erreicht, ein Wechsel zwischen höherer (stärkerer) und tieferer (schwächerer) Betonung stattfindet.«

O. Dittrich:
»Ein Satz ist eine modulatorisch abgeschlossene Lautung, wodurch der Hörende veranlaßt wird, eine vom Sprechenden als richtig anerkennbare, relativ abgeschlossene apperzeptive (beziehende) Gliederung eines Bedeutungstatbestandes zu versuchen.«

J. B. Hofmann:
»eine von einem einheitlichen Affektstrom beherrschte sprachliche Äußerung, deren Sinn entweder durch rein sprachliche und dynamisch-musikalische Mittel (Akzent, Tonfall) in sich abgeschlossen ist oder durch außersprachliche Mittel (die dem Sprechenden und Hörenden gemeinsame Seelensituation sowie mimische und pantomimische Gesten und Gebärden) zu einem abgeschlossenen Ganzen vervollständigt werden kann.«

D. Jespersen:
»eine (relativ) vollständige und unabhängige menschliche Äußerung, deren Vollständigkeit und Unabhängigkeit sich in ihrem Alleinstehen zeigt, d. h. darin, daß sie für sich allein geäußert wird.«

A. Meillet:
»eine Gemeinsamkeit von Artikulationen, die untereinander durch gewisse grammatische Beziehungen verbunden sind, grammatisch von keiner anderen Gesamtheit abhängen und sich selbst genügen.«

W. Meyer-Lübke:
»ein Wort oder eine Gruppe von Wörtern, die in der gesprochenen Sprache als Ganzes erscheinen, die sich als eine Mitteilung eines Sprechenden an einen anderen darstellen.«

A. Nehring:
»der sprachliche Ausdruck für eine vom Sprechenden jeweils hergestellte Ordnung einer gegebenen Mannigfaltigkeit von Sachverhalten.«

W. Porzig:
»ein Bedeutungsgefüge von derjenigen Form, durch die (in der betreffenden Sprache) Sachverhalte als abgeschlossene gemeint werden.«

J. v. Rozwadowski:
»der sprachliche Ausdruck der zweigliedrigen Apperzeption einer Gesamtvorstellung – oder anders ausgedrückt: das sprachliche Resultat der binären apperzeptiven Zerlegung einer Gesamtvorstellung in ein identifiziertes und ein unterschiedenes Glied, von denen das zweite auf das erste bezogen wird.«

A. Stöhr:
»eine mehrfache Benennung desselben Geschehnisses durch logisch gleichwertige Satzglieder.«

H. Wunderlich:
»der sprachliche Ausdruck für eine Verbindung von Vorstellungen miteinander zu einer neuen in sich abgeschlossenen Einheit.«

H. Paul:
»der sprachliche Ausdruck, das Symbol dafür, daß sich die Verbindung mehrerer Vorstellungen oder Vorstellungsgruppen in der Seele des Sprechenden vollzogen hat, und das Mittel dazu, die nämliche Verbindung der nämlichen Vorstellungen in der Seele des Hörenden zu erzeugen. Jede engere Definition des Begriffes Satz muß als unzulänglich zurückgewiesen werden.«

Zwei Jahre nach Ries (1931) fügt *L. Bloomfield* hinzu:
»an independent linguistic form, not included by virtue of any grammatical construction in any larger linguistic form.«

Den meisten dieser aus heutiger Sicht oft kurios anmutenden Formulierungen ist gemeinsam, daß sie sich auf außersyntaktische Begriffe beziehen, sei es auf semantische, phonologische oder psychologische. Wer auf der Grundlage dieser Definitionen Syntax betreiben wollte, hätte sich nicht nur für eine dieser Definitionen zu entscheiden (und gute Gründe für seine Entscheidung anzugeben), er hätte auch noch die Klärung der Grundbegriffe anderer Disziplinen vorauszusetzen. Wer also eine *vorherige* Klärung des Gegenstandsbereiches und der Methoden verlangt, hätte sich auf das methodisch unüberwindbare Problem einzulassen, vor jeglicher Theoriebildung den Gegenstand der Theorie »wissenschaftlich« präzise zu erfassen. Plank (1984) meint daher zu Recht: »... es würde sehr lange dauern, bis man dazu kommt, wirklich Syntax zu betreiben. Manche Satz-Theoretiker sind über dem Abwägen alternativer Satz-Definitionen nie so weit gekommen!«

Die verbleibende Möglichkeit ist dann die, den Begriff des Satzes erst durch die Beschreibung der Regularitäten syntaktischer Konstruktionen selbst zu explizieren. Zweifelsohne wird man dabei ein gewisses Vorverständnis dessen einbringen dürfen, was man analysieren will. Man wird ohne weiteres grammatische Wortfolgen (*der Klempner kommt*) von ungrammatischen (**der kommt Klempner*; der Stern markiert die Ungrammatikalität der Struktur) und somit Sätze von Nicht-Sätzen unterscheiden können, cf. Kapitel (I.). Zu diesem Vorverständnis gehört es auch, daß gewisse andere Beschreibungseinheiten keine Gegenstände der Syntax sind. Ausgeschlossen sind Einheiten, die einerseits größer sind als der Satz (z. B. Texte, cf. Bloomfields oben zitierte Charakterisierung des Satzes als *größter* Beschreibungseinheit der Syntax) und die andererseits kleiner sind als das Wort. Der Aufbau und die interne Struktur von Wörtern wird in der Morphologie (cf. Kapitel (V.)) behandelt.

Wenn man sich nun die Überlegungen zur sprachlichen Kompetenz aus Abschnitt (I.4.) in Erinnerung ruft, so läßt sich daraus für die Syntax folgern, daß Sätze aus Teilen bestehen, die miteinander nach bestimmten Gesetzmäßigkeiten kombiniert werden. Ein Verstoß gegen diese Gesetzmäßigkeiten führt zu einem ungrammatischen Resultat. Dieser allgemeinen Hypothese folgend ist man in der Syntax klassischerweise folgenden Fragestellungen nachgegangen (cf. Plank (1984)):

(a) Von welcher Art sind die miteinander kombinierten Teile?
(b) Welcher Art sind die Gesetzmäßigkeiten ihrer Kombination?

Wir werden in den nächsten Abschnitten versuchen, eine vorläufige Antwort auf diese Fragen zu finden.

2. Konstituentenstruktur

Wenn wir nun nach dem Aufbau und der Struktur von Sätzen fragen, so ist eine naheliegende Möglichkeit des Herangehens diese: Wir stellen als erstes fest, aus welchen Teilen ein Satz besteht.

Unsere Überlegungen zur Kreativität der sprachlichen Kompetenz haben die Auffassung als vernünftig erscheinen lassen, daß der Satz nicht nur aus einer Folge von Wörtern besteht, sondern in höhere Einheiten gegliedert ist, die selbst wieder aus Folgen von Wörtern bestehen. Gäbe es solche höheren Gliederungseinheiten nicht, so wäre auch nicht zu erklären, warum Sätze einerseits beliebig komplex sein können, warum sie aber andererseits nicht aus beliebig kombinierten Wortfolgen bestehen können.

Sowohl einfache wie komplexe Gliederungseinheiten eines Satzes (oder genereller eines »Syntagmas«) werden *Konstituenten* genannt. Der Satz

(1) Der Klempner kommt nicht.

läßt sich zunächst in zwei Konstituenten zerlegen: *der Klempner* und *kommt nicht*. Diese wiederum enthalten die Konstituenten *der* und *Klempner* bzw. *kommt* und *nicht*. Das Ergebnis der Analyse können wir graphisch auf verschiedene Art und Weise festhalten:

(2) (a)

der Klempner kommt nicht			
der Klempner		kommt nicht	
der	Klempner	kommt	nicht

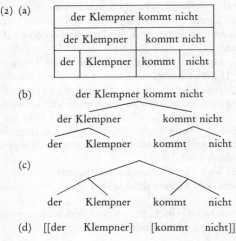

(b) der Klempner kommt nicht

  der Klempner   kommt nicht

der   Klempner   kommt   nicht

(c)

der   Klempner   kommt   nicht

(d) [[der   Klempner]   [kommt   nicht]]

Wir werden im folgenden die Darstellungen (c) und (d) verwenden.

Geht man von einem gegebenen Satz aus und fragt nach den längsten Folgen, in die man einen Satz »sinnvoll« zerlegen kann, so fragt man nach den *unmittelbaren Konstituenten* des Satzes. Eine vollständige Zerlegung des Satzes in Konstituenten erhält man, wenn man die so erhaltenen Bestandteile wieder in deren unmittelbare Konstituenten zerlegt, diese wieder in ihre Teile etc., bis am Schluß nur noch einzelne Wörter als die kleinsten von der Syntax analysierten Einheiten übrig bleiben. Diese Methode der *»immediate constituent analysis«*, also der Analyse in unmittelbare Konstituenten (oft *IC-Analyse* genannt), haben wir soeben anhand eines einfachen Beispiels illustriert.

Natürlich muß man irgendwelche Intuitionen explizieren oder Kriterien dafür angeben, nach welchen Prinzipien man Sätze gerade so analysiert, wie man es tut. Eine annähernd vollständige Antwort auf diese Frage wird sich erst dann ergeben, wenn wir die Fragen (a) und (b) des letzten Abschnitts beantwortet haben. Wie wir sehen werden, kann dazu die IC-Analyse jedoch nur als erster, sozusagen vorläufiger Schritt dienen. Vorerst werden wir uns an grammatischen Intuitionen über das orientieren, was in irgendeinem zu explizierendem Sinne »enger zusammen gehört«. Im vorliegenden Beispiel etwa gehört *der Klempner* sicher enger zusammen als *Klempner kommt,* d. h. eine IC-Analyse wie diese

(3)

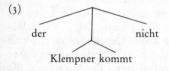

würde unseren Intuitionen über die Zusammengehörigkeit von Satzteilen sicher nicht gerecht.

Im allgemeinen wird man in einer Folge von Wörtern solche benachbarten Wörter »zusammenklammern« und somit als Konstituente auffassen, zwischen denen mehr oder wichtigere grammatische Beziehungen bestehen als zwischen anderen benachbarten Wörtern. Intuitive Beurteilungsgrundlage für das Vorliegen grammatischer Beziehungen bilden dabei meist morphologische oder semantische Kriterien. Ein enger Zusammenhang zwischen *Klempner* und *der* etwa besteht in der morphologischen Tatsache, daß Nomen und Artikel in Kasus, Genus und Numerus kongruieren.

Sicher wird man so nicht auf Anhieb zu den »richtigen« Strukturanalysen kommen, denn was richtig ist, bemißt sich in der Syntax daran, ob es für eine Beschreibung von *syntaktischen* Regelhaftigkeiten einer Sprache taugt (die bloße Intuition läßt sich meist von semantischer Zusammengehörigkeit leiten). Im vorliegenden Beispiel etwa wäre es durchaus denkbar, eine andere Gliederung vorzuschlagen:

(4)

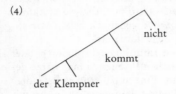

Semantisch macht dies durchaus Sinn, denn was mit *nicht* negiert wird, ist der Sachverhalt, daß *der Klempner kommt*. Daher sollte auch der Ausdruck *der Klempner kommt* eine Konstituente sein. Es gibt aber viele syntaktische Gründe, so eine Konstituentengliederung zu verwerfen.

Erst nachdem ein gehöriges Stück syntaktischer Analyse geleistet ist, wird man sagen können, welche Analysen sich für eine syntaktische Beschreibung als sinnvoll erweisen können.

Innerhalb der deskriptiven Syntaxtradition haben sich jedoch einige Faustregeln bewährt, nach denen man sich bei der IC-Analyse zunächst einmal richten kann. Gegenüber einem rein intuitiven Vorgehen sind sie formal expliziter und erlauben daher eine größere intersubjektive Überprüfbarkeit des Vorgehens. Sie geben eine vorläufige Antwort auf die Frage, welche Wortfolgen in einem Satz überhaupt Konstituenten darstellen können.

Diese vorläufige Antwort ermöglicht nun auch auf natürliche Weise eine vollständige IC-Analyse: Die *größten* Teilkonstituenten einer gegebenen Konstituente, die sich aufgrund dieser Tests ermitteln lassen, erweisen sich zumeist als gute Kandidaten für ihre *unmittelbaren* Konstituenten. Mit der Ermittlung aller unmittelbaren Konstituenten von jeweils höheren Konstituenten hat man dann einen gegebenen Satz vollständig gegliedert.

Als einer der historisch wichtigsten Tests wird oft die sog. Ersetzungsprobe genannt. Dieser Test stellt fest, welche Wörter und Wortfolgen an einer bestimmten Stelle im Satz gegeneinander ausgetauscht werden können.

Man sagt auch, daß solche austauschbaren Zeichenfolgen dieselbe *Distribution* haben, d. h., daß sie zum selben Paradigma gehören. Betrachten wir ein Beispiel (die Beispielsätze dieses Abschnitts sind v. Stechow/Sternefeld (1987), Kap. (4.) entnommen):

(5) $\left\{ \begin{array}{l} \text{Die langen Winterabende} \\ \text{Die Winterabende} \\ \text{Winterabende} \\ \text{Goethe und Kohl} \\ \text{Alle} \end{array} \right\}$ versetzen mich in Melancholie

Man kann die in geschweifter Klammer stehenden Zeichenfolgen füreinander einsetzen und erhält stets einen Satz. Es liegt demnach nahe, daß sie eine Konstituente bilden. Wir formulieren dieses Kriterium etwas vorsichtig so:

(6) *Ersetzungsprobe:*
    Wortfolgen, die sich füreinander ersetzen lassen, ohne daß sich an der Satzhaftigkeit (Grammatikalität) des Ganzen etwas ändert, sind möglicherweise Konstituenten.

Das Kriterium (6) besagt als solches allerdings noch recht wenig. Zum Beispiel hätte man auch anders klammern können:

(7) Die langen $\left\{ \begin{array}{l} \text{Winterabende versetzen mich in Melancholie} \\ \text{Messer erschrecken mich zutiefst} \\ \text{Kerle waren der Stolz des Soldatenkönigs} \end{array} \right\}$

Demnach wären die in der Klammer stehenden Zeichenfolgen Konstituenten. So eine Gliederung hat aber noch niemand vorgeschlagen, sie würde allen semantischen und morphologischen Intuitionen über Konstituentenhaftigkeit widersprechen. Trotzdem ist sie mit der Ersetzungsprobe zunächst verträglich. Zu intuitiv besseren Resultaten kommt man, wenn die Ersetzungsprobe (wie ursprünglich intendiert) unter einem quantitativen Gesichtspunkt angewandt wird: Es geht darum, solche Paradigmen zu finden, die möglichst viele Elemente umfassen und in möglichst vielen anderen Umgebungen vorkommen können. Z. B. hat das Paradigma in (5) vielfältigere Möglichkeiten, Bestandteil von Sätzen zu sein, als das in (7). Unter diesem Gesichtspunkt ist auch *die langen* ein schlechterer Kandidat für Konstituentenhaftigkeit als etwa *die langen Messer.* Eine präzise Formulierung dieses Tests wäre allerdings recht mühselig. Wenden wir uns daher einem Kriterium zu, das einfacher zu handhaben ist:

(8) *Pronominalisierungstest:*
Was sich pronominalisieren läßt (d. h. worauf man sich mit einer »Proform« beziehen kann), ist eine Konstituente.

Wir betrachten dazu wieder Beispiele.

(9) (a) *Ede und Caroline* wohnen in der Mainaustraße. *Sie* haben ein Kind.
(b) Ede und Caroline wohnen *in der Mainaustraße. Dort* wohnen vor allem reiche Leute.
(c) Tom will *einen Pudding essen. Das* will ich auch.

Man bezieht sich hier mit den Proformen *sie, dort* und *das* jeweils auf *Ede und Caroline, in der Mainaustraße* und *einen Pudding essen.* Demnach muß es sich bei diesen Syntagmen um Konstituenten handeln. Auf die Syntagmen in (5) kann man sich ebenfalls mit einer Proform beziehen:

(10) *Sie* versetzen mich in Melancholie.

Sie bilden also diesem Test zufolge eine Konstituente. Bei der Gliederung in (7) jedoch ist keiner der Teile durch eine Proform ersetzbar, sie sind möglicherweise keine Konstituente.
Der Pronominalisierungstest ist jedoch etwas grob, da wir viele Wortfolgen nicht pronominalisieren können, obwohl man sie als Konstituenten ansehen würde. Der folgende Test bringt da etwas mehr:

(11) *Weglaßprobe:*
In elliptischen Konstruktionen können nur Konstituenten fortgelassen werden.

Die folgenden Beispiele instantiieren das Gemeinte:

(12) (a) Peter liebt ~~seine Mutter~~ aber Karl haßt seine Mutter.
(b) Karl wohnt ~~in Rom~~ und Maria arbeitet in Rom.
(c) Eva hat seine ~~stinkenden Socken~~ und Josef hat ihre stinkenden Socken gewaschen.

Demnach sind *seine Mutter, in Rom,* und *stinkenden Socken* Konstituenten. Nur auf die ersten beiden kann man sich pronominal beziehen. In dem Satz *Eva hat sie gewaschen* bezieht man sich mit dem Pronomen *sie* nämlich nicht auf *stinkenden Socken,*

sondern auf *seine stinkenden Socken*. Daher ist die Weglaßprobe in einigen Fällen feiner als der Pronominalisierungstest.
Weiterhin kann man nach vielen Konstituenten auch fragen:

(13) *Fragetest:*
    Wonach sich fragen läßt, ist eine Konstituente.

Beispiele:

(14) (a) *Wer* kommt heute zu Besuch? – *Meine Mutter.*
    (b) *Wann* fahren wir aufs Rothorn? – *Am Mittwoch.*
    (c) *Wo* liegt die Axalp? – *Im Kanton Bern.*
    (d) *Wohin* gehst du? – *Zu meiner Freundin.*
    (e) *Wie* haben dir die Pilze geschmeckt? – *Sehr gut.*
    (f) *Womit* rasierst du dich? – *Mit einem Wegwerfrasierer von Gilette.*
    (g) *Was* hat der liebe Gott vor der Schöpfung gemacht? – *Ruten für unnütze Frager geschnitten.*
    (h) *Warum* raucht Dieter so viel? – *Weil er süchtig ist.*

Die kursiven Syntagmen sind nach dem Fragetest Konstituenten. Wenn solche oder ähnlich gebaute Zeichenketten in einer Konstruktion auftreten, wird man sie gerne »zusammenklammern« wollen.
Ein weiterer Test für das Vorliegen von Konstituenz ist der Koordinationstest.

(15) *Koordinationstest:*
    Was sich koordinieren läßt, ist eine Konstituente.

Betrachte einige Beispiele.

(16) (a) *Kohl* und *die langen Winterabende* deprimieren mich.
    (b) Ede gab eine *sehr kluge* und *keineswegs triviale* Antwort.
    (c) Nach der Rothornbesteigung bestellten wir *einen Salatteller, einen Burenteller* und *zwei Bier.*
    (d) Was magst du lieber, *bergsteigen* oder *Bier trinken?*

Der Koordinationstest legt nahe, daß die kursiven Wortfolgen als Konstituenten anzusehen sind.
Den Koordinationstest wird man wohl als den wichtigsten und somit zuverlässigsten aller Tests bezeichnen dürfen. Gelegentlich treten jedoch bei all diesen Tests Schwierigkeiten auf, wenn sich die Ergebnisse der einzelnen Tests zu widersprechen scheinen. Vergleiche zu einer ähnlichen Situation Kapitel (III.3.2.), wo die Prinzipien der phonologischen Repräsentation ebenfalls nicht kongruieren. In der Syntax ergibt sich z. B. das Problem, daß

Wortfolgen koordiniert erscheinen, die man anderen Kriterien zufolge nicht als Konstituenten ansehen würde:

(17) Ede träumt, daß ihn *die Frau geküßt* und *der Mann geohrfeigt* hat.

Während dem Pronominalisierungstest zufolge Verb und Objekt zusammen eine Konstituente bilden (cf. (9c)), ist nach demselben Test das transitive Verb zusammen mit dem Subjekt (ohne das Objekt) keine Konstituente: Man kann sich auf keines der kursiven Syntagmen in (17) mit einer Proform beziehen. Beispiel (17) suggeriert nun aber, daß wir aufgrund der Koordinationsmöglichkeit beides haben müßten: Sowohl Verb plus Objekt als auch Verb plus Subjekt müßten eine Konstituente bilden können. Ist so etwas überhaupt möglich?

In solchen Fällen, die zu einem paradoxen Resultat zu führen scheinen, ist immer die Frage nach anderen, eventuell intervenierenden grammatischen Prozessen zu stellen: Möglicherweise ist die hier betrachtete Struktur (17) durch andere Regelanwendungen so »verunstaltet« worden, daß die Konstituenten nicht mehr erkennbar sind. Eine solche Möglichkeit könnte etwa dann bestehen, wenn (17) das Ergebnis von *Tilgungen* ist. Vor der Tilgung von Konstituenten hätten wir von folgender Wortfolge auszugehen:

(18) Ede träumt, daß ihn die Frau geküßt hat und daß ihn der Mann geohrfeigt hat.

Die beiden *daß*-Sätze wird man aber ganz unproblematisch als Konstituenten ansehen dürfen; man kann sie z. B. pronominalisieren (*Ede träumt es*) oder nach ihnen fragen (*was träumt Ede*). Ausgehend von dieser Struktur können wir (bestimmten Regeln für die Ellipse folgend) sukzessive Konstituenten tilgen, bis wir bei (17) angelangt sind. Dies könnte etwa so geschehen:

(19) (a) Ede träumt, daß ihn die Frau geküßt ~~hat~~ und daß ihn der Mann geohrfeigt hat.
  (b) Ede träumt, daß ihn die Frau geküßt ~~hat~~ und ~~daß~~ ihn der Mann geohrfeigt hat.
  (c) Ede träumt, daß ihn die Frau geküßt ~~hat~~ und ~~daß ihn~~ der Mann geohrfeigt hat. (= (17))

Damit haben wir gezeigt, daß (17) kein Gegenbeispiel zum Koordinationstest zu sein braucht. Es ist nämlich keineswegs sicher, daß die Tilgungs*ergebnisse* Konstituenten im Sinne der hier angeführten Konstituententests sein müssen. Man darf also nicht ohne weiteres aus solchen Beispielen die Folgerung ziehen, daß der Koordinationstest in einigen Fällen zu »falschen« Ergebnissen führt. Vielmehr müssen wir mit der Anwendung des Tests vorsichtiger umgehen, man darf ihn nur *vor* einer möglichen Tilgung anwenden. Die Tilgungen selbst dürfen übrigens nur *innerhalb* von Konjunkten, d. h. von koordinierten Konstituenten stattfinden; ohne einen solchen Kontext würden sie ungrammatische Sätze erzeugen:

(20) *Ede weiß, ~~daß~~ ihn die Frau geküßt ~~hat~~.

Wir wollen an dieser Stelle nicht ernsthaft behaupten, daß (17) lediglich das Resultat von Tilgungen ist. Hier spielen sicherlich auch *Umstellungen* von Konstituenten eine Rolle. Man erkennt dies allerdings erst dann, wenn man die Konstituentenstruktur eines der *daß*-Sätze in (18) zu analysieren versucht. Wir waren davon ausgegangen, daß dem Pronominalisierungstest zufolge zwar Objekt und Verb zusammengeklammert werden dürfen, daß aber nicht zu erwarten ist, daß auch Verb und Subjekt, wie dies (17) suggerierte, eine Konstituente bilden. Welche interne Gliederung sollte dann der Nebensatz *daß ihn die Frau geküßt hat* haben? Das Problem ist jetzt, daß in diesem Nebensatz das Objekt *ihn* des Verbes *küssen* nur unter Einschluß des Subjekts *die Frau* zusammen mit *geküßt* eine Konstituente bilden kann. Wir können Objekt und Verb nicht zu einer Konstituente zusammenfügen, weil die Ergänzungen des Verbs in einer anderen Reihenfolge auftreten als der üblichen, wie wir sie in (21) vorfinden:

(21) (a) daß die Frau [ihn geküßt] hat
     (b) daß Caroline [ihren Mann geküßt] hat

Es läßt sich zeigen, daß die Wortstellung in (18) aus der »normalen« Abfolge Subjekt vor Objekt abgeleitet ist. Man geht davon aus, daß das Pronomen *ihn* nach vorne vor das Subjekt verschoben wurde. Solche Analysen der Wortstellung als *Umstellungen von Worten oder Wortfolgen* müssen natürlich begründet werden; einige der Gründe für eine solche Annahme werden wir in den folgenden Abschnitten kennenlernen.
Das Kriterium für Konstituenz, das wir jetzt formulieren wollen, setzt nun schon voraus, daß man gute Gründe dafür angeben kann, daß gewisse Wortfolgen verschoben worden sind, daß sie

also nicht an ihrem »ursprünglichen Platz« stehen. Es besagt dann:

(22) *Verschiebeprobe:*
    Was verschoben werden kann, ist eine Konstituente.

Betrachten wir ein weiteres Beispiel:

(23) (a) Er hat den Sekt, den du haben wolltest, nicht bekommen.
    (b) Er hat den Sekt nicht bekommen, den du haben wolltest.

Es leuchtet intuitiv ein, daß der Relativsatz *den du haben wolltest*, der sich ja semantisch auf *den Sekt* bezieht, in (a) seine »logisch richtige« Position einnimmt und zusammen mit *den Sekt* eine Konstituente bildet, wogegen er in (b) aus stilistischen oder sonstigen Gründen ans Satzende verschoben worden ist. Der Verschiebeprobe zufolge ist der Relativsatz eine Konstituente.

Im Falle einer Verschiebung spricht man manchmal auch von sog. *unzusammenhängenden* oder *diskontinuierlichen Konstituenten.* Gemeint ist, daß etwas nicht mehr ununterbrochen zusammensteht, was vor der Verschiebung eine Konstituente gebildet hat. Der Begriff ist allerdings insofern etwas unglücklich, als nicht klar ist, was nach der Verschiebung die sog. diskontinuierliche Konstituente eigentlich sein soll. Denn eine Konstituente, so wie wir den Begriff verstehen, kann nicht »diskontinuierlich« sein. Man kann also allenfalls sagen, daß *zwei* Konstituenten in einem ganz bestimmten Sinne diskontinuierlich sind, nämlich in dem Sinne, daß sie vor der Verschiebung eine Konstituente bildeten. Wir kommen auf das Problem der diskontinuierlichen Konstituenten und auf die Verschiebeprobe noch an anderen Stellen, insbesondere in Abschnitt (7.) zurück.

Darüber, wie die Struktur eines Satzes aussehen mag, nachdem etwas verschoben oder getilgt worden ist, haben wir hier noch gar nichts gesagt. Klar ist aber, daß der Satz auch nach solchen Veränderungen eine Struktur hat. Wir können nur die hier formulierten Konstituententests nicht mehr uneingeschränkt anwenden.

Mit dieser Diskussion ist nun auch schon angedeutet worden, daß zur Analyse eines Satzes mehr gehört als lediglich seine Gliederung in Konstituenten. Diesen Punkt wollen wir vorerst aber ignorieren. Die Konstituententests geben uns ohnehin nur ein heuristisches Mittel zur Hand, mit der Analyse eines Satzes zu beginnen. Man wird zu Verschiebungen oder Tilgungen erst später etwas sagen können.

Sieht man von solchen Problemen einmal ab, dann sollte es mit Hilfe der Konstituententests im Prinzip gelingen, allen Sätzen einer Sprache eine Struktur zuzuordnen. Wenden wir beispielsweise den Frage-, Pronominalisierungs- und Koordinationstest auf (24a) an, ergibt sich problemlos die Konstituentenstruktur (24e):

(24) (a) Die Vase steht auf dem Tisch.
     (b) Was steht wo? die Vase / auf dem Tisch
     (c) Die Vase steht auf ihm. (dem Tisch)
     (d) Die Vase [steht auf dem Tisch] und [sieht gut aus]

(e)

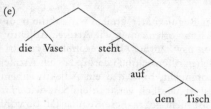

In anderen Fällen werden die Tests zu weniger eindeutigen Ergebnissen führen. Man ist dann auf zusätzliche Gesichtspunkte der Analyse angewiesen. Einige dieser Analysekriterien werden wir in diesem Kapitel noch darstellen.

Mit der IC-Analyse haben wir zwar eine Methode vorgestellt, einzelne Sätze zu zergliedern, wir haben aber noch keineswegs eine Methode entwickelt, wie man von der Betrachtung einzelner Beispielsätze zu einer linguistischen Beschreibung der Syntax einer ganzen Sprache kommen kann. Wie so etwas zumindest im Prinzip aussehen könnte, werden wir im nun folgenden Abschnitt demonstrieren.

3. Generative Grammatik

3.1. Die Klassifikation von Konstituenten

Die Methode der IC-Analyse allein hilft uns nur wenig bei der Beschreibung von *Regularitäten* des Strukturaufbaus. Wir haben zwar Anhaltspunkte dafür kennengelernt, wie man einen gegebenen Satz *hierarchisch* in Konstituenten gliedern kann. Über die

Regularitäten, denen dieser hierarchische Strukturaufbau zweifelsohne unterliegen muß, haben wir jedoch bisher kein einziges Wort verloren. Es ist auch nicht erkennbar, wie man mit der bisherigen Methode dazu kommen könnte. Wir können aber sofort sehr viel mehr erreichen, wenn wir annehmen, daß jede Konstituente zu einer bestimmten *syntaktischen Kategorie* gehört. Was nämlich traditionell im Mittelpunkt der syntaktischen Beschreibung stand, sind bestimmte *Reihenfolgebeziehungen* zwischen den Konstituenten, daß es im Deutschen etwa *guter Mann* und nicht *Mann guter* oder *ein Mann* und nicht *Mann ein* heißen muß.

Zur Beschreibung solcher Regularitäten greifen wir auf die traditionellen grammatischen Kategoriennamen wie Artikel, Adjektiv, Nomen, Verb, Präposition usw. zurück. Die genannten syntaktischen Regularitäten bestehen offensichtlich darin, daß ein Artikel einem Nomen immer vorangeht, bzw. daß ein Adjektiv einem Nomen vorangeht. Selbstverständlich verstößt ein Satz wie *Hat die Ente die Gans gebissen?* nicht gegen diese Regularität, obwohl in ihm die Wortfolge *Ente die* enthalten ist. Es ist klar, daß die Abfolgeregularitäten nur Kategorien betreffen, die unmittelbare Konstituenten einer höheren Konstituente sind. Die IC-Analyse ist also eine Voraussetzung, um die Abfolgeregeln zu formulieren: Bei der syntaktischen Beschreibung spielen sowohl lineare wie hierarchische Aspekte eine Rolle.

Da lineare Regularitäten auch den Aufbau »höherer«, d. h. komplexerer Konstituenten betreffen, diese also selbst wieder Abfolgeregularitäten unterliegen, müssen wir sie genau wie die Wörter zu Klassen und somit zu »Kategorien« zusammenfassen. Daß auch solche höheren Konstituenten in ihrer Abfolge eingeschränkt sind, erkennt man unschwer daran, daß die Vertauschung komplexer Konstituenten zu ungrammatischen Resultaten führen kann: Der IC-Analyse zufolge hätte beispielsweise der Satz *die Ente hat geschlafen* die beiden unmittelbaren Konstituenten *die Ente* und *hat geschlafen*. Unsere Analyse muß erfassen können, daß die umgekehrte Abfolge dieser Konstituenten, also *hat geschlafen die Ente*, im Deutschen ungrammatisch ist.

Nach welchen Prinzipien sollen wir nun höhere Konstituenten klassifizieren? Genau so, könnte man sagen, wie man auch Wörter in Wortarten klassifiziert. Eine solche Antwort ist wenig befriedigend, solange man nicht rechtfertigt, wie man zu den traditionellen Wortarten wie Verb, Adjektiv, Präposition etc. überhaupt kommt. Wir wollen dies hier nicht versuchen. Es ist aber intuitiv plausibel, daß dabei semantische, morphologische und letztlich auch syntaktische Kriterien eine Rolle spielen. Ohne diese Kriterien alle nennen oder gar untersuchen zu wollen, setzen wir zunächst einfach voraus, daß wir über so elementare Fähigkeiten verfügen, etwa eine Präposition von einem Adjektiv unterscheiden zu können. Wörter bestimmter Art gehören somit zur Klasse der Adjektive, andere zur Klasse der Präpositionen, wieder andere zur Klasse der Verben, etc.

Als ein wichtiges Kriterium für diese Klassenbildungen sei jedoch ein im engeren Sinne *syntaktisches* Kriterium genannt, das auch bei der Klassifikation von höheren Konstituenten eine entscheidende Rolle spielen wird. Es handelt sich um die *Gleichheit der Distribution*. Damit ist gemeint, daß Elemente der gleichen Klasse, d.h. der gleichen syntaktischen Kategorie, in allen Umgebungen durch einander ersetzt werden können, ohne daß ein Grammatikalitätsunterschied entsteht. M.a.W., was wir aufgrund der Ersetzungsprobe als Konstituenten ermittelt haben, gehört zur gleichen Kategorie.

(25) (a)

Ich freue mich über
- Grünkohl
- Grünkohl und die langen Winterabende
- die langen Winterabende
- die ausgefallene Syntaxvorlesung
- nichts

(b)
- Kohl und die langen Winterabende
- die langen Winterabende
- alle Syntaxvorlesungen

deprimieren mich

Demnach gehören die geklammerten Paradigmen in (a) und (b) jeweils zur gleichen Kategorie.

Diese Charakterisierung ist jedoch noch ziemlich unbefriedigend und läßt einige Fragen offen. Sind z.B. die beiden in (a) und (b) ermittelten Kategorien identisch oder sind sie verschieden? Es scheint ja keinen erkennbaren Grund dafür zu geben, *die langen Winterabende* in (a) einer anderen syntaktischen Kategorie zuzuordnen als in (b). Dann müssen wir aber auch *die ausgefallene Syntaxvorlesung* und *alle Syntaxvorlesungen* zur selben syntaktischen Kategorie zählen. Dies bedeutet aber, daß sie die gleiche Distribution besitzen. Offensichtlich ist aber ein Satz wie

(26) *Die ausgefallene Syntaxvorlesung deprimieren mich.

ungrammatisch. Ist somit die Schlußfolgerung bezüglich der gleichen Distribution widerlegt? Sind die Kategorien verschieden? Strenggenommen sicherlich. Ohne weiteres wird man denn auch einwenden können, daß die Distribution dieser Wortfolgen verschieden ist, weil nämlich *die langen Winterabende* in (a) ein Objekt und in (b) ein Subjekt ist. Dies ist jedoch nicht der Grund, weshalb (26) ungrammatisch ist. Verantwortlich dafür ist ein morphologischer Unterschied zwischen dem Plural in (b) und dem Singular der Konstituente *die ausgefallene Syntaxvorlesung* in (a). Nehmen wir an, daß dieser Unterschied für die Distribution und somit für die Einteilung in Kategorien relevant ist. Dann dürften aber auch die Konstituenten in (a) nicht zur gleichen Klasse gehören: Dort gibt es welche im Singular und welche im Plural, die wir jedoch zum selben Paradigma gerechnet haben. Nach welchen Kriterien soll man sich nun richten?

In dieser dilemmatischen Situation kommt man nur dann weiter, wenn man sich die Frage stellt, ob die angeführten *morphologischen* Unterscheidungen für die Klassifikation von höheren Konstituenten überhaupt relevant sind. Für eine bloße Betrachtung von Abfolgeregularitäten jedenfalls könnte man auf sie verzichten. Für den Anfang wollen wir genau dies tun, d. h. wir werden alle morphologischen oder semantischen Faktoren ignorieren. Obwohl auch die Wörter *der, die, das* nicht gleich verteilt sind, fassen wir sie dennoch zur Klasse der Artikel zusammen, da sie sich nur morphologisch, nicht jedoch syntaktisch unterscheiden und – eben bis auf morphologische Unterschiede – die »gleiche« Verteilung aufweisen. Wenn wir uns also nach denselben Kriterien richten, nach denen wir auch Wortarten klassifizieren, spielen die Unterschiede in Kasus und Numerus für uns hier keine Rolle.

Damit gehören die Syntagmen in (a) und (b) zur selben syntaktischen Kategorie. Zum gleichen Konstituententyp gehört insbesondere auch das, was die gleiche *interne Struktur* aufweist. Relationen wie »*Objekt* von ...« oder »*Subjekt* von ...« spielen dagegen für die Klassifikation der Konstituenten keine Rolle. Diese relationalen Begriffe werden wir im folgenden als rein deskriptive Größen verwenden, wie wir sie aus der Schulgrammatik kennen. Für unsere Kategorisierungen sind sie nicht relevant, man könnte sogar weitergehend behaupten, daß sie in der Syntax überhaupt keine wohldefinierbare Rolle spielen (cf. Sternefeld (1985a)). Demgegenüber müssen wir aber über Begriffe verfügen, mit deren Hilfe wir die nach dem Kriterium der gleichen Distribution gewonnenen »höheren« syntaktischen Einheiten klassifizieren. Diese Namen für komplexe Konstituenten werden wir dann in der Formulierung von Abfolgeregularitäten verwenden können.

Für bestimmte zusammengesetzte Konstituenten ist der Begriff der *Phrase* gebräuchlich. Wir unterscheiden zwischen *Nominalphrasen* (z. B. Zusammensetzungen aus Artikel und Nomen: *die Vorlesung*), *Präpositionalphrasen* (Zusammensetzungen aus Präposition und Ergänzung: *in der Vorlesung*), *Adjektivphrasen* (z. B. Adjektiv und Ergänzung wie in (*er hat*) *die Vorlesung satt*) und *Verbalphrasen* (z. B. Verb und Objekt: *die Vorlesung hassen*). Als Abkürzung für diese Klassenbezeichnungen verwendet man jeweils die Symbole »NP«, »PP«, »AP« und »VP«. Die in Klammern gegebenen Beispiele erläutern den intendierten Gebrauch dieser Begriffe. Die anfangs erwähnte Stellungsregularität läßt sich mit Hilfe dieser Begriffe nun so formulieren, daß eine NP einer VP vorangeht: *die Gans* als NP steht vor der VP *hat geschlafen*, nicht dahinter.

Nach diesen Vorüberlegungen betrachten wir einige Strukturanalysen, wie wir sie aufgrund der IC-Analyse und der Klassifikation von Konstituenten nach ihrer Distribution erhalten können. Betrachten wir den Satz (27):

(27) Die langen Winterabende deprimieren mich.

die langen Winterabende ist sicher eine Konstituente und nach dem bisher Gesagten sicher eine NP. Graphisch verdeutlichen wir dies so:

(28) NP

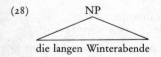

die langen Winterabende

Entsprechend ist *deprimieren mich* eine VP:

(29)

Beide Phrasen zusammen bilden einen Satz:

(30)

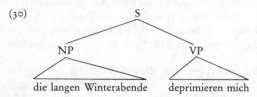

Als Symbol für die ganze Konstituente haben wir sinnigerweise das Symbol S gewählt. NP und VP lassen sich nun selbst wieder in unmittelbare Konstituenten zerlegen, nämlich in Artikel (*Art*) plus Nomen (*N*) bzw. Verb (*V*) plus Nominalphrase (*NP*). Adjektiv und Nomen bilden zusammen wieder etwas der Kategorie N, denn sie haben dieselbe Distribution wie ein Nomen allein:

(31)

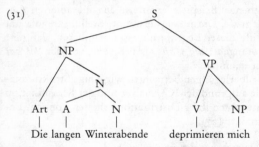

Neben dieser Darstellung gibt es noch eine platzsparendere, leider aber wenig übersichtliche Notation. Man klammert alle zusammengesetzten Konstituenten wie in (32a) ein und versieht eine der beiden Klammern, die eine Konstituente umfassen, mit dem Namen der Konstituente wie in (32b):

(32) (a) [[die [langen Winterabende]] [deprimieren mich]]
(b) [$_S$[$_{NP}$ die [$_N$ langen Winterabende]] [$_{VP}$ deprimieren mich]]

Diese Darstellungsweise wird *indizierte Klammerung* genannt. Bevor wir zeigen können, was man mit einer solchen Klassifikation der Konstituenten gewonnen hat, ist als ein wichtiges Kriterium für diese Klassifikation noch eine Erweiterung des Koordinationstests nachzutragen:

(33) *Koordinationstest (revidiert):*
   Was koordiniert werden kann, ist von der gleichen syntaktischen Kategorie. Zu dieser Kategorie gehört auch das Ergebnis der Koordination.

Als Klassifikationskriterium für höhere Konstituenten aufgefaßt bietet dieser Test ein zusätzliches Mittel, um die Gleichartigkeit der Distribution zu erkennen: Konjunktionsglieder sind von gleicher syntaktischer Kategorie. Umgekehrt gilt aber auch: Was gleich distribuiert ist, läßt sich auch koordinieren. Als Wohlgeformtheitsbedingung für Konstituenten betrachtet, verbietet der Test z. B. die Koordination von Adjektivphrasen und Verbalphrasen, sagt also voraus, daß es keinen (syntaktisch wohlgeformten) Satz mit einer Konstituente der Form [VP *ißt Fleisch*] *und* [AP *seiner Frau treu*] geben kann.

3.2. Die Idee der Phrasenstrukturgrammatik

In den letzten Abschnitten haben wir festgestellt, daß Sätze hierarchisch strukturiert sind, daß sie in Konstituenten zerlegt und daß diesen Konstituenten Kategorien zugeordnet werden können. Die Konstituentenstruktur eines Satzes haben wir als indizierte Klammerung (32b) oder in Form eines sog. *Graphen* oder *Baumdiagramms* dargestellt (31). Diese beiden letzten Begriffe stammen aus der Mathematik, wo allgemeine Eigenschaften dieser Gebilde formal untersucht wurden. Die Verbindungslinien zwischen den Kategoriensymbolen heißen *Äste* oder *Kanten*, die Verzweigungspunkte selbst heißen *Knoten* des Baumes. Eine Darstellung wie (34) legt es nahe, den S-Knoten die *Wurzel* des Baumes zu nennen. (Die Wörter an einem nicht-verzweigenden Ast werden *Blätter* des Baumes genannt.)

(34) Der Bayer stellt die Maß auf den Tisch

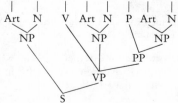

In der linguistischen Literatur ist es nun üblich, Bäume »verkehrt herum«, also wie in (28) bis (31) zu repräsentieren, was der Vorstellung entspricht, die der Rede von »höheren« Konstituenten zugrunde liegt. Nichtsdestoweniger wird aber die Baummetapher beibehalten, obwohl nunmehr die Wurzel eines Baumes förmlich im Himmel hängt.

Mit Hilfe einer Baumdarstellung lassen sich nun hierarchische und strukturbezogene Begriffe definieren. So kann man etwa leicht definieren, wann eine Konstituente *Teilkonstituente* einer anderen Konstituente ist. Dafür, aber auch für Strukturbeschreibungen generell, spielt der schon in Abschnitt (III.B.3.2.) benutzte Begriff der *Dominanz* eine wichtige Rolle. Wir definieren diesen Begriff hier noch einmal etwas präziser:

(35) *Dominanz:*
    Ein Knoten X dominiert einen Knoten Y genau dann, wenn X auf dem von Y ausgehenden Weg zur Wurzel des Baumes liegt.

Betrachten wir zur Illustration unser voriges Beispiel, diesmal in üblicher Darstellung:

(34')

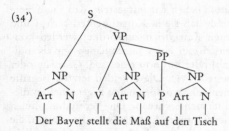

Der Bayer stellt die Maß auf den Tisch

Die Präposition P wird hier von den Knoten PP, VP und S dominiert, die PP wird nur von VP und S dominiert, VP nur von S. Der Knoten S wird von nichts dominiert, er dominiert aber sämtliche übrigen Knoten im Baum.

(36) *Unmittelbare Dominanz:*
    Ein Knoten X dominiert einen Knoten Y unmittelbar, wenn X der nächste Knoten ist, der Y dominiert.

Diese Definition bereitet wohl kaum Kopfzerbrechen. Klarerweise wird P nur von PP unmittelbar dominiert, die PP in (34') nur von VP, VP nur von S, Art nur von NP etc.

Die Idee einer Grammatik, die auf einer Konstituentenstrukturanalyse beruht, ist nun diese:

(37) *»Konstituentenstruktur-Syntax«:*
    Der syntaktische Aufbau sämtlicher Sätze einer Sprache und nur
    dieser ist dann vollständig beschrieben, wenn festgelegt ist, (a) wel-
    che Folgen von Kategorien von jeweils welcher Kategorie unmittel-
    bar dominiert werden können und (b) zu welchen Kategorien die
    Wörter der Sprache gehören.

Diese Konzeption vom syntaktischen Aufbau der Sätze einer
Sprache scheint reichlich abstrakt; wir werden im folgenden versuchen, diese Grundidee der syntaktischen Beschreibung zu konkretisieren, z. B. anhand von sog. generativen Grammatiken
(s. u.). Schon an dieser Stelle sei aber erwähnt, daß diese Auffassung vom syntaktischen Aufbau von Sätzen keinerlei logische
Notwendigkeit besitzt, noch ist sie die einzig mögliche; sie stellt
vielmehr eine erste *empirische Hypothese* über den Aufbau
menschlicher Sprache dar. Im Laufe der Entwicklung von formalen Grammatiken hat sie sich als erstaunlich fruchtbar erwiesen,
obwohl gleich zu Beginn der auf ihr beruhenden Forschung klar
war, daß sie in dieser Form ein möglicherweise zu vereinfachtes
Bild der Syntax natürlicher Sprachen zeichnet (cf. das oben erwähnte Problem der »unzusammenhängenden Konstituenten«).
Bevor wir zu solchen Spezialproblemen kommen können, erläutern und entwickeln wir diese Hypothese ein Stück weit und
wenden uns dann der Fragestellung zu, ob sie auch eine *erklärende Theorie über das menschliche Sprachvermögen* sein kann.
Einige der grammatischen Regularitäten einer Sprache lassen sich
aus den durch Distributionsanalyse gewonnenen Strukturbäumen
unmittelbar ablesen. Aus dem zuletzt abgebildeten Baum erhalten
wir beispielsweise folgende Information:

(38) NP dominiert unmittelbar die Folge Art + N
      VP dominiert unmittelbar die Folge V + NP + PP
      S   dominiert unmittelbar die Folge NP + VP
      PP dominiert unmittelbar die Folge P + NP

      Art dominiert unmittelbar *der*
      Art dominiert unmittelbar *die*
      Art dominiert unmittelbar *den*
      P   dominiert unmittelbar *auf*
      N   dominiert unmittelbar *Bayer*

N   dominiert unmittelbar *Maß*
N   dominiert unmittelbar *Tisch*

Weitere Informationen erhalten wir aus anderen Sätzen, z. B. die folgenden (cf. Satz (31)):

(39) N dominiert unmittelbar die Folge A + N
     VP dominiert unmittelbar V + NP

Im ersten Block von (38) finden wir gerade die in (37a) verlangte Information, im zweiten Block die in (37b) verlangte. Mit der in (37) ausgedrückten Idee, alle möglichen, in grammatisch korrekt gebildeten Sätzen vorkommenden IC-Beziehungen aufzulisten und diese Liste als komplette syntaktische Beschreibung aufzufassen, ist die Annahme verbunden, daß es nur endlich viele syntaktische Kategorien und nur endlich viele verschiedene Beziehungen der unmittelbaren Dominanz gibt. Andernfalls käme man so nie zu einer vollständigen Beschreibung und müßte vor dem Problem einer allgemeinen Analyse des Satzaufbaus kapitulieren.

Die volle Tragweite der Aussage (37) wird man wohl erst dann erkennen, wenn man ihren Inhalt so umformuliert, daß man damit gewissermaßen »rechnen« kann. Die bis heute populärste Fassung des Prinzips der Konstituentenstruktur-Syntax ist von Vertretern der sog. *generativen Grammatik* vorgeschlagen worden. Die Beziehungen der unmittelbaren Dominanz werden hier als Regeln zur *Erzeugung (Generierung)* von Sätzen aufgefaßt. Man notiert sie mit Hilfe der Pfeilnotation so:

(40)	S	→	NP	VP		N	→	Bayer
	VP	→	V	NP		N	→	Maß
	NP	→	Art	N		N	→	Tisch
	PP	→	P	NP		V	→	stellt
						P	→	auf
						Art	→	der
						Art	→	die
						Art	→	den

Die Regeln im ersten Block heißen *Phrasenstrukturregeln,* die im zweiten Block *lexikalische* oder *terminale Regeln.* Der Pfeil wird gedeutet als »besteht aus« oder als »kann ersetzt werden durch«. Die Erzeugung eines Satzes mit Hilfe dieser Regeln kann man sich vollkommen mechanisch vorstellen, und zwar als sukzessive

Ersetzung des linken Symbols neben dem Pfeil einer Regel durch die Symbole rechts vom Pfeil. Ausgehend vom »Startsymbol« S erreicht man durch fortgesetzte »Anwendung« von Phrasenstrukturregeln und von lexikalischen Regeln schließlich Folgen von Wörtern, die sog. *terminalen Elemente* (sie beenden eine Ableitung, da sie nicht auf der linken Seite einer Ersetzungsregel vorkommen). Das Ergebnis nennen wir einen »Satz«. Die Gesamtheit solcher Regeln nennt man die *(generative) Grammatik* einer Sprache.

Betrachten wir etwa eine mögliche Ableitung. In Klammern haben wir jeweils die Regel angegeben, die beim Übergang zur nächsten Zeile benutzt wurde.

(41) S   (S→NP VP)
      NP VP   (NP→Art N)
      Art N VP   (VP→V NP PP)
      Art N V NP PP   (NP→Art N)
      Art N V Art N PP   (PP→P NP)
      Art N V Art N P NP   (NP→Art N)
      Art N V Art N P Art N   (Art→der)
      der N V Art N P Art N   (N→Bayer)
      der Bayer V Art N P Art N   (V→stellt)
      der Bayer stellt Art N P Art N   usw.
      der Bayer stellt die N P Art N
      der Bayer stellt die Maß P Art N
      der Bayer stellt die Maß auf Art N
      der Bayer stellt die Maß auf den N
      der Bayer stellt die Maß auf den Tisch

Die Reihenfolge der Regelanwendung ist dabei willkürlich. Man hätte sie auch anders wählen können und wäre dann, wie man sich leicht überzeugen kann, beim selben Ergebnis angelangt.

Die Gesamtheit aller durch die Regeln einer Grammatik erzeugbaren Sätze ist die von dieser Grammatik erzeugte *Sprache*. Eine solche Grammatik ist *beobachtungsadäquat*, wenn ihre Regeln alle grammatischen Sätze einer zu analysierenden Sprache und nur diese zu bilden erlaubten, wenn also die von ihr erzeugte Sprache mit der zu analysierenden Sprache (Deutsch, Englisch oder eine andere natürliche Sprache) übereinstimmt. Insbesondere darf sie daher keine intuitiv als ungrammatisch bewerteten Sätze erzeugen können, cf. Kapitel (1.6.). Die Hypothese (37) besagt also nichts anderes, als daß eine Sprache durch eine Menge von Regeln, von denen wir einige in (40) formuliert haben, vollständig beschrieben werden kann.

Man wird vielleicht einwenden, daß eine solche »Konzeption von Sprache« recht eng ist (cf. auch Kap. (1.3.)). Sicher gehört zu einer Sprache noch viel mehr, ihre Bedeutung, ihre Verwendung etc. Es ist daher wichtig, sich klar zu machen, daß es hier nur um den syntaktischen Aspekt, eigentlich sogar um einen ganz speziellen syntaktischen Begriff von Sprache geht, um einen *terminus technicus* der Informatik. Innerhalb der sog. Theorie der formalen Sprachen läßt sich das hier vorgestellte Konzept nämlich ganz präzise und daher mathematisch abhandeln (cf. Chomsky (1963), Salomaa (1978)). Niemand will aber behaupten, daß natürliche Sprachen nichts weiter als Sprachen in diesem formalen Sinne seien. Wohl aber wird die Auffassung vertreten, daß sich bestimmte Aspekte der natürlichen Sprache, etwa deren Syntax oder Semantik, mit denselben formalen Mitteln und Methoden beschreiben lassen, wie sie in Mathematik, Logik oder Informatik entwickelt wurden. Einige Linguisten glauben darüber hinaus, daß diese Methoden sogar so weit angemessen sind, daß es keinen wesentlichen (d. h. für sie: formalen) Unterschied zwischen natürlichen und künstlichen Sprachen gibt. Solange wir jedoch erst damit beginnen, eine Vorstellung davon zu entwickeln, was diese Methoden sind, können wir solche Thesen noch nicht diskutieren. Halten wir daher fest, daß im folgenden der Begriff »Sprache« auf bestimmte Weise verstanden wird: Eine Sprache ist nichts weiter als die Menge von Sätzen, die von einer gegebenen Grammatik erzeugt werden. Ebenso ist der Begriff des Satzes nun formal festgelegt: Ein Satz einer Sprache ist eine Kette terminaler Elemente, die, ausgehend vom Symbol S, durch Anwendungen der Regeln einer Grammatik dieser Sprache erzeugt werden kann.

Grammatiken mit Phrasenstrukturregeln der beschriebenen Art nennt man *Phrasenstrukturgrammatiken* (im folgenden *PS-Grammatiken*). PS-Grammatiken können natürlich nicht nur zur Erzeugung von Sätzen, sondern auch zur Erzeugung von Bäumen, den sog. *Phrasenstrukturbäumen* (im folgenden *PS-Bäume*) benutzt werden. Solche PS-Bäume repräsentieren sämtliche linear und hierarchisch relevanten Aspekte der syntaktischen Gliederung eines Satzes. Man nennt sie daher auch *Strukturbeschreibungen*.

Bei der Generierung von PS-Bäumen kann es auf die Reihenfolge der Regelanwendung ankommen. Wir erhalten dann verschiedene Strukturbäume für dieselbe Folge von terminalen Elementen. Betrachten wir ein Beispiel, die NP *ein mit vielen modrigen Blättern und Zweigen getarntes Versteck*. In (42a) wurde die Koordinationsregel N→N Konj N früher angewandt als die Regel N→A N, die Adjektive generiert. In (b) ist die Anwendungsreihenfolge die umgekehrte:

(42) (a)

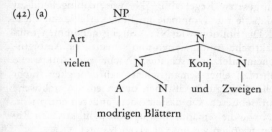

(b)

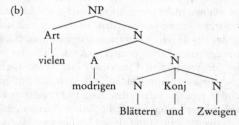

Wir erhalten auf diese Weise sog. *syntaktische Ambiguitäten*. Solche Strukturmehrdeutigkeiten können sich auf die semantische Interpretation des Baumes auswirken; sie können wie in (42) dazu benutzt werden, verschiedene semantische Lesarten zu induzieren (cf. (VI.4.2.)): *modrig* bezieht sich in (42a) nur auf *Blätter*, in (42b) auf *Blätter und Zweige*.

Umgekehrt kann man semantische Bezugsmehrdeutigkeiten verwenden, um syntaktischen Ambiguitäten auf die Spur zu kommen. So könnte sich beispielsweise *viele* semantisch nur auf *modrige Blätter* beziehen, nicht aber auf *Zweige*. Eine entsprechende syntaktische Strukturierungsmöglichkeit wäre dann (42c):

(42) (c)

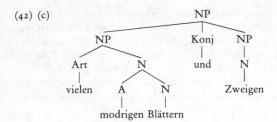

(Die hier vorausgesetzte Regel »NP→N« wäre dahingehend zu qualifizieren, daß sie nur Nominale im Plural erfaßt, nur diese haben dieselbe Distribution wie NPs.) Streng genommen muß man aber syntaktische Ambiguitäten und semantische Ambiguitäten strikt voneinander unterscheiden. Nicht jede strukturelle Ambiguität führt zu einer semantischen Mehrdeutigkeit, nicht jede semantische Ambiguität läßt sich durch eine syntaktische Ambiguität repräsentieren. Ob das eine dem anderen entspricht, hängt davon ab, wie die semantischen und die syntaktischen Regeln aufeinander bezogen werden; cf. dazu Kapitel (VI.).

PS-Grammatiken können nicht nur zur Erzeugung, sondern auch zur *Analyse* von Sätzen verwendet werden. In diesem Fall kehrt sich die Deutung der PS-Regeln als Ersetzungsregeln um: Bei der Analyse eines vorgegebenen Satzes ordnet man mit Hilfe der lexikalischen Regeln den terminalen Elementen ihre syntaktischen Kategorien zu und versucht dann, solche Teilketten, die mit einer Symbolfolge auf der rechten Seite einer Regel übereinstimmen, durch das Symbol auf der linken Seite zu ersetzen. Wenn es möglich ist, bei sukzessiver Anwendung dieses Verfahrens das Symbol S zu erreichen, so ist der Satz grammatisch.

Ebenso können PS-Grammatiken zur Analyse vorgegebener Bäume benutzt werden. Man muß dann nachprüfen, ob sich für jede Verzweigung im Baum eine entsprechende Regel finden läßt, wobei der Pfeil der Regel wieder als »dominiert unmittelbar« zu lesen ist. Findet sich für jede Verzweigung eine Regel, so ist die Struktur wohlgeformt, und der so analysierte Satz ist grammatisch.

Wer ein wenig mit wissenschaftstheoretischen Überlegungen vertraut ist, wird erkennen, daß generative Grammatiken unter dem Gesichtspunkt der Beobachtungsadäquatheit nichts anderes sind als recht primitive *Theorien* über die Grammatikalität von Sätzen einer einzelnen Sprache und damit über den Satz überhaupt. Die in einer solchen Theorie vorkommenden theoretischen Begriffe sind gerade die syntaktischen Kategorien (z. B. Nominalphrase, Adjektiv, Satz etc.). Die Axiome der Theorie sind die PS-Regeln. Empirische Basis für die Beurteilung der Richtigkeit der Theorie bilden die (intuitiven) Urteile über die Grammatikalität von Sätzen, daher sind einzelne Regeln nicht empirisch überprüfbar, sondern allenfalls Mengen von Regeln, die Sätze erzeugen. Im Hinblick auf die Beurteilung von Sätzen als grammatisch oder ungrammatisch kann die PS-Grammatik auch aufgefaßt werden als eine Theorie über die Kompetenz eines Sprechers, solche Urteile zu fällen.

Vielfach wird man nicht nur über die Grammatikalität von Sätzen, sondern auch darüber relativ klare Intuitionen haben, wann eine *Strukturbeschreibung* korrekt ist und wann nicht. Eine Grammatik, die beobachtungsadäquat ist und deren Regeln den Sätzen einer Sprache ihre intuitiv korrekten Strukturbeschreibungen zuordnen, nennt man, wie in Abschnitt (I.6.) dargestellt, *deskriptiv adäquat* oder *beschreibungsadäquat*.

Nicht jede beobachtungsadäquate Grammatik ist notwendigerweise deskriptiv adäquat. Wir werden in Abschnitt (4.2.) Gelegenheit haben, diesen Sachverhalt anhand eines konkreten Beispiels zu illustrieren.

Fragen wir uns nun, was eine solche Theorie erklären kann und was sie möglicherweise nicht erklärt. Sie beansprucht, zumindest *eine* Eigenschaft natürlicher Sprache zu erklären, nämlich deren »Kreativität« (cf. Kap. (I.4.)), technischer gesprochen, deren *Rekursivität*. Unter einer rekursiven Struktur versteht man eine Phrasenstruktur, in der ein Symbol X ein weiteres Symbol X der gleichen Kategorie dominiert. Die Kreativität des Sprachvermögens wird nun insofern erfaßt, als der Mechanismus der PS-Grammatik prognostiziert, daß beliebig viele Vorkommen der Kategorie X von derselben Kategorie dominiert werden können. Betrachten wir dazu die NP *die langen Winterabende* (cf. (31)). Sie entsteht durch die Anwendung der Regel »N→A N«, in der dasselbe Zeichen rechts und links vom Pfeil vorkommt. Solche Regeln heißen *rekursiv*. Durch fortgesetzte Anwendung einer solchen rekursiven Regel erhält man beliebig viele Verschachtelungen (»*Einbettungen*«) der Kategorie N in sich selbst:

(43)

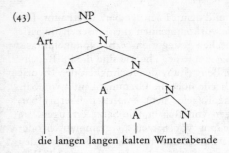

die langen langen kalten Winterabende

Mit ein paar hier unwesentlichen Regeln mehr ist es dann nicht
schwer, folgendes Gedicht von H. Heissenbüttel syntaktisch zu
analysieren (aus: *Die Meisengeige,* herausgegeben von
G. B. Fuchs (1964)):

(44) *Mirakel*
    ein glatter zarter
    ganz unbehaarter
    und runder weißer
    halb kalt halb heißer
    herabgebeugter
    ein wenig feuchter
    und stramm gebückter
    herausgedrückter
    unten gewölbter
    nach oben gekölbter
    birnengeformter
    und ungenormter
    zärtlich zu fassender
    kaum loszulassender
    doppelt geschweifter
    sanft ausgereifter
    geschwind kuranter
    und eleganter
    bibbernd lebendiger
    ungemein wendiger
    matt aufglänzender
    in sich sich ergänzender
    ein ganz normaler
    und schön ovaler
    entzückend banaler
    Neandertaler

Ein weiteres Beispiel für die Entstehung von rekursiven Strukturen ist die Satzeinbettung. Nehmen wir an, wir verfügen zur Erzeugung eines Satzes wie *Hans glaubt, er sei betrunken* über folgende Regeln:

(45) (a) S → NP VP   (b)
      VP → V S
      VP → V A

```
                         S
                       /   \
                     NP     VP
                      |    /  \
                    Hans  V    S
                          |   / \
                       glaubt NP  VP
                              |  /  \
                             er V    A
                               |     |
                              sei  betrunken
```

Die Kategorie, die ein Symbol der gleichen Kategorie dominiert, ist S. (45b) ist daher eine rekursive Struktur. Mit Hilfe entsprechender lexikalischer Regeln für V und NP können wir unmittelbar schließen, daß auch *Hans glaubt, Maria denkt, er sei betrunken* ebenso wie *Hans glaubt, Maria denkt, Franz behaupte, er sei betrunken* und *Hans glaubt, Maria denkt, Franz behaupte, ich vermutete, alle seien betrunken* etc. grammatisch ist.

Fassen wir den bisherigen Gedankengang zusammen: Die *IC-Analyse* gibt uns Kriterien an die Hand, Sätze zu gliedern. In einem zweiten Schritt entnimmt man diesen Gliederungen, zusammen mit einer Klassifikation der Konstituenten nach dem Kriterium der gleichen Distribution, unmittelbar die *Regeln des Satzaufbaus*. Als Hypothese der Sprachtheorie haben wir formuliert, daß eine korrekte Rekonstruktion dieser Regeln zu einer *vollständigen grammatischen Beschreibung* einer Sprache führt. Insbesondere ist dieser Beschreibung zu entnehmen, welche Wortfolgen *ungrammatisch* sind, womit dann genau eine Sprache von anderen Sprachen abgegrenzt wird. Diese Beschreibung kann unter einem *Erzeugungs-* und einem *Analyseaspekt* betrachtet werden. Aufgrund ihrer Eigenschaft, *rekursive* Strukturen erzeugen zu können, *erklärt* die generative Grammatik die Kreativität des menschlichen Sprachvermögens.

4. Erweiterungen der Phrasenstrukturgrammatik

Jede Theorie muß unter dem Gesichtspunkt bewertet werden, ob sie die Fakten *in angemessener Weise* beschreiben kann. Mit »angemessen« ist gemeint, daß der benutzte formale Rahmen, nämlich die PS-Grammatiken, in puncto Eleganz und Einfachheit mit anderen denkbaren Alternativen konkurrieren kann. Schon die ersten Versuche, PS-Grammatiken für noch relativ kleine Ausschnitte des Englischen oder Deutschen zu schreiben, führten zu der Ansicht, daß diese allein kaum zu angemessenen Beschreibungen führen (cf. Chomsky (1957), Chomsky (1955)). Wir wollen nun einigen der möglichen Gründe für eine solche Auffassung nachgehen. Dabei werden wir den formalen Rahmen der PS-Grammatik um einige Zutaten erweitern.

4.1. Subkategorisierung

Als Ausgangspunkt wählen wir eine unmittelbar einsichtige Beobachtung zur Distribution von Verben: Transitive Verben (z. B. *beruhigen*) verlangen eine NP als Objekt, bitransitive Verben (*geben*) verlangen zwei Objekt-NPs, intransitive Verben (*schlafen*) haben kein Objekt. Gewisse Verben der sog. propositionalen Einstellung (*wissen, vermuten, glauben, denken*, u.a.m.) haben Ergänzungen der Kategorie Satz, andere nicht. Die Kopula *sein* hat Adjektive oder Adjektivphrasen als Ergänzung, bei anderen Verben ist dies nicht möglich. Es muß also sichergestellt sein, daß z. B. in einer erzeugten Struktur der Art [*Fritz* [$_{VP}$[$_V$...] *Otto*]] an die Stelle der Punkte kein intransitives Verb, z. B. *schläft* eingesetzt werden darf. Umgekehrt darf in einem syntaktischen Kontext, wo *schlafen* möglich ist, nicht *beruhigen* eingesetzt werden.

Zu unterscheidende Eigenschaften dieser Art, also bezüglich Anzahl und Kategorie der Ergänzungen, heißen *Subkategorisierungseigenschaften*, weil die Verben dadurch nach ihrer unterschiedlichen Distribution »unterkategorisiert« werden.

Um diese Distribution der Verbtypen im Rahmen einer PS-Grammatik formal zu erfassen, müssen alle diese Unterschiede als *Kategorien*-Unterschiede dargestellt werden. Im Prinzip ist dies, wie das folgende Regelsystem zeigt, ohne weiteres möglich:

(46) VP → V$_i$ (»intransitives« Verb)
      VP → V$_t$ NP   (»transitives« Verb)
      VP → V$_{bt}$ NP NP (»bitransitives« Verb)
      VP → V$_s$ S   (Verb mit S-Ergänzung)
      VP → V$_{t-s}$ NP S (Verb mit NP+S-Ergänzung)
      VP → V$_p$ PP   (Verb mit Präpositionalobjekt)

Das Verb *schlafen* ist beispielsweise als V$_i$ subkategorisiert, es darf in einer durch die zweite Regel erzeugten Umgebung nicht für V$_t$ eingesetzt werden. Dementsprechend unterscheiden die lexikalischen Regeln *schlafen* und *beruhigen:* V$_i$→*schläft* gegenüber V$_t$→*beruhigt*.

Dieses Verfahren bewerkstelligt zwar die gewünschte Klassifikation in Verbtypen, allerdings können nunmehr die *Gemeinsamkeiten* der Verben nicht mehr formal dargestellt werden. Die Modifikation durch Adverbien beispielsweise müßte (bestimmte Annahmen über die Phrasenstruktur vorausgesetzt) für jeden Verbtyp gesondert durch eine Regel festgehalten werden. Betrachten wir etwa:

(47) Ich glaube, daß Karl
                [gut arbeitet]
                seine Mutter [gut pflegt]
                seinem Bruder das Buch [ungern leiht]
                [genau weiß], daß er krank ist
                seiner Schwester [oft verspricht], er werde kommen
                mit seiner Schwester [oft streitet]
                        etc.

Die einheitliche Distribution der Adverbien kann nun nicht mehr durch eine Regel »V→Adv V« ausgedrückt werden, sondern müßte für jeden der Verbtypen V$_i$, V$_t$, V$_{bt}$ etc. gesondert formuliert werden.

Auch die Generalisierung, daß bei Entscheidungsfragen Verben sämtlichen Typs an erster Stelle im Satz stehen, könnte nur durch jeweils gesonderte Bezugnahme auf jeden einzelnen Verbtyp formuliert werden. M. a. W., die Kategorie des Verbes selbst ist verschwunden und die *das Verb an sich* betreffenden Regularitäten sind nicht mehr als solche ausdrückbar.

PS-Grammatiken sind unter diesem Gesichtspunkt keine adäquaten Theorien: Sie können intuitiv leicht feststellbare Regularitäten der Distributionen *als solche* nicht in Regeln fassen.

Nun haben generative Grammatiker nie behauptet, daß Phrasenstrukturgrammatiken *allein* adäquate Theorien sein können. Sie gehen davon aus, daß die Subkategorisierungseigenschaften der Verben im Struktur-aufbauenden Teil der Syntax, also in den PS-Regeln, keine Rolle spielen. Die Verbeigenschaften werden ja erst dann relevant, wenn es um die Wahl eines bestimmten Verbs, eines bestimmten Lexems geht. Folglich sind nicht die Struktur-aufbauenden PS-Regeln, sondern die lexikalischen Regeln so zu modifizieren, daß sie bei der Ersetzung eines Kategoriensymbols durch ein Wort auch die Umgebung, den Kontext der betroffenen Kategorie berücksichtigen.

Dieser These entsprechend nehmen die sog. *lexikalischen Einsetzungsregeln* Bezug auf ein Lexikon, das u. a. aus einer Liste von Wörtern mit ihren jeweiligen Kategorien und Subkategorisierungseigenschaften besteht. Die Angabe darüber, welche Kategorien ein Verb als Ergänzung verlangt, nennt man dessen *Subkategorisierungsrahmen*. Die lexikalischen Einsetzungsregeln sorgen dafür, daß von einer Kategorie X zu einem Wort nur dann übergegangen werden kann, wenn der für das Wort im Lexikon festgelegte Subkategorisierungsrahmen dem Kontext, d. h. der schon erzeugten Umgebung von X, entspricht.

Der Subkategorisierungsrahmen von *geben* beispielsweise wird so notiert: ___NP NP. Der Strich gibt die Position der Einsetzung an; in unserem Fall sollen die beiden NPs unmittelbar rechts von *geben* stehen. Dann kann in einem PS-Baum das Symbol V nur dann durch *geben* ersetzt werden, wenn die dritte Regel aus (46) angewandt wurde.

Man sagt nicht nur, daß das Verb nach bestimmten Umgebungen, seinen Subkategorisierungsrahmen, subkategorisiert ist, sondern etwas unpräzise auch, daß es die einzelnen Einträge seines Subkategorisierungsrahmens »subkategorisiert«. Wir werden uns diesem allgemein üblichen Sprachgebrauch anschließen. Das Verb *geben* subkategorisiert somit zwei NPs, *stellen* subkategorisiert eine NP und eine PP, *schlafen* subkategorisiert nichts, etc.

Das Problem der Inadäquatheit von PS-Regeln kann nun dadurch gelöst werden, daß man die Regeln in (46) nicht mehr benötigt. Statt ihrer können wir die zur Erzeugung der Einsetzungsumgebungen benötigten PS-Regeln zu einer einzigen Regel zusammenfassen, die keine Unterschiede zwischen Verbtypen macht:

(48) VP → V (NP) (NP) (PP) (S)

Dabei stehen die eingeklammerten Symbole für *optionale* (auch: *fakultative*) Konstituenten, d. h., sie werden nicht notwendigerweise generiert und können einzeln oder zu mehreren weggelassen werden. Die lexikalischen Einsetzungsregeln sorgen nun dafür, daß nur dann eine Endkette von terminalen Elementen (also ein Satz) erreicht werden kann, wenn mit einer der in (48) zusammengefaßten Regeln die für das entsprechende Verb richtigen Konstituenten, d. h., die für die Einsetzung des Verbs richtige Umgebung erzeugt wurde.

Somit haben wir die PS-Grammatik durch die Subkategorisierungsrahmen und durch eine modifizierte Form der terminalen Regeln, nämlich durch die lexikalischen Einsetzungsregeln, erweitert. Die Struktur-aufbauenden Regeln, soz. das Kernstück der PS-Grammatik, haben wir noch nicht modifiziert.

4.2. Rektion und Kongruenz

Neben den Subkategorisierungseigenschaften muß im Deutschen noch eine weitere Eigenschaft von Verben im Lexikon festgehalten werden: Sie verlangen Ergänzungen nicht nur von verschiedener syntaktischer Kategorie, sondern auch von verschiedenem Kasus. Während etwa *danken* eine NP im Dativ verlangt, subkategorisiert *kennen* eine NP im Akkusativ, *gedenken* eine NP im Genitiv.

Nehmen wir entgegen unseren früheren Annahmen an, diese *Rektionseigenschaft* von Verben solle ebenfalls in einer PS-Grammatik erfaßt werden. Dies ist formal wieder ohne weiteres möglich, etwa indem der Subkategorisierungsrahmen um eine Kasusangabe ergänzt wird. Man würde dann sagen, daß *kennen* nicht lediglich eine NP, sondern eine NP_{akk} subkategorisiert. Analog dazu subkategorisiert *lauschen* eine NP_{dat}. Zur Ableitung der Sätze in (49) ist nun noch sicherzustellen, daß die Kasus tatsächlich an der richtigen Stelle morphologisch realisiert werden, nämlich beim jeweiligen Nomen:

(49) (a) Wir kennen [Arnims *Vorschläge* zu diesem Thema]
     (b) Wir lauschten [Arnims *Vorschlägen* zu diesem Thema]

Im Rahmen einer PS-Grammatik heißt dies, daß wir noch folgende zusätzliche Regeln benötigen:

(50) $\text{NP}_{akk} \rightarrow \text{NP}_{gen} \ \text{N}_{akk}$
$ \text{N}_{akk} \rightarrow \text{N}_{akk} \ \text{PP}$
$ \text{NP}_{dat} \rightarrow \text{NP}_{gen} \ \text{N}_{dat}$
$ \text{N}_{dat} \rightarrow \text{N}_{dat} \ \text{PP}$

Analoge Regeln benötigen wir für den Nominativ und den Genitiv. Ebenso braucht man entsprechende Regeln für den Fall, daß die NP mit einem Artikel beginnt. In einer Sprache mit, sagen wir, zwölf verschiedenen Kasus müßten wir auf diese Weise jede Regel verzwölffachen. Ein solches Verfahren ist sicher nicht adäquat, da wir die Generalisierungen, die wir in den Regeln ohne Kasusangabe ausgedrückt haben, mit den neuen Regeln nicht mehr formulieren können.

Betrachten wir zum tieferen Verständnis des Problems einen analogen Fall im Bereich der *Kongruenz:* Nehmen wir entgegen unserer Annahme in Abschnitt (3.1.) an, es gehöre zur Aufgabe der Phrasenstruktursyntax, die Kongruenz zwischen Subjekt und Prädikat zu erfassen. Beschränken wir uns auf die Kongruenz im Numerus. Die einzige im Rahmen einer PS-Grammatik formulierbare Möglichkeit hierzu besteht in einer kategorialen Unterscheidung zwischen Verben im Singular, Verben im Plural, Nominalphrasen im Singular und Nominalphrasen im Plural etc. Wir verwenden dazu die entsprechenden Symbole V_{sg}, V_{pl}, NP_{sg} und NP_{pl}.

Die eigentlichen Kongruenzregeln für Subjekt und Prädikat lauten dann:

(51) $\text{S} \rightarrow \text{NP}_{sg} \ \text{VP}_{sg}$
$ \text{S} \rightarrow \text{NP}_{pl} \ \text{VP}_{pl}$

Zusätzlich benötigen wir natürlich noch eine Reihe anderer Regeln, denn die neuen Symbole können von den bisherigen Regeln nicht bearbeitet werden. Die folgenden Regeln leisten aber das Gewünschte. Eine Ableitung mit Hilfe dieser Regeln illustrieren wir in (53):

(52) $\text{VP}_{sg} \rightarrow \text{V}_{sg} \ \text{S}$
$ \text{VP}_{pl} \rightarrow \text{V}_{pl} \ \text{S}$
$ \text{NP}_{sg} \rightarrow \text{Art}_{sg} \ \text{N}_{sg}$
$ \text{NP}_{pl} \rightarrow \text{Art}_{pl} \ \text{N}_{pl}$
$ \text{N}_{sg} \rightarrow \text{A}_{sg} \ \text{N}_{sg}$
$ \text{VP}_{sg} \rightarrow \text{V}_{sg} \ \text{A}$
$ \dots\dots$

(53)

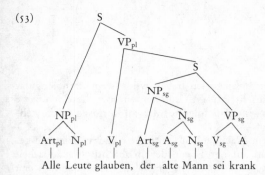

Alle Leute glauben, der alte Mann sei krank

Bedenken wir nun, daß es neben dem Numerus noch die Person zu berücksichtigen gilt, so ergibt sich eine Vielzahl von Kombinationen zwischen syntaktischer Kategorie, der Angabe zum Numerus und der Angabe zur Person. Diese Vielzahl von Kombinationen führt zu einer noch größeren Anzahl möglicher Regeln, die in einer PS-Grammatik enthalten sein müssen.

Eine eher oberflächliche Kritik an der Angemessenheit einer solchen Beschreibung könnte sich auf die explosionsartige Vermehrung der Regeln beziehen, die sich insbesondere bei zusätzlicher Berücksichtigung von weiteren flexionsmorphologischen Kategorien wie z. B. Kasus oder Genus ergibt. Eine tiefergehende Kritik zielt auf die für diese Vielfalt verantwortliche formale Eigenschaft des Systems, Kategorien als nicht weiter analysierbare Symbole zu behandeln. Ein formales System wie die PS-Grammatik bringt nämlich *per se* nicht zum Ausdruck, *daß zwischen Kategorien wie NP_{sg} und NP_{pl} eine irgendwie geartete Beziehung besteht:* Man könnte diese Kategorien durch beliebige andere Zeichen ersetzen, ohne die Grammatik in irgendeinem beobachtungsrelevanten Sinne zu verändern; sie würde nach wie vor dieselbe Satzmenge generieren.

Wir zeigen dies anhand der Ableitung (53) und der dort benutzten Regeln (52). Es mag auf den ersten Blick als sehr verwirrend erscheinen, daß wir statt (52) eine vollkommen widersinnige Regelmenge zur Ableitung des Satzes hätten verwenden können, z. B. die folgende:

(54) VP_{sg} → V_{pl} S
      VP_{pl} → V_{sg} S

$$NP_{sg} \rightarrow Art_{pl} \quad N_{pl}$$
$$NP_{pl} \rightarrow Art_{sg} \quad N_{sg}$$
$$N_{sg} \rightarrow A_{sg} \quad N_{sg}$$
$$N_{pl} \rightarrow A_{pl} \quad N_{pl}$$
$$VP_{pl} \rightarrow A_{sg} \quad V_{sg}$$

Bei den phrasalen Kategorien haben wir systematisch Singular und Plural vertauscht. Mit (54) können wir aber dieselben Sätze ableiten wie mit (52). Was folgt aus diesem kuriosen Gedankenexperiment?

Nun, mit einigem Nachdenken sollte jetzt nachvollziehbar geworden sein, daß auf der Ebene der Beobachtungsadäquatheit nicht einzelne Regeln »richtig« oder »falsch« sind, sondern erst die Grammatik als ganze. Daher lassen sich einzelne Regeln nur in bezug auf andere Regeln rechtfertigen, nicht in bezug auf die empirischen Daten allein.

Zweitens sollte klar werden, daß der intendierte, intuitiv motivierte Gebrauch von Symbolen und Begriffen nicht notwendigerweise in den Regeln der PS-Grammatiken allein reflektiert wird. Der Grund dafür liegt darin, daß die Symbole der PS-Grammatik nicht die grammatische Intuition ausdrücken, die man mit dem Aufbau einer Phrase und den Beschreibungssymbolen verbindet. Technischer formuliert schlägt sich dies darin nieder, daß die Beschreibungssymbole Einheiten sind, die selbst eine komplexe »Struktur« und eine komplexe Bedeutung haben können, welche von der PS-Grammatik nicht erfaßt bzw. zum Ausdruck gebracht werden kann. Daher sind PS-Grammatiken deskriptiv inadäquat. Sie erfassen nicht das intuitive Wissen über sprachliche Regularitäten.

So wäre z. B. eine Konsequenz, daß es zu jeder Regel, die wir mit Hilfe der Notation X_{sg} formuliert haben, nun auch eine Regel geben müßte, die ganz parallel mit den entsprechenden Symbolen X_{pl} formuliert ist. Die PS-Grammatik selbst kann diesen systematischen Zusammenhang nicht beschreiben; sie vermag es nicht, die intuitiv korrekten *Generalisierungen* auszudrücken.

Diese Kritik am Formalismus der PS-Grammatik trifft nur so lange ihren Anspruch, eine adäquate Theorie der Grammatik zu sein, wie flexionsmorphologische Fakten überhaupt Gegenstand der Analyse sein sollen. Die oben ausgeführten Überlegungen dazu legen die Schlußfolgerung nahe, daß dies im Rahmen der PS-Grammatik nicht adäquat sein dürfte: Offensichtlich ist es angebracht, den morphologischen Kategorien ein gewisses »Eigenleben« zuzugestehen. M. a. W., morphologische Regularitäten bleiben in den Regeln des Strukturaufbaus zunächst unberücksichtigt. Wir kommen auf diese relative Selbständigkeit noch an mehreren anderen Stellen zu sprechen, insbesondere in Abschnitt (6.1.).

Um vorab anzudeuten, wie der Zusammenhang zwischen syntaktischen und morphologischen Kategorien zu beschreiben ist, sei an eine analoge Situation in der autosegmentalen Phonologie erinnert: Gewisse Eigenschaften (Merkmale) der Segmente führen eine relativ eigenständige Existenz und können daher von den Beschreibungen der segmentalen Phonologie im engeren Sinne abgekoppelt werden.

Ebenso betrachten wir hier die morphologischen Kategorien (Numerus, Kasus, Genus, Person, etc.) als *Merkmale* der phrasenstrukturellen Kategorien. Die Syntax dieser Merkmale, ihr »Verhalten« im Baum werden wir vom Regelapparat der PS-Grammatik abtrennen und gesondert beschreiben. Sind nun aber morphologische Merkmale nicht »Bestandteil« der PS-Regeln, benötigen wir in der PS-Syntax anscheinend keine »komplexen Kategorien«, also Symbole, die mehrere intuitiv unterscheidbare Bedeutungsbestandteile besitzen (wie N_{pl} mit der Bedeutung »Nomen *und* im Plural«). Damit ist aber der oben formulierten Kritik an der Adäquatheit von PS-Regeln die Grundlage entzogen.

Auch in diesem Abschnitt haben wir gesehen, daß PS-Grammatiken um eine Komponente erweitert werden müssen, welche das Verhalten der morphologischen Merkmale steuert. Auf die Zusammenhänge zwischen morphologischen und syntaktischen Kategorien kommen wir insbesondere in den Abschnitten (6.1.) und (8.4.) zurück. Die PS-Regeln selbst, also die Struktur-aufbauende Komponente der Grammatik, haben wir nicht verändert. Schon an dieser Stelle wird aber deutlich, daß eine beschreibungsadäquate Grammatik leistungsfähiger sein muß als eine bloße PS-Grammatik, wie wir sie in Abschnitt (3.2) beschrieben haben. Die dort formulierte Hypothese (37) kann man unter dem Gesichtspunkt der Adäquatheit schon jetzt als widerlegt ansehen. Trotzdem bilden die PS-Regeln eine Teilkomponente der Grammatik. Die Adäquatheit dieses Teils haben wir bisher nicht widerlegen können.

4.3. Thematische Eigenschaften

Eines der offensichtlichsten Defizite einer PS-Grammatik ist ihre Ignoranz bezüglich *semantischer Abweichung*. Die folgenden Abwandlungen eines uns wohlbekannten Satzes weisen gravierende semantische »Mängel« auf:

(55) (a) Der Bayer stellt den Tisch auf die Maß.
     (b) Der Tisch stellt die Maß auf den Bayern.
     (c) Der Tisch stellt den Bayern auf die Maß.
     (d) Die Maß stellt den Tisch auf den Bayern.
     (e) Die Maß stellt den Bayern auf den Tisch.

Diese Sätze sind keineswegs ungrammatisch, sie behaupten lediglich Sachverhalte, die, von unseren Erfahrungen und Kategorisierungen der Welt ausgehend, wenig wahrscheinlich bzw. unmöglich sind. Die Maß ist kein Gegenstand, auf den sich ein Tisch stellen ließe; Tische sind keine Gegenstände, die Handlungen ausüben; ebensowenig hat eine Maß die Fähigkeit, Bayern zu bewegen (es sei denn, im übertragenen Sinn). Diese Verhältnisse sind eigentlich kein Gegenstand einer syntaktischen Beschreibung, sondern haben mit Bedeutungen zu tun, gehören also in die Semantik.

In der generativen Grammatik hat man eine Zeitlang versucht, einen sehr engen Zusammenhang zwischen Syntax und Semantik herzustellen. In den *Aspekten der Syntax-Theorie* von Chomsky (1965) beispielsweise weist das Verb seinen Ergänzungen, also seinen Objekten und dem Subjekt, semantische Merkmale wie [±belebt] oder [±menschlich] zu. Diese Merkmale sollten u. a. erklären, daß ein unbelebter Gegenstand nicht irgendetwas irgendwohin stellen kann (zur Rolle dieser Merkmale, cf. Kapitel (VI.3.)).

Heutzutage bedient man sich nicht mehr dieser Merkmale, sondern sogenannter *thematischer Rollen* wie Agens, Patiens, Thema, Ziel u. a. m. Das Verb *stellen* z. B. weist an die Subjektposition die thematische Rolle *Agens* zu. Das direkte Objekt ist das *Thema*, das Präpositionalobjekt das *Ziel*. Meist legt man sich in der Syntax nicht auf die genaue Art der thematischen Rolle fest; diese spielt nämlich für *syntaktische* Betrachtungen keine Rolle. Man kürzt daher thematische Rollen mit Variablen ab, wobei der griechische Buchstabe Theta (Θ) verwendet wird. Wesentlich für die Syntax ist lediglich die *Anzahl* der thematischen Rollen, etwa daß das Verb *stellen* z. B. drei thematische Rollen vergibt (»zuweist«), also semantisch dreistellig ist. Die Angabe der semantischen Stelligkeit eines Verbs nennt man sein *Theta-Raster.* Die einzelnen Θ-Rollen kürzt man einfach mit Θ_1, Θ_2, Θ_3 usw. ab, ohne sich im einzelnen Gedanken darüber zu machen, welche »konkreten« Θ-Rollen (Agens, Patiens, Ort, Ziel etc.) damit jeweils gemeint sind.

Wofür benötigt man die Angabe der Stelligkeit eines Verbs in der Syntax? Der Grund ist, daß sich dessen semantische Valenz in der Syntax irgendwie manifestieren muß. Dieser Grundgedanke wird in einer weiteren Komponente der Grammatik, der sog. *Theta-Theorie,* entwickelt. Wir können diese Theorie hier nur sehr rudimentär darstellen, weisen daher nur auf die Phänomene hin, die man mit ihrer Hilfe erklären möchte. Eine ausführlichere Darstellung findet sich in Grewendorf (1986), Kapitel (10.) und in v. Stechow/Sternefeld (1987), Kapitel (7.).

Man betrachte die folgenden Sätze; beide sind im Deutschen ungrammatisch:

(56) (a) *Hier schläft.
 (b) *Hier wird Lutz geschlafen.

Vergleicht man diese Sätze mit ihren grammatischen Gegenstükken (57),

(57) (a) Hier schläft Lutz.
 (b) Hier wird geschlafen.

so lassen sich die folgenden Thesen aufstellen:

1. Das intransitive Verb *schlafen* weist (nur) der Subjektposition eine thematische Rolle zu, cf. (57a). Satz (56a) ist deshalb ungrammatisch, weil dieser thematischen Rolle kein nominaler Ausdruck entspricht.

2. Das passivierte Verb *geschlafen* weist der Subjektposition keine thematische Rolle zu, cf. (57b); man sagt auch, daß das passivierende *werden* die Zuweisung der thematischen Rolle des Subjekts an eine entsprechende Position im PS-Baum »blockiert«. Satz (56b) ist deshalb ungrammatisch, weil einem nominalen Ausdruck keine thematische Rolle entspricht.

Die Theta-Theorie stellt also eine (eins-zu-eins-)Korrespondenz zwischen thematischen Rollen und Ausdrücken der Sprache her.

Aufgrund dieses Zusammenhangs ist es nicht notwendig, die in (56) beobachteten Abweichungen in der Struktur-aufbauenden Grammatikkomponente, also mit Hilfe der PS-Regeln zu erfassen. Dafür ist die Θ-Theorie zuständig. Wie eine solche Theorie formal zu formulieren ist, so daß die genannten Abweichungen als solche »errechnet« werden können, braucht hier nicht dargelegt zu werden. Es genügt eine ungefähre Vorstellung davon, was die Theorie leisten soll.

Schon nach diesen wenigen Bemerkungen sollte klar geworden sein, daß hier eine wesentliche Verbindung zwischen Syntax und Semantik geschaffen wird: Die »semantische Struktur«, die *Valenz* eines Prädikates, muß sich in der syntaktischen Struktur gewissermaßen widerspiegeln. Die Valenz muß nicht nur erfüllt sein (Gegenbeispiele hierzu: (56) (a) und (b)), sie muß auch »*richtig*« erfüllt sein (Gegenbeispiele dazu: (55) (b) bis (e)).

In Anlehnung an die mathematisch-logische Begriffsbildung nennt man diejenigen Elemente, welche die Valenz eines Verbs erfüllen, auch *Argumente* des Verbs. Als Argumente dienen nicht nur NPs, sondern z. B. auch Sätze oder Präpositionalphrasen, cf. (58a/b). Nicht nur Verben haben Argumente, auch Adjektive, Präpositionen oder Nomina können Argumente haben, cf. (58) (c) bis (e):

(58) (a) Josef *meint* [ₛer sei krank]
     (b) Maja *denkt nach* [ₚₚüber Josef]
     (c) [er] wurde [ihr] *fremd*
     (d) [der Fleck] *auf* [meinem Mantel]
     (e) die *Mutter* [des kleinen Egon]

Die Argumente sind geklammert; die logischen Prädikate, zu denen dies Argumente sind, stehen kursiv. Selbstverständlich sind auch *Josef* in (a) und *Maja* in (b) Argumente der Verben. Wir haben sie deshalb nicht eingeklammert, weil es im Kommentar zu den Beispielen auf diese Argumente nicht ankam.

5. Was Phrasenstrukturgrammatiken nicht erklären können

Im letzten Abschnitt haben wir unser Grammatikmodell um zwei Komponenten ergänzt, nämlich um Subkategorisierungsrahmen und um Theta-Raster. Gleichzeitig haben wir von der eigentlich syntaktischen Strukturbeschreibung zwei Komponenten ausgeschlossen, nämlich die Erfassung morphologischer und semantischer Eigenschaften. Es bleibt zu fragen, ob wenigstens der *Struktur-aufbauende* Teil der Grammatik, also die PS-Regeln, eine im intuitiven Sinne plausible Theorie zumindest eines Teils der sprachlichen Kompetenz abgibt. Diese Fragestellung läßt sich unter verschiedenen Aspekten formulieren:

1. Als Frage nach der sog. *explanativen Adäquatheit* einer einzelnen Grammatik: Erzeugt eine spezifisch vorgegebene Grammatik Strukturen, von denen man annehmen kann, daß sie beim Sprecher/Hörer so etwas wie psychologische Realität besitzen? Stellen PS-Grammatiken korrekte Hypothesen über Teilaspekte der menschlichen Sprachausstattung dar?

2. Als Frage nach der *Lernbarkeit* einzelner PS-Regelsysteme und Regeln: Ist es – unter der Annahme, die erzeugten Strukturen besäßen mentale Realität – plausibel, daß die Regeln zur Erzeugung dieser Strukturen gelernt werden können?

3. Als Frage nach dem Verhältnis zwischen PS-Grammatiken und der Theorie der *Universalgrammatik:* Stellen PS-Grammatiken eine Theorie über das spezifisch menschliche Sprachvermögen dar?

Als vierte Frage ließe sich noch einmal die Kardinalfrage nach der deskriptiven Adäquatheit stellen:

4. Können PS-Grammatiken überhaupt *deskriptiv adäquat* sein?

5.1. Zur Adäquatheit von Phrasenstrukturgrammatiken

Die Frage nach der explanativen und deskriptiven Adäquatheit von PS-Grammatiken ist in der Literatur immer wieder negativ beantwortet worden. Ein entsprechender Nachweis wurde meist im Sinne der folgenden Überlegungen zu führen versucht.

In Abschnitt (2.) haben wir gesehen, daß man Konstituenten in einem Satz verschieben kann und daß eine solche Verschiebung zur Folge haben kann, daß strukturell Zusammengehörendes, also komplexe Konstituenten, »auseinandergerissen« werden, oder, wie man auch sagt, »diskontinuierlich« auftreten. So tritt z. B. der komplexe nominale Ausdruck *den Saft, den du haben wolltest* in (59b) diskontinuierlich auf:

(59) (a) Ich habe den Saft, den du haben wolltest, nicht gekauft.
      (b) Ich habe den Saft nicht gekauft, den du haben wolltest.

Man nahm nun an, daß zwischen den Strukturen in (59a) und
(59b) ein *Zusammenhang* besteht, den man nicht zum Ausdruck
bringen könne, wenn man die beiden Strukturen durch verschiedene PS-Regeln erzeugt. Um Strukturveränderungen der in (59)
illustrierten Art repräsentieren zu können, glaubte man einen uns
aus der Phonologie bereits bekannten Regeltyp zu benötigen, der
eine Struktur A in eine andere Struktur B überführt bzw. »transformiert«. Wie wir es schon bei den phonologischen Regeln kennengelernt haben, bilden auch solche syntaktischen Transformationsregeln eine zugrundeliegende Struktur in eine abgeleitete
Struktur ab, sind also formal gesehen Funktionen, die PS-Bäumen andere PS-Bäume zuordnen.
Während man solchen Transformationsregeln die Aufgabe zuschrieb, *Strukturen zu verändern* und damit Zusammenhänge
zwischen Strukturen zu repräsentieren, sah man die Funktion
von PS-Regeln nur darin, *Strukturen zu erzeugen.* Da man der
Auffassung war, daß eine Grammatik eine Struktur-verändernde
Komponente braucht, zog man den Schluß, daß eine PS-Grammatik kein deskriptiv adäquates Grammatikmodell darstellen
kann.
Nun läßt sich aber zeigen (cf. Gazdar et al. (1985)), daß eine
Phrasenstrukturgrammatik *prinzipiell* durchaus in der Lage ist,
Zusammenhänge zwischen Strukturen zu repräsentieren. Wie
eine Phrasenstrukturgrammatik dann auszusehen hat und wie der
entsprechende Nachweis zu führen ist, läßt sich im Rahmen einer
Einführung nicht illustrieren. Wir müssen uns daher mit dem
Hinweis auf die Literatur begnügen. Entscheidend ist, daß aufgrund dieses Ergebnisses zu schließen ist, daß Überlegungen der
oben geschilderten Art nicht als grundsätzlicher Einwand gegen
die Adäquatheit von PS-Grammatiken angesehen werden können.
Bedenken gegen die Adäquatheit von PS-Grammatiken können
jedoch mit den folgenden Beobachtungen erhoben werden.
Die allgemeine Konzeption von Phrasenstrukturgrammatiken
schließt nicht aus, daß neben Phrasenstrukturregeln der Art

(60) (a) NP → Art N
     (b) VP → V NP

194

auch Phrasenstrukturregeln der folgenden Art vorkommen können:

(61) (a)   NP → V   AP
     (b)   VP → Art N

Danach ließen sich auch (Teil-)Strukturen erzeugen wie:

(61') (a)   NP   (b)   VP
           ╱   ╲   ╱   ╲
         V   AP   Art   N

Strukturen dieser Art widersprechen aber unserer intuitiven Vorstellung vom Aufbau von Phrasen. Wir wollen doch repräsentieren, daß der Phrasenaufbau in dem Sinne »homogen« ist, daß wir einerseits z. B. komplexe Versionen nominaler Ausdrücke, andererseits z. B. komplexe Versionen verbaler Ausdrücke erhalten. Die obigen Strukturen sind aber in genau diesem Sinne inhomogen: In (61a) stellt ein komplexer nominaler Ausdruck nicht eine Erweiterung eines nominalen Ausdrucks dar, repräsentiert somit also nicht die Eigenschaft der Nominalität; in (61b) stellt ein komplexer verbaler Ausdruck nicht eine Erweiterung eines verbalen Ausdrucks dar, repräsentiert somit also nicht die Eigenschaft der Verbalität.

Die Kritik an der Adäquatheit der PS-Grammatik muß daher lauten, daß sie prinzipiell zu viele Arten möglicher PS-Regeln zuläßt, daß sie also der Art dieser Regeln keine Beschränkungen auferlegt, oder, wie man auch sagt, daß sie nicht *restriktiv* genug ist.

5.2. Zur Lernbarkeit von Phrasenstrukturgrammatiken

Auch die Frage nach der Lernbarkeit von PS-Grammatiken ist in der Literatur negativ beantwortet worden. Unter Lernbarkeit versteht man dabei eine bestimmte Eigenschaft eines *Typs* grammatischer Beschreibungen. Diese Eigenschaft soll es dem Kind beim Spracherwerb ermöglichen, unter allen möglichen Grammatiken dieses Typs mit Hilfe der endlich vielen Sätze, mit denen es beim Spracherwerb konfrontiert ist, die richtige Grammatik, also die Grammatik der zu erwerbenden Sprache zu extrapolieren (cf. Abschnitt (I.2.)).

In neuerer Zeit gibt es zur Frage der Lernbarkeit einige mathematische Resultate (cf. Gold (1967), Osherson/Stob/Weinstein (1986)), die beweisen, daß der Typ der PS-Grammatik in diesem Sinne nicht lernbar ist, weil er, wie oben schon dargelegt wurde, nicht restriktiv genug ist. Solche Beweise sind für eine Einführung zu kompliziert. Zu Illustrationszwecken begnügen wir uns daher mit einer sehr viel bescheideneren Fragestellung, nämlich dem Problem, ob es *plausibel* ist, daß wir bestimmte PS-*Regeln* im Laufe des Spracherwerbs als solche gelernt haben. Dazu genügt eine informelle Betrachtungsweise (cf. v. Stechow/Sternefeld (1987), Kapitel (4.)).

Zum Ausgangspunkt unserer Betrachtungen wollen wir den Nebensatz (62a) wählen; wir nehmen an, daß er – von unwichtigen Details abgesehen – die in (62b) abgebildete PS-Struktur besitzt.

(62) (a) weil wir uns von seiner Nähe nur Vorteil und Annehmlichkeit versprechen konnten

(b) [weil wir [$_{VP}$[$_{NP}$uns] [$_{PP}$von seiner Nähe] [$_{NP}$nur Vorteil und Annehmlichkeit] [$_V$versprechen] [$_V$konnten]]]

Es sieht so aus, als müßte man für die Erzeugung dieses Satzes über eine VP-expandierende Regel verfügen, die *mindestens* so kompliziert wäre wie die folgende:

(63) VP → (NP) (PP) (NP) (V) V

Die Optionalität von Konstituenten ist hier, wie in der Literatur allgemein üblich, durch runde Klammern angegeben. Vorausgesetzt ist natürlich, daß die Phrasenstruktur unseres Satzes (62a) tatsächlich wie in (62b) aussieht.

Wir können Satz (62a) nun aber ohne weiteres komplizieren, zum Beispiel so:

(64) [weil wir [$_{VP}$ [$_{NP}$uns] [$_{Adv}$ gestern] [$_{PP}$im Wirtshaus] [$_{PP}$von seiner Nähe] [$_{Neg}$keineswegs] [$_{Adv}$immer] [$_{NP}$nur Vorteil und Annehmlichkeit] [$_V$versprechen] [$_V$konnten]]]

Wieder unter der Annahme, daß die Konstituentengliederung stimmt, sind wir nunmehr bei einer VP-Regel der Form (65) angelangt.

(65) VP → (NP) (Adv) (PP) (Neg) (Adv) (NP) (V) V

Damit sind die Möglichkeiten des Aufbaus der deutschen VP natürlich bei weitem nicht erschöpft. Außerdem ist die Regel deskriptiv sicher nicht adäquat. Man kann ja nicht einfach irgendwelche der optionalen Konstituenten fortlassen. Das können wir uns anhand von Satz (66) klarmachen:

(66) (a) *weil wir gestern im Wirtshaus Vorteil und Annehmlichkeit konnten.
    (b) *weil wir uns im Wirtshaus von seiner Nähe versprechen konnten.

Die Zahl der ungrammatischen Beispiele, die man durch unqualifiziertes Weglassen irgendwelcher optionaler Ergänzungen erhält, ist Legion. Man wird einwenden: Aber es gibt sicher zusätzliche Prinzipien, welche die Weglaßbarkeit steuern. Zum Beispiel fehlt in (66a) das »semantische« Hauptverb. In (66b) ist es zwar da, aber dort ist die Valenz dieses Verbs nicht erfüllt: Das subkategorisierte Akkusativobjekt fehlt.

Im Abschnitt (4.) haben wir angedeutet, wie man diesen Schwierigkeiten begegnen kann, z. B. durch zusätzliche Prinzipien der Subkategorisierung. Um das geht es hier aber nicht. Die Frage ist: Ist (65) ein vernünftiger Kandidat für eine *gelernte* Regel? Haben wir wirklich etwas wie (65) im Kopf? Die Antwort ist klarerweise: Das scheint völlig ausgeschlossen.

Worum es hier also geht, ist nicht die Frage, ob die eine oder andere Regel im Prinzip »lernbar« wäre, es geht darum, ob Regeln dieser Art tatsächlich beim Spracherwerb erworben werden, aus den Daten sozusagen »gewonnen« werden. Dazu scheinen Regeln der Form (65) viel zu *ad hoc*, sie lassen keine allgemeinen Prinzipien erkennen, nach denen sie in einem plausiblen Sinne gelernt werden könnten.

Wenn wir aber die strukturelle Organisation eines Satzes beherrschen, ohne dafür Regeln gelernt zu haben, sind wir bei der Hypothese angelangt, daß gewisse abstrakte Eigenschaften der Satzstruktur nicht gelernt werden müssen, da sie universalgrammatisch vorgegeben sind. Damit erreichen wir die nächste Fragestellung.

5.3. Phrasenstrukturgrammatiken und Universalgrammatik

Die dritte und entscheidendste aller Fragen betraf das Verhältnis zur Universalgrammatik. Wieviel sagt uns der Formalismus der generativen Grammatik über das spezifisch menschliche Sprachvermögen? Auch hier ist das Resultat teils mathematischer, teils intuitiver Überlegungen negativ: Die Klasse aller möglichen generativen Grammatiken ist sicher viel zu groß, um als Charakteristik spezifisch menschlicher Sprache angesehen zu werden.

M. a. W., was mit Hilfe generativer Grammatiken beschrieben werden kann, ist nicht notwendigerweise eine natürliche Sprache bzw. weist nicht notwendigerweise *sprach*spezifische formale Eigenschaften auf. Diese These wird durch zahlreiche Anwendungen von Erzeugungssystemen außerhalb des natürlichsprachlichen Bereichs bestätigt. Die in bezug auf Erzeugungsgrammatiken entwickelten formalen Methoden und Techniken finden ebenso in theoretischen Beschreibungen von Wachstumsprozessen bei Algen und Schalentieren Anwendung (cf. Herman/Rozenberg/Lindenmayer (1975)), wie in Verfahren der automatischen Mustererkennung, die in Marschflugkörpern installiert sind (cf. Fu (1976)).

Für die Linguistik folgt daraus, daß generative Grammatiken *per se* noch keine Theorien über Sprachstrukturen sind. Möglicherweise lassen sich solche Strukturen mit ihrer Hilfe zwar beschreiben, wir verfügen jedoch damit weder über eine *Theorie des Sprachvermögens* noch über eine Theorie *menschlich möglicher* Phrasenstrukturgrammatiken. Ein erster wichtiger Schritt muß es deshalb sein, nach *Prinzipiensystemen* für den Aufbau von Grammatiken und nach der Form ihrer Regeln zu suchen (cf. Abschnitt (I.2.)). Solche Prinzipiensysteme sind dann gute Kandidaten für Komponenten der Universalgrammatik: Soweit die einzelnen Prinzipien universelle Eigenschaften von Phrasenstrukturen darstellen, müssen sie als solche nicht gelernt werden, sondern gehören zur biologischen Ausstattung des Menschen.

Somit sind wir bei einer klassischen Strategie der generativen Grammatiktheorie angelangt: Der Suche nach Prinzipien, welche die Vielfalt des formal Möglichen auf das biologisch Notwendige beschränken.

6. Eine restriktive Theorie der Phrasenstruktur

Phrasenstrukturgrammatiken sind, wie schon in Abschnitt (5.1.) festgestellt wurde, zu wenig restriktiv, um deskriptiv adäquat zu sein. In den beiden letzten Abschnitten haben wir überdies gezeigt, daß sie auch nicht explanativ adäquat sind: Sie können keinen Anspruch auf »psychologische Realität« geltend machen. Trotzdem beherrschen wir gewisse abstrakte Eigenschaften der Satzstruktur.

Wir werden in diesem Abschnitt einige dieser Eigenschaften explizieren. Man kann diese Eigenschaften so darstellen, daß sie mögliche PS-Regeln bzw. mögliche PS-Bäume in ihrer Form *beschränken*. Diese Beschränkungen sind universeller Natur; was außerhalb davon liegt, gehört nicht zur menschlichen Sprachfähigkeit.

Im Anschluß an Abschnitt (5.) muß es also das Ziel dieser Betrachtungen sein, die Prinzipien des Phrasenaufbaus so weit universell zu determinieren, daß die verbleibenden sprachspezifischen Eigenschaften durchaus lernbar sind, genauer gesagt, daß die durch die restriktiven Prinzipien der Universalgrammatik beschränkte, sehr viel kleinere Klasse von möglichen Grammatiken all die Kriterien erfüllt, welche im letzten Abschnitt genannt und von (unrestringierten) PS-Grammatiken nicht erfüllt wurden.

Im folgenden beschäftigen wir uns mit *unkoordinierten* Phrasen. Der Grund ist, daß Koordinationen nichts Neues über den Aufbau von Phrasen lehren, wenn man davon ausgeht, daß nur Gleichartiges koordiniert wird. Der Einfachheit halber sprechen wir von Phrasen statt von unkoordinierten Phrasen. Die Überlegungen dieses Abschnitts kann man auch bei Stowell (1981), Grewendorf (1985a) oder v. Stechow/Sternefeld (1987), Kapitel (4.) nachlesen.

6.1. Das Kopfprinzip

Das wohl wichtigste, auf jeden Fall aber anerkannteste Prinzip einer Theorie der Phrasenstruktur ist das folgende:

(67) *Das Kopfprinzip*
Jede Phrase hat genau einen Kopf (engl. »head«).

Was ist der Kopf einer Phrase? Wir versuchen hier keine allgemeine Definition, weil diese vermutlich ebenso problematisch ist, wie etwa die Definition des Satzbegriffes. Wir führen den Begriff des Kopfes vielmehr exemplarisch ein und zählen dann einige Eigenschaften des Kopfes auf.

(68) Wir lauschten

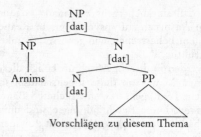

Wir stellen zunächst folgendes fest: *lauschen* subkategorisiert eine Dativ-NP. Der Kasus Dativ wird am Nomen *Vorschlägen* realisiert. Dieses Nomen ist der Kopf der NP. Man sagt, daß das Merkmal der Phrase zum lexikalischen Kopf »durchsickert«. Ebensogut kann man sich aber auch vorstellen, daß sich das morphologische Merkmal von der Stelle, wo es phonetisch realisiert wird, auf die ganze Phrase überträgt. In beiden Fällen spricht man von einer *Vererbung* der Merkmale.

Man erinnere sich nun an Abschnitt (4.2.) und die dortige Beschreibung der Kongruenz. Unter diesem Aspekt betrachte man folgende Konstruktionen:

(69) (a) weil er

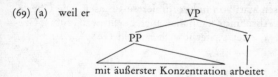

(b) weil er

Welcher Knoten ist der Kopf der VP? Nehmen wir an, die Kongruenzregularität des Deutschen werde wie in (51) beschrieben. Dann ist der Kopf der VP in beiden Fällen das Verb, denn dort werden die Kongruenzmerkmale Person und Numerus realisiert. Mit dieser Begründung ist schon die wichtigste Eigenschaft des Kopfes genannt:

(70) *Kopf-Vererbungsprinzip:*
   Die morphologischen Merkmale einer Phrase werden beim Kopf der
   Phrase realisiert.

Wie in Abschnitt (4.2.) gehen wir davon aus, daß die Kongruenzmerkmale auch Eigenschaften ganzer Phrasen bezeichnen. Sie
werden jedoch innerhalb der VP nur beim Verb phonetisch realisiert, gehen also vom Verb zur VP. Also ist das Verb der Kopf der
VP.

Das Kopfvererbungsprinzip stellt einen Zusammenhang her, den
wir früher schon einmal thematisiert haben: Es geht um das Verhalten von morphologischen Merkmalen. In Abschnitt (4.2.) haben wir gesagt, daß diese Merkmale quasi ein »geregeltes Eigenleben« führen, welches zwar mit dem syntaktischen Strukturaufbau
zu tun hat, das jedoch nicht direkt in die Beschreibung von Struktur-aufbauenden Regeln eingehen soll. Das Vererbungsprinzip ist
eine (partielle) Beschreibung dieses Eigenlebens, denn es sagt,
wohin die Merkmale vererbt werden. Es bestimmt aber indirekt
auch die Prinzipien des Phrasenaufbaus, denn es charakterisiert ja
den Begriff des Kopfes, den wir in der Syntax auch in anderen
Kontexten verwenden werden.

Nachdem wir nun eine erste Eigenschaft des Kopfes angegeben
haben, können wir auch schon den Begriff der Phrase näher charakterisieren. Wir benötigen dazu einen Hilfsbegriff:

(71) *Projektionslinie:*
   Der Weg von einer komplexen Kategorie zu ihrem lexikalischen
   Kopf heißt Projektionslinie oder Kopflinie.

Mit dieser Terminologie wird häufig die Vorstellung verknüpft,
daß die Merkmale des Kopfes auf die gesamte Phrase entlang
dieser Linie hochprojiziert werden: Da z. B. *Vorschlägen* Dativ
Plural ist, hat die gesamte NP auch diese Merkmale. Die Projektionslinie umfaßt daher die drei Konstituenten *Vorschlägen, Vorschlägen zu diesem Thema* und *Arnims Vorschlägen zu diesem
Thema.*

Die Termini »sickern«, »hochprojizieren« und »vererben« sugge-
rieren eine Richtung für diesen Prozeß. Diese ist aber systematisch nicht intendiert. Die Vererbung ist eine Relation, und
Relationen beschreibt man oft in dynamischer Terminologie. Wir
verwenden die Termini »sickern« und »hochprojizieren« nebeneinander, um keine der beiden »Sehweisen« zu bevorzugen.

Benutzt man die Terminologie des »Hochprojizierens«, so läßt sich auf recht suggestive Weise der Begriff der Phrase charakterisieren:

(72) *Begriff der Phrase:*
Merkmale des Kopfes werden nur ein Stück weit nach oben projiziert. Am Ende einer solchen Projektionslinie ist man bei einer Phrase angelangt.

Beispielsweise werden die Kasusmerkmale eines nominalen Kopfes eben nur bis zur NP projiziert, nicht jedoch zu einer diese NP eventuell dominierenden VP. Denn diese VP bekommt ihre Merkmale gerade vom Kopf der VP, also von V. Phrasen werden daher auch als *maximale Projektionen* bezeichnet; sie sind die maximalen Projektionen ihrer (lexikalischen) Köpfe.
Wir betrachten ein weiteres Beispiel:

(73) Wir verkauften unsere Waren mit

Man sieht, daß *gutem* der Kopf der Phrase sein muß, denn die gesamte Adjektivphrase (AP) kongruiert mit dem Nomen *Gewinn* in bezug auf Kasus, Numerus und Genus. Diese Kongruenzmerkmale sickern wieder entlang der gestrichelten Projektionslinie an den lexikalischen Kopf.

6.2. Das Phrasenprinzip

Eine weitere Eigenschaft des Kopfes läßt sich nur indirekt bestimmen, indem man schaut, welche Eigenschaften die Nicht-Köpfe besitzen. Ein Element, das solche Eigenschaften *nicht* besitzt, ist ein guter Kandidat für den Kopf. Kommen wir also zur zweiten Beschränkung für Phrasenstrukturen:

(74) *Das Phrasenprinzip:*
Jeder Nicht-Kopf ist eine Phrase.

Was eine Phrase ist, haben wir in (72) schon definiert. Wenn ein Element also keine Phrase ist, so ist dies der Kopf der Konstruktion. Betrachtet man nun die bisher konstruierten Beispiele, so wird man feststellen, daß das Phrasenprinzip in den allermeisten Fällen erfüllt ist, allerdings gibt es einige Analysen, wo wir von diesem Prinzip abgewichen sind. In (53) etwa steht als Ergänzung eines Verbs ein Adjektiv. Der zweiten Beschränkung für Phrasenstrukturen zufolge kann dort aber nur eine AP stehen. Nun macht man sich aber schnell klar, daß Adjektive und Adjektivphrasen (annähernd) dieselbe Distribution haben:

(75) (a) Ede ist *auf seinen Sohn stolz.*
     (b) Ede ist *müde.*
     (c) der *auf seinen Sohn stolze* Vater
     (d) der *müde* Vater

Ausnahmen finden wir in (76), wo *so* keine AP, sondern ein A modifiziert:

(76) (a) *Ede ist so auf seinen Sohn stolz.
     (b) Ich bin so müde.
     (c) *der so auf seinen Sohn stolze Vater
     (d) der auf seinen Sohn so stolze Vater

Die wohl einfachste Beschreibung dieser Distribution im Rahmen einer PS-Grammatik würde folgende Regeln benutzen:

(77) VP → V   AP
      N   → AP   N
      AP → NP   A
      A   → *so* A
      AP → A

Damit ist gezeigt, daß es eine unabhängige Rechtfertigung für die Annahme gibt, in (53) nicht A, sondern AP als Verbergänzung anzusetzen. Man überzeuge sich nun aber davon, daß die so modifizierten Regeln den Beschränkungen für die Phrasenstruktur entsprechen; die letzte Regel in (77) bringt gerade zum Ausdruck, daß Adjektive nicht notwendigerweise Ergänzungen benötigen, um maximale Projektionen, d. h. Phrasen, sein zu können. Auf die vorletzte Regel kommen wir sogleich zu sprechen.

Ähnlich wie in (77) sind wir auch schon bei den intransitiven Verben verfahren, für die wir ebenfalls eine nicht-verzweigende Phrasenstrukturregel VP → V benötigt haben; vgl. die Regeln (48), (63) oder (65), wenn alle optionalen Konstituenten fortgelassen werden. Ebenso müssen wir Eigennamen, da sie im Deutschen mit einem Artikel versehen werden können, zugleich als N wie auch als NP kategorisieren. Im Schweizerdeutschen, wo Eigennamen obligatorisch mit einem Artikel verwendet werden, sind sie nur von der Kategorie N. Die im Phrasenprinzip ausgedrückte Beschränkung auf maximale Projektionen kann also schon im Rahmen von PS-Grammatiken aus Gründen der deskriptiven Adäquatheit gerechtfertigt werden.

Schwierigkeiten bereitet die zweite Beschränkung allenfalls für sogenannte »kleine Kategorien« wie Artikel, Adverbien, Partikel (*nur, nicht, kaum* u. a. m.) oder »Intensifikatoren« wie *so*, für die wir in (77) die Kategorie *Modifikator* hätten verwenden können. Die vorletzte Regel wäre dann so zu formulieren gewesen: A → Modifikator A. Diese Nebenkategorien können offensichtlich keine komplexen Phrasen bilden, weil sie weder Ergänzungen, also Argumente im Sinne der Θ-Theorie (cf. Abschnitt (4.3)) haben, noch können sie selber modifiziert werden. Im Sinne der zweiten Beschränkung für Phrasenstrukturregeln sind sie schon maximal komplex, obwohl sie nur aus einem Wort bestehen. D. h., sie sind schon Phrasen, obwohl sie lexikalische Elemente sind. Wir wollen die Möglichkeit nicht explizit ausschließen, daß bestimmte Kategorien maximal sind, obwohl sie Elemente des Lexikons sind.

6.3. Das Ebenenprinzip

An dieser Stelle nehmen wir einen Gedankengang wieder auf, den wir in Abschnitt (5.1.) schon ausgeführt hatten. Es ging darum, daß PS-Grammatiken in folgender Hinsicht nicht restriktiv genug sind: Nehmen wir an, es gibt in einer gegebenen Sprache eine kategoriale Unterscheidung zwischen Nomen und Verb, also N und V. Als Hypothese der Universalgrammatik formulierten wir in (5.1.): Dann kann es in dieser Sprache keine Regeln wie NP → V AP oder VP → N AP geben. D. h., V kann nicht der Kopf von NP sein, N kann nicht der Kopf von VP sein, P nicht der Kopf von AP usw.

Um diese Generalisierung ausdrücken zu können, benötigen wir den Begriff der *Komplexitätsebene*. Wir wollen ausdrücken, daß eine NP gerade *ein N* von höherer Komplexität ist (und nicht etwa *ein V* von höherer Komplexität).

Jede Phrase besteht aus verschiedenen Ebenen, die der zunehmenden Komplexität der Phrase entsprechen. Man betrachte etwa die folgende Phrase:

(78) ein junger Besteiger des Faulhorns, der rote Strümpfe anhat

Es ist klar, daß *Besteiger des Faulhorns* komplexer ist als *Besteiger*, während *Besteiger des Faulhorns, der rote Strümpfe anhat* noch komplexer ist. Die gesamte Phrase (78) ist von maximaler Komplexität. Sie kann nicht mehr modifiziert werden.

Wir müssen also mindestens zwei Komplexitätsebenen unterscheiden: die *lexikalische Ebene,* auf welcher der lexikalische Kopf der Phrase angesiedelt ist, und die *phrasale Ebene,* die maximale Syntagmen eines bestimmten Typs beherbergt, also solche, die nicht weiter expandiert werden können. In der Theorie der Phrasenstruktur bezeichnet man diese Ebenen folgendermaßen:

(79) *Komplexitätsebenen:*
  Sei X eine grammatische Kategorie, z. B. N, A, V, P. Dann ist
  (i) X° die *lexikalische Ebene* von X
       und
  (ii) X^{max} ist die *phrasale Ebene* von X (daher auch als XP abgekürzt).

Betrachten wir zur Illustration wieder Satz (78). Man kann dafür argumentieren, daß die Ergänzung von *Besteiger,* nämlich *des Faulhorns,* enger zum Kopf gehört als zum Beispiel der Relativsatz, denn man kann die beiden nicht vertauschen:

(80) (a) ein Besteiger des Faulhorns, der rote Strümpfe anhat
     (b) *ein Besteiger, der rote Strümpfe anhat, des Faulhorns

Ergänzungen von Nomina sind offenbar auf einer niedrigeren Komplexitätsebene angesiedelt als Relativsätze.

Die zunehmende Komplexität kann man in verschiedener Weise notieren. In der Literatur haben sich die folgenden Schreibweisen durchgesetzt.

(81) (a) *Überstreichungen*   (b) *Exponentenschreibweise:*
          (engl. »bars«):
          $\vdots$
          $X, \bar{X}, \bar{\bar{X}}, \ldots, X = X^{max}$ $X^\circ, X^1, \ldots, X^n = X^{max}$
          $\longrightarrow$ $\longrightarrow$
          zunehmende Komplexität   zunehmende Komplexität

Von der Notationsvariante (a) rührt der Name *X-bar-Theorie* (X-quer-Theorie) her. Jedes X^i ist eine Projektion von X, und X^{max} ist die maximale Projektion von X. Die Frage ist nun, wie viele Komplexitätsebenen eine Phrase hat. Für Nominale müssen wir (die Ebene N^0 eingerechnet) vielleicht 4 ansetzen:

(82)

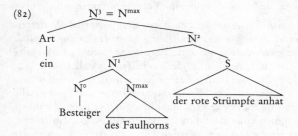

Vielleicht kommt man auch mit drei Ebenen aus. Dann müßte man die Struktur (82') ansetzen:

(82')

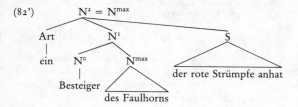

Welche der beiden Strukturen vorzuziehen ist, ist aufgrund unserer bisherigen Kriterien gar nicht zu entscheiden.
Man beachte nun aber die Konstruktion (83):

(83) der Kater und die Katze, die einander lieben

Hier kommt allenfalls eine NP-S-Analyse in Frage, also eine Strukturierung, die eine NP und einen Satz zu einer NP kombiniert:

(83')

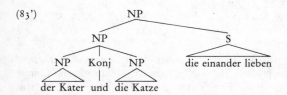

Erst die koordinierte NP nämlich steht im Plural; da sich aber der Relativsatz auf eine Plural-NP bezieht, ist (83') ein plausibler Kandidat für die Struktur von (83).

Strukturen, bei denen sich die Komplexitätsebene trotz einer Verzweigung nicht ändert, nennt man *Adjunktionsstrukturen*. Ihre allgemeine Form, die auch unter dem Namen *Chomsky-Adjunktion* bekannt ist, sieht folgendermaßen aus:

(84) *Schema der Chomsky-Adjunktion von Y an X:*

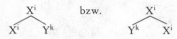

wobei X^i der Kopf ist.

Der Zusatz, daß X^i der Kopf ist, ist nur für den Fall nötig, daß X und Y von derselben Kategorie sind und daher Zweifel auftreten könnten, ob etwas Kopf oder Adjunkt ist. In der NP *Ottos Brille* z. B. wird man *Brille* nicht als adjungiert ansehen wollen, u. a. deshalb, weil sich die NP *Ottos* wie ein Artikel verhält, indem sie die Komplexität des Nominals zur Ebene der NP erhöht. Man erkennt dies daran, daß weder *die Ottos Brille* noch *Ottos die Brille* grammatisch ist. Eine Struktur wie in (84) liegt nun aber auch in (85) vor:

(85)

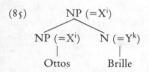

Dies ist unserer Definition zufolge jedoch *keine* Adjunktionsstruktur, denn hier ist *Ottos* auch nicht der Kopf der NP.

Es ist wichtig, sich zu merken, daß ein längeres Syntagma nicht auch ein komplexeres im Sinne der X-bar-Theorie sein muß: Wenn das längere Syntagma dieselbe Distribution besitzt wie das kürzere, können sie zur selben Komplexitätsstufe gehören. Dann ist etwas adjungiert worden. Bei verschiedener Distribution gehören sie zu verschiedenen Kategorien.

Kommen wir nun wieder zu (80a) zurück. Der Relativsatz ist an die NP adjungiert. Wenn wir nun generell annehmen, daß Relativsätze (und Adjektivphrasen) an bestimmte Projektionen von N adjungiert werden, hat (80a) folgende Struktur:

(86)

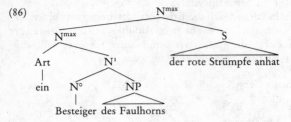

Damit kommen wir aber für die NP mit drei Ebenen aus. Wie man sieht, steht es nicht *a priori* fest, wie viele Ebenen man benötigt. Dazu sind in der Literatur alle erdenklichen Vorschläge gemacht worden, cf. beispielsweise Bresnan (1977), Jackendoff (1977) oder Emonds (1985).

Wir wollen uns hier auf eine bestimmte Ebenenzahl nicht festlegen. Festzuhalten gilt vielmehr folgendes:

1. Es gibt offenbar Ebenen.
2. Die *lexikalische Ebene* ist die niedrigste syntaktische Ebene.
3. Irgendwann ist der Punkt erreicht, wo Syntagmen maximal komplex sind. Diese letzte Ebene ist die *phrasale Ebene* und wird mit dem Zusatz »P« (Phrase) ausgedrückt, oder mit dem Hyperskript »max« (für Maximalität). Was an Ebenen dazwischen liegt, spielt für die Zwecke, die wir verfolgen, meistens keine Rolle. Wir wiederholen noch einmal unsere Terminologie:

(87) (a) XP oder X^{max} bezeichnet die höchste Komplexitätsebene (Projektionsebene) von X im Sinne der X-bar-Theorie.
   (b) X oder X^{o} bezeichnet die niedrigste Projektionsebene von X.

Endlich können wir die *dritte Beschränkung für Phrasenstrukturen* formulieren.

(88) *Das Ebenenprinzip:*
   Der Kopf einer Kategorie X^i ist eine Kategorie X^j, wobei $o \leq j \leq i$.

Die Verwendung der Indizes i und j bringt unsere Ignoranz bezüglich der genauen Anzahl der Ebenen zum Ausdruck.

Das Ebenenprinzip sagt nicht nur, daß Syntagmen in ihrer Komplexität geschichtet sind, es sagt auch, daß der Kopf einer Konstituente *vom selben syntaktischen Typ* ist, wie die Konstituente selbst. Damit haben wir es geschafft, eine generelle Beziehung zwischen Phrasen und ihren Köpfen herzustellen, die wir in der PS-Grammatik mit ihren unanalysierbaren Kategoriensymbolen (cf. Abschnitt (5.2.)) nicht hatten erfassen können, weil es dort keine artikulierbare Beziehung zwischen X^{max} als Symbol XP und der Kategorie X geben kann.

Wir illustrieren das Ebenenprinzip abschließend anhand von Präpositionalphrasen. Was ist z. B. der Kopf einer Phrase wie (89)?

(89) Er dachte

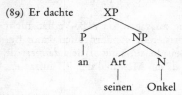

Es gibt zwei Kandidaten: *an* und *Onkel*. Betrachten wir zuerst *Onkel*. Wenn dies der Kopf ist, führt die Projektionslinie vom Gipfel der Phrase dorthin. Damit vererben sich alle Merkmale von *Onkel* an den Gipfel, so auch die Eigenschaft der »Nominalität« und das Merkmal *Akkusativ*. Damit hätte die Phrase die Gestalt (90):

(90)

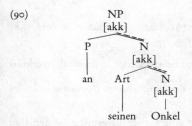

Dies kann aber nicht richtig sein, wie man an dem folgenden ungrammatischen Satz sieht:

(91) *Otto verabscheut an seinen Onkel

verabscheuen ist nach einer [NP,Akk] subkategorisiert. Also müßte (91) grammatisch sein, falls *an seinen Onkel* so eine NP wäre. Dem ist aber nicht so. Also kann *Onkel* nicht der Kopf der Phrase sein.

Betrachten wir nun die Möglichkeit, daß *an* der Kopf der Phrase ist. Dann ist X = P, d. h. die Eigenschaft »Präpositionalität« vererbt sich an die Phrase. Wir haben somit die folgende Konstellation vorliegen:

(90')

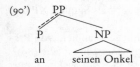

Gegen diese Struktur ist wenig zu sagen, da z. B. Verben nicht nur PPs insgesamt subkategorisieren, sondern auch ganz bestimmte Präpositionen. Zum Beispiel subkategorisiert *denken* die Präposition *an*. Man kann *an* als ein Merkmal der PP auffassen, das an den Kopf sickert.

6.4. Zusammenfassung: Das X-bar-Schema

Nachdem wir nun den Begriff des Kopfes erläutert haben, sind wir in der Lage, zum sogenannten X-bar-Schema überzuleiten. Es faßt die Beschränkungen (6.1.) bis (6.3.) zusammen:

(92) *Das X-bar-Schema:*
Die Verzweigungen jeder (unkoordinierten) Phrase genügen dem Schema $X^n \rightarrow \ldots X^{n-1} \ldots$.
Dabei ist X = A, N, V, P, oder eventuell anderes.
»...« steht für eine Folge von beliebig vielen maximalen Projektionen.
»→« steht für die Beziehung der unmittelbaren Dominanz in einem Baum.

Das X-bar-Schema beinhaltet eine Generalisierung, die den Bau aller unkoordinierten Phrasen betrifft. Es enthält genau jene Restriktionen, die wir in den ersten drei Beschränkungen für die Phrasenstruktursyntax festgehalten haben. Dies sind die wichtigsten Beschränkungen für den allgemeinen Strukturaufbau. Wir haben sie in den letzten Abschnitten schon erläutert. In der Literatur werden aber noch weitere Restriktionen genannt, z. B. *die vierte Beschränkung für Phrasenstrukturen* (cf. Chomsky (1981)):

(93) *Die Objektbeschränkung:*
   Subkategorisierte Elemente erscheinen beim Übergang von der X°-
   zur X^1-Ebene, d. h. X^1 dominiert unmittelbar X° und die von X°
   subkategorisierte Phrase. (Letztere wird *Komplement* von X° genannt.)

Diese Beschränkung legt fest, daß die phrasalen Elemente, nach
denen eine Kategorie X° subkategorisiert ist, auf der niedrigsten
Komplexitätsstufe angesiedelt sein müssen.
Die *fünfte Beschränkung für Phrasenstrukturen* findet man z. B.
bei Stowell (1981):

(94) *Die Peripherität des Kopfes:*
   Der Kopf einer Projektion ist immer peripher, d. h. am rechten oder
   linken Rand einer Konstituente.

In (82') beispielsweise wird gegen dieses Prinzip verstoßen, denn
hier ist N^1 nicht peripher; als Alternative zu (82') hatten wir
jedoch schon (86) akzeptiert. Dort wird die fünfte Restriktion
respektiert.
Die in diesem Abschnitt formulierten Restriktionen für den Aufbau von Konstituenten sind Prinzipien der Universalgrammatik.
Dies bedeutet aber, daß sie nicht gelernt werden müssen, sondern
zur vorgegebenen sprachlichen Kompetenz, zum »unbewußten
Wissen« gehören. Was gelernt werden muß, sind keine speziellen
PS-Regeln, sondern einzelsprachliche *Parameter.* Welche Form
können diese Parameter haben? Wir betrachten einige Möglichkeiten.
Einer der wohl wichtigsten einzelsprachlichen Parameter bezieht
sich auf die lineare Abfolge zwischen einzelnen Konstituenten.
Diesbezüglich kommen zwei Optionen in Betracht: Der Kopf
einer Konstituente ist *rechtsperipher* (d. h. am rechten Rand der
Konstituente), oder er ist *linksperipher.* Im Deutschen etwa ist ein
nominaler Kopf rechtsperipher, wenn der Nicht-Kopf eine AP
ist. M. a. W., Adjektive und Adjektivphrasen gehen dem Nomen
voran. Köpfe der Kategorie P sind dagegen immer linksperipher:
Präpositionen gehen NPs voran. Parameter dieser Art legen also
eine bestimmte *Linearisierung* fest.
Kommen wir zu möglichen Parametern anderer Art. Wir könnten z. B. die maximale Anzahl von Nicht-Köpfen oder die maximale Anzahl von Ebenen sprachspezifisch festlegen. Man würde
etwa vermuten, daß in einer Sprache ohne Artikel die Ebenenan-

zahl für NPs kleiner ist als für eine Sprache mit Artikel. Eine solche Ebenenrestriktion würde die möglichen Phrasenstrukturen einer Sprache zwar weiter begrenzen, es ist jedoch kaum anzunehmen, daß der bedingende Faktor, nämlich die Abwesenheit des Artikels, etwas ist, was beim Erstspracherwerb irgendwie gelernt werden müßte. Geht man davon aus, daß die einzelsprachlichen Parameter gerade das beschreiben, was gelernt werden muß, so ist die Parametrisierung der Ebenenanzahl kein vernünftiger Parameter.

Auch die mögliche Anzahl der Nicht-Köpfe scheint kein vernünftiger Parameter zu sein. Denn auch hier würde man vermuten, daß, falls es eine faktische Beschränkung auf eine maximale Anzahl gibt, diese aus anderen Komponenten der Grammatik abzuleiten wäre, etwa aus dem Subkategorisierungsrahmen eines Prädikats oder aus der maximalen Anzahl von Argumentstellen des Θ-Rasters.

In diesem Zusammenhang ist eine weitere Kritik an PS-Grammatiken anzufügen: Wenn im Subkategorisierungsrahmen eines Verbs eine Folge von Konstituenten verlangt wird (z. B. NP PP für *stellen*), muß es auch eine PS-Regel geben, welche diese Folge erzeugt (z. B. $V^1 \rightarrow$ NP PP V^0). Gäbe es sie nicht, gäbe es auch keinen Kontext, in den das Verb eingesetzt werden könnte. Entgegen unserer Annahme dürfte es dieses Verb in der betrachteten Sprache nicht geben. Also sind bestimmte PS-Regeln prädiktabel und somit redundant bzw. überflüssig.

Wir sehen nun, wie das X-bar-Schema mit diesem weiteren Problem der Adäquatheit von PS-Grammatiken fertig wird: Es macht die explizite Formulierung sprachspezifischer PS-Regeln generell überflüssig. Das X-bar-Schema ist ja ein universalgrammatisches Prinzip, das, wie in Abschnitt (5.) verlangt, die Menge möglicher PS-Regeln drastisch einschränkt und prognostiziert, daß in natürlichen Sprachen nur PS-Bäume einer ganz bestimmten Form vorkommen. Es ist klar, daß dieses allgemeine Schema der Strukturerzeugung (bzw. der Wohlgeformtheit von Strukturen) nicht mehr Bestandteil einer einzelsprachlichen Grammatik ist. Damit muß die sprachspezifische PS-Komponente nur noch jene Informationen liefern, die als einzelsprachliche Parameter nicht durch das universelle Prinzip spezifiziert werden. Solche Parametrisierungen betreffen z. B. mögliche Einsetzungen für X oder mögliche Linearisierungen des X-bar-Schemas.

Das X-bar-Schema, zusammen mit einzelsprachlichen Parametern, ist daher alles, was wir an Struktur-erzeugender Repräsentation brauchen. Möglicherweise bekommen wir damit mehr Phrasenstrukturen, als je in einer Sprache realisiert werden. In solchen Fällen sind es aber andere Module, andere Komponenten der Grammatik, welche vorhersagen, daß bestimmte Strukturen aus unabhängigen Gründen ausgeschlossen sind, etwa weil Subkategorisierungsforderungen oder Bedingungen der Θ-Theorie nicht erfüllt werden.

Dieses strikt modulare Vorgehen ermöglicht es daher, einen wichtigen Teil der Grammatik, nämlich den Struktur-aufbauenden Teil, gänzlich zu trivialisieren: Es gibt keine komplizierten PS-Grammatiken mehr, sondern nur noch das universelle X-bar-Schema und einige wenige sprachspezifische Parameter, deren Lernbarkeit sicherlich unproblematisch ist.

7. Die Satzstruktur im Deutschen

7.1. Das topologische Modell

Versuchen wir nun, unsere Erkenntnisse auf die konkrete Analyse eines Satzes des Deutschen anzuwenden. Das X-bar-Schema prognostiziert, daß nur ganz bestimmte Strukturierungen möglich sind. Daher ist es ebenso instruktiv wie verwirrend, einige Beispiele zu untersuchen, welche dem X-bar-Schema zu widersprechen scheinen.

(95) Auf dem Tisch steht eine Vase.

Die Analyse der Konstituenten *auf dem Tisch* und *eine Vase* ist unproblematisch. Sorgen bereitet dagegen die Verbindung des Verbs mit seinem Objekt und Subjekt zu einem Satz. Aufgrund der Objektbeschränkung (die 4. Beschränkung) der X-bar-Theorie muß die von *stehen* subkategorisierte PP *auf dem Tisch* zusammen mit dem Verb eine Konstituente der Ebene 1 bilden:

(96)

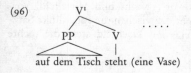

Dann kann der ganze Satz nur eine Projektion von V sein, also eine VP. Betrachtet man andererseits Satz (97),

(97) Auf dem Tisch hat eine Vase gestanden

so müßte man konstatieren, daß ein solcher Satz eigentlich gar keine besonders hierarchisch gegliederte Struktur hat: Die PP wird ja von *stehen* bzw. *gestanden* subkategorisiert, nicht von *hat*. Wenn aber sowohl die PP als auch das die PP subkategorisierende Element von V¹ dominiert werden muß, müßte der ganze Satz von der Kategorie V¹ sein:

(98)

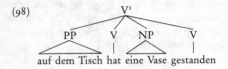

auf dem Tisch hat eine Vase gestanden

Ein solcher Baum widerspräche jedoch dem zweiten Prinzip der X-bar-Theorie: Die zweite Konstituente ist nicht maximal, sondern lediglich ein V. Oder müssen wir deshalb *haben* als VP ansehen? Gehören (95) und (97) zu verschiedenen syntaktischen Kategorien?

Das an der IC-Analyse orientierte Vorgehen bringt einen ganzen Rattenschwanz von Problemen mit sich, die es für viele Grammatiker unserer Tage ratsam erscheinen lassen, zu ganz anderen Modellen der syntaktischen Beschreibung überzugehen. Sie orientieren sich meist an einer Theorie, die eher *lineare Bedingungen* an die Abfolge von Konstituenten stellt und somit auch deren *Nachbarschaftsrelationen* beschreibt. Dieses Modell heißt daher »topologisch«.

Wir erläutern kurz das topologische Modell des deutschen Satzes und zeigen dann, wie dieser Ansatz mit unserem bisherigen Vorgehen zu vereinbaren ist.

Der Grundgedanke besteht in der Annahme, daß der Satz in bestimmte Bereiche, die »topologischen Felder«, gegliedert ist. Dies sind im Deutschen das Vor-, Nach- und Mittelfeld. Vor- und Mittelfeld begrenzend steht dazwischen die sog. »linke Satzklammer«; zwischen Mittelfeld und Nachfeld steht die rechte Satzklammer.

(99)

	Vorfeld	linke Klammer	Mittelfeld	rechte Klammer	Nachfeld
(a)	Peter	hat	zwei Maß Bier	getrunken,	als er in München war.
(b)	Peter	hat	zwei Maß Bier	getrunken?	
(c)	Dann	hat	Peter zwei Maß Bier	getrunken	in einem Zug.
Verb-zweit (d)	Peter	trinkt.			
(e)	Was	trinkt	Peter?		
(f)	Der Herr	sei	mit Peter.		
(g)	Peter	habe	zwei Maß Bier	getrunken.	
(h)	Als	hätte	er nichts	getrunken.	
(i)	Peter	hat	mehr	getrunken,	als er verträgt.
(j)		Hat	Peter zwei Maß Bier	getrunken?	
(k)		Trink	zwei Maß Bier	aus!	
(l)		Hätte	er doch eine Maß weniger	getrunken!	
Verb-erst (m)		Hat	er doch	gesoffen	wie ein Loch!
(n)		Trinkt	er so weiter...		
(o)		Habe	ich schon	ausgetrunken.	
(p)		Habe	sie schon	ausgetrunken.	
(q)		Trinkt	da einer plötzlich zwei Maß Bier	aus.	
(r)		ob/daß	Peter zwei Maß Bier	getrunken hat.	
(s)			auch nur einen Tropfen	zu trinken.	
Verb-letzt (t)		ohne	Einmal zwei Maß Bier	trinken können!	
(u)	Wer		wohl die zwei Maß Bier	getrunken hat?	
(v)		als	Peter zwei Maß Bier	trank	ohne abzusetzen.
(w)		daß	Peter zwei Maß Bier	wird trinken müssen.	
(x)		daß	Peter	glaubt	daß er 10 Maß trinken kann.

215

Die Unterteilung in topologische Felder gestattet es, gewisse Generalisierungen auszudrücken, etwa

1. daß das Hauptverb eines Satzes nur in der linken oder rechten Satzklammer stehen darf,
2. daß die linke Satzklammer nur durch das Hauptverb (i. e. das die Kongruenzmerkmale der Person und Numerus realisierende Verb, das sog. *Finitum*) oder durch eine satzeinleitende Konjunktion besetzt sein darf,
3. daß im Vorfeld nur *ein* Satzglied stehen darf, im Mittelfeld jedoch beliebig viele, etc.

Sie ermöglicht auch, wie angegeben, eine Klassifikation der Verbstellungstypen in Verberst-, Verbzweit- und Verbend-Stellung, je nach Position des finiten Verbs. Steht das Finitum in der rechten Klammer, spricht man von Verbend-Stellung, auch dann, wenn wie in (v) oder (x) das Nachfeld besetzt ist. Steht das Finitum in der linken Satzklammer, so liegt bei besetzter Vorfeldposition Verbzweit-Stellung des Finitums vor, sonst Verberst-Stellung.

Mit diesen Stellungstypen läßt sich jedoch die traditionelle Unterscheidung zwischen Haupt- und Nebensatz nicht in Verbindung bringen: Wie etwa (a), (j) und (t) zeigen, kommen in sog. Hauptsätzen alle Verbstellungstypen vor; wie (g), (n) und (r) zeigen, gilt dasselbe für sog. Nebensätze. Auch die Gebrauchsweisen von Sätzen lassen keine durchgängige Korrespondenz mit Verbstellungstypen erkennen. Verbzweit etwa findet man bei Behauptungen (a) und Fragen (b); Verberst bei Befehlen (k), Exklamativen (l) und Fragen (j); Verbletzt bei Fragen (r) und Exklamativen (t). In diesem Sinne läßt sich die Art der Verbstellung keineswegs eindeutig durch die Art ihrer Verwendung charakterisieren.

Man tut also gut daran, diese Verwendungsunterschiede in der Syntax zu ignorieren. Auch um die syntaktischen Kontexte, in denen Haupt- und Nebensatzstellungen vorkommen, wollen wir uns hier nicht kümmern. Jedoch bleibt zu zeigen, wie das topologische Modell des deutschen Satzes mit der generativen Syntax vereinbart werden kann.

7.2. Das generative Modell

Dazu nutzen wir einerseits die Generalisierungen aus, die das topologische Modell erfaßt, andererseits halten wir an den Generalisierungen fest, die wir durch die X-bar-Theorie gewonnen haben. Wir diskutieren dies im folgenden anhand des Satzes (97).

In Anlehnung an vorherige Bemerkungen zum Problem der unzusammenhängenden Konstituenten und zur Verschiebeprobe ist festzustellen, daß *hat* und *gestanden* morphologischen Kriterien zufolge eigentlich die Konstituente [*gestanden hat*] bilden müßte: Die Wahl des Hilfsverbs *haben* gegenüber dem ungrammatischen *sein* hängt von dem Verb *stehen* ab (*sein* in (97) scheint allenfalls für Sprecher von süddeutschen Dialekten grammatisch). Andererseits hängt die Wahl der morphologischen Form von *stehen*, also das Partizip *gestanden*, von dem jeweiligen Hilfsverb ab, vergleiche etwa *stehen werden*, wo in Abhängigkeit von *werden* der Infinitiv gewählt werden muß. Diesen morphologischen Fakten zufolge sollten Verb und Hilfsverb eine Konstituente bilden können.

Mit Begriffen des topologischen Modells ausgedrückt kann man nun sagen, daß *hat* aus einer Position innerhalb der rechten Satzklammer in die Position der linken Satzklammer *verschoben* worden ist. In der Tat könnte man dann annehmen, daß *gestanden hat* vor der Bewegung eine Konstituente gebildet hat (aus Gründen, die mit dem X-bar-Schema zu tun haben, werden wir diese Annahme später revidieren). Daß es sich hierbei um eine Verschiebung handelt, erkennt man u. a. daran, daß das Finitum nicht gleichzeitig in der linken und in der rechten Satzklammer stehen kann und daß es bei anderweitig besetzter linker Satzklammer wie in (r) bis (x) an seiner ursprünglichen Stelle stehen bleiben muß.

Ebenso kann man die Vorfeldbesetzung als eine Verschiebung betrachten: Aus dem Mittelfeld wird eine beliebige phrasale Konstituente, hier *auf dem Tisch*, an den Satzanfang bewegt. Diese Bewegungstransformation nennt man *Topikalisierung*.

(100) (a) *hat* eine Vase [$_{VP}$auf dem Tisch [$_V$gestanden_____]]

Besetzung der linken Satzklammer

(b)   *Auf dem Tisch* hat eine Vase [$_{VP}$——[$_V$gestanden——]]

    ↑

Vorfeldbesetzung (Topikalisierung)

Die Idee, möglichst viele Typen der deutschen Satzkonstruktion auf nur wenige strukturelle Beziehungen zurückzuführen, nämlich auf die Topikalisierung als Beziehung zwischen Vorfeld und Mittelfeld, und auf die sog. *Finitumvoranstellung* als Beziehung zwischen den Satzklammern, ist nicht neu (vergl. z. B. Nordmeyer (1886), Drach (1937)). Sie wurde für die generative Transformationsgrammatik des Deutschen in dieser Formulierung erst von Thiersch (1978) wiederentdeckt und als Bewegungstransformation gedeutet; vergleiche zu früheren Beschreibungen etwa Bierwisch (1963).

Aus dieser Beschreibung der Satztypen im Deutschen ergeben sich Konsequenzen bezüglich der Vereinbarkeit der beschriebenen Fakten mit der X-bar-Theorie. Ist nämlich die Besetzung des Vorfeldes eine Bewegungstransformation, so kann dem Subkategorisierungsprinzip beim Aufbau der zugrundeliegenden Struktur, d. h. vor der Bewegung, Genüge getan werden: *auf dem Tisch gestanden* bildet vor der Bewegung eine Konstituente, wobei Verb und PP von V^I dominiert werden. Wir dürfen also annehmen, daß vor der Bewegung die Subkategorisierungsbeschränkung der X-bar-Theorie erfüllt wird.

Man kann nun weiter überlegen, daß die topikalisierte Konstituente als Phrase nicht der Kopf des Satzes sein kann. Die Position der linken Satzklammer käme aber als Kopf des Satzes in Frage, dort stehen ja nur lexikalische Elemente.

Mit dem X-bar-Schema und der Bedingung, daß der Kopf peripher ist, wäre somit eine Struktur der folgenden Art vereinbar:

(101)

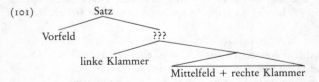

Dem X-bar-Schema zufolge ist »???« eine Zwischenprojektion der linken Klammer, der Satz ist die maximale Projektion der linken Klammer. In der Literatur hat es sich eingebürgert, die Position der linken Satzklammer mit dem Buchstaben *C* zu benennen. Wie die Beispiele mit Verbend-Stellung zeigen, kommen in dieser Position gerade die Konjunktionen *daß, ob,* etc. vor. Diese Elemente heißen im Englischen »complementizer«, daher der Buchstabe *C.* Sie werden nicht an die C-Position bewegt, sondern direkt dort durch eine lexikalische Regel erzeugt. Als maximale Projektion von C ist der Satz eine CP. Das Vorfeld, also das Ziel der Topikalisierung, wird in der neueren Literatur mit SpecC (engl. »specifier« von C) abgekürzt; wir benutzen hier die einprägsamere Abkürzung TOP:

(102)

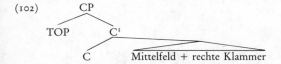

Wenden wir nun diese Strukturierung auf (100) an. In unserem Beispiel enthalten Mittelfeld und rechte Klammer die Abfolge *die Vase auf dem Tisch gestanden hat.* Genau in dieser Abfolge erscheinen auch die Konstituenten in der sog. Nebensatzstellung, z. B. wenn die C-Position mit *ob* gefüllt ist:

(103) ob die Vase auf dem Tisch gestanden hat

Die TOP-Position ist hier leer. Man erhält die sog. Hauptsatzstellung, indem man in (102) das finite Verb in die leere C-Position verschiebt und eine maximale Projektion in die TOP-Position bewegt, s. Abbildung (104).

Somit wird die Verbzweit-Stellung aus der Verbend-Stellung transformationell hergeleitet. Daß die Endstellung des Verbs im Deutschen in gewissem Sinne die »primäre« ist, läßt sich nicht nur aus interner Evidenz, sondern auch mittels externer Evidenz

(104) (a)

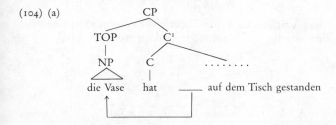

(b)

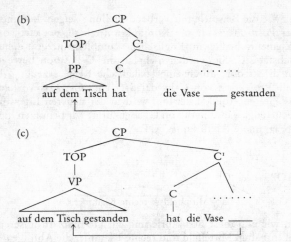

(c)

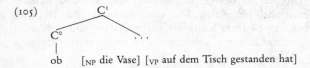

erschließen; man betrachte dazu die Untersuchungen zum Erstspracherwerb im Deutschen, insbesondere Clahsen (1982).
Unter dem Gesichtspunkt des X-bar-Schemas betrachten wir den
TOP-Knoten als maximale Projektion. In gewisser Weise »identifizieren« wir diesen Knoten mit der darunterstehenden Kategorie
(solche Knoten nennt man zuweilen auch »reine Positionskatego-
rien«). Wir hätten ihn aber auch einfach weglassen können.
Wenden wir uns nun der Struktur des Nebensatzes (103) zu, hier
wiederholt als (105):

(105)   C'
        C°   ...
        |
        ob   [NP die Vase] [VP auf dem Tisch gestanden hat]

Hat man lediglich die X-bar-Theorie vor Augen, so bietet es sich
an, den Satz folgendermaßen zu strukturieren:

(105')   C'
        C°   NP   VP
        |
        ob   die Vase   auf dem Tisch gestanden hat

220

Es gibt jedoch Gründe, eine etwas kompliziertere Analyse anzunehmen.

Dieser Analyse zufolge besteht (105) nicht nur aus dem Kopf C°, einer komplexen nominalen und einer komplexen verbalen Kategorie. Was einen Satz ausmacht, ist zusätzlich noch *die Verknüpfung* von Subjekt und Prädikat, also von NP und VP; dies ist normalerweise die *Kongruenz* von Subjekt und Prädikat in Form der Merkmale für Finitheit, Person und Numerus.

Dieser Merkmalkomplex wird durch einen eigenen Knoten INFL oder I (von engl. »inflection« = Flexion) repräsentiert. Dieser umfaßt die Flexionsmerkmale für Finitheit, Person und Numerus.

Die maximale Projektion dieses Knotens bezeichnen wir als IP. Eine mit dem X-bar-Schema verträgliche Struktur ist dann diese:

(105″)

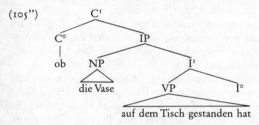

Man nimmt wie gesagt an, daß die morphologischen Merkmale des Verbs *hat* in I° stehen. Deshalb könnte eigentlich innerhalb der VP nur eine Stammform des Verbs ohne diese morphologischen Merkmale stehen. Das Verb muß daher nach I° bewegt werden, um dort seine Merkmale zu bekommen:

(105‴)

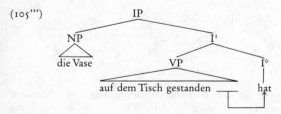

Erst von I° aus kann es nach C° bewegt werden.

Für die Zwecke einer Einführung brauchen wir uns um die spezielle Motivation für diese Analyse nicht zu kümmern. Wir kürzen daher auch unsere Notation ab und schreiben Strukturen wie (105''') künftighin als (106):

(106)

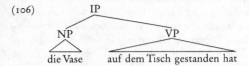

Es ist wichtig, sich zu merken, daß diese Struktur *nicht* im Widerspruch zur X-bar-Theorie steht, sondern nur eine abkürzende Schreibweise darstellt. Für den Knoten IP findet man in der älteren generativen Literatur auch die Bezeichnung S (für Satz). Der CP-Knoten wurde als S̄ notiert, also als Projektion von S. Wir erinnern daran, daß wir CP nicht als Projektion von S (= IP) auffassen, sondern als Projektion von C.

Kommen wir nun zur internen Struktur der VP. Zu Beginn des Abschnittes hatten wir festgestellt, daß *gestanden hat* morphologischen Kriterien zufolge eine Konstituente bilden sollte. Wie könnte deren Struktur aussehen?

Dem X-bar-Schema zufolge müßte ein Knoten der Verzweigung eine maximale Projektion sein, der andere Knoten müßte als Kopf der Verzweigung eine lexikalische Kategorie, also ein V° sein. Es ist aber unplausibel, daß *hat* eine maximale Projektion sein soll. Ebenso wissen wir, daß nicht *gestanden,* sondern *auf dem Tisch gestanden* eine VP ist, siehe z. B. (104c). Also ist auch *gestanden* keine maximale Projektion.

Die interne Struktur der VP kann daher nur so aussehen:

(107)

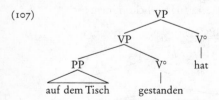

Die Argumente für die Zusammenklammerung von *gestanden* und *hat* waren morphologischer Art. Wir wissen aber, daß die morphologischen Merkmale von *gestanden* entlang der Projektionslinie zur internen VP in (107) projiziert werden. Wir können daher ebensogut argumentieren, daß nicht *gestanden,* sondern die

222

ganze VP, die ja dieselben Merkmale wie ihr Kopf hat, mit *hat* zusammengeklammert werden muß. Dies ist in (107) der Fall. Diese Struktur erfüllt nun aber wie gewünscht auch das X-bar-Schema.

Damit haben wir die topologische Struktur des Satzes im Rahmen des generativen Modells in groben Zügen besprochen. Zu erwähnen bleibt noch das Nachfeld. Auch für diese Position nimmt man an, daß sie durch eine Bewegungsregel besetzt wird. Aus dem Mittelfeld wird eine Konstituente in das Nachfeld geschoben und an VP oder IP adjungiert (zur Adjunktion cf. Abschnitt (6.3.)). Diese Bewegung heißt *Extraposition*.

Wir wollen nicht näher darauf eingehen, welche Konstituenten extraponiert werden können; am häufigsten findet man in dieser Position Relativsätze, *daß*-Sätze, indirekte Fragesätze und andere Nebensätze. Eine Extraposition wie in (99c) bildet daher eher eine stilistisch markierte Ausnahme.

7.3. Repräsentationsebenen und Bewegung

In diesem Abschnitt reflektieren wir noch einmal die Analyse des Satzbaus im Deutschen und erklären dabei einige in der generativen Grammatik gebräuchliche Konzepte und Termini.

Das wichtigste Ergebnis des letzten Abschnittes kann darin gesehen werden, daß die Stellungsvielfalt im deutschen Satzbau das Resultat zweier Bewegungsregeln ist, der Topikalisierung und der Finitumvoranstellung.

Für die Topikalisierung ist auch der Begriff W-Bewegung gebräuchlich. Diese Terminologie stammt aus dem Englischen, wo typischerweise *wh*-Phrasen an die Spitzenposition im Satz bewegt werden:

(108) (a) Who did John see ____
      (b) Where will he go ____
      aber:
      (c) *There will he go ____
      (d) *Him didn't John see ____

Die Bezeichnung W-Bewegung ist aber im Deutschen eher irreführend, da nicht nur Fragepronomen, sondern beliebige Phrasen an die Erstposition im Satz gebracht werden können.

Für die Finitumvoranstellung findet man im Englischen auch den Begriff der Subjekt-Auxiliar-Inversion. Man geht davon aus, daß ein Hilfsverb vor das Subjekt gestellt wird. Die I-Position, d. h. die Position des Auxiliars im Englischen, steht dort links von der VP; der Kopf von VP ist ebenfalls linksperipher statt wie im Deutschen rechtsperipher:

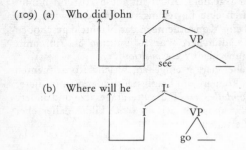

(109) (a) Who did John

(b) Where will he

Auch die Bezeichnung Subjekt-Auxiliar-Inversion ist im Deutschen irreführend, denn es sind nicht nur Hilfsverben, die in die C-Position bewegt werden, sondern beliebige finite Verben.

Damit wird deutlich, daß in unterschiedlichen Sprachen Verschiedenes bewegt werden kann. Allgemein faßt man Bewegung unter den Begriff ›bewege-α‹ (engl. ›move-α‹). α ist eine Variable für beliebige Konstituenten, die möglicherweise sprachspezifisch zu beschränken ist.

›Bewege-α‹ wird in der generativen Grammatik als Regel verstanden, Beliebiges irgendwohin zu bewegen. Es ist klar, daß diese Beliebigkeit stark eingeschränkt werden muß. Wäre es möglich, alles irgendwohin zu bewegen, wären beliebige Abfolgen von Konstituenten grammatisch.

Die Beschränkungen für ›bewege-α‹ betreffen demnach nicht nur, *was* bewegt werden darf, sondern vor allem *wohin* und *wie weit* bewegt werden darf. Auf diese Fragen werden wir erst in den Abschnitten (8.4.) und (9.1.) Antworten geben können. Es sollte aber unmittelbar einleuchten, daß man nur in leere Positionen bewegen kann. Auch haben wir in den bisherigen Abschnitten gesehen, daß die Struktur des Satzes auch nach den Bewegungen der X-bar-Theorie entspricht. Insbesondere kann eine lexikalische Kategorie nur in eine Kopf-Position bewegt werden, eine maximale Projektion nur in eine Nicht-Kopf-Position. Projektionen, die weder lexikalisch noch maximal sind, können möglicherweise überhaupt nicht bewegt werden.

Wir erwähnen kurz ein Beispiel für Bewegung im Englischen. Es geht um Passivkonstruktionen wie *John was arrested*. Es ist klar, daß im Passiv das grammatische Subjekt die thematische Rolle des Verbobjekts trägt. Wenn man davon ausgeht, daß diese thematische Rolle uniform die Eigenschaft einer bestimmten Position ist, daß also im Aktiv wie im Passiv die thematischen Rollen an die gleichen Positionen verteilt werden, kann man davon ausgehen, daß auch beim Passiv bewegt worden ist:

(110)

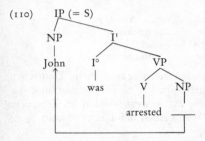

Hier ist *John* aus der Position des Objekts in die Position des Subjekts bewegt worden. Die Beziehung ›bewege-α‹ besteht hier zwischen Subjekt- und Objekt-Position und vermittelt die Vererbung der thematischen Rolle des Objekts an das grammatische Subjekt *John*.

Im Deutschen ist nicht unmittelbar zu erkennen, ob beim Passiv bewegt wird. Geht man nämlich von der Nebensatzstellung aus, so sind Subjekt- und Objekt-Positionen oft benachbart (man sagt, sie sind *adjazent*), so daß man nicht »sehen« kann, ob bewegt wurde. Anders dagegen bei bitransitiven Verben. Man betrachte folgende Konstruktionen:

(111) (a) als Johann [VP dem Mann das Buch gegeben hatte]
      (b) als   [VP dem Mann das Buch gegeben wurde]
      (c) als das Buch [VP dem Mann   gegeben wurde]

Erst jetzt ist deutlich zu erkennen, daß in (c) bewegt wurde, daß es aber im Deutschen offenbar nicht notwendig ist, beim Passiv zu bewegen, siehe (b). Der Unterschied zwischen Deutsch und Englisch läßt sich so beschreiben, daß es im Deutschen wie in

(111b) möglich ist, leere Subjekt-Positionen zu haben, im Englischen nicht. Daher gibt es auch im Deutschen ein unpersönliches Passiv, im Englischen ist es ungrammatisch (cf. Grewendorf (1986a), Sternefeld (1985)):

(112) (a) als   [VP getanzt wurde]
       (b) *when   [VP danced was]

Weitere Fälle von Bewegung sind die sog. Relativierung und die Bildung indirekter Fragesätze. Dies sind Spezialfälle der Topikalisierung. Bei der Relativsatzbildung wird ein Relativpronomen an die TOP-Position bewegt, bei der Fragebildung ein Fragepronomen:

(113) (a) der Mann   [CP den   [IP sie ___ kennt]
       (b) die Frau   [CP die   [IP ___ ihn kennt]
       (c) ich weiß   [CP wen   [IP sie ___ kennt]
       (d) ich weiß   [CP wer   [IP ___ ihn kennt]

Die C-Position bleibt in diesen Konstruktionen im Deutschen leer. In (b) und (d) ist wiederum bei bloßer Betrachtung der Wortkette nicht zu erkennen, daß bewegt worden ist. Trotzdem muß bewegt worden sein. Wir werden dafür in Abschnitt (9.2.) argumentieren.

Abschließend noch einige wichtige Bemerkungen zur Terminologie.

Der Begriff der Bewegung suggeriert, daß etwas vor der Bewegung an seinem »ursprünglichen« Ort gestanden hat. Für (113a) etwa müßte man vor der Anwendung der Regel ›bewege-α‹ von folgender Struktur ausgehen:

(114)   der Mann [CP ___ [IP sie den kennt]

Eine solche Repräsentation, in der noch keine Bewegung stattgefunden hat, nennt man eine *Tiefenstruktur* oder *D-Struktur* (von engl. »deep structure«). (113a) ist die *Oberflächenstruktur* oder auch *S-Struktur* (engl. »surface structure«) von (114). Bisher haben wir fast ausschließlich S-Strukturen, also solche Strukturen, bei denen schon alle Bewegungen stattgefunden haben, betrachtet.

Zu Beginn der Transformationsgrammatik hat man sich Transformationen als Abbildungen vorgestellt, die eine D-Struktur in eine S-Struktur überführen. Die Beziehung ›bewege-α‹ war daher eine Beziehung zwischen zwei verschiedenen Repräsentationsebenen. In unserer Einführung haben wir diese Beziehung jedoch meist als Beziehung zwischen zwei Positionen in einem Baum vorgestellt, von denen eine der Positionen leer ist. Dies war früher nicht möglich, da man keine leeren Kategorien zugelassen hat. Heutzutage gibt man die Beziehung ›bewege-α‹ explizit in der Baumrepräsentation an; wir haben dies meist mit Pfeilen getan. Eine äquivalente Methode ist es, die beiden Positionen mit demselben Index zu versehen:

(115)   der Mann [$_{CP}$ den$_i$ [$_{IP}$ sie ___ $_i$ kennt]

Statt des Striches für die Leerstelle schreibt man auch ein *t* für engl. *trace*, d. h. Spur (einer Bewegung). Wir werden auf diesen Begriff noch in Abschnitt (9.2.) eingehen.

Durch diese Darstellungsweise wird es im Prinzip möglich, auf die Ebene der D-Struktur zu verzichten. Man erhält durch die Indizierungen eine einfachere Repräsentation aller grammatischen Beziehungen, ohne verschiedene Repräsentationsebenen vergleichen zu müssen. Man braucht sich auch nicht vorzustellen, daß durch ›bewege-α‹ im wörtlichen Sinne etwas »bewegt« wird. Vielmehr handelt es sich um eine abstrakte Beziehung zwischen verschiedenen strukturellen Positionen. Eine Beziehung dieser Art wird man in jeder syntaktischen Theorie annehmen müssen.

Man mag sich vielleicht daran stören, daß die Repräsentation eines Satzes wie *Hans singt* eher einem Schweizer Käse gleicht, weil in unserer Theorie mindestens dreimal bewegt werden muß. Vielleicht gibt es Theorien, die zur Ableitung dieses einfachen Satzes ohne Bewegung auskommen. Es sei jedoch daran erinnert, daß auch die Theorie der topologischen Felder davon ausgehen muß, daß in vielen Fällen topologische Einheiten nicht besetzt werden. Auch dort gibt es gewissermaßen »leere Kategorien«, auch dort werden generalisierende Beziehungen zwischen topologischen Positionen formuliert, die wir hier eher metaphorisch als Bewegung bezeichnet haben.

8. Zur Strukturbezogenheit syntaktischer Bedingungen: c-Kommando

Eine Reihe von sprachlichen Erscheinungen, von denen wir einige nennen werden, hängt in jeweils unterschiedlicher Weise von der syntaktischen Gliederung in Konstituenten ab. Für diese diversen Abhängigkeiten läßt sich jedoch eine einheitliche Kernbedingung formulieren. Wir definieren in diesem Abschnitt einen zentralen strukturbezogenen Begriff, den Begriff des c-Kommandos, und zeigen dann die Relevanz dieses Begriffes für die Beschreibung von fünf unterschiedlichen Phänomenbereichen.

8.1. Die Bedingung der Nicht-Koreferenz

Betrachten wir folgende Sätze:

(116) (a) Bevor er wieder richtig laufen konnte, wollte Otto schon aus dem Krankenhaus.
(b) Otto wollte schon aus dem Krankenhaus, bevor er wieder richtig laufen konnte.
(c) Er wollte schon aus dem Krankenhaus, bevor Otto wieder richtig laufen konnte.
(d) Bevor Otto wieder richtig laufen konnte, wollte er schon aus dem Krankenhaus.

Man wird wohl einige der Sätze so verstehen, daß sich das Pronomen *er* auf *Otto* bezieht. Diese Bezugsgleichheit oder Koreferenz liegt aus inhaltlichen Gründen sehr nahe: Die Satzbedeutung ist gerade so, daß die Prädikate *nicht laufen können* und *im Krankenhaus sein* auf dieselbe Person bezogen werden. Allerdings könnte man sich auch Situationen vorstellen, wo keine Koreferenz vorliegt; etwa wenn man sich mit *er* auf einen eiligen Arzt bezieht, der das Krankenhaus verlassen will, bevor er Otto den Nagel aus dem Zeh gezogen hat.

Mit etwas Phantasie kann man sich für jedes Vorkommen eines Personalpronomens eine Situation vorstellen, in der keine Koreferenz mit einer anderen NP des Satzes vorliegt. Für die Syntax interessant ist daher nur die Frage, wann Koreferenz *nicht* vorliegen *darf*, wann es also aus grammatischen Gründen nie möglich ist, ein Pronomen auf eine andere NP zu beziehen.

Einen solchen Fall stellt Satz (116c) dar. Hier ist (für die meisten Sprecher des Deutschen) nur die nicht-koreferente Lesart möglich. Da es sich um inhaltlich sonst gleiche Sätze handelt, muß diese Beschränkung für Koreferenz einer Bedingung unterliegen, die mit der Struktur der Sätze zu tun hat. Dabei ist es, wie die Beispiele zeigen, nicht möglich, diese Beschränkung durch eine rein lineare Bedingung auszudrücken. Die Sätze (b) bis (d) würden es zwar nahelegen, eine solche Beschränkung etwa so zu formulieren: »Eine pronominale NP (also ein Pronomen) kann mit einer nicht-pronominalen NP nur dann bezugsgleich sein, wenn die nicht-pronominale der pronominalen NP vorangeht.« Daß eine solche Bedingung nicht richtig sein kann, erkennt man an Satz (a). Hier ist Koreferenz möglich, obwohl das Pronomen dem Namen vorangeht.

Es kommt also darauf an, eine Beziehung zu finden, die in Satz (c) die Möglichkeit der koreferenten Interpretation blockiert, sie in den übrigen Fällen jedoch zuläßt. Diese Beziehung wird nicht linear, sondern hierarchisch zu formulieren sein. Die Besonderheit von (c), wodurch sich dieser Satz von den anderen unterscheidet, liegt nämlich darin, daß das Pronomen die »höchste« NP im Satz ist; man sagt, daß das Pronomen die nicht-pronominale NP »kommandiert«. Dies ist bei intendierter Bezugsgleichheit nicht erlaubt.

In der linguistischen Literatur sind seit dem Werk von Langacker (1969) die verschiedensten Vorschläge gemacht worden, diese Beziehung zu definieren. Die neueren Varianten orientieren sich seit Reinhart (1976) nur an der Konstituentenstruktur, sie nehmen nicht auf bestimmte Kategorien wie Satz, NP oder VP Bezug. So definierte Varianten werden üblicherweise mit dem Buchstaben *c* von engl. *constituent* versehen. Wir definieren im folgenden den Begriff des *c-Kommandos* (engl. *constituent command, c-command*).

(117) *Begriff des c-Kommandos:*
   Ein Knoten X c-kommandiert einen Knoten Y genau dann, wenn die Bedingungen (a) und (b) erfüllt sind:
   (a) X und Y nehmen verschiedene Positionen im Baum ein, so daß keiner der Knoten den anderen dominiert.
   (b) Die nächste maximale Projektion, von der X dominiert wird, dominiert auch Y.

Wenn zwei Knoten Bedingung (a) erfüllen, schreibt man in der Literatur auch [... Y ... X ... Y ...]. Gemeint ist nicht, daß Y in dem Baum zweimal vorkommt, sondern daß Y entweder rechts oder links von X vorkommt. Bedingung (b) besagt dann, daß in der Konfiguration (118) X genau dann Y c-kommandiert, wenn Z die nächste maximale Projektion über X ist.

(118) ... [$_Z$ ... Y ... X ... Y ...] ...

Machen wir uns dies an einem Beispiel klar.

(119)

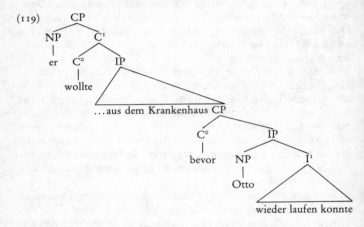

Man kann verifizieren, daß die NP *er* die NP *Otto* c-kommandiert: Die nächste maximale Projektion, welche die *er*-NP dominiert, ist die CP des übergeordneten Satzes. Diese CP dominiert aber alles im Satz, insbesondere die NP *Otto*. Aufgrund unserer Diskussion über Koreferenz ist zu vermuten, daß deshalb *er* und *Otto* referenzverschieden sein müssen.

Betrachten wir nun andererseits Satz (116b). Dieser hat dieselbe Struktur wie (119), nur die beiden NPs *er* und *Otto* sind vertauscht. Die nächste maximale Projektion, die *er* dominiert, ist jetzt allerdings die IP des durch *bevor* eingeleiteten Nebensatzes. Diese IP dominiert nicht die NP *Otto*. Also wird *Otto* nicht von *er* c-kommandiert. Folglich ist Koreferenz nicht ausgeschlossen. Die Bedingung, die dies leistet, muß natürlich noch formuliert werden:

230

(120) *Bedingung der Nicht-Koreferenz:*
   Eine pronominale NP darf eine koreferente nicht-pronominale NP
   nicht c-kommandieren.

Eine Interpretation von (116c), bei der wir das Pronomen als
koreferent verstehen wollten, würde dieser Bedingung gerade widersprechen.
Abschließend zu den Sätzen (116) (a) und (d). Deren Struktur ist
folgende:

(121)

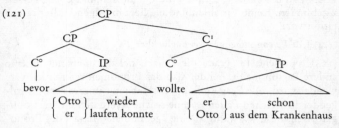

Weil keine der beiden IPs die andere c-kommandiert, ist Koreferenz in beiden Fällen möglich.

8.2. Das Prinzip der »gebundenen Variablen«

In diesem Abschnitt beschäftigen wir uns mit bestimmten nominalen Ausdrücken wie *jeder Bauer, jede Frau, kein Schwein, keiner, jede, niemand, nicht jeder von uns* etc. Das Eigentümliche
dieser Ausdrücke ist es, daß man sich mit ihnen nicht (ausschließlich) auf eine bestimmte Person oder ein einzelnes Ding beziehen
kann. Man sagt auch, daß diese Ausdrücke nicht referentiell deut-
bar sind. In der Logik heißen solche Ausdrücke Quantoren oder
Quantorenphrasen. Noch erstaunlicher als ihre Unfähigkeit, direkt auf etwas zu referieren, mag es aber sein, daß es auch Verwendungsweisen von pronominalen Ausdrücken wie *er, sie, es,
ihr* etc. gibt, bei denen man sich ebenfalls nicht auf ein Einzelding
oder Individuum beziehen kann. Betrachten wir so einen Satz mit
jeder als Quantorenphrase und *er* als Pronomen:

(122) Jeder meint, er sei unglücklich.

Abgesehen von der immer vorhandenen Möglichkeit, das Pronomen referentiell zu deuten und sich damit auf eine im Satz nicht

genannte Person zu beziehen, kann *er* auch auf *jeder* bezogen werden und wie der Quantor nicht-referentiell gedeutet werden. Wenn das Pronomen auf diese Art die semantische Funktion des Quantors wiederaufnimmt, spricht man in der Logik von einer »gebundenen« Variablen, denn man deutet das Pronomen gemäß der logischen Paraphrase (123), cf. Abschnitt (VI.4.):

(123) Jede Person x meint, x sei unglücklich.

Hier wird die Variable x durch die Quantorenphrase *jede Person x* gebunden. Keine Variablenbindung liegt in folgender Repräsentation vor:

(124) Jede Person x meint, y sei unglücklich

(124) repräsentiert gerade die Lesart, bei der man mit *er* eine andere Person meint, bei der also das Pronomen referentiell verwendet wird. Die Fragestellung, die uns jetzt interessiert, ist folgende: In welchen Fällen ist eine solche referentielle Lesart obligatorisch, m. a. W., wann ist eine »gebundene« Lesart des Pronomens unzulässig, obwohl es im selben Satz eine Quantorenphrase gibt? Wann muß man sich also mit dem Pronomen auf etwas anderes beziehen als auf das, worauf sich die Quantorenphrase »bezieht«? Betrachten wir dazu einige einfache Fälle:

(125) (a) Jeder liebt seine Mutter.
      (b) Seine Mutter liebt jeden.

Im ersten Satz ist es klar, daß das Possessivpronomen eine Lesart als gebundene Variable haben kann:

(126) Für jedes x gilt: x liebt x'ens Mutter

Ebenso klar ist, daß eine solche Lesart im zweiten Satz nicht möglich ist. Wir müßten diesen Satz interpretieren als:

(127) Für jedes x gilt: x'ens Mutter liebt x

Diese Interpretation ist aber intuitiv völlig ausgeschlossen. Mit (125b) kann man nicht ausdrücken, was mit (127) behauptet wird. Wie läßt sich dieser Sachverhalt erklären?
Bevor wir zu einer Erklärung ansetzen, betrachten wir nun etwas kompliziertere Beispiele, deren Struktur wir jedoch im letzten Abschnitt schon analysiert haben:

(128) (a) Bevor keiner der Patienten wieder laufen konnte, wollte er
          schon aus dem Krankenhaus.

(b) Er wollte aus dem Krankenhaus, bevor keiner der Patienten wieder laufen konnte.

(c) Keiner der Patienten wollte aus dem Krankenhaus, bevor er wieder laufen konnte.

(d) Bevor er wieder laufen konnte, wollte keiner der Patienten aus dem Krankenhaus.

Es besteht eine sehr klare intuitive Tendenz, nur im vorletzten Beispiel die gebundene Lesart des Pronomens zuzulassen. (Urteile dieser Art bedürfen zweifellos eines linguistisch entwickelten Sprachgefühls; auch die Beurteilung von Daten muß in gewisser Weise gelernt werden und bedarf manchmal kritischer Abwägung eher als spontaner Intuition.) Mit der für (a) bis (d) hier zum Zweck der Argumentation vorausgesetzten Lesart des Pronomens als gebundener Variable stellt sich die Frage, wie diese intuitive Beurteilung, daß nur (c) grammatisch ist, erklärt werden kann. Nun wissen wir schon aus den Überlegungen zum Beispielkomplex (116), daß nur in (b) und (c) das zweite Subjekt vom ersten c-kommandiert wird. Also ist es naheliegend, folgende Generalisierung zu formulieren:

(129) *Prinzip der gebundenen Variablen:*
   Ein Pronomen kann die Lesart als gebundene Variable nur dann haben, wenn die Quantorenphrase das Pronomen c-kommandiert.

Mit dieser Bedingung der Universalgrammatik haben wir erreicht, daß die Variablenbindung nur in (128c) möglich ist.
Wenden wir dieses Prinzip auf unsere ursprünglichen Beispiele (125) an: Das Subjekt c-kommandiert alles im Satz, insbesondere das Objekt und das Pronomen darin. Also ist dieses als gebundene Variable interpretierbar. Anders dagegen das Pronomen innerhalb des Subjekts:

(130) weil

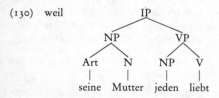

Eine Objekt-NP c-kommandiert das Subjekt gerade nicht, denn die nächste maximale Projektion, die ein Objekt dominiert, ist die VP. Daher c-kommandiert es weder das Subjekt noch irgendetwas innerhalb des Subjekts, insbesondere nicht ein dort befindliches Possessivpronomen. Das Prinzip erklärt also einen wichtigen Teil der Interpretationsmöglichkeiten von Pronomen.

8.3. Das Bindungsprinzip für Reflexivpronomina

Wir gehen nun zu einem ähnlichen Phänomenbereich über, nämlich zu den Interpretationsmöglichkeiten für Reflexivpronomina. Hier gleich einige der relevanten Beispielsätze (cf. Grewendorf (1985)):

(131) (a) Otto redet mit Lisa über sich und ihre Probleme.
    (b) Otto redet mit Lisa über sie und ihre Probleme.
    (c) Otto mußte Lisa erst von sich und ihren Fähigkeiten überzeugen.
    (d) Otto mußte Lisa erst von sich und seinen Fähigkeiten überzeugen.

Aus inhaltlichen Gründen liegt es wieder nahe, das Reflexivpronomen *sich* im letzten Satz auf *Otto* zu beziehen. Im vorletzten Satz dagegen ist eine Interpretation wahrscheinlicher, bei der sich *sich* auf *Lisa* bezieht. Der zweite Satz läßt eine Interpretation zu, in der das Personalpronomen *sie* mit *Lisa* koreferent ist. Für unsere Argumentation entscheidend ist nun der erste Satz. Obwohl es bei diesem Satz schwierig sein mag, ihm überhaupt einen Sinn zu geben, ist es doch ausgeschlossen, das Reflexivpronomen *sich* auf *Lisa* zu beziehen. Hier ist allein die Koreferenz mit dem Subjekt möglich. Welche Gründe könnte er für eine solche Beschränkung der Interpretationsmöglichkeiten geben? Warum dürfen wir keine Koreferenz haben? Auch hier denkt man wieder an ein Prinzip der Universalgrammatik, da es doch wenig wahrscheinlich ist, daß wir *gelernt* haben, welche Interpretationen nicht möglich sind. So ein Prinzip der UG könnte etwa lauten:

(132) Ein Reflexivpronomen hat ein koreferentes Antezedens, welches das Reflexivpronomen c-kommandiert.

Oder kürzer, wenn man »gebunden sein« gerade als die Eigenschaft definiert, ein c-kommandierendes Antezedens zu haben:

(133) *Das Bindungsprinzip für Reflexivpronomina:*
    Ein Reflexivpronomen ist gebunden.

Es ist klar, daß diese Bedingung in (131a) nur dann erfüllt werden kann, wenn *sich* an *Otto* gebunden ist. D. h., *sich* und *Otto* sind koreferent. Keine Koreferenz kann jedoch zwischen *sich* und *Lisa* bestehen, denn *Lisa* c-kommandiert nur die Präposition *mit*. Damit ist ein Teil der Bindungsbedingungen für Reflexivpronomina geklärt. Weitere Bedingungen werden in Abschnitt (9.3.) angeführt.

8.4. Das Bindungsprinzip für Spuren

Auf der Suche nach weiteren syntaktischen Prozessen, bei denen der Begriff des c-Kommandos eine Rolle spielen könnte, ist es naheliegend, an die Beziehung ›bewege-α‹ zu denken. Tatsächlich ist uns in Abschnitt (7.) kein einziger Fall begegnet, wo die Landeposition der Bewegung die Ausgangsposition der Bewegung nicht c-kommandieren würde. Wir können daher davon ausgehen, daß es eine Bindungsbeziehung zwischen der leeren Position, aus der hinausbewegt wurde, und der Position, in die hineinbewegt wurde, geben muß. Diese Generalisierung verlangt also, ähnlich wie das Bindungsprinzip für Reflexivpronomina, daß Lücken, die durch Bewegung entstehen, gebunden sein müssen. Solche Lücken haben wir in Abschnitt (7.3.) *Spuren* (der Bewegung) genannt. Wir formulieren daher:

(134) *Das Bindungsprinzip für Spuren:*
    Spuren sind gebunden.

Gemeint ist hier wieder, daß das bindende Element gerade das »Antezedenz der Spur« ist, d. h. wir können nur an eine Stelle bewegen, die die Ausgangsposition der Bewegung c-kommandiert. Etwas ausführlicher sollte man daher sagen: das Antezedenz einer Spur c-kommandiert diese Spur.

Um uns von der Wirksamkeit des Prinzips zu überzeugen, konstruieren wir jetzt ein Beispiel, bei dem das Prinzip verletzt ist. Dies müßte dann ein ungrammatischer Satz sein. Betrachten wir zunächst den grammatisch wohlgeformten Satz (135).

(135) weil Fritz glaubt, der Satz sei wahr

Wir haben im eingebetteten Satz *sei* an die C-Position und *der Satz* an die Top-Position bewegt:

(136) weil Fritz glaubt, der Satz sei ___ wahr ___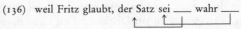

Was passiert aber, wenn wir statt *sei* das Verb *glaubt* an die C-Position bringen?

(137) weil Fritz ___, der Satz glaubt ___ wahr sei

Wie zu erwarten, ist der so erzeugte Satz ungrammatisch. Als einen der möglichen Gründe dafür könnte man eben anführen, daß die von *glaubt* zurückgelassene leere Kategorie von *glaubt* nicht c-kommandiert wird.

8.5. Strukturelle Bedingungen für Rektion

Abschließend noch ein weiteres Beispiel für die Relevanz strukturell definierter Begriffe. Wir fragen uns, für welche Elemente ein Verb, ein Adjektiv oder eine Präposition einen Kasus bestimmen kann. Offensichtlich sind dies zunächst einmal NPs. Der Kasus der NP sickert dann zum Kopf der NP durch. (Der Kopf seinerseits bestimmt den Kasus des Artikels.)

(138) (a) Sie hat das Pferd gesattelt. (Akkusativ)
     (b) Er hat dem Pferd verziehen. (Dativ)
     (c) Er hat des Pferdes gedacht. (Genitiv)
     (d) Das ist ein Pferd. (Nominativ)

Diese Kasusdetermination nennt man klassischerweise *Rektion*. Regiert wird eine NP; das regierende Element, das *Regens*, ist in (138) ein Verb.
In anderen Fällen ist das regierende Element ein Adjektiv oder eine Präposition:

(139) (a) er ist [mir] *fremd* (Adjektiv)
     (b) er hat *gegen* [ihn] verloren (Präposition)

Das Regens steht kursiv, das regierte Element, das *Rektum*, ist eingeklammert. Auch PPs können regiert sein, dann nämlich, wenn es sich um Präpositionalobjekte handelt:

(140) (a) sie *denkt* [PPan ihre Tante]
     (b) sie ist [PPauf ihren Sohn] *stolz*

Das regierende Prädikat determiniert hier die Präposition der PP.

Welches sind die strukturellen Bedingungen für das Vorliegen einer Rektionsbeziehung? Wenn es eine solche universelle strukturelle Bedingung gibt, folgt daraus einiges für den Aufbau von Sätzen und für den Spracherwerb: Phrasen in bestimmten Positionen können nur von bestimmten anderen Positionen aus regiert sein. Liegt eine solche Konfiguration nicht vor, kann keine Rektionsbeziehung vorliegen. Für den Spracherwerb folgt aus einer universellen Strukturbedingung für Rektion beispielsweise, daß bestimmte Fehler im Laufe der Sprachentwicklung nie gemacht werden.

Nehmen wir z. B. an, universelle Prinzipien sagten uns, daß die Kopula *ist* in (140b) die NP *ihren Sohn* nicht regiert. Wir wissen auch, daß Rektion durch die Kopula den Nominativkasus bedingt, siehe (138d). Wenn gelernt werden müßte, zwischen welchen Elementen die Rektionsbeziehung vorliegt, wären Fehler wie in (141) zu erwarten:

(141) *Sie ist auf er stolz

Solche Fehler, die auf der Annahme beruhen, das Objekt der Präposition sei nicht von der Präposition, sondern von *ist* regiert, werden jedoch nie gemacht. Also besteht Grund zu der Annahme, daß es eine Strukturbedingung für Rektion gibt, die universell ist.

Wie in diesem Abschnitt nicht anders zu erwarten, besteht diese Strukturbedingung im Vorliegen von c-Kommando: Damit eine Rektionsbeziehung vorliegen kann, muß das Regens das Rektum c-kommandieren. Dies ist eine notwendige, keine hinreichende Bedingung. D. h., aus dem Vorliegen von c-Kommando kann noch nicht auf das Vorliegen von Rektion geschlossen werden. Dazu benötigen wir noch eine weitere Beschränkung, die wir in einem zweiten Schritt formulieren werden. Aus der Bedingung des c-Kommandos folgt aber bereits, daß ein Verb oder Adjektiv nie das Subjekt des Satzes regiert. Intuitiv ist dies so, weil das Prädikat nie den Kasus des Subjekts bestimmt: Dieser ist *unabhängig von der Wahl eines Prädikates* bestimmt, nämlich im finiten Satz als Nominativ. Formal folgt dies deshalb, weil das Verb oder Adjektiv das Subjekt nicht c-kommandiert. Vielmehr regiert INFL das Subjekt und weist ihm daher den Nominativ zu.

Nehmen wir deshalb an, eine notwendige strukturelle Bedingung für das Vorliegen von Rektion sei, daß das Regens das Rektum c-

kommandiert. Was wir noch nicht geleistet haben, ist, eine notwendige *und* hinreichende Bedingung für das Vorliegen der Rektionsbeziehung zu formulieren. Wir haben nämlich noch nicht
ausschließen können, daß z. B. *ist* in (141) den Nominativ regiert,
d. h. in der Terminologie früherer Abschnitte, den Nominativ
von *er* »zuweist«. Was man intuitiv will, ist, einen *»lokalen«*
Bereich definieren, außerhalb dessen Rektion nicht möglich ist.
Betrachten wir zur Bestimmung dieses Bereichs ein weiteres Beispiel:

(142)

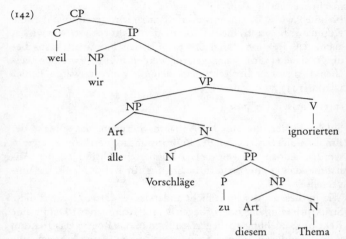

Intuitiv liegen folgende Rektionsbeziehungen vor:

(143) (a) *ignorieren* regiert den Akkusativ der NP *alle Vorschläge zu diesem Thema* und somit diesen NP-Knoten und nur diesen.
  (b) *zu* regiert den Dativ der NP *diesem Thema* und somit den NP-
Knoten und nichts anderes.
  (c) *Vorschläge* regiert die Präposition *zu* der PP *zu diesem Thema*
und somit diese PP und sonst gar nichts.

Schon in früheren Abschnitten haben wir gesehen, daß die entsprechenden Rektionsmerkmale an die jeweiligen Kopf-Positionen projiziert werden; es ist daher nicht notwendig zu fordern,
daß es die Kopf-Positionen selbst sind, die regiert sind. Es genügt, die Rektionsbeziehung in bezug auf die Phrasen zu definieren.

Eine solche Definition wird also davon ausgehen, daß die c-kommandierte maximale Projektion regiert wird, jedoch wird innerhalb der maximalen Projektion nichts »von außen« regiert. Mit anderen Worten, ein Regens regiert eine maximale Projektion, die vom Regens c-kommandiert ist; es regiert jedoch nichts innerhalb dieser Projektion. Man sagt auch manchmal, daß maximale Projektionen *Barrieren* sind für Rektion: Bei der Suche nach einem regierten Element muß man vom regierenden Element ausgehend bei einer maximalen Projektion stehen bleiben. Diese maximale Projektion steht dann im »Rektionsbereich« des Regens; innerhalb dieser maximalen Projektion kann ein Element nur von etwas regiert werden, das sich selbst innerhalb dieser maximalen Projektion befindet. Man mache sich nun aber klar, daß diese maximale Projektion gerade das Regens c-kommandiert! Dazu betrachte man die entsprechenden c-Kommando-Beziehungen in (142): Die Dativ-NP c-kommandiert *zu*, die PP c-kommandiert *Vorschläge*, die Akkusativ-NP c-kommandiert das Verb. Wir können daher den strukturellen Rektionsbegriff, den wir gerade intuitiv erläutert haben, in folgende formale Definition gießen:

(144) *Rektion:*
    Ein Regens X regiert eine Kategorie Y genau dann, wenn
    (a) Y von X c-kommandiert wird und wenn
    (b) X von Y c-kommandiert wird.

Die erste Bedingung haben wir schon besprochen. Die zweite Bedingung wird genau dann verletzt, wenn es eine maximale Projektion gibt, die zwar Y dominiert, nicht aber X dominiert:

(145)

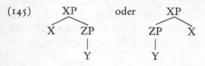

Dies ist gerade dann der Fall, wenn eine maximale Projektion die Rektion blockiert; ZP ist eine Barriere für Rektion durch X. Man kann nun verifizieren, daß die in (143) genannten Bedingungen an die Rektionsbeziehungen in (142) auch erfüllt werden. Wir betrachten nur ein Regens, das Nominal *Vorschläge*. Im Rektionsbereich dieses Nominals steht die PP *zu diesem Thema*, nichts jedoch innerhalb dieser PP. Auch der Artikel *alle* steht im Rektionsbereich des Nomens. Dagegen ist *ignorieren* nicht mehr in diesem Bereich, denn *Vorschläge* c-kommandiert das Verb nicht.

Etwas eleganter läßt sich die strukturelle Bedingung für Rektion so formulieren:

(146) Theorem:
    Ein Regens X regiert eine Position Y genau dann, wenn X und Y von denselben maximalen Projektionen dominiert werden.

Dies folgt aus den Definitionen für Rektion und c-Kommando. Unsere bisherigen Ausführungen haben plausibel zu machen versucht, daß eine an der Konstituentenstruktur orientierte, also rein strukturelle Definition eines bestimmten lokalen Bereichs möglich ist, den wir den *Rektionsbereich* einer Kategorie nennen werden. Eine mit dem Begriff der Rektion eng verbundene Vorstellung war die, daß der Kasus einer NP von etwas regiert bzw. determiniert ist. Die strukturelle Definition des Rektionsbegriffs erlaubt es nun, die universelle Beschränkung zu formulieren, daß ein Element α nur dann den Kasus einer Position β determinieren kann, wenn β von α regiert wird.

9. Lokale Bereiche

Im letzten Abschnitt haben wir einen lokalen Bereich bestimmt, innerhalb dessen Rektion vorliegen kann. Wir versuchen jetzt zu illustrieren, daß die Idee des lokalen Bereichs die Grundlage der neueren Syntaxforschung überhaupt darstellt (cf. Ross (1967), Riemsdijk/Williams (1986)). Dies geschieht durch den Aufweis von zwei weiteren Phänomenbereichen, die – wie im Falle der Rektion – ebenfalls universellen lokalen Beschränkungen unterliegen.

9.1. Subjazenz

Die Fragestellung, die wir im letzten Unterabschnitt verfolgt haben, war diese: Gibt es für einen bestimmten grammatischen Bezug zwischen zwei Elementen einen universell gültigen lokalen Bereich, innerhalb dessen eine solche Beziehung überhaupt nur möglich ist? Eine positive Antwort auf diese Frage wird – meist im Verbund mit anderen Annahmen der Theorie – dadurch nahegelegt, daß auf rein deskriptiver Ebene solche Lokalitätsbeschränkungen notwendig sind, um beispielsweise Übergenerierungen zu verhindern. Dies war auch der Gang der Forschung: Man hat z. B. bestimmte Transformationsregeln aufgestellt und dann gesehen, daß diese zu viel, also Ungrammatisches generieren. Dann hat man gesehen, daß es nicht möglich ist, die Transformationsregeln selbst so zu formulieren, daß sie nur das Richtige liefern. In der Folge wurden dann allgemeine lokale Bedingungen für Transformationen aufgestellt, welche die übergenerierende Wirkung der Transformationsregeln kompensieren sollten. Je erfolgreicher man diesbezüglich wurde, desto weniger sinnvoll wurde es, spezifische Restriktionen in die Formulierung der einzelnen Transformationsregeln selber einzubauen. Am Ende dieser Entwicklung standen dann sehr allgemeine Regeln, wie z. B. die Regel ›bewege-α‹, die alle bisherigen speziellen Transformationsregeln unter sich subsumierten.

Es ist klar, daß mit dieser Vereinfachung lokale Bedingungen an die Anwendbarkeit der Regel gestellt werden müssen. Ein Beispiel dafür war die Bedingung des c-Kommandos für die Bewegung: Innerhalb des c-kommandierten Bereichs einer bewegten Phrase muß auch der Ausgangspunkt der Bewegung, die Spur der Bewegung zu finden sein. Eine solche Beschränkung ließe sich darüber hinaus etwa auch aus psychologischen Untersuchungen ableiten, welche die Mechanismen der tatsächlichen Satzverarbeitung zum Gegenstand haben. Sie hat somit Anspruch auf »psychologische Realität« (cf. Reinhart (1983)). Schließlich spielen lokale Bereiche auch für die Frage der Lernbarkeit eine zentrale Rolle: Sie bilden die Voraussetzung dafür, daß ein komplexes System aufgrund relativ weniger und relativ einfacher Daten gelernt werden kann (cf. Wexler/Culicover (1980)).

Die Idee des lokalen Bereichs wollen wir in diesem Abschnitt dahingehend konkretisieren, daß wir eine maximale Domäne für die Beziehung ›bewege-α‹ angeben.

Dazu ist es nützlich, sich noch einmal Strukturen mit eingebetteten Verbzweit-Komplementen anzuschauen. Beispielsätze sind etwa:

(147) (a) Ede meint ___ ___, Tom hätte ___ ihn angerufen ___

(b) Ede meint ___ ___, ihn hätte sein Sohn ___ angerufen ___

(c) Wer meint Ede ___, ___ hätte ___ ihn angerufen ___

(d) Wen meint Ede ___, ___ hätte Tom ___ angerufen ___

In diesen Darstellungen haben wir der Einfachheit halber igno-
riert, daß der Verb-Zweit-Satz extraponiert wurde. Die Struktur
von (147d) beispielsweise läßt sich nun so angeben:

(148)

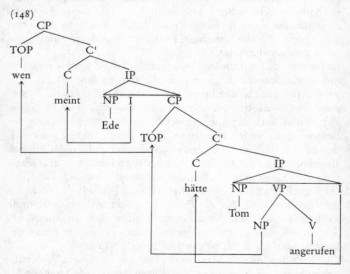

Wir haben *wen* zweimal bewegt, nämlich in die eingebettete
TOP-Position und von dort aus in die oberste TOP-Position.
Was ist nun in den folgenden, offensichtlich ungrammatischen
Sätzen geschehen?

(149) (a) *Wer meint Ede ____ , ihn hätte ____ ____ angerufen
(b) *Wen meint Ede ____ , Tom hätte ____ ____ angerufen

242

Die einzige Möglichkeit, solche Sätze zu erzeugen, wäre folgende, hier illustriert anhand von (b):

(150)

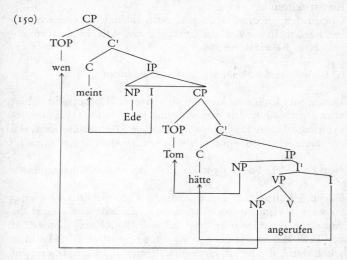

Die Ableitung von (149a) erfolgt analog. Worin könnte nun ein Grund für die Ungrammatikalität dieser Konstruktionen zu finden sein? Vergleicht man die Strukturen (148) und (150), so ist zu erkennen, daß das Fragepronomen in (150) nicht über eine Zwischenstation, den eingebetteten TOP-Knoten, bewegt wurde. Diese Bewegung *in einem Rutsch* ist möglicherweise nicht wohlgeformt, weil *zu weit* bewegt worden ist. M. a. w., möglicherweise müssen wir auch für die Bewegung einen lokalen Bereich angeben, innerhalb dessen Bewegung in einem Schritt zulässig ist.

Es bleibt natürlich zu fragen, wie eine solche Beschränkung formuliert werden könnte. Dazu gibt es seit Ross (1967) in der Literatur zahlreiche Vorschläge, die immer noch Gegenstand intensivsten Forschungsbemühens sind. Obwohl die Sache also nicht ganz trivial zu sein scheint, hier eine recht einfache Formulierung, die den vorliegenden Fall korrekt erfaßt:

(151) *Subjazenzbedingung:*
     Es darf nicht über mehr als einen IP-Knoten bewegt werden.

Man mache sich klar, daß diese Bedingung in (148) gerade erfüllt ist, in (150) wird sie verletzt. Daher die Ungrammatikalität der Konstruktion.

Überprüfen wir diese Bedingung noch anhand von anderen Fällen. Betrachten wir z. B. die Erfragung eines Objektes, das innerhalb eines Relativsatzes steht:

(152) *Wen hat der Mann, der ____ kennt, angerufen

Diesen Satz kann man kaum noch verstehen. Darum geht es hier aber nicht. Wir finden nämlich ohne weiteres für (152) eine semantische Darstellung, die wir verstehen können und die quasi die intendierte Bedeutung des ungrammatischen Satzes angibt:

(153) Für welche Person x gilt: der Mann, der x kennt, hat angerufen

Warum ist also (152) ungrammatisch? Offensichtlich ist wieder zu weit bewegt worden. Greifen wir nämlich noch einmal die Annahme von Abschnitt (7.3.) auf, daß alle Relativpronomen in der TOP-Position stehen, so ist die eingebettete TOP-Position schon durch das Relativpronomen besetzt und kann daher nicht mehr als Zwischenlandeplatz für die W-Bewegung dienen. Ohne diese zusätzliche Position geht der Bewegung jedoch sozusagen die Luft aus, wir müßten im Sinne der Subjazenzbedingung zu weit bewegen, nämlich über zwei IP-Knoten hinweg:

(154)

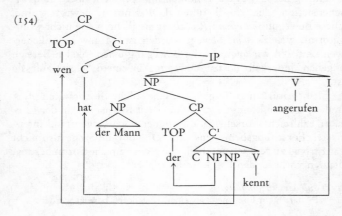

244

Damit ist erklärt, warum Relativsätze sog. *Inseln* für Bewegung sind: Man kommt von ihnen nicht weg, weil man dann wie in (150) zwei IP-Knoten überspringen müßte und somit die Subjazenzbedingung verletzt hätte.

Analog zur Extraktion eines W-Wortes aus einem Relativsatz heraus ist auch die Extraktion aus einem indirekten Fragesatz im Deutschen nicht möglich:

(155)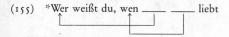

Auch hier sehen wir, daß die Annahme, das W-Pronomen stehe in TOP, zusammen mit der Subjazenzbedingung die Daten erklären kann. Denn wie im vorigen Fall ist dadurch eine Position besetzt worden, die als Zwischenlandeplatz für Bewegung notwendig wäre. Mann nennt übrigens eine solche Bewegung mit »Verschnaufpausen« auch *zyklisch*.

9.2. Spurentheorie und Zyklusprinzip

Wer dieser Argumentation aufmerksam gefolgt ist, wird einwenden, daß wir ja auch anders hätten bewegen können. Nehmen wir etwa folgendes an: Zuerst bewegen wir das W-Pronomen von (152) in die eingebettete TOP-Position:

(156)

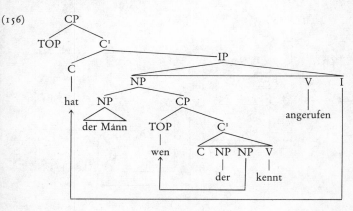

Im nächsten Schritt bewegen wir das W-Pronomen in die oberste TOP-Position:

(157)

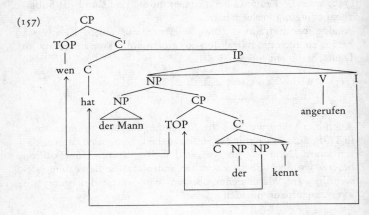

Und erst im letzten Schritt kommt das Relativpronomen in die eingebettete TOP-Position:

(158)

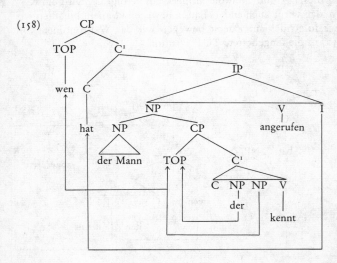

Demnach müßte die Ableitung in Ordnung sein, weil bei jedem Schritt die Subjazenzbedingung erfüllt ist. Man hat früher ein solches Vorgehen explizit verboten, nämlich durch das sog. *Zyklusprinzip*, welches (auf unseren Fall zugeschnitten) folgendes besagt:

(159) *Zyklusprinzip:*
> Keine Bewegung darf gänzlich innerhalb von CP stattfinden, wenn man mit einer anderen Bewegung schon CP verlassen hat.

Dieses Prinzip ordnete also in gewisser Weise die Abfolge von Regelanwendungen. Wenn man also durch den zweiten Bewegungsschritt, die Bewegung von TOP zu TOP, aus dem Relativsatz CP herausbewegt hat, darf man nicht innerhalb der CP das Relativpronomen voranstellen.

Das Zyklusprinzip ist innerhalb der Transformationsgrammatik lange Zeit für eines der tiefsten und wichtigsten restriktiven Prinzipien gehalten worden (dokumentiert wird dieser Stand der Forschung etwa in Perlmutter/Soames (1979)). In neuerer Zeit hat man jedoch einen technisch und konzeptuell einfacheren Weg gefunden, die empirischen Effekte des Zyklusprinzips vorherzusagen. Dies ist die sogenannte *Spurentheorie* oder die *erweiterte Standardtheorie* Noam Chomskys. Diese geht, wie wir in Abschnitt (7.3.) gesehen haben, davon aus, daß jede Bewegung eine *Spur* hinterläßt. Eine solche Spur ist zunächst ein abstraktes Gebilde, das phonetisch vollkommen leer ist, dem also überhaupt kein Laut entspricht. Trotzdem sind Spuren nicht einfach unsichtbar. Sie sind da und spielen eine Rolle in der Phonologie. Dies sei anhand eines Standardbeispiels aus dem Englischen illustriert.

Man betrachte folgende Sätze des Englischen:

(160) (a) Do you want him to leave?
    (»Möchtest Du, daß er geht?«)
  (b) Who du you want ____ to leave?
    (»Von wem möchtest Du, daß er geht?«)
  (c) Do you want to leave?
    (»Möchtest Du gehen?«)

Eine phonetisch relevante Beobachtung ist nun folgende: In (c) ist es möglich, *want* und *to* durch eine phonologische Regel zu *wanna* zusammenzuziehen. In (b) ist diese Aussprache nicht möglich. Da es sich um dieselbe Abfolge von Segmenten handelt, muß die Kontraktion in (b) durch etwas verhindert werden, das zwar phonetisch leer ist, phonologisch jedoch sichtbar ist, da es die Regel der *wanna*-Kontraktion blockiert. Dieses phonologisch und syntaktisch sichtbare Etwas ist gerade die Spur. In (c) dagegen kann es keine Spur zwischen *want* und *to* geben, also ist die Kontraktion zulässig.

Es folgt, daß ein TOP-Knoten, aus dem herausbewegt wurde, keinesfalls leer ist, sondern die Spur der Bewegung enthält. Ergänzt man nun Abbildung (158) durch diese Spur in TOP, so ist klar, daß das Relativpronomen nicht nach TOP bewegt werden kann, weil diese Position schon besetzt ist: Dort steht die Spur der Bewegung. Das Relativpronomen könnte also nicht nach TOP bewegt werden. Unter der Generalprämisse, daß ein Relativpronomen nach TOP bewegt werden *muß*, daß also ein Relativpronomen *in situ* ungrammatisch ist, ist auch der ganze Satz ungrammatisch. Damit haben wir die Ungrammatikalität mithilfe dreier einfacher Prinzipien erklärt. Das eine war die Subjazenzbedingung, das zweite die Bedingung, daß Relativpronomen bewegt werden, das dritte die Spurenkonvention, die hier noch einmal explizit genannt sei:

(161) *Spurenkonvention:*
Jede Bewegung hinterläßt eine Spur.

Das Zyklusprinzip ist nunmehr überflüssig geworden, es ist aus anderen Prinzipien der Grammatik ableitbar geworden.

Die Subjazenzbedingung allein reicht leider nicht aus, um alle ungrammatischen Bewegungen zu blockieren, auch wenn man weitere Beschränkungen zur Erklärung von ungrammatischen Sätzen hinzuzieht. Sie ist nämlich einerseits noch zu grob und müßte verfeinert werden (cf. Perlmutter & Soames (1979)), andererseits scheint sie den Charakter eines sprachspezifischen Parameters zu haben: In manchen Sprachen (Italienisch, Hebräisch, Bulgarisch) ist die Extraktion eines Relativpronomens aus einem indirekten Fragesatz zulässig (cf. Reinhart (1981), Rudin (1981)). Wenn die Subjazenzbedingung ein bloßer einzelsprachlicher Parameter wäre, müßte die Frage beantwortet werden, wie ein solcher Parameter gelernt werden kann. So wie die Subjazenzbedingung hier formuliert ist, ist sie sicher kein plausibler Kandidat für ein gelerntes, beim Spracherwerb erworbenes Prinzip.
Möglicherweise ist nun die Subjazenzbedingung doch universell,

wobei aber verschiedene Sprachen verschiedene Knoten als Parameter für eine universelle Subjazenzbedingung wählen könnten, statt IP z. B. CP. Bei der Wahl von CP wäre der indirekte Fragesatz keine »Insel« mehr für die Extraktion des Relativpronomens. Die Frage der Lernbarkeit wäre dann so zu beantworten: Im unmarkierten, universell vorgegebenen Fall ist der kleinere Bereich, also IP, Parameter für die Subjazenzbedingung. Dies braucht nicht gelernt zu werden. In markierten Fällen ist der größere Bereich, also CP, Parameter für Subjazenz. Um diesen Parameter beim Spracherwerb setzen zu können (die ursprüngliche Domäne für Bewegung also erweitern zu können), genügt schon ein einziges Datum, nämlich eine Extraktion aus einem indirekten Fragesatz.

Wie gesagt, die Ergebnisse der Erforschung von Lokalitätsbereichen für Bewegung sind noch umstritten. Wir wollen daher auf ein gesichertes Gebiet der Syntaxforschung übergehen: das Problem des lokalen Bereichs für die Reflexivierung.

9.3. Reflexivierung

Die Fragestellung lautet hier: Innerhalb welchen lokalen Bereichs kann ein Reflexivpronomen ein Antezedens haben? Auf welche benachbarten Elemente kann es sich beziehen, auf welche Elemente (außerhalb dieser lokalen Nachbarschaft) kann es sich nicht beziehen?

Daß es auch bei der Bindung des Reflexivpronomens *sich* Beschränkungen geben muß, ist leicht gezeigt: Zweifellos kann sich *sich* im folgenden Satz nur auf *Otto*, nicht aber auf *Karl* beziehen:

(162) Karl glaubt, daß Otto sich versteckt.

Wird Referenzidentität mit *Karl* angestrebt, müßte es heißen:

(163) Karl glaubt, daß Otto ihn versteckt.

In diesem Fall kann sich allerdings *ihn* nicht auf *Otto* beziehen. Im großen und ganzen sind nämlich Reflexiv- und Personalpronomen komplementär verteilt: Wo ein Reflexivpronomen stehen kann, kann kein Personalpronomen mit gleichem semantischen Bezug stehen und umgekehrt. Dies bedeutet, daß eine Bereichsbedingung für die Bezugsgleichheit von Reflexivpronomina ebenfalls eine Bedingung dafür ist, daß ein Personalpronomen an entsprechender Stelle im gleichen lokalen Bereich keine referenzgleiche Bezugs-NP haben kann. Wenn also, wie wir sehen werden, der Knoten CP den lokalen Bereich für die Anapher absteckt, muß *sich* in (162) eine referenzgleiche Bezugs-NP haben, in (163) kann es innerhalb dieses Bereichs keine mit *ihn* koreferente und *ihn* c-kommandierende NP geben. Aufgrund dieser Komplementarität der Bedingungen kümmern wir uns im folgenden nur um die Bindung von Reflexivpronomina.

An dieser Stelle könnte man einfach festlegen: Den lokalen Bereich für das Antezedens des Reflexivs bildet der Satz, in dem es steht, also der nächste Knoten der Kategorie IP oder CP, der das Pronomen enthält. (Diese Bedingung wird in der Literatur »*propositional island constraint*« oder »*tensed S condition*« genannt.) Eine genauere Bestimmung des lokalen Bereichs eines Reflexivpronomens erfordert aber die Analyse einiger weiterer Daten (cf. Reis (1978), Grewendorf (1984)). Wir begnügen uns hier damit, eine einzige weitere Konstruktion zu betrachten, nämlich den sog. A.c.I. (accusativus cum infinitivo). A.c.I.-Konstruktionen bestehen aus mindestens drei sie charakterisierenden Teilen: ein übergeordnetes Verb (das sog. A.c.I.-Verb), ein Subjekt eines untergeordneten Satzes im Akkusativ und ein untergeordnetes Verb im Infinitiv ohne *zu*.

(164) (a) Wir hören ihn singen.
      (b) Er sieht es regnen.
      (c) Sie läßt ihn ausschlafen.
      (d) Er hört sich schnarchen.
      (e) Sie sieht sich schon verlieren.

Von der Nebensatzstruktur im Deutschen ausgehend wollen wir annehmen, daß diese Sätze folgende Gliederung besitzen:

(165)

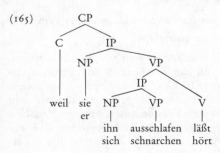

Hier ist *ihn/sich* das Subjekt der von *lassen/hören* eingebetteten IP. Im Infinitiv liegt, wie man sieht, keine nominativische Kasusrektion des Subjekts vor. Das Subjekt steht ja im Akkusativ. Man nimmt an, daß dieser Kasus vom A.c.I.-Verb (*lassen, hören, sehen* etc.) zugewiesen wird, nicht von INFL. INFL weist nur dann Kasus zu (nämlich den Nominativ), wenn es das Merkmal [+finit] besitzt. Daraus folgt aber, daß die IP eines infiniten Verbs für die Kasuszuweisung von außen durchlässig sein muß. IP ist keine Barriere für Rektion.

Für die Formulierung einer Lokalitätsbedingung entscheidend sind nun die folgenden Daten:

(166) (a) weil sie [ihn sich kratzen hört]
      (b) als er [ihn sich kratzen sah]
      (c) da sie [sich ihn schon verlieren sah]

Die beiden ersten Sätze zeigen klar, daß eine bloße Bedingung wie »CP ist der lokale Bereich für die Reflexivierung« sicher zu liberal ist. Eine solche Generalisierung würde es zulassen, daß sich das Reflexivpronomen dort auf das Subjekt des A.c.I.-Verbs beziehen könnte. Dies ist aber nicht der Fall: *sich* muß auf *ihn* bezogen werden. Andererseits kann die VP oder IP, die das Subjekt im Akkusativ, nicht aber das nominativische Subjekt enthält, keine absolute Grenze für die Reflexivierung sein, denn dann müßte auch in (166c) der Bezug auf *sie* blockiert sein. Dies ist aber nicht der Fall. Folglich kann auch IP nicht der hier relevante Bereich sein.

Wir brauchen also eine relative Definition, die sich nicht bloß an bestimmten Kategorien orientiert, sondern daran, welches das bezüglich des Reflexivpronomens *nächste* Subjekt ist, das für die Bindung dieses Pronomens in Frage käme. Der Knoten, der dieses Subjekt unmittelbar dominiert, ist dann der lokale Bereich für das Reflexivpronomen. Wir müssen jedoch zusätzlich beachten, daß der CP-Knoten eine absolute Barriere für den Bezug zwischen Reflexivpronomen und Antezedens bleibt: Es ist nicht möglich, an der Position des Subjektes eines Satzes ein reflexives Pronomen zu haben:

(167) *Fritz glaubt [CPdaß *sich* krank ist]

Ist nun die CP lokaler Bereich für *sich*, so folgt die Ungrammatikalität von (167), weil *sich* in seinem Lokalitätsbereich kein Antezedens hat, also nicht gebunden ist.

Halten wir also fest: Der lokale Bereich von *sich* wird vom nächsten Knoten dominiert, der dieses Pronomen dominiert und entweder gleich CP ist oder ein Subjekt dominiert, das *sich* c-kommandiert. Dieses Subjekt ist in (166a/b) gerade *ihn,* und der lokale Bereich ist die eingeklammerte Konstituente. Diese ist jedoch nicht der lokale Bereich für *sich* in (166c). Hier ist *sich* selber Subjekt, die nächste Kategorie, die das Reflexivpronomen bzw. das Subjekt enthält, ist zwar die IP *sich ihn schon verlieren.* Diese enthält aber kein Subjekt, das *sich* c-kommandiert, denn *sich* c-kommandiert nicht sich selbst. Also kommt als lokaler Bereich erst der Knoten IP in Frage, der das Subjekt *sie* dominiert. Auf analoge Weise läßt sich nun auch zeigen, daß *ihn* in (166b) nicht mit dem Subjekt *er* koreferent sein darf.

Diese eher informellen Bemerkungen mögen genügen, um die Idee des lokalen Bereichs zu verdeutlichen (cf. auch Koster (1978)). Zu Beschränkungen auf lokale Bereiche wäre weit mehr zu sagen. Man kann sich z. B. fragen, *warum* gerade CP eine absolute Barriere sein soll. Es zeigt sich nämlich, daß diese Stipulation eigentlich nicht notwendig ist, sondern mit einer etwas modifizierten Definition des lokalen Bereichs ableitbar wird. Diese neueren Entwicklungen der Theorie der Bindung wurden in Chomsky (1981) erstmalig formuliert und haben zu intensiver Forschung auf diesem Gebiet geführt (cf. beispielsweise Grewendorf (1983), (1985), Reinhart (1983), Sternefeld (1985a) oder den Überblick in v. Stechow/Sternefeld (1987), Kapitel (6.)).

v Morphologie

1. Gegenstand, Grundbegriffe und Probleme
der Morphologie

Wer jemals intensiv eine Fremdsprache gelernt hat, wird dabei eine Grammatik benutzt haben. Da eine deskriptive Grammatik überwiegend die Beschreibung morphologischer Tatbestände einer Einzelsprache zum Thema hat, steht uns der Gegenstandsbereich der Morphologie schon mehr oder weniger bewußt vor Augen. Auch einige Grundbegriffe der sog. »Formenlehre« dürfen wir als bekannt voraussetzen; jede Schulgrammatik des Lateins beispielsweise benutzt Begriffe wie Flexion, Konjugation, Deklination, Stamm oder Endung, ohne eine Begriffsbestimmung überhaupt zu versuchen.

Schon im letzten Kapitel haben wir uns mit dem Gedanken vertraut machen müssen, daß eine eher theoretische Beschäftigung mit Sprache und Grammatik oft ganz andere Zielsetzungen verfolgt, als es aufgrund des Sprachenunterrichts zu erwarten gewesen wäre. Auch Bedeutung und Gebrauch von geläufigen Begriffen des Alltags sind im wissenschaftlichen Kontext oft nur durch ihre Stellung innerhalb von ganzen Theoriegebäuden bestimmt. So hat sich etwa die theorieunabhängige Frage danach, was ein Satz ist, als wenig fruchtbar erwiesen. Ähnlich verhält es sich mit den Grundbegriffen der Morphologie.

Es mag daher als verfehlt erscheinen, diese Begriffe vorab definieren zu wollen. Wenn wir nun in diesem Abschnitt trotzdem eine gewisse Klärung der morphologischen Grundbegriffe versuchen, so geschieht dies doch auf dem Hintergrund der traditionellen Grammatiken, deren Begrifflichkeit in den vorangegangenen Kapiteln ohnehin schon verwendet worden ist. Hier ist nun der geeignete Ort, mit Hilfe dieses Vorverständnisses einige der genannten Termini noch einmal im Zusammenhang zu erläutern und die schon benutzten Begriffe in einen systematischen, theoretisch relevanten Zusammenhang zu stellen.

Nachdem wir uns schon mit der sprachwissenschaftlichen Strukturdisziplin *par excellence*, nämlich mit der Syntax, beschäftigt haben, wird es nun nicht weiter überraschen, daß auch die Morphologie eine *strukturbezogene* Disziplin der Linguistik ist. Den Gegenstand des Teilgebietes Morphologie bilden die universellen und sprachspezifischen Regularitäten, die auf einer Strukturebene zwischen Phonologie und Syntax angesiedelt sind: Es geht um die innere Struktur und den Aufbau von *Wörtern* einer Sprache, wie sie auch in den traditionellen Disziplinen der Wortbildungslehre und der Formenlehre untersucht werden.

Man unterscheidet zunächst zwischen den Wörtern selbst und den Bauelementen von Wörtern, den *Morphemen*. Eine einprägsame Definition des Morphems orientiert sich an der Definition des *Phonems* als kleinster bedeutungs*differenzierender* Einheit. In Abgrenzung zu dieser Definition werden *Morpheme* oft als kleinste bedeutung*stragende* Einheiten definiert:

(1) *Klassischer Morphembegriff*
Morpheme sind *einfache* (»kleinste«) sprachliche Zeichen, die nicht mehr weiter in kleinere Einheiten mit bestimmter Lautung und bestimmter Bedeutung zerlegt werden können;

(2) *Begriff des Wortes*
Wörter sind typischerweise *komplexe* sprachliche Zeichen, die aus kleineren Einheiten (eben den Morphemen) aufgebaut sind und die ihrerseits Bestandteile noch größerer Zeichenkomplexe (z. B. Sätze, Phrasen) sein können (cf. Holst (1978)).

Beide Begriffserläuterungen sind recht vage gehalten, beide enthalten Bezüge auf andere Beschreibungsebenen wie Phonologie, Semantik oder Syntax. Eine etwas genauere Vorstellung des Gemeinten erhalten wir durch die ergänzende Feststellung, daß Wörter und Morpheme auch zusammenfallen können: dann nämlich, wenn ein Wort aus genau einem Morphem besteht und eben deshalb nicht weiter in kleinere Einheiten mit bestimmter Bedeutung zu analysieren ist. Solche »mono-morphemischen« Wörter sind beispielsweise:

(3) *Vogel, Nest, Kind, Bett, grau, grün, blau, voll, aus, ein, nur, Bau*, etc.

Aus mehreren Morphemen bestehen dagegen Wörter wie:

(4) *Vogel+nest, Vogel+kind, Nest+kind, Kind+bett, Kind+taufe, grau-*
+grün, Aus+bau, bau+en, saus+en, Ein+bau, ein+bau+en, Nest-
+er, Kind+er, kind+lich, Kind+lich+keit, Aff+ig+keit, etc.

Daß die mono-morphemischen Wörter eine »bestimmte Bedeutung« besitzen, von der ja in der Definition des Morphems die
Rede war, und daß sie somit als Wörter auch Morpheme sind, ist
unschwer einzusehen. Dagegen ist es bei den aus mehreren Morphemen bestehenden Wörtern manchmal unklar, welche Bedeutung einzelnen Morphemen zukommen soll. Wir wissen zwar,
daß das Morphem *-er* in (4) so etwas wie »Plural« bedeutet und
daß *-lich* und *-ig* hier etwas wie »wie ein« bedeuten. Diese »Bedeutungen« lassen sich in der *Semantik* präzise beschreiben. Anders dagegen bei dem Morphem *-en* in *bauen* oder *sausen*, dessen
grammatische Funktion, den Infinitiv zu bilden, zwar ohne weiteres klar ist, dessen Bedeutung jedoch höchst unklar ist. Aufgrund
solcher Unklarheiten scheint eine Morphemdefinition angemessener, die den Bezug auf die Bedeutung vermeidet:

(5) *Begriff des Morphems (revidiert)*
   Ein Morphem ist die kleinste, in ihren verschiedenen Vorkommen als
   formal einheitlich identifizierbare Folge von Segmenten, der (wenigstens) eine als einheitlich identifizierbare außerphonologische Eigenschaft zugeordnet ist (cf. Wurzel (1984), S. 38).

Diese ungleich kompliziertere Definition spricht von einer »als
einheitlich identifizierbaren außerphonologischen Eigenschaft«.
Diese ist im Falle von *-en* gerade in der *morphologischen* Funktion zu sehen, den Infinitiv eines Verbs zu bilden. In den übrigen
Beispielen haben wir als »außerphonologische Eigenschaft« gerade die einheitliche *Bedeutung* des Morphems erkannt. Die Bedeutung ist also in der neuen Definition nur *eine* der in Betracht
kommenden Möglichkeiten zur Identifikation von Morphemen.
Für die Infinitivendung und auch beispielsweise für Kasusendun-
gen, die ebenfalls als Morpheme aufgefaßt werden, ist es weder
nötig noch sinnvoll, eine »einheitliche Bedeutung« zu postulie-
ren.
Auf weitere Aspekte dieser Begriffsbestimmung kommen wir in
den folgenden Abschnitten noch zurück.
In der Formenlehre, auch *Flexion* genannt, betrachtet man die
(weitgehend) regelmäßige Bildung »grammatischer Formen«
eines zugrundeliegenden Wortes oder Wortstammes in Abhän-

gigkeit von Numerus, Person, Kasus, Tempus, Genus und anderer grammatischer Kategorien des Grundwortes. Beispiele sind:

(6) *Kind* [sing] → *Kind+er* [plur],
Bett [sing] → *Bett+en* [plur],
Ruf [nom] → *Ruf+es* [gen],
dein [nom] → *dein+em* [dat],
lieg+en [inf] → *lieg+st* [2. pers. sg.], etc.

In der *Wortbildung* betrachtet man die Bildung von »neuen« Wörtern auf der Grundlage von »alten« Wörtern, wie z. B. bei

(7) *Kinder, Lied* → *Kinder+lied*,
Ruf, Mord → *Ruf+mord*,
Betten, Verkauf → *Betten+verkauf* etc.

Die Abgrenzung zwischen Flexion und Wortbildung bereitet in der Praxis kaum Schwierigkeiten. Ob es sich hierbei aber tatsächlich um verschiedene oder um im wesentlichen identische Prozesse des Strukturaufbaus handelt, ob also Flexion und Wortbildung denselben Generalisierungen unterliegen, dieselben Gesetzmäßigkeiten aufweisen usw., ist eine der Fragestellungen der Morphologie, auf die wir im folgenden einzugehen haben.

1.2. Morphem und Silbe

Im Bereich der Flexion tritt am deutlichsten zutage, daß die mit »+« markierte Grenze zwischen zwei Morphemen nicht mit der Silbengrenze zusammenfallen muß; schon die einfachsten Beispiele zeigen, daß Silben und Morpheme verschiedene grammatische Einheiten bilden, die daher im autosegmentalen Modell der Phonologie auf verschiedenen »tiers« repräsentiert werden:

(8)

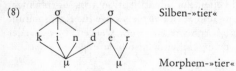

Silben-»tier«

Morphem-»tier«

σ (= *Sigma*) steht wieder für *Silben*konstituenten, μ (= *My*) für *Morphem*konstituenten. Die lateinischen Buchstaben repräsentieren die Segmente. Das Segment /d/ steht genau an der Stelle, wo Morphem- und Silbengrenze nicht zusammenfallen.

Schematisch läßt sich die Unabhängigkeit der morphologischen von der phonologischen oder »prosodischen« Hierarchie wie folgt veranschaulichen (cf. van der Hulst/Smith (1984)):

(9)

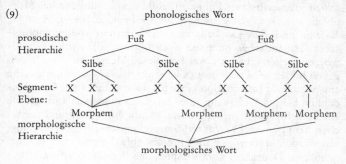

Betrachten wir ein dieser Abbildung entsprechendes Beispiel, dessen Morpheme in den grammatischen Funktionen Adjektiv-, Komparativ- und Pluralbildung auftreten, cf. (10). Als Elemente der Flexion werden i. allg. nur die Morpheme *-er* und *-e* angesehen, während Morpheme wie *-ig*, die syntaktische Kategorien verändern, zur Wortbildung gehören.

(10)

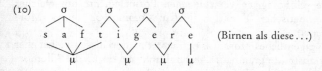

(Birnen als diese...)

Durch solche regelhaft gebildeten morphologischen Abwandlungen eines Grundwortes wie *Saft* entstehen neue Wortformen und Wörter, die man übrigens in einem Wörterbuch, etwa zum Zwecke der Übersetzung, oft vergeblich suchen wird. Tatsächlich wird ein kompetenter Sprecher des Deutschen dort auch nicht nach ihnen suchen: Diese Formen werden ja nicht für jedes Grundwort neu gelernt, sondern nach feststehenden Mustern immer gleich gebildet. Das intuitive Wissen um diese Muster bzw. Regeln – die morphologischen Regeln – macht es gerade überflüssig, alle abgewandelten Wortformen in einem Lexikon aufzuführen; dort wird man nicht *saftigere*, sondern nur die Wörter *Saft* und *saftig* vorfinden.

1.3. Die Einheit der Funktion: Allomorphie

Möglicherweise gibt es nun *verschiedene* Formelemente mit *derselben* grammatischen Funktion, z. B. die pluralbildenden Morpheme *-er*, *-en*, *-s*, *-e* und *-n* in *Rind+er*, *Bett+en*, *Auto+s*, *Boot+e* und *Bote+n*. Falls es nicht aufgrund von phonologischen, semantischen oder sonstigen Eigenschaften eines Grundwortes vorhersagbar ist, welches dieser Morpheme jeweils den Plural bildet, wird man im Lexikoneintrag des Wortes hierzu eine entsprechende Information erwarten dürfen. Einer der Grundgedanken bei der Abfassung eines Lexikons muß es ja sein, gerade solche Informationen bereitzustellen, die *nicht* aufgrund (einfacher, dem Benutzer bewußter) morphologischer Regeln erschlossen werden können. Zu diesen nicht ableitbaren Informationen gehört im Deutschen zum Beispiel, daß der Plural von *Bett* mit *-en* (und nicht mit *-er*) gebildet wird, wogegen der Plural von *Brett* mit *-er* (und nicht mit *-en*) gebildet wird.

Im Kontext des soeben beschriebenen Sachverhalts wird in der morphologischen Literatur oft folgende Terminologie verwendet:

- Das Grundwort, nach dem man in einem Lexikon suchen wird, heißt *Lexem*.
- Die phonologisch verschiedenen Formelemente mit gleicher grammatischer Funktion heißen *Allomorphe* (eines Morphems).
- Als eigentliches *Morphem* betrachtet man in diesen Fällen eher die abstrakte grammatische Funktion, die durch die Allomorphe dieses Morphems realisiert wird.
- Die Wahl des richtigen Allomorphs eines Morphems heißt *lexikalisch gesteuert*, wenn sie nicht an systematische Eigenschaften eines Grundwortes gebunden und somit nicht prädiktabel ist.
- Ist die Wahl eines Allomorphs aufgrund phonologischer Eigenschaften des Grundwortes prädiktabel, spricht man von *phonologisch bedingter Allomorphie*, ist sie lexikalisch gesteuert, spricht man von einer *morphologischen Bedingtheit* der Allomorphe.

Diesen Definitionen zufolge haben wir es bei *-er*, *-en*, *-e*, *-s* und *-n* mit Allomorphen eines nunmehr abstrakten Morphems »Plural« zu tun. Bei einer weniger abstrakten Betrachtungsweise könnte man das Morphem auch als die *Menge* von Allomorphen definieren, durch die eine bestimmte grammatische Funktion, hier die Pluralbildung, realisiert werden kann.

Schon zu Beginn dieses Abschnitts haben wir illustriert, daß das Vorkommen dieser Allomorphe z. T. *morphologisch bedingt* und, wie im Falle von *Brett* vs. *Bett*, daher *lexikalisch gesteuert* ist. Von morphologischer Bedingtheit wird man auch dann sprechen wollen, wenn die Wahl des Allomorphs durch morphologische Faktoren zwar nicht vollständig *determiniert*, wohl aber *eingeschränkt* ist. So ist im Deutschen die Wahl der Pluralendung *-er* auf solche Nomina beschränkt, die nicht feminin sind. M. a. W., das morphologische Merkmal [+feminin] eines Basiswortes schließt die Wahl der Pluralendung *-er* aus.

Zur Illustration der *phonologisch bedingten Allomorphie* dient uns die Verteilung der Endungen *-en* und *-n*. Über deren Distribution entscheidet nämlich das phonologische »Make-up« der vorangehenden Silbe: Enthält diese schon ein Schwa, so wird *-n* gewählt, sonst muß *-en* gewählt werden. Den tieferen Grund für diese Regularität wird man übrigens in den Regeln zur Syllabifizierung finden. Setzen wir einmal voraus, daß die den beiden Formen zugrundeliegende Endung phonologisch lediglich /n/ ist, so kann die Distribution von *-en* und *-n* durch eine allgemeine Regel der Schwa-Einsetzung erklärt werden, die hier nicht im Detail formuliert werden soll, cf. Giegerich (1985). Diese Regel erklärt sowohl die Distribution der Pluralallomorphe als auch die Verteilung der Infinitivendungen bei Verben:

(11) *Phonologisch bedingte Allomorphie beim Infinitiv:*

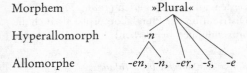

(12) *Phonologisch bedingte Allomorphie beim Plural:*

$$H \; a \; n \; t \; e \; l \; + \; n \; = \; H \; a \; n \; t \; e \; l \; n$$

$$F \; o \; r \; m \; + \; n \; \rightarrow \; F \; o \; r \; m \; n \; / \; F \; o \; r \; m \; n \; \rightarrow \; F \; o \; r \; m \; e \; n$$

ebenso:

$$S \; t \; i \; r \; n \; + \; n \; \rightarrow \; ^{*}S \; t \; i \; r \; n \; n \; \rightarrow \; S \; t \; i \; r \; n \; e \; n$$

Mit einem Stern versehene Silben sind nicht wohlgeformt, da sie keinen Vokal haben bzw. eine unzulässige Folge von Konsonanten enthalten. Man sieht, daß die Regel der Schwa-Einsetzung genau dort zur Anwendung kommt, wo sie eine korrekte Syllabifizierung mit vokalischem Nukleus überhaupt erst ermöglicht. Wir können daher davon ausgehen, daß die Formen *-n* und *-en* phonologisch bedingte Varianten voneinander sind. Die zugrundeliegende Form *-n* wird gelegentlich auch *Hyperallomorph* genannt, während für die phonetisch distinkten Realisierungen der Begriff *Allomorph* beibehalten wird (cf. Bergenholtz/Mugdan (1979), Kap. 7):

Morphem   »Plural«

Hyperallomorph   -*n*

Allomorphe   -*en*, -*n*, -*er*, -*s*, -*e*

Diese mit einem »abstrakten« Morphembegriff verbundene Auffassung steht allerdings im Widerspruch zu unseren bisherigen Morphemdefinitionen. Dort war von »einer bestimmten Lautung« bzw. von einer »Folge von Segmenten« die Rede, während das abstrakte »Pluralmorphem« eben keine bestimmte Lautung, sondern deren mehrere hat und erst recht keine Folge von Segmenten ist. Der von phonologischen Gegebenheiten abstrahierende Begriff des Morphems ist zwar in der linguistischen Literatur weit verbreitet (cf. z.B. Lyons (1968)), ist jedoch weitaus schwieriger präzise zu definieren und dient u.E. weder einem besseren intuitiven Verständnis des Morphembegriffs noch einer größeren terminologischen Klarheit bei empirischen Analysen. Entgegen der gebräuchlichen Terminologie ziehen wir daher Wurzels »natürlicher« erscheinende Definition des Morphems als eines Gebildes *mit einer bestimmten Lautung* vor. Wir haben es also bei *-n, -er, -s* und *-e* mit vier verschiedenen Pluralmorphemen zu tun, wobei man lediglich die beiden Realisierungen von /n/ als Allomorphe (von /n/) bezeichnen könnte. Im folgenden werden wir jedoch zwischen Morphemen und Allomorphen terminologisch nicht streng unterscheiden und somit auch Formen wie *-en* und *-n* einfach Morpheme nennen.

Halten wir also noch einmal fest: Morpheme sind (im Deutschen) immer Folgen von Segmenten. In anderen Sprachen kommen auch die in der nichtlinearen Phonologie behandelten *autosegmentalen* Einheiten als Repräsentationen von Morphemen in Betracht: Es sei nur am Rande erwähnt, daß es im Arabischen CV-Sequenzen sind, die Morphemstatus haben (cf. Halle & Clements (1983), S. 12 f. oder McCarthy (1981)); in einigen afrikanischen Sprachen sind dies auch Tonmelodien, d. h. Folgen von tonalen Einheiten, die wir in Abschnitt (III.B.2.) auf dem tonalen »tier« repräsentiert haben (cf. Fromkin (1978), S. 150, S. 252 f.).

Betrachten wir also Morpheme als *Folgen* von segmentalen oder autosegmentalen Einheiten, so wird klar, daß die in der Morphologie untersuchten sprachlichen Einheiten einerseits größer als die segmentalen Einheiten der Phonologie sind, daß sie jedoch kleiner sind als die phrasalen Einheiten der Syntax. Aus dieser Zwischenstellung resultieren zahlreiche Beziehungen zwischen Morphologie, Syntax und Phonologie, von denen wir einige wenige in den folgenden Abschnitten thematisieren werden.

1.4. Die Bildungselemente in Komposition, Derivation und Flexion

Im Unterschied zur Flexion, bei der die Abwandlungen eines einzigen Wortes oder Lexems betrachtet werden, geht es bei der *Wortbildung* eben um die Bildung anderer, eventuell völlig neuer Wörter bzw. Lexeme. Innerhalb der Wortbildung unterscheidet man noch einmal zwischen *Komposition* (Zusammensetzung) und *Derivation* (Ableitung). Kennzeichnend für die Derivation ist es, daß Wortbildungselemente verwendet werden, die nicht selbständig als Wörter existieren, sondern nur als »Zulieferer« vorkommen. Bei unseren bisherigen Beispielen waren dies u. a. die von Schulgrammatiken auch als »Nachsilben« oder »Endungen« bezeichneten Morpheme *-ig*, *-lich* und *-keit*; als sog. »Vorsilben« wären beispielsweise *ver-*, *be-*, *ent-* oder *un-* zu nennen (*ent+laden, ver+laden, un+be+laden*). Demgegenüber gehören die Zusammensetzungen aus selbständig vorkommenden Wörtern in den Bereich der Komposition.

Diese noch etwas vagen Kennzeichnungen von Derivation, Komposition und Flexion werden im folgenden zu präzisieren sein, insbesondere sollte gezeigt werden, daß es sich um Bereiche handelt, für die man Regularitäten (teilweise) unterschiedlicher Art feststellen kann.

Bevor wir dazu kommen werden, ersetzen wir die z. T. irreführende Terminologie deutscher Schulgrammatiker durch unverfänglichere Ausdrücke der lateinischen Grammatik: Wie wir in Abschnitt (1.2.) gesehen haben, sind gewisse »Nachsilben« in bestimmten phonologischen Umgebungen eben keine Silben. Ohne Bezug auf die Silbe differenziert man zwischen den Bildungselementen von Derivation und Flexion, und unterscheidet:

– zwischen *Präfixen* (»Vorsilben«) und *Suffixen* (»Nachsilben«),
– zwischen *Derivationsmorphemen* und *Flexionsmorphemen*,
– zwischen sog. *gebundenen Morphemen*, die nicht als selbständige Wörter vorkommen können, und solchen Morphemen, die selbständig vorkommen können, den sog. *freien Morphemen*.

Der gemeinsame Oberbegriff zu Präfix und Suffix lautet *Affix*. Diese Begriffe sind relativ unproblematisch. Heikler wird es bei der zweiten Unterscheidung, wo offensichtlich gerade die *gebundenen* Morpheme hinsichtlich ihrer Rolle in Flexion und Derivation unterschieden werden. In diese Unterscheidung geht schon eine Abgrenzung ein, die wir erst noch genauer untersuchen wollen. Es sei aber schon jetzt darauf hingewiesen, daß ein Suffix verschiedene Funktionen erfüllen kann, die man teils zur Flexion, teils zur Derivation rechnen wird. Dies zeigen die folgenden Beispiele:

(13) (a) Flexionsmorphem *-en*: Infinitivendung bei Verben, z. B. *komm +en*;
    (b) Derivationsmorphem *-en*: Adjektivierung von bestimmten Nominalen, z. B. *gold+en*.

(14) (a) Flexionsmorphem -er: Pluralendung, z. B. *Rind+er*;
    (b) Derivationsmorphem -er: Nominalisierung von Verben, z. B.
        Find+er.

Einem einzigen Suffix können also – je nach Funktion – mehrere
gleichlautende Morpheme entsprechen, die sogar unterschiedlichen morphologischen Prozessen zuzuordnen sind.
Die Unterscheidung zwischen gebundenen und freien Morphemen ist ebenfalls nicht unproblematisch. Neben einem teilweise
fließenden Übergang zwischen freien und gebundenen Morphemen, auf den wir hier nicht eingehen können, führt auch die
gängige *Charakterisierung der Komposition* als *Kombination
freier Morpheme* im Deutschen zu Schwierigkeiten. Anders als im
Englischen benötigt nämlich ein Einzelbestandteil eines Kompositums möglicherweise noch eine Flexionsendung, um (außerhalb
des Kompositums) »frei« vorkommen zu können. So kommen im
Deutschen die Verbformen nur flektiert vor (einmal abgesehen
vom Imperativ Singular), in Komposita und Derivata jedoch
kommen Verben als Erstglieder nur unflektiert vor:

(15) (a) *Rührgerät* versus **Rührengerät* (Gerät zum *Rühren*),
        *Rührtgerät (Gerät, mit dem man *rührt*);
    (b) *Prüfling* versus **Prüfenling*,
    (c) *Turnvater* versus **Turnenvater*, etc.

Auch einige Nomina benötigen »an sich« noch Wortbildungs-
morpheme, die sie allerdings innerhalb von Komposita und Derivata »verlieren«, z. B.:

(16) (a) *Stachel+beer+e*, *Stachel+beer+kompott* / **Stachelbeer+e(n)
        +kompott*;
    (b) *Ehr+e*, *Ehr+gefühl, ehr+bar* / **Ehr+e+gefühl, *ehr+e+bar*.

Diese Beispiele sind insofern problematisch, als unserer bisherigen Begriffsbildung gemäß das Morphem *Beer-* nie frei vorkommen kann, trotzdem ist es aber nur ohne ein »sättigendes« Morphem Bestandteil eines Kompositums. Diese Tatsache widerspricht somit der eher für das Englische zutreffenden Definition
der Komposition als Verkettung von freien Morphemen. Fälschlicherweise müßten wir bei dieser Definition entweder Morpheme wie *Ehr-* als freie Morpheme auffassen, oder Formen wie
Ehr+gefühl als Derivata und nicht als Komposita ansehen.
Die Eigenschaft dieser Wörter, innerhalb von Komposition oder
Derivation »in reduzierter Form« vorzukommen, ist nur eines

der distributionellen Kriterien, um im Deutschen *-e* und *-en* als grammatische Morpheme bestimmter Flexionsklassen zu identifizieren. Ein weiteres Kriterium bildet z. B. die Generalisierung, daß im Deutschen das Schwa nicht in Basismorphemen vorkommt: Morpheme wie *Segel* können phonologisch zugrundeliegend als /seːgl/ repräsentiert werden und so auch als phonologische Grundlage für Ableitungen wie *Segler* dienen, cf. Abschnitt (1.3.). Wir können daher nicht davon ausgehen, daß z. B. *Ehre* ein Basismorphem und somit mono-morphemisch wäre und daß das Schwa durch einen phonologischen Prozeß im Anschluß an Komposition und Derivation getilgt würde.

Die Termini »frei« und »gebunden« sind also zur Charakterisierung der Komposition nur bedingt verwendbar. Eine unproblematischere Alternative, welche die Begriffe »frei« und »gebunden« nicht verwendet, ist nun offensichtlich folgende: Wir definieren die Komposition im Deutschen als Verbindung von (Wort-)*Stämmen*. Dies sind Morpheme, die noch flektiert werden müssen, um Bestandteil eines Wortes zu sein. Somit ist *Ehrgefühl* eine Zusammensetzung aus den Stämmen *Ehr-* und *Gefühl*. Ebenso ist *Stachelbeere* als Komposition aus *Stachel* und *Beer-* zu analysieren. Das Kompositum *Stachelbeer-* muß dann noch flektiert werden, um ein Wort zu ergeben.

Mit dieser Definition der Komposition ist unsere ursprüngliche Schwierigkeit behoben, denn wir brauchen auf die problematische Charakterisierung der Komposition mit Hilfe der Begriffe »frei« und »gebunden« keinen Bezug mehr zu nehmen. Wenn man aber wissen will, *was ein Stamm ist*, und den Begriff des Stammes von dem des Wortes abgrenzen will, so kommen die Termini »frei« und »gebunden« wieder ins Spiel: Stämme sind gebundene Morpheme, Wörter sind freie Morpheme. In der Definition des gebundenen Morphems tauchte aber schon der Begriff des Wortes auf. Wir müssen also an dieser Stelle schon ein gewisses Vorverständnis der Begriffe Wort und Stamm voraussetzen.

Ohne dies hier näher begründen zu wollen, sei erwähnt, daß es unmöglich zu sein scheint, sämtliche Begriffe der Morphologie zirkelfrei zu *definieren*. Wir müssen einige davon, wie etwa den des Wortes (oder des Stammes), als intuitiv gegebenen Grundbegriff voraussetzen. Eine solche Situation haben wir einleitend schon mehrfach beschrieben, als es generell um die Theorieabhängigkeit von Begriffen ging.

Kommen wir nun wieder auf unsere Erläuterungen der »klassischen«, im Strukturalismus entwickelten Terminologie zurück. Wie schon bei früheren Begriffsbildungen läßt sich zunächst eine terminologische Überlappung feststellen: Während man Stämme wie *rühr-* nicht als Wort bezeichnen würde, fallen Stämme und Wörter dann zusammen, wenn eine Flexionsendung nicht obligatorisch ist. Dies ist im Deutschen z.B. bei Adverbien durchweg der Fall; auch Adjektive benötigen in prädikativer Position keine Flexionsendung.

Eine weitere, häufig anzutreffende begriffliche Unterscheidung ist die zwischen Stamm und *Wurzel*. Bei unregelmäßig flektierenden Verben etwa findet man im Deutschen Vokalalternationen gemäß bestimmter sog. Ablautreihen, z.B.

(17) (a) *i-a-u* in *find-, fand-, (ge)fund-*
    (b) *e-i-a-e* in *geb-, gib-, gab-, (ge)geb-*
    (c) *u-i-u* in *ruf-, rief-, (ge)ruf-*
    (d) *i-a-o* in *rinn-, rann-, (ge)ronn-*
    (e) *ü-o-o* in *lüg-, log-, (ge)log-*
    etc.

Die aufgeführten Verbformen sind jeweils Stämme eines einzigen Lexems (*finden, geben, rufen* etc.), dessen unflektierte Grund- oder Zitierform gerade die *Wurzel des Verbs* genannt wird. Dies ist im Deutschen derjenige Stamm, der in der *2. Person Plural Indikativ Präsens* erscheint (ihr *find*+et, ihr *woll*+t, aber z.B. ich *will*, du *will*+st, er *will*; die »Zitierform« ist nicht *willen*, sondern *wollen*). Somit sind *sämtliche Wurzeln auch Stämme, nicht jedoch umgekehrt.*

1.5. Zur Kreativität der Wortbildung

Im Bereich der Wortbildung ist die Unterscheidung zwischen »üblichen«, »gelegentlichen« und »möglichen« Bildungen von großer Bedeutung. Die hier gebräuchlichen Fachtermini sind folgende (cf. Holst (1978)):
– *Usuelle* Bildungen:
    Feste, allgemein gebräuchliche Bestandteile des Wortschatzes;
– *Okkasionelle* Bildungen:
    Vereinzelte Gelegenheitsbildungen aufgrund von Wortbildungsmöglichkeiten;

– *Potentielle* Bildungen:
   Zufällig noch nicht gebildet, aber jederzeit möglich aufgrund
   von Wortbildungsregeln.
Die Unterscheidung zwischen okkasionellen und potentiellen
Bildungen ist offenbar nur von historischem Interesse und berührt nicht den grammatischen Aspekt der Wortbildung. Wir
werden beide Bildungstypen meist als »möglich« bezeichnen.
Dieser Begriff setzt voraus, daß es allgemeine Regularitäten gibt,
nach denen Wörter aufgebaut sind; erst diese Regeln ermöglichen
die Differenzierung zwischen möglichen und unmöglichen Bildungen. Wir zitieren einige Beispiele aus Holst (1978):

   (a) *usuell:* riesengroß, einbruchsicher, fehlerfrei, staubfrei, ...
   (b) *möglich:* katzengroß, tischgroß (= »groß wie ein X«);
       staubsicher, riesensicher, katzensicher, fehlersicher (= »sicher ge-
       gen X«);
       riesenfrei, ?einbruchfrei, katzenfrei, tischfrei (= »frei von X«)
   (c) *unmöglich:* *einbruchgroß, *fehlergroß, *staubgroß (d. h. nicht
       möglich bei »Massewörtern« und Abstrakta);
       *tischsicher (Substantiv müßte etwas in irgend einem Sinne Ge-
       fährliches/Unerwünschtes bezeichnen).

Okkasionelle Bildungen entstehen *ad hoc* aus den Bedürfnissen
der Kommunikation, komplexe Sachverhalte (in komplexen
Wörtern) kurz ausdrücken zu können.
Die semantische Analyse solcher Gelegenheitsbildungen zeigt
übrigens, daß ihre Bedeutung häufig nicht nur von der Bedeutung
ihrer Komponenten abhängt (siehe Kapitel (VI.)), sondern von
ganz bestimmten Umständen ihres Gebrauchs. Die Art der Zusammenfügung ihrer Bestandteile zu einem Bedeutungsganzen
ergibt sich nämlich nicht nur aus den semantischen Regeln der
Wortbildung, die weitgehend in Analogie zu satzsemantischen
Regeln operieren (s. ebd.), sondern erfordert ebenfalls die Einbe-
ziehung des jeweils gegebenen Äußerungskontextes: Die Bedeutung vieler Komposita ist erst aus dem Verwendungskontext zu
erschließen.
Wir können uns dies am besten dadurch klarmachen, daß wir
einem Beispiel mit kontextabhängiger Deutung eines mit kon-
textunabhängiger Deutung gegenüberstellen. Eine kontext*un*ab-
hängige Deutung ist häufig dann möglich, wenn ein Bestandteil
relational ist und der andere Bestandteil ein Argument dieser Relation ist (z. B. *Goebbelszitat = Zitat von Goebbels*). Daß eine

solche Interpretation nicht vom Kontext abhängt, impliziert also, daß sie jedem kompetenten Sprecher des Deutschen unmittelbar (aufgrund sehr allgemeiner semantischer Regeln) verfügbar und verständlich ist. Anders dagegen die Verwendung von *Goebbels-zitat* im ZDF am 1. 11. 86: Gemeint war hier kein Ausspruch von Goebbels, sondern das Pressezitat, in dem Kohl die Namen Goebbels und Gorbatschow in Beziehung zueinander gebracht hat. Was hier mit dem Kompositum gemeint war, läßt sich nur mit Hilfe eines spezifisch vorgegebenen Kontextes erschließen. – Bei den usuellen Komposita vergleiche man analog *Sonnenschutz* (Schutz vor der Sonne) mit *Arbeitsschutz* (nicht: Schutz vor der Arbeit).

Mit Hilfe von allgemeinen Interpretationsstrategien (semantische Deutung aufgrund von allgemeinen Regeln oder aufgrund von kontextabhängigem Weltwissen) sind auch die Gelegenheitsbildungen meist unmittelbar verständlich, selbst wenn man sie vorher möglicherweise noch nie gehört oder gelesen hat; man betrachte z. B. die folgenden möglichen Bildungen:

(19) *Firmenberatungskomitee, Finanzierungsgesellschafter, Abgassonderuntersuchungsplakette, Entwicklungsplanungskommissionsvorsitzender, Rot-Grün-Wähler, Donaudampfschiffkapitänsmütze, Dauerarbeitslosigkeitsbekämpfungsgesetz* etc.

Diese wenigen Beispiele zeigen deutlich, daß Komposita eine komplexe *interne Struktur* haben, die, wie wir sehen werden, zur syntaktischen Konstituentenstruktur analog gebildet ist. Durch diese Analogie zur Syntax wird auch die oben gemachte Behauptung einleuchtend, daß es allgemeine Regularitäten der Wortbildung geben muß. Als Konstituenten des letzten Beispiels wären z. B. anzusehen:

(20) *Arbeit, arbeitslos, Arbeitslosigkeit, Dauerarbeitslosigkeit, Bekämpfung, -los, Gesetz* u. a. m.,

nicht aber etwa:

(21) *Dauerarbeit, Bekämpfungsgesetz, -losigkeit,* oder *Arbeitslosigkeitsbekämpfung.*

Als zweiter Aspekt wird deutlich, daß Wortbildungsprozesse *produktiv* sind in dem Sinne, daß der Länge einer Zusammensetzung keine obere Schranke gesetzt ist; zu jedem gegebenen Kompositum ließe sich leicht eine Verlängerung finden (hier z. B.

Dauerarbeitslosigkeitsbekämpfungsgesetzesvorlage). Mit solchen Bandwürmern stößt man zwar schon an die Grenzen des Versteh- und Aussprechbaren, diese Grenzen betreffen aber nicht das kreative Wortbildungsvermögen selbst. Ähnlich wie in der Syntax haben wir es hier also mit den Phänomenen der Performanz und Kompetenz zu tun.

Drittens wird unmittelbar klar, wie fließend der Übergang von der okkasionellen zur usuellen Bildung ist: Jedes usuelle Kompositum scheint auf einer erstmaligen *ad hoc* Bildung zu beruhen, wobei das Bedürfnis des ständigen Gebrauchs nachfolgend dazu führt, daß ein zunächst okkasionell gebildetes Wort zum festen Bestandteil einer Sprache wird; es ist *lexikalisiert* worden. Im Laufe dieser historischen Entwicklung kommt es dann oft zu einer *Idiomatisierung* der Bedeutung. Das heißt, daß

(a) entweder der ursprünglich reguläre semantische Zusammenhang zwischen den Morphemen kaum noch erkennbar ist (z. B. *einsilbig* im Sinne von »schweigsam«, *eintönig* im Sinne von »langweilig«, vergleiche entsprechend: *dickköpfig, hilfreich, höflich, zügig*, usw.) oder

(b) die Bedeutung eines einzelnen Bestandteils nicht mehr erkennbar ist, weil das entsprechende Morphem im Laufe der Sprachentwicklung nur als Teil eines bestimmten Kompositums überlebt hat (z. B. bei *Brom+beere, Him+beere, Schorn+stein, Vogel+bauer*).

Aufgrund der morphologisch produktiven, als Bedeutungsbestandteil durchaus erkennbaren Teile dieser »komplexen Morpheme« in (b) erscheinen andere Teile als Restbestandeile, denen synchron keine Bedeutung zukommt. Da solche semantisch »demotivierten« Teile typischerweise nur in einem einzigen Kontext überlebt haben – dem des relevanten Kompositums – spricht man auch von sog. *unikalen Morphemen*, hier: *brom-* (von mhd. *bram(e)* = Ginster), *him-* (mhd. *hinde* = Hirschkuh), *schorn-* (ahd. *scor* = Strebe, Stütze; *scorren* = herausragen) und *-bauer* (ahd. *bur* = Haus, Kammer).

Die Definition von potentiellen Bildungen schließlich setzt ebenfalls voraus, daß die Wortbildung ein produktiver Prozeß ist, beinhaltet aber zusätzlich, daß dieses »produktive Potential« nicht vollständig genutzt wird. Der Begriff »potentiell« soll vor allem der Intuition gerecht werden, daß neben Derivaten wie *riesig, sonnig, waldig* oder *löffeln* auch die Morphemkomplexe *zwergig, sternig, feldig* und *messern* regelmäßig gebildet sind, daß aber nur erstere zu den usuellen Ableitungen gehören. Letztere werden – im Gegensatz etwa zu **scharfig, *trinkig, *klarheitig, *mehrheitig* – zwar als grammatisch, d. h. als mögliche deutsche Wörter eingestuft, von ihnen wird aber im aktuellen Sprachsystem normalerweise kein Gebrauch gemacht. Häufig finden wir sie allerdings bei Kindern in übergeneralisierenden Phasen des Spracherwerbs.

Die Abgrenzung zwischen bloß potentiellen und unmöglichen Bildungen ist in vielen Fällen keineswegs trivial oder intuitiv unmittelbar gegeben. Dabei ist auch zu berücksichtigen, daß es systematische Gründe dafür geben kann, daß ein Wort nicht benutzbar ist, obwohl es grammatisch bildbar wäre. Dies kann z. B. der Fall sein, wenn es zu einem abgeleiteten Wort schon ein usuelles Wort mit gleicher Bedeutung gibt (vergl. etwa **Stehler* und *Dieb*). Man sagt dann, daß das Lexem *Dieb* die reguläre *er*-Derivation *blockiert*.

Die Beantwortung von Abgrenzungsfragen verlangt meist Klarheit über die semantische Komponente der Morphologie, denn es sind oft semantische Bedingungen, welche in die einzelsprachlichen Regeln zur Kombination mit bestimmten Derivationsmorphemen eingehen. Da wir die Semantik erst im folgenden Kapitel behandeln, können wir dieser Fragestellung hier nicht nachgehen, verweisen aber in diesem Zusammenhang auf das instruktive Buch zur morphologischen (Ir-)Regularität von Frans Plank (1981).

Nach dieser Erläuterung einiger Grundbegriffe der Morphologie wenden wir uns nun dem Ort dieser Komponente sprachlichen Wissens innerhalb des Systems der Grammatik zu.

2. Von der transformationellen zur lexikalistischen Hypothese

Generative Grammatiker haben schon früh erkannt, daß auch der Wortbildungskomponente ein kreativer Aspekt innewohnt, der im jeweils gewählten grammatischen Modell repräsentiert sein muß, wenn dieses die Kompetenz eines Sprechers erklärungsadäquat erfassen soll. Diesem Anspruch wurde die Transformationsgrammatik in der Weise gerecht, daß sie das Modell zur

Beschreibung rekursiver syntaktischer Prozesse auf die Morphologie übertrug und diese somit ganz in die Syntax integrierte. Bis heute sind die Beschreibungsmethoden der Morphologie stark durch die Syntax beeinflußt. Wir nehmen daher in den nächsten Unterabschnitten die Anwendung syntaktischer Methoden in der Morphologie zum Anlaß, auch ein Stück Geschichte der Transformationsgrammatik zu illustrieren. In Abschnitt (3.) kommen wir dann auf neuere Entwicklungen innerhalb der X-bar-Theorie zu sprechen.

2.1. Zur Geschichte der Transformationsgrammatik

Den Ausgangspunkt dieser Integration generativ-syntaktischer Beschreibungsmethoden in die Morphologie bildete Chomskys Buch *Syntactic Structures* von 1957. Drei Eigenschaften des dort vorgeschlagenen Modells sind in unserem Zusammenhang von besonderem Interesse:

1. Alle »kreativen« Aspekte des Sprachsystems wurden formal auf das Wirken von Transformationen zurückgeführt (es gab in diesem Modell keine rekursiven Phrasenstrukturregeln);
2. Affixe und Wortstämme wurden durch nicht-verzweigende Phrasenstrukturregeln erzeugt; Stamm und Affix wurden erst durch eine Transformation »zusammengefügt«;
3. Die Tiefenstruktur galt als Repräsentationsebene für die Bedeutung.

Wir werden diese Eigenschaften unten an Beispielen erläutern; schon jetzt ist aber aufgrund der zweiten Eigenschaft klar, daß auch die Flexionsmorphologie (zumindest formal) ein Bestandteil der Syntax ist.

Die am weitesten ausgearbeitete Übertragung dieses Modells auf die Morphologie wurde von Lees geleistet, cf. Lees (1960). Da die Flexion schon bei Chomsky quasi ein Teil der Syntax war, galt es nun noch, die Wortbildung in dieses Modell zu integrieren. Aus den drei genannten Eigenschaften des Chomsky'schen Entwurfs folgte schon weitgehend, wie eine solche Theorie auszusehen habe:

1'. Die Möglichkeit, beliebig komplexe Komposita bilden zu können, kann nur dann erklärt werden, wenn Zusammensetzungen transformationell erzeugt werden.

2'. Nur Morpheme können durch Basisregeln erzeugt werden; komplexere Einheiten sind durch die Basisregeln nicht generierbar.

3'. Für die Generierung von Ableitungen und Zusammensetzungen müssen Tiefenstrukturen bereitgestellt werden, welche deren Bedeutungen paraphrasieren.

Die erste Eigenschaft ergibt sich offenbar aus der zur Satzstruktur analogen Behandlung der Wortstruktur bezüglich ihrer kreativen Aspekte; die zweite Eigenschaft folgt daraus, daß intuitiv vorliegende Beziehungen zwischen Wörtern, vergl. z. B. *haften – Haftung – haftbar, Fisch – fischen – Fischer* im Rahmen des Modells der *Syntactic Structures* nur transformationell erfaßbar waren (wir erläutern dies weiter unten). Die dritte Folgerung schließlich ist eine unmittelbare Konsequenz aus dem Prinzip, daß die Tiefenstruktur eine bedeutungsnahe Repräsentationsebene darstellt. Weil Transformationen nicht bedeutungsverändernd wirken dürfen, paraphrasieren die Tiefenstrukturen die Bedeutung eines Kompositums.

Im Sinne eines solchen Paraphraseprinzips wäre z. B. ein Kompositum wie *Holzschuppen* abzuleiten aus einer Relativsatzparaphrase wie *Schuppen, der aus Holz besteht* (wobei der flexionsmorphologische Teil der Ableitung hier unberücksichtigt bleibe). Für den Relativsatz selbst ist eine Tiefenstruktur angesetzt worden, die anstelle des Relativpronomens die Bezugsphrase *Schuppen* enthält. Ausgangspunkt der Ableitung des Relativsatzes bildet also ein »vollständiger« Satz (*der Schuppen besteht aus Holz*). Aus der Relativsatzparaphrase entsteht dann durch eine Reduktionsregel *Schuppen aus Holz*, und schließlich durch eine Anzahl von Kompositionsregeln die Oberflächenform *Holzschuppen* (Tilgung der Präposition, Umstellung der Konstituenten und Zusammenfügung zu einem Wort). Mit einem solchen Verfahren wurde also auf der Grundlage semantischer Zusammenhänge zwischen Kompositum und gleichbedeutenden syntaktischen Fügungen versucht, »zugleich die semantischen Eigenschaften von Ableitungen und Zusammensetzungen *und* den Prozeß ihrer Bildung zu erfassen« (Holst (1978), S. 7).

Als Beispiel für eine Ableitung mag die Nominalisierung mittels *-er* dienen. Hierbei wird das Derivationsmorphem, das in den Paraphrasen ja nicht als »selbständiges« Wort erscheinen kann – es ist ein *gebundenes* Morphem –, als Reflex von abstrakten, in der Tiefenstruktur erzeugten Einheiten aufgefaßt, die im Laufe der Ableitung durch das Affix ersetzt werden (cf. Holst (1978), S. 9 f.; die zur Ableitung benötigten Regeln werden dort angegeben):

(22) Tiefenstruktur:

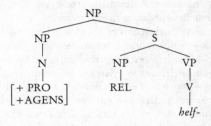

(23) »Inkorporierung«:

(24) »Suffigierung«:

NP
/   \
V   \
| \
help-   er

Das Merkmal [+PRO] steht hier für eine abstrakte Proform, ein »leeres Pronomen«, das einerseits die Einsetzung konkreter lexikalischer Einheiten für die NP verhindert und andererseits die transformationelle Einfügung des Suffixes steuert. REL steht für ein leeres Relativpronomen. Insgesamt soll die Tiefenstruktur also etwas wie »jemand, der hilft« bedeuten.

2.2. Kritik an der »transformationellen Hypothese«

Gegen solche Analysevorschläge – die für nennenswerte Teilbereiche der Morphologie übrigens nur anhand des Englischen detailliert ausgearbeitet wurden – ist eine Vielzahl von Einwänden vorgebracht worden. Zunächst erwies sich die genaue Formulierung der benötigten Transformationsregeln als heikel, zumal immer wieder Unsicherheiten über die vorauszusetzenden Tiefenstrukturen entstanden sind. Dies braucht insofern nicht zu verwundern, als die Antworten auf die Frage nach der Bedeutung von Komposita (man teste z. B. *Informationsbüro*) von Sprecher zu Sprecher sehr verschieden ausfallen können; im Bereich der Derivation stehen brauchbare Paraphrasen oft gar nicht zur Verfügung. Ein gleiches gilt für idiomatisierte Wortbildungen, die sich mit allgemeinen Regeln nicht auf kanonische Art und Weise aus Tiefenstrukturen ableiten lassen (z. B. *Bleichgesicht ≠ Gesicht, das bleich ist, Hasenfuß ≠ Fuß eines Hasen, Windbeutel ≠ Beutel aus Wind*, etc.). Korrekter erscheint daher eine Auffassung von Idiomatisierungen, welche diese als unanalysierbare Einheiten, also als mono-morphemisch behandelt. Ein solches Vorgehen berücksichtigt jedoch lediglich den *semantischen* Aspekt der Wortbildung, widerspricht aber der Intuition eines kompetenten Sprechers des Deutschen, der auch bei metaphorisch gebrauchten oder idiomatisierten Bildungen – trotz semantischer Undurchsichtigkeit – noch deren morphologische *Struktur* analysieren kann.

Eine weitere Erklärungsschwäche des transformationellen Ansatzes ist in einer Besonderheit der morphologischen gegenüber den syntaktischen Regularitäten gesehen worden: Während syntaktische Transformationen uneingeschränkt »produktiv« wirken, sind im Bereich der Morphologie häufig unsystematische Lücken bei der Realisierung eines sonst produktiven Wortbildungsmusters zu beobachten; vergl. z. B. die *-er*-Nominalisierung bei *Trinker, Läufer, Frager*, aber **Leiher, *Verantworter, *Stehler*. Daß Derivationen in diesem Sinne nur *semi-produktiv* sind, ist von bisher vorgeschlagenen transformationellen Ansätzen nicht adäquat erfaßt worden.

Im Laufe der (rein syntaktisch motivierten) Entwicklung der Transformationsgrammatik hat sich weiterhin herausgestellt, daß syntaktische Transformationen prinzipiell »andere Dinge tun« als die vorgeschlagenen morphologischen. Klar wurde dies erst, als man daran ging, das Format von möglichen Transformationsregeln drastisch zu beschränken. So gelangte man innerhalb der Syntax beispielsweise zu der Auffassung, daß Transformationen – weder Kategorie-verändernd wirken können, noch daß sie

– morphologisches oder »lexikalisches« Material tilgen können, wenn dieses nach der Tilgung nicht mehr eindeutig rekonstruiert werden kann (das Prinzip der »recoverability of deletion«). Gerade die häufigen Mehrdeutigkeiten bei der Wortbildung (z. B. *Holzschuppen* = Schuppen, der aus Holz besteht, *oder:* Schuppen, in dem Holz gelagert wird) zeigen aber, daß die Bezeichnungen für Relationen zwischen den Komponenten so getilgt werden müssen, daß die Eindeutigkeit der Rekonstruktion verlorengeht: Welche der möglichen Verbindungen »X besteht aus Y« oder »in X wird Y gelagert« bei der Generierung von *Holzschuppen* getilgt worden ist, ist dem Resultat der Tilgung nicht mehr anzusehen. Dies widerspricht aber der »recoverability of deletion«. Auch ist klar, daß z. B. Nominalisierungen gerade Kategorie-verändernd wirken. Wollte man daher trotzdem an einer transformationellen Behandlung der Wortbildung, der sog. *transformationellen Hypothese*, festhalten, müßte man zugestehen, daß morphologische Transformationen anderen Beschränkungen unterliegen und von grundsätzlich anderer Art sind als syntaktische.

Ein weiteres Argument gegen die transformationelle Hypothese, nämlich Chomskys Nachweis, daß die von Lees postulierten Transformationen der Morphologie schon deshalb inadäquat sein müssen, weil sie mit den »echten« Transformationen der Syntax nicht interagieren dürfen, findet man bei Scalise (1984) ausführlich referiert.

2.3. Die Morphologie als Teil des Lexikons

In Chomskys Aufsatz »Remarks on Nominalization« von 1970 werden weitere, ebenfalls recht prinzipielle Argumente gegen das nunmehr »transformationalistisch« genannte Modell von Lees vorgebracht. Zu diesem Zeitpunkt ist mit Chomskys *Aspects of the Theory of Syntax* (1965) schon ein Grammatikmodell entwickelt worden, in dem das Lexikon eine eigenständige Komponente des Gesamtsystems bildet. Wörter und Morpheme werden nunmehr nicht durch syntaktische Basisregeln erzeugt; sie sind im Lexikon aufgelistet und mit syntaktischen Eigenschaften versehen, welche ihre möglichen Umgebungen spezifizieren. Dies sind die *Subkategorisierungsmerkmale*. Sogenannte *lexikalische Einsetzungsregeln* entnehmen dem Lexikon dessen Einträge und setzen sie an die passenden Stellen eines durch die Basisregeln erzeugten syntaktischen Strukturbaums ein. (Im Gegensatz zum Modell von 1957 ist die Rekursivität nunmehr eine Eigenschaft der Phrasenstrukturregeln, nicht der Transformationsregeln.) Wir veranschaulichen die Organisation der Syntax im folgenden Diagramm (cf. Olsen (1986), S. 21):

(25)

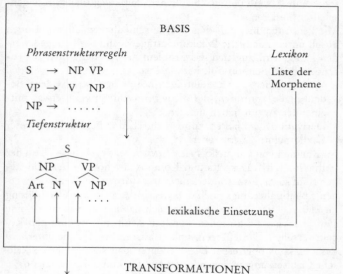

                                                     TRANSFORMATIONEN

Oberflächenstruktur

Chomsky argumentiert nun in dem genannten Aufsatz dafür, Nominalisierungen (d. h. Nomina wie *Finder*, die man sich von einer verbalen Basis wie *find-(en)* abgeleitet vorstellen kann) direkt in der Basiskomponente der Grammatik, also vor den Transformationen anzusiedeln. Dies bedeutet, daß sie schon im Lexikon als komplexe Einheiten gespeichert sein müssen. Evidenz für eine solche Hypothese zieht er u. a. aus der Beobachtung, daß Nominalisierungen distributionelle Charakteristika aufweisen, die mit den Eigenschaften einer nicht-nominalen Tiefenstruktur unvereinbar sind. Vergl. etwa *Friedhelms Rat an Gottfried, nichts zu tun* mit der ungrammatischen nicht-nominalen »Tiefenstruk-

275

tur« *Friedhelm rät *an Gottfried, daß Gottfried nichts tut.* Eine auf der transformationellen Hypothese beruhende Beschreibung hätte dem Verb eine Subkategorisierungseigenschaft zuzuschreiben, die in nichtnominalisierter Form nie realisiert werden könnte. Einer solchen höchst unplausiblen Beschreibung steht die lexikalistische Hypothese gegenüber, derzufolge sowohl Verb als auch Nominalisierung (*raten* und *Rat*) eigenständige Lexikoneinträge mit jeweils unterschiedlichen Subkategorisierungseigenschaften besitzen.

Mit der Annahme, daß diesen unterschiedlichen Distributionen durch unterschiedliche Lexikoneinträge Rechnung getragen werden kann, wird zugleich das Problem der idiomatischen Bedeutung und der Semiproduktivität gelöst:

– Verschiedenen Lexikoneinträgen lassen sich verschiedene Bedeutungen zuordnen, die nicht notwendigerweise etwas miteinander zu tun haben müssen.

– Derivationelle Lücken können durch das Fehlen bestimmter Lexikoneinträge entstehen.

Im Rahmen von Chomskys »*lexikalistischer Hypothese*«, also der Auffassung, daß Derivata und Komposita schon im Lexikon stehen (und somit insbesondere nicht transformationell erzeugt werden), bleibt allerdings noch der kreative Aspekt der Wortbildung zu klären. Hierzu ist es wichtig, sich das Lexikon nicht als eine statische Liste vorzustellen, sondern schon mit bestimmten Regeln versehen. Diese Regeln sind »Basisregeln«, welche *innerhalb* des Lexikons operieren. Dies bedeutet, daß sie vor der lexikalischen Einsetzung angewandt werden. Sie können einerseits dazu benutzt werden, neue Komposita zu *bilden*, sie können aber andererseits dazu dienen, schon bestehende Derivata bzw. usuelle Komposita zu *analysieren*. Die morphologischen Regeln weisen also einerseits einen generativen Aspekt auf, wie er im letzten Abschnitt im Zusammenhang mit der Kreativität der Wortbildung verdeutlicht wurde, sie haben aber auch einen analytischen Aspekt, den wir im Zusammenhang mit unserer Fähigkeit zur morphologischen Analyse von usuellen Bildungen (s. o. *Bleichgesicht, Rohrkrepierer, Hasenfuß*, etc.) thematisiert haben.

Was hier Lexikon genannt wird, weicht also ganz erheblich von dem ab, was man üblicherweise unter einem Wörterbuch versteht. Zur Verdeutlichung dieses Unterschieds fassen wir noch einmal zusammen:

(a) Das Lexikon enthält sämtliche morphologischen Einheiten, die den Input für die Regeln der lexikalischen Einsetzung bilden.

(b) Es enthält somit eine endliche Liste von Morphemen, aber eine (potentiell) unendliche Menge von Wörtern.

(c) Es enthält eine endliche Menge von Regeln der Komposition und Derivation.

(d) Verstehen wir unter Lexemen solche Formen, von denen man annehmen kann, daß sie mental, d. h. im Gedächtnis gespeichert sind, enthält das Lexikon eine endliche Liste von Lexemen. Insbesondere enthält es sämtliche usuellen Bildungen als endliche Liste.

(e) Im Gegensatz zu einem Wörterbuch enthält es ebenfalls alle gebundenen Morpheme (einer Einzelsprache).

(f) Die Regeln des Lexikons analysieren die usuellen Bildungen; sie generieren eine unendliche Menge von potentiellen Bildungen. Diese sind ebenfalls Bestandteil des Lexikons.

Das uns vorschwebende Bild der Organisation eines Lexikons ist somit in erster Annäherung das folgende:

(26)

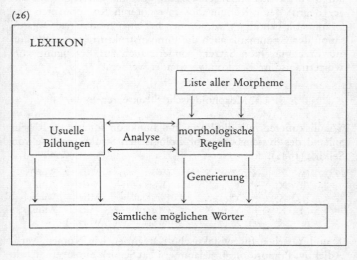

Dieses Bild ist in vielerlei Hinsicht noch zu verfeinern. Bevor wir in Abschnitt (5.) auf weitere Aspekte der Organisation des Lexikons zu sprechen kommen können, müssen wir uns mit der Form morphologischer Regeln beschäftigen.

3. Wortbildungsregeln

Im vorangegangenen Abschnitt haben wir das Lexikon als selbständigen Bestandteil der Grammatik von den übrigen Komponenten, insbesondere von den strukturaufbauenden Regeln der Basis abgetrennt. Es mag daher der Eindruck entstanden sein, als hätten die morphologischen Regeln nichts mit den strukturaufbauenden Regeln zu tun. Einen solchen Eindruck gilt es nun zu berichtigen: Dem Grundgedanken der morphologischen Analyse, daß Wörter eine interne Struktur haben, wird die generative Morphologie nämlich dadurch gerecht, daß sie auch für die Wortbildung das analytische Instrumentarium der *Konstituentenstrukturanalyse* benutzt. Wortstrukturen werden daher gleichfalls durch Phrasenstrukturregeln erzeugt oder analysiert. Ebenso wie der Begriff des c-Kommandos in mehreren Komponenten der Grammatik benötigt wird, können bei einer modularen Organisation der Grammatik auch die Phrasenstrukturregeln nicht nur zur Erzeugung von Sätzen, sondern auch zur Erzeugung von Wörtern, also im Lexikon, verwendet werden.

3.1. Morphologische Strukturregeln

Wir diskutieren nun die Form und Funktion solcher PS-Regeln anhand des Systems zur morphologischen Strukturanalyse von Selkirk (1982):

(27) (a) $X \rightarrow Y^{af} \quad X$ (Wort $\rightarrow$ Affix   Wort)

     (b) $X \rightarrow Y \quad X^{af}$ (Wort $\rightarrow$ Wort   Affix)

     (c) $X^r \rightarrow Y^{af} \quad X^r$ (Wurzel $\rightarrow$ Affix   Wurzel)

     (d) $X^r \rightarrow Y^r \quad X^{af}$ (Wurzel $\rightarrow$ Wurzel   Affix)

     (e) $X \rightarrow X^r$ (Wort $\rightarrow$ Wurzel)

X und Y stehen für syntaktische Kategorien wie Nomen, Verb, Adjektiv, Präposition. In Klammern hat Selkirk hinzugefügt, wie die Regeln intuitiv zu verstehen sind, wenn man von dieser kategorialen Spezifikation absieht. Demzufolge wäre etwa (b) eine rekursive Regel, die besagt, daß die Verkettung eines Wortes mit einem Affix wieder ein Wort ergibt. Analoges gilt in (d) für die Verkettung von Wurzel und Affix. Wir haben dort den hochgestellten Index »r« für »root« mit *Wurzel* übersetzt, müssen jedoch darauf hinweisen, daß Selkirks Terminologie nicht mit unseren bisherigen Erläuterungen übereinstimmt. »root« wäre hier eher als *Stamm* zu übersetzen. Diese terminologische Abweichung soll uns hier nicht weiter stören; wir werden den Unterschied, auf den es Selkirk ankommt, später ohnehin in neutraleren Begriffen ausdrücken können.

In (28) illustrieren wir die Regelschemata (a) bis (e) anhand von Beispielen (cf. Selkirk (1982), S. 96 f.), anschließend wird der Unterschied zwischen den Kategorien X und X^r erläutert. Zur Kennzeichnung der Regelanwendung haben wir die Äste der Bäume mit den Buchstaben (a) bis (e) der jeweils angewandten Instanz der Regelschemata in (27) versehen. Um verschiedene Fälle zusammenfassen zu können, haben wir außerdem die Spezifizierung der syntaktischen Kategorien in (C) bis (E) unterschlagen. Z. B. werden die Fälle (A) und (B) in (C) zusammengefaßt.

(28)

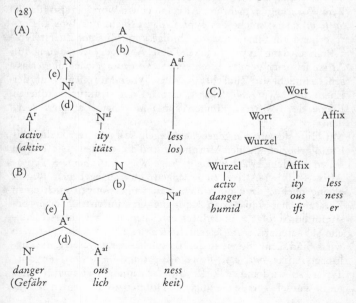

279

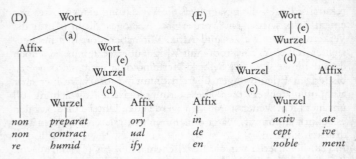

(D) Wort — (a) — Affix / Wort (e) — Wurzel (d) — Wurzel / Affix
non	preparat	ory
non	contract	ual
re	humid	ify

(E) Wort (e) — Wurzel (d) — Wurzel (c) Affix / Wurzel — Affix
in	activ	ate
de	cept	ive
en	noble	ment

Wie gesagt ist Selkirks Unterscheidung zwischen Wort und Wurzel (»root«) kaum mit der aus der Flexionsmorphologie bekannten verträglich. Sie dient im vorliegenden Kontext vielmehr zur Differenzierung zweier Klassen von Morphemen, nämlich in erster Linie zweier Klassen von *Affixen*. Nennen wir sie *Typ-1-* und *Typ-2-Affixe*. Deren distributioneller Unterschied ist leicht erklärt: Typ-1-Affixe (»level one affixes«) stehen innerhalb eines Wortes näher am Stamm als Typ-2-Affixe (»level two affixes«). Beim Vorkommen mehrerer Affixe in einem Wort gilt also für die *Suffixe:* Zuerst solche des Typs 1, dann solche des Typs 2. Entsprechend gilt für die lineare Abfolge von *Präfixen:* Zuerst Typ-2-Präfixe, dann Typ-1-Präfixe. Diese Abfolgebeschränkung für Affixe läßt sich gerade durch eine *Struktur*unterscheidung erfassen, nämlich so: Zunächst werden Typ-1-Morpheme auf der Ebene der »Wurzel« affigiert, erst auf der strukturell höheren Ebene des »Wortes« können Typ-2-Morpheme affigiert werden.

Mit Hilfe der oben angegebenen Regeln soll nun gerade die Reihenfolgebeziehung der Morpheme kodiert werden: Die Regeln sollen es nicht erlauben, eine Folge wie »Morphem + Typ-2-Affix + Typ-1-Affix« zu erzeugen. Die angegebenen Regeln alleine reichen dazu noch nicht aus, wir benötigen noch einen Zusatzmechanismus. Man kann die Gewährleistung einer bestimmten Abfolge z. B. dadurch erreichen, daß auf unterschiedliche Subkategorisierungseigenschaften der Affixe zurückgegriffen wird. Sind nämlich, wie in den Beispielen vorausgesetzt, die englischen Affixe *-ous, -ity, -ify* vom Typ 1 und *-ness, -less, -er* vom Typ 2, so wird mit Selkirks Unterscheidung zwischen »Wort« und »Wurzel« gerade die folgende Differenzierung in den *Subka-*

tegorisierungen ermöglicht: Typ-1-Affixe subkategorisieren »Wurzeln«, Typ-2-Affixe »Wörter«. Man mache sich klar, daß dadurch Bildungen wie *fear+less+ity*, *tender+ness+ous* oder *de+non+ceptive* prinzipiell ausgeschlossen werden.

Als eine zunächst merkwürdig anmutende Eigenschaft der betrachteten Regelschemata fällt auf, daß bei Selkirk auch die Affixe syntaktisch kategorisiert sind, d. h. sie tragen Kategorienmerkmale wie »Verb«, »Adjektiv« oder »Nomen«. Daß ihnen solche kategorialen Eigenschaften zukommen, ist keineswegs selbstverständlich, sondern erst noch zu begründen. Dies geschieht im Rahmen der X-bar-Theorie, auf die wir nun zu sprechen kommen.

3.2. Ein X-bar-Schema für die Morphologie

Eine genauere Betrachtung der von Selkirk angegebenen Regelmenge zeigt, daß sie zwei wichtige Generalisierungen zuläßt:

1. Die verzweigende Kategorie X steht in jeder Regel nicht nur links, sondern auch rechts vom Pfeil.
2. Sie befindet sich in jeder Verzweigung auf dem rechten Ast, nie jedoch auf dem linken.

Generalisierungen dieser Art waren in der Syntax gerade Anlaß für die Entwicklung des X-bar-Schemas. Man sieht nun unmittelbar, daß auch die von Selkirk angegebenen Regeln dem X-bar-Schema folgen: Die Kategorie X ist auf beiden Seiten des Regelschemas vorhanden und ist somit der *Kopf* der Konstruktion. Wir benötigen die speziellen Regeln (27) (a) bis (e) daher nicht, wenn wir auch die strukturerzeugende Komponente der Wortbildung unter das X-bar-Schema fallen lassen. Als einen *Parameter der Morphologie* müssen wir jedoch spezifizieren, daß der Kopf (im Deutschen und Englischen) immer *rechts*peripher ist, d. h. der Kopf steht immer am rechten Rand eines komplexen Wortes.

Kommen wir nun zu den Komplexitätsebenen des X-bar-Schemas. Wir haben im syntaktischen Teil unserer Darstellung die lexikalische Ebene als die X^0-Ebene gekennzeichnet. Wir wollen dieser Konvention treu bleiben und müssen dementsprechend Ebenen »unterhalb« der lexikalischen Ebene mit *negativen* Indizes versehen. Im vorangegangenen Abschnitt haben wir gesehen, daß wir unterhalb der Ebene des Wortes eine weitere Ebene benötigen, die von Selkirk »root« genannt wurde. Die Verwendung negativer Indizes ermöglicht es nun, Selkirks terminologisch ungewohnte Unterscheidung zwischen Wort und Wurzel durch eine unproblematische Ebenenunterscheidung zu ersetzen. Die Ebene der »Wurzel« ist somit die X^{-1}-Ebene, während die des »Wortes« die X°-Ebene ist.

Das allgemeine X-bar-Schema für die Morphologie nimmt nun folgende Gestalt an (cf. Selkirk (1982)):

(29) *X-bar-Schema für die Morphologie*

$X^i \to$ [. . . . . . X^j . . . .]   wobei

(a) $j \leq i \leq 0$ und
(b) die Punkte für Kategorien einer Ebene $k \leq i$ stehen.

Im Unterschied zum X-bar-Schema in der Syntax sind die Nicht-Köpfe, für die wir Punkte verwendet haben, keine *maximalen* Projektionen, sondern Kategorien, die höchstens so komplex sind wie die zu expandierende Kategorie X^i. Dies besagt gerade die Klausel (b). Bedingung (a) legt wie in der Syntax fest, daß der Kopf X^j höchstens so komplex ist wie X^i.

Für die jetzt zu besprechenden Beispiele werden wir nur einige Spezialfälle dieses Schemas benötigen. Ohne dies im Detail motivieren zu wollen, legen wir daher fest, daß im oben angegebenen X-bar-Schema der Morphologie i und j lediglich die Werte 0 oder -1 annehmen können und daß stets $k = j$ ist.

Diesem Schema gemäß erhalten wir nun folgende Indizierungen der Knoten:

(30)

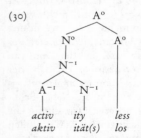

Es ist klar, daß Suffixe des Typs 1 Kategorien der Form X^{-1} sein müssen, während Suffixe vom Typ 2 von der Kategorie X° sind. Wir brauchen also aufgrund der Festlegung, daß $k = j$ ist, nicht mehr zu fordern, daß Affixe Kategorien einer bestimmten Komplexitätsebene subklassifizieren. Dies folgt schon daraus, zu welchem Index k das Affix gehört.

Als Subkategorisierungseigenschaft steht im Lexikon lediglich, daß -*ity* bzw. -*ität* eine Kategorie A subkategorisiert, während -*less* bzw. -*los* ein N verlangt. Durch diese »innerlexikalischen« Subkategorisierungen wird auch ausgedrückt, daß es sich bei Affixen um *gebundene* Morpheme handelt.

Das Prinzip des rechtsperipheren Kopfes bringt die Generalisierung zum Ausdruck, daß es die Suffixe sind, welche die Kategorie des Derivats bestimmen. Dieser Sachverhalt wird mit Hilfe des X-bar-Schemas gerade dadurch erfaßt, daß den Suffixen eine syntaktische Kategorie zugeordnet ist, die den Kopf der Konstruktion bildet. Wenn also beispielsweise ein Suffix ein Verb nominalisiert, so heißt dies gerade, daß es von der Kategorie N ist und ein V subkategorisiert.

Aus dem Prinzip des rechtsperipheren Kopfes folgt nun weiterhin, daß Präfixe nie Kategorie-verändernd wirken können. (Würden Präfixe die Kategorie eines Wortes bestimmen, so müßte der Kopf links-peripher sein!) Dieser zunächst willkommenen Generalisierung steht allerdings gegenüber, daß es für die Präfixe nunmehr keine Kriterien ihrer Kategorisierung nach einer bestimmten Kategorie gibt: Wenn die Kategorie eines Präfixes nie die Kategorie des abgeleiteten Wortes bestimmt, bleibt sie – mangels anderer Kriterien – letztlich unbestimmbar (cf. dazu Reis (1983)). Dies ist möglicherweise ein Nachteil des X-bar-Schemas, das ja eigentlich eine kategorielle Spezifikation aller Konstituenten voraussetzt. Es bietet sich jedoch an, gerade in diesem Fall aus der Not eine Tugend zu machen: Falls die Kategorie eines Wortbestandteils unbestimmbar ist, verwenden wir eine Variable als Kategorie, schreiben also beispielsweise $[_A x un[_A plausibel]]$. Wir verzichten lediglich auf die bisher stillschweigend getätigte Voraussetzung, daß alle Variablen des X-bar-Schemas durch Kategorien ersetzt werden müssen.

Eine gewisse Komplikation ergibt sich allerdings aus der Beobachtung, daß die Präfigierung in einigen wenigen Fällen doch Kategorie-verändernd wirken kann, z. B. in (31):

(31) (a) ver*dumm*en, ver*roh*en, ent*gleis*en, ent*schwefel*n, be*finger*n, be*lustig*en, etc.

    (b) Ge*stöhn*(e), Ge*jaul*(e), Ge*birge*, Ge*stüt*, Ge*stühl*, Ge*stänge*, etc.

Möglicherweise ist in (31a) das jeweilige Präfix als V zu kategorisieren und gleichzeitig eine Ausnahme zum Kopfprinzip zuzulassen: In der Konfiguration V+X steht der Kopf von Derivaten im Deutschen ausnahmsweise links. Entsprechendes gilt für die Beispiele in (b), cf. Olsen (1986).

Während im Bereich der Derivation also eine gewisse Komplikation auftauchte, erhalten wir in der Komposition mit Hilfe des X-bar-Schemas die ausnahmslos korrekte Generalisierung, daß das rechte Kompositionsglied der Kopf ist und somit die Kategorie des Ganzen bestimmt. Wir verdeutlichen diesen an sich trivialen Sachverhalt anhand weniger Beispiele:

(32) $[[_A Rot][_N wein]]$ hat die Kategorie N,
     $[[_N wein][_A rot]]$ hat die Kategorie A;
     $[[_N dampf][_V bügeln]]$ hat die Kategorie V,
     $[[_V Bügel][_N dampf]]$ hat die Kategorie N;
     $[[_N rad][_V fahren]]$ hat die Kategorie V;
     $[[_V Fahr][_N rad]]$ hat die Kategorie N; etc.

Mit der Kompositionsmorphologie haben wir nun ein Gebiet erreicht, das die Anwendung des morphologischen X-bar-Schemas recht eigentlich zu begründen vermag. Erinnern wir uns, daß die syntaktischen Tests zur Bestimmung des Kopfes eines Syntagmas davon ausgingen, daß die morphologischen Merkmale einer Konstruktion vom Kopf der Konstruktion stammen und an das ganze Syntagma *vererbt* werden. Ganz analoge Betrachtungen rechtfertigen nun auch die Bestimmung des Kopfes eines Kompositums. Nicht nur determiniert der Kopf die syntaktische Kategorie, er bestimmt auch die morphologischen Merkmale des Kompositums. Wir illustrieren dies anhand des Genus:

(33) die/*der Stromenergie, der/*die Energiestrom
     die/*der Salatkartoffel, der/*die Kartoffelsalat
     die/*das Eisschokolade, das/*die Schokoladeneis

Aufgrund dieser recht allgemeinen Regularität der Vererbung ist es gerechtfertigt, vom Kopf eines Kompositums zu sprechen und somit das X-bar-Schema als allgemeines Prinzip zur Erklärung der Vererbungseigenschaften in Komposita heranzuziehen; darüber hinaus bietet sich die Verallgemeinerung an, auch den Derivationssuffixen gerade jene morphologischen Eigenschaften zuzuschreiben, welche dem abgeleiteten Wort zukommen. So sind beispielsweise Nominalisierungen auf -er ausnahmslos Maskulina, während solche auf *-keit* immer Feminina sind. Der Mechanismus der Vererbung erfaßt diese Regularitäten automatisch, wenn die Suffixe im Lexikon Genusmerkmale besitzen:

(34)

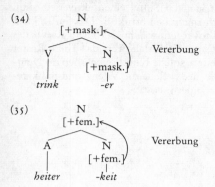

(35)

N
[+fem.]

A   N
           [+fem.]   Vererbung

heiter   *-keit*

3.3. Wortbedeutung und Argumentstruktur

Die Anwendung des X-bar-Schemas in der Derivation prognostiziert also, daß die Merkmale des Suffixes auf die Ebene des Wortes vererbt oder »projiziert« werden. Allerdings können nicht alle Merkmale eines Derivats vom Suffix stammen. So ist beispielsweise die Argumentstruktur einer *bar*-Ableitung (wie bei *trinkbar, lesbar, fahrbar* etc.) mit der Argumentstruktur der verbalen Basis verknüpft: Das syntaktische Subjekt des Derivats ist das semantische Objekt des transitiven Verbs. Wir könnten dies so darstellen, daß die thematische Rolle des Objekts an das abgeleitete Wort vererbt wird:

(36)

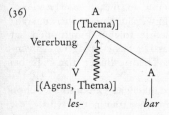

Eine solche Darstellung verdeckt jedoch einen entscheidenden Unterschied zur morphologischen Vererbung. Während dort die Wortbestandteile sozusagen »passiv« bleiben und ihre Merkmale lediglich weitergeben, hat hier das Suffix einen aktiven Einfluß auf die Veränderung der thematischen Struktur. Das Suffix kann als eine *Funktion* aufgefaßt werden, welche das Theta-Raster des Verbs zum Argument hat und diesem als Wert das Theta-Raster des Derivats zuordnet. Weitere solche Funktionen üben im Deutschen z. B. gewisse Präfixe aus, welche die Valenz und Subkategorisierung eines Verbs verändern, etwa:

(37)

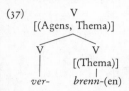

Die Transitivierung von Verben, wie sie auch bei *be+schlafen, ver+arbeiten, über+denken* vorliegt, zeigt deutlich, daß die Vorstellung einer Vererbung hier versagt, denn es werden ja neue Argumente geschaffen. Diese neu hinzukommenden thematischen Rollen lassen sich kaum als Argumente der Präfixe deuten. Neben den Argumentstrukturen können auch Subkategorisierungen verändert werden, vergleiche etwa:

(38) (a) Fritz arbeitet an seiner Diss.
     (b) Fritz bearbeitet seine Diss.
     (c) *Fritz bearbeitet an seiner Diss.
     (d) *Fritz arbeitet seine Diss.

Auch hier werden Subkategorisierungseigenschaften keineswegs einfach vererbt. Diesen Fakten wird eher dadurch entsprochen, daß Affixe auf den vorhandenen Argumentstrukturen (bzw. Subkategorisierungsrahmen) operieren und aus diesen *neue* bzw. *modifizierte* Argumentstrukturen (bzw. Subkategorisierungsrahmen) bilden. Eine allgemeine Theorie solcher Funktionen hat Williams (1981) entwickelt. Auf das Deutsche bezogene Anwendungen und Erweiterungen dieser Theorie findet man z. B. bei Wunderlich (1985).

Fassen wir nun den bisherigen Gedankengang zusammen. Schon in der Frühphase der Transformationsgrammatik wurde die

Wortbildung mit denselben Mitteln beschrieben wie die Bildung von Phrasen. In neuerer Zeit gestattet es das von Chomsky entwickelte X-bar-Schema, eine Reihe von Generalisierungen zu formulieren, die auf dem Begriff des Kopfes beruhen und die Vererbung von morphologischen Merkmalen betreffen. Diese Vererbungsmechanismen finden wir sowohl in der Kompositions- wie in der Derivationsmorphologie. Aus dieser Perspektive gesehen reduziert sich der Unterschied zwischen Komposition und Derivation lediglich auf die Art der verknüpften Elemente, nicht auf die Art der Verknüpfung an sich. Komposition und Derivation sind jedoch nicht in jeder Hinsicht dasselbe: Affixe operieren auf der Argumentstruktur ihrer Komplemente, während dies in derselben syntaktischen Konfiguration die Köpfe von Komposita nicht tun. (Zu weiteren Unterschieden und Gemeinsamkeiten konsultiere man die Debatte zwischen Reis und Höhle im Sammelband von J. Toman (1985)). Um diese Behauptung zu illustrieren, müssen wir abschließend kurz das Verhalten der *Argumentvererbung in Komposita* beleuchten.

Wir unterscheiden im wesentlichen zwei Fälle: (a) Die semantischen Argumente des Kopfes werden vererbt, d. h. sie sind Argumente des Kompositums und seines Kopfes; z. B. *Tagung der NATO* (*NATO* ist Argument von *Tagung*) und *Frühjahrstagung der NATO* (*NATO* ist Argument des Kompositums), (b) ein Nicht-Kopf ist semantisches Argument des Kopfes, d. h., die vom Kopf zu vergebende thematische Rolle wird nicht vererbt, sondern einem Argument innerhalb des Kompositums zugewiesen; z. B. bei *NATO-Tagung* oder *Arzthelferin*. In diesem Fall spricht man von Rektionskomposita.

Zu beiden Möglichkeiten – Vererbung oder Zuweisung einer thematischen Rolle – gibt es jedoch Ausnahmen hinsichtlich der Direktionalität dieser Prozesse. So diskutiert Höhle (1982) den Fall, daß (c) die semantischen Argumente des Kompositums vom morphologischen Nicht-Kopf geerbt werden können. Gehen wir beispielsweise von Nomen-Argument-Syntagmen aus wie *Beschleunigung der Partikel*, *Vorbereitung auf den Flug*, oder *Wachstum der Pflanzen*, so finden wir in Komposita wie *Beschleunigungsgrad der Partikel*, *Vorbereitungszeit auf den Flug* und *Wachstumsgeschwindigkeit der Pflanzen* den Tatbestand illustriert, daß ein Argument des Kompositums gerade ein Argument des Nomens ist, das nicht der Kopf des Kompositums ist.

Boase-Beier und Toman (1986) vertreten die Auffassung, daß in *Bettelmönch, Rührei, Hackfleisch, Schließfach, Mietwagen* und *schwimmbereit* die Möglichkeit (d) realisiert wird, daß der Kopf ein semantisches Argument des Nicht-Kopfes ist.

In den Fällen (a) und (c) wird also je ein Argument vererbt, in (b) und (d) wird ein Argument innerhalb des Kompositums gebunden. In keinem Fall jedoch kann bei der Komposition ein Argument neu geschaffen werden.

Eine allgemeine Theorie der Vererbung hätte weitere Gemeinsamkeiten und Unterschiede zwischen Komposition und Derivation genauer zu untersuchen. Insbesondere die exakten Bedingungen für die Anwendbarkeit der Argumentvererbung von Nicht-Köpfen in (c) sind derzeit noch wenig erforscht.

4. Zur Form von Flexionsregeln

Im vorangegangenen Abschnitt haben wir hauptsächlich *einen* Aspekt der Wortbildung angesprochen, nämlich den strukturellen. Unter diesem sehr allgemeinen Gesichtspunkt ist es gerechtfertigt, nicht nur Phrasen, sondern auch Wörtern einer Sprache *syntaktische* Strukturen zuzuordnen. In diesem Falle spricht man auch in der Morphologie von *Wortsyntax*.

Wir haben bisher allgemeine Prinzipien der Wortsyntax aufgestellt, sind aber weder auf einzelsprachliche Wortbildungsregeln eingegangen noch haben wir spezifische syntaktische oder semantische Beschränkungen formuliert, die über das X-bar-Schema für die Morphologie hinausgingen. Allerdings ist im letzten Abschnitt klar geworden, daß dieses Schema nicht für alle Aspekte der Wortstruktur zuständig sein kann. So fällt beispielsweise ein eher semantischer Aspekt der Derivation, nämlich die Argumentvererbung und -veränderung, nicht in den Zuständigkeitsbereich dieses Schemas, sondern muß mit anderen Mitteln beschrieben werden. Wir haben es jedoch weitgehend offengelassen, wie dies geschehen kann.

An dieser Stelle sei eine methodische Bemerkung erlaubt, die etwas über das hinausgeht, was sich unmittelbar anhand von Beispielen illustrieren läßt. Betrachtet man nämlich das soeben nur vage angedeutete Zusammenspiel von X-bar-Theorie, Vererbungstheorie und Bedeutungstheorie als Interaktion verschiedener unabhängiger *Module* der Grammatik, so erweist es sich kaum als gerechtfertigt, von der Morphologie als einer Theorie mit einem einheitlichen Gegenstandsbereich auszugehen. Vielmehr überlappen sich auf der Ebene des Wortes einige Theoriekomponenten, die ebenso vor allem auf syntaktischer und semantischer Ebene anzutreffen sind und auch dort in gleicher oder ähnlicher Weise interagieren. Die Gemeinsamkeit liegt in der Anwendung auf einen bestimmten Bereich, nicht notwendigerweise in einer speziellen Theorie für gerade diesen Bereich. Auch wenn es Gesetzmäßigkeiten gibt, die für die morphologische Ebene spezifisch sind, finden wir doch den Grundgedanken einer *modularen Theoriebildung* als solchen bestätigt.

Beschäftigen wir uns nun noch mit der *Flexionsmorphologie* unter den Gesichtspunkten der Vererbung und des X-bar-Schemas. Vom Standpunkt der Vererbung aus gesehen, erscheint zwar die Annahme plausibel, daß die Merkmale des Flexionsaffixes an das Wort weitergegeben werden, wie z. B. beim Kasus oder Numerus. Andererseits bestimmt jedoch stets der Stamm die syntaktische Kategorie des Wortes, oft auch die Flexionsklasse und/oder die Genusmerkmale eines Suffixes. Man würde jedoch nicht davon ausgehen wollen, daß umgekehrt ein Flexionselement etwa den Flexionstyp oder die syntaktische Kategorie eines Stammes bestimmen könnte. Es sieht also so aus, als seien die Determinationsverhältnisse in einem Teilbereich der Flexion denen im Bereich der Derivation gewissermaßen entgegengesetzt: Die relevanten »kategorialen Merkmale« (z. B. auch die Subkategorisierungsmerkmale) kommen vom Stamm, also von links, die relevanten morphologischen Merkmale von rechts. Welche der Kategorien man auch immer zum Kopf erklären will, diese Verhältnisse scheinen unvereinbar mit dem Kopfprinzip des X-bar-Schemas, wonach die Weitergabe von Merkmalen des Nicht-Kopfes blockiert ist.

Daher liegt der Schluß nahe, daß die Regularitäten der Flexionsmorphologie nicht unter die Vererbungsmechanismen des X-bar-Schemas fallen. Man könnte etwa stipulieren, daß in der Flexionsmorphologie die Affixe als Merkmalbündel an eine syntaktische Kategorie adjungiert sind, wobei davon ausgegangen werden muß, daß bei diesem speziellen Typ von Adjunktion Vererbung beidseitig möglich ist:

(39)

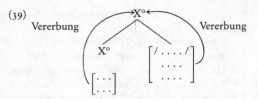

Dies läßt sich an folgenden Beispielen illustrieren.

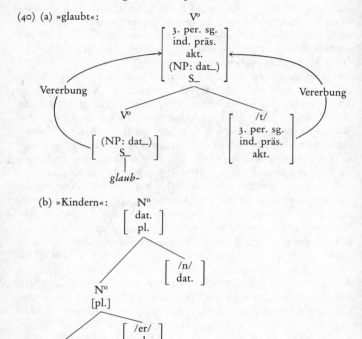

(40) (a) »glaubt«:

(b) »Kindern«:

Als eines der Merkmale des Affixes haben wir mit /.../ dessen phonologische Gestalt den übrigen Merkmalen hinzugefügt. Es ist klar, daß dieses Merkmal nicht vererbt wird, sondern als Eingabe für die phonologische Komponente der Grammatik dient.

Eine andere Möglichkeit bestände darin, zu leugnen, daß es in der Flexionsmorphologie nur jeweils genau einen Kopf gibt. Das X-bar-Schema in der Morphologie suggerierte zwar, daß die durch Punkte abgekürzten Kategorien gerade die Nicht-Köpfe sind. Davon sind wir bei allen Betrachtungen im Bereich der Derivation und Komposition ausgegangen. Das Schema selbst zeigt jedoch nicht immer eindeutig an, welches der Kopf ist. Hierzu benötigen wir spezielle Annahmen darüber, ob der Kopf rechts- oder linksperipher ist. Möglicherweise läßt sich nun die Flexionsmorphologie gerade als eine Ebene des (morphologischen) X-bar-Schemas kennzeichnen, bei der (a) die Kategorien rechts vom Pfeil gleich sind und (b) diese die Köpfe der Kategorie links vom Pfeil sind. Mit der Annahme, daß es mehrere Köpfe gibt, soll gerade gewährleistet werden, daß sämtliche Merkmale der Morpheme an das Wort vererbt werden können.

Zur Flexionsmorphologie wäre selbstverständlich noch mehr zu sagen (cf. z. B. Wurzel (1984), Kap. 1.3). Wir müssen es hier bei den Charakterisierungen der Flexion als »Adjunktion mit Vererbung« bzw. als »Mehrfach-Kopf-Konstruktion« belassen, ohne auf sprachspezifische Details oder theoretische Konsequenzen eingehen zu können. Zum Problem der Abgrenzung von Flexion und Derivation konsultiere man z. B. Plank (1981) oder den sehr nützlichen Überblick in Wurzel (1984), Kap. 1.2.

5. Zur Organisation des Lexikons

In diesem Abschnitt behandeln wir die Frage nach dem Zusammenhang zwischen Flexion und Wortbildung unter folgendem Gesichtspunkt: Ist es möglich, Flexionsregeln vor Wortbildungsregeln anzuwenden? D. h., gibt es Strukturen der folgenden Art, wobei AF für ein beliebiges Flexionsaffix steht und X bzw. Y für Kategorien des morphologischen X-bar-Schemas?

(41)

Die einzigen Strukturen, die im Deutschen auf eine solche Möglichkeit hindeuten, sind solche mit sog. *Fugenmorphemen* an den Nahtstellen zwischen Konstituenten einer Bildung. Vergleiche dazu die Gegenüberstellung aus Holst (1978):

(42)   (a)   *ohne Fugenmorphem*:   (b)   *mit Fugenmorphem*:

           Kind+taufe   Kind+*es*+raub
           Rind+fleisch   Rind+*s*+leber
           Schiff+bruch   Schiff+*s*+rumpf

           Ei+gelb   Ei+*er*+schale
           Licht+bild   Licht+*er*+meer

           Ehr+gefühl   Ehr+*en*+wort
           Erd+ball   Erd+*en*+bürger

Aufgrund von Fällen wie *Freundespflicht* ›Pflicht eines Freundes‹, *Schiffsrumpf* ›Rumpf eines Schiffes‹, *Löwenmähne* ›Mähne eines Löwen‹, *Kinderheim* ›Heim für Kinder‹ usw., könnte man vermuten, daß es sich bei den Fugenelementen um Flexionsmorpheme für Genitiv oder Plural handeln könnte. Gegen eine Einordnung als Flexionselement spricht jedoch, (a) daß das Fugenmorphem *-(e)s-* auch bei Femina vorkommt, die ja den Genitiv gar nicht auf *-(e)s* bilden, vgl. *Liebesgott* ›Gott der Liebe‹ (nicht *des Liebes*), *Paarungszeit, Geburtstag* usw., (b) daß es in Fällen vorkommt, die semantisch eine Vielheit bezeichnen, vgl. *Freundeskreis* ›Kreis von Freunden‹ (nicht: ›Kreis eines Freundes‹) oder *Zwillingspaar* ›Paar von Zwillingen‹. Ähnliches läßt sich bei *-en-* und *-er-* beobachten, vgl. *Scheunentor* ›Tor einer Scheune‹ (und nicht: ›Tor von Scheunen‹), *Eierschale* ›Schale des Eis‹, *Hühnerbein* ›Bein eines Huhns‹, *Kindermord* ›Mord an einem Kind‹ usw. Holst (1978) schließt daraus, daß die Fugenmorpheme am besten nach den eigentlichen Wortbildungsregeln eingeführt werden, und zwar durch Regeln, die – abhängig von bestimmten Bedingungen – fakultativ oder obligatorisch wirken. Diese Regeln sollen auch berücksichtigen, daß die Fugenmorpheme enger zur ersten Konstituente der jeweiligen Bildung gehören, da die Auswahl der unterschiedlichen Fugenmorpheme weitgehend von Eigenschaften der jeweiligen ersten Konstituente bestimmt wird.

Wenn es also stimmt, daß Fugenmorpheme – synchron betrachtet – keine Flexionselemente (mehr) sind und daher nicht durch Flexionsregeln im engeren Sinne entstehen, ergibt sich keine Interaktion zwischen Wortbildung und Flexion. Die Anwendung von Flexionsregeln ist der von Wortbildungsregeln also ausnahmslos nachgeordnet. Wir halten dies in folgendem Schaubild fest:

(43)

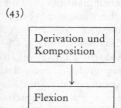

Generative Morphologen und Phonologen vertreten häufig den Standpunkt, daß das Lexikon intern noch weiter strukturiert ist, cf. etwa Scalise (1984) oder Kiparsky (1984). Dies wird insbesondere mit der u. U. recht komplexen Interaktion zwischen morphologischen und metrischen Regeln begründet. Wir haben schon im Kapitel »Nichtlineare Phonologie« (III.B.) Regeln unterschieden, die auf verschiedenen morphologischen Ebenen operieren, so die Regeln für den Wortakzent und die Regeln für den Kompositionsakzent. Dies veranschaulichen wir in folgender Graphik:

(44)

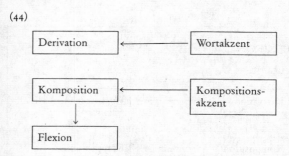

Hierin wird gleichzeitig die wichtige Generalisierung zum Ausdruck gebracht, *daß die Flexion keinerlei Einfluß auf die Akzentzuweisung haben kann*. Offengeblieben ist bisher allerdings das Verhältnis zwischen Derivation und Komposition.
In Arbeiten, die am Englischen orientiert sind, ist die Annahme

gängig, daß die Komposition der Derivation *nachgeordnet* ist (cf. Scalise (1984), S. 95 und S. 116 ff.). Für das Deutsche impliziert diese Hypothese, daß Formen wie *schulmeisterlich* oder *blauäugig* die Strukturen [[*schul*][*meisterlich*]] bzw. [[*blau*][*äugig*]] hätten. Dies ist aus semantischen Gründen eher unplausibel, woraus zu schließen wäre, daß gelegentlich (möglicherweise nur bei usuellen Bildungen) doch ein Kompositum deriviert werden kann (vergl. auch *miesepetrig, duckmäuserig, Emporkömmling, Fußballer* usw.). Diese Bildungen werden jedoch wahrscheinlich nicht als Komposita empfunden: Wir haben in der Theorie des Akzents gesagt, daß das Zweitglied eines Kompositums dann akzentuiert ist, wenn es verzweigt. Betrachten wir aber beispielsweise die Akzentverhältnisse in *Sitz[fußball]*, so stellen wir fest, daß trotz der mit *Fußball* verbundenen Verzweigung der Akzent auf der ersten Silbe liegt. Laut Giegerich (1984) ist dies vor allem dann möglich, wenn das Zweitglied des Kompositums *lexikalisiert* ist und daher nicht mehr als zusammengesetzt empfunden wird. Entsprechend ist dann auch die Bildung *Fußballer* in Einklang mit der oben formulierten Ordnungshypothese: *Fußball* wird nicht als Kompositum generiert, sondern ist als ganzes Wort im Lexikon gespeichert. Natürlich kann es trotzdem als zusammengesetzt *analysiert* werden. Wir deuten diesen analytischen Aspekt in der folgenden Abbildung mit einem gestrichelten Pfeil an:

(45)

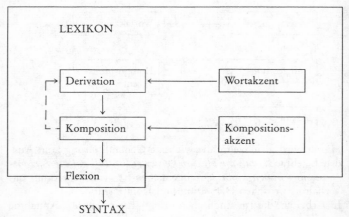

Da die Flexion in einem Bereich zwischen Morphologie und Syntax angesiedelt wird – cf. die Vererbungsmechanismen für Flexionsmerkmale in der X-bar-Syntax oder die Beobachtung, daß im Portugiesischen sog. klitische Pronomina auch zwischen Verbstamm und Flexionsendung treten können: *cantar+te+rei* = »ich werde dir (=*te*) singen« – wollen wir es offenlassen, ob auch die Flexionsmorphologie als lexikalisch aufzufassen ist. Dies soll durch die Grenzposition im Übergang zwischen dem Lexikon und der Syntax im engeren Sinne angedeutet werden.

Aus der Perspektive dieses Ebenenmodells der »lexikalischen Morphologie« kommen wir noch einmal auf die Ebenen zurück, die wir mit Hilfe des X-bar-Schemas unterschieden haben. Dort war von Typ-1 und Typ-2 Affixen innerhalb der Derivation die Rede. Wir illustrieren diese Unterscheidung noch einmal anhand des Deutschen (cf. Giegerich (1985), S. 28).

(46) *Typ-1-Affigierungen:*
   (a) vari+*abel*, Kolport+*age*, bronchi+*al*, Habilit+*and*, Musik+*ant*, Ignor+*anz*, Archiv+*ar*, Funktion+*är*, Dekan+*at*, Arrang+ *ement*, Subtrah+*end*, Barbar+*ei*, Korrespond+*ent*, Korrespond +*enz*, kafka+*esk*, Fris+*euse*, Olymp+*iade*, kompress+*ibel*, Apath+*ie*, musiz+*ier*+en, Blond+*ine*, Insepkt+*ion*, Essay+*ist*, Solidar+*ität*, ultimat+*iv*, schizo+*id*, dubi+*os*, ruin+*ös*, prozess +*ual*, Dozent*ur*, …
   (b) real+*iter*, Musik+*us*, Grob+*ian*, Senat+*or*, Komposit+*um*, Komposit+*a*, Kanad+*ier*, Analyt+*ik*, Analys+*is*, sol+*o*, sol+*i*,

(47) *Typ-2-Affigierungen:*
   Ganz+*heit*+*lich*+*keit*, Tisch+*ler*, Tisch+*chen*, lesb+*isch*, Fisch +*lein*, Roh+*ling*, sorgen+*los*, dank+*bar*, gehalts+*mäßig*, Gelöb+*nis*, Bruder+*schaft*, Brauch+*tum*, Gerinn+*sel*, Ruder +*er*, müh+*sam*.

Es fällt auf, daß die Typ-2 Affixe nie den Wortakzent tragen. Bei den Typ-1 Affixen tragen jene in (a) den Hauptakzent, die Suffixe in (b) sind unbetont. Konzentrieren wir uns zunächst auf den Typ 1. Die Endungen in (a) enthalten alle eine Silbe mit verzweigendem Nukleus. Die Affixe in (b) enthalten dagegen nur relativ leichte Silben, deren jeweils letzte wir Abschnitt (III.B.3.4.) zufolge als extrametrisch auffassen müssen. Die Distribution der Daten in (46) folgt somit den Regeln des Wortakzents, weil ja nur sehr schwere Silben den Akzent an sich ziehen und relativ leichte Silben bei der Akzentzuweisung übergangen werden.

Anders bei den Daten der Typ-2-Affigierung: Hier gibt es schwere Silben, die unbetont bleiben. Die Regeln des Wortakzents müssen solche Silben »übersehen«, obwohl sie nach allem, was wir zum Wortakzent gesagt haben, nicht extrametrisch sein können. Im Rahmen unseres Ebenenmodells bedeutet dies, daß die Wortakzentregeln nicht mehr angewandt werden können, nachdem die Typ-2 Affigierung stattgefunden hat. Wir differenzieren also weiter in folgende Ebenen:

(48)

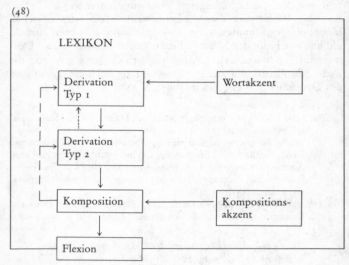

Der Pfeil vom Typ-2 zur Typ-1 Derivation deutet wiederum an, daß bei usuellen Bildungen wie *Tisch+ler*, die mit einem Typ-2 Morphem gebildet sind, gelegentlich eine Derivation mit Typ-1 Morphemen stattfinden kann, so in *Tischler+ei*.

In diesem Ebenenmodell der »lexikalischen Wortsyntax« haben wir also ganz bestimmte Abfolgebeziehungen zwischen Einzelkomponenten der morphologischen und phonologischen Analyse postuliert (cf. Kiparsky (1984), Scalise (1984)). Beispielsweise wurde gefordert, daß Typ-1-Derivation und Wortakzentregeln vor der Typ-2-Derivation operierten. Andererseits haben wir genau diesen Unterschied zwischen Typ-1 und Typ-2-Derivation schon innerhalb des X-bar-Schemas zum Ausdruck gebracht, indem wir zwischen Kategorien der Ebene X° und solchen der Ebene X⁻¹ differenziert haben. In der Tat handelt es sich hier um einander ergänzende Modelle, deren Beschreibungsgegenstände sich teilweise überlappen: Die in (48) illustrierten Ebenenunterscheidungen der sog. lexikalischen Morphologie lassen sich teilweise auch im X-bar-Schema wiederfinden; das X-bar-Schema scheint gegenüber den feineren Differenzierungen in (48) zu grob. Demgegenüber sagt (48) nichts über die Vererbung von Merkmalen, die ja vom X-bar-Schema erfaßt wird. In dieser Beziehung ist das Modell (48) unzureichend.

Welches dieser unterschiedlichen Beschreibungsmodelle für Bereiche, in denen sie sich überlappen, letztlich das adäquatere ist, wäre noch zu untersuchen. Im Idealfall könnte man auf eines dieser Modelle verzichten, z. B. wenn man sämtliche Unterscheidungen der »lexikalischen Wortsyntax« auch als Ebenenunterscheidung innerhalb der X-bar-Theorie rechtfertigen könnte. Dann bräuchte man eine bestimmte Abfolge zwischen Kompositions-, Flexions- und Derivationsbildung nicht gesondert festzulegen. Möglicherweise gibt es aber auch externe Evidenz, daß die als Ebenen dargestellten Teilkomponenten der Morphologie im Gehirn an verschiedenen Stellen lokalisiert sind. Dann scheint es weniger plausibel, die verschiedenen Komponenten allein durch eine Ebenenunterscheidung des X-bar-Schemas zu differenzieren. In einem solchen Fall könnte man aber immer noch sagen, daß dieses Schema eine ähnliche Rolle spielt wie der Begriff des c-Kommandos in der Syntax, der als *globaler* Begriff in viele Teilkomponenten hineinspielt (cf. Kapitel (ɪv. 8.)). So könnten die vorgeschlagenen Theorien verschiedene Aspekte der psychologischen Realität beleuchten, wenn auch ihre jeweiligen Zuständigkeitsbereiche noch genauer bestimmt werden müßten.

VI Semantik

1. Gegenstand der Semantik

Die Semantik ist dasjenige Teilgebiet der Linguistik, das die Bedeutung sprachlicher Ausdrücke zum Gegenstand hat. Soweit herrscht unter den Linguisten Einigkeit. Fragt man jedoch nach, was denn »Bedeutungen sprachlicher Ausdrücke« sind, so wird man teils konfuse, teils vage, auf jeden Fall aber recht disparate Antworten erhalten. Da diese Frage also äußerst Theorie-geladen ist, wollen wir sie vorerst verschieben.

Auch in der Semantik läßt sich wie in jedem Teilgebiet der Linguistik eine diachronische von einer synchronischen Betrachtungsweise unterscheiden. An einigen Beispielen wird sofort klar, was typisch *diachronische Fragestellungen in der Semantik* sind.

(1) Wie kommt es, daß *Muff* zum einen *dumpfer modriger Geruch*, zum anderen *Handwärmer aus Pelz* heißen kann?

(2) Wie kommt es, daß *Bastard* heute eine ausgesprochen geringschätzige Bezeichnung ist, im Mittelhochdeutschen dagegen eine neutrale Bezeichnung für das von einem Adeligen in außerehelicher Verbindung gezeugte, *aber* von ihm *rechtlich anerkannte Kind*?

(3) Wie kommt es, daß *Steckenpferd* so viel wie *Lieblingsfreizeitbeschäftigung* bedeutet?

Für die Beantwortung solcher Fragen ist kein besonders ausgefeilter methodischer Apparat erforderlich. Man wird sie dadurch zu beantworten suchen, daß man Quellen studiert.

Für den Rest dieser Einführung wird nur die synchronische Betrachtungsweise geschildert. Häufig unterscheidet man zwischen *Wortsemantik* und *Satzsemantik*. Diese Unterscheidung ist jedoch keinesfalls so klar, wie sie auf den ersten Blick erscheint, sondern hat eher wissenschaftshistorische Gründe. Vor 1970 beschäftigte man sich fast ausschließlich mit Wortsemantik. Die Satzsemantik oder logische Semantik ist also eine recht junge Disziplin (cf. hierzu auch P. Lutzeier (1985)).

Typisch wortsemantische Fragestellungen sind etwa die folgenden:

298

(4) Wie lautet der Zusammenhang zwischen den Wortpaaren *gut und böse*, oder *hoch und tief*, und wie läßt er sich systematisch erfassen?

(5) Was ist das Gegenteil zu *gefärbt: weiß* oder *farblos* bzw. *durchsichtig* oder *klar*?

Satzsemantische Probleme exemplifizieren dagegen die Beispiele (6) und (7).

(6) Wie kommt es, daß der Satz *Falls jemand zu diesem Fest kommt, wird er überrascht sein* auf wenigstens zwei völlig verschiedene Weisen interpretiert werden kann?

Die Mehrdeutigkeit in (6) läßt sich wie folgt aufschlüsseln. Zum einen kann dieser Satz besagen, daß der Gast, der zu diesem Fest kommt, aus welchen Gründen auch immer eine Überraschung erleben wird. Zum anderen kann er auch besagen, daß der Gastgeber überrascht sein wird, wenn überhaupt jemand auf seinem Fest erscheinen wird.

(7) Warum kann auch unter der Voraussetzung, daß es keine Lösung für das betreffende Problem gibt, der Satz
a) Gauß *sucht* die Lösung des Problems.
eine zutreffende Aussage sein; der Satz
(b) Gauß *findet* die Lösung des Problems.
dagegen nicht?

Man beachte, daß sich (7a) und (7b) nur durch die Wahl des Verbs unterscheiden. Es geht also bei (7) darum, zu untersuchen, welchen Einfluß die Bedeutungen der Verben auf die Bedeutung der komplexen Ausdrücke haben. Man sieht an diesem Beispiel auch, daß die Unterscheidung zwischen Wort- und Satzsemantik reichlich fragwürdig ist. Sie wird hier jedoch trotzdem beibehalten, da für die Satzsemantik die Bedeutungen der (Aussage-)Sätze zentral sind. Für die Wortsemantik ist dies nicht der Fall. Außerdem haben sich die beiden Termini in der Literatur inzwischen eingebürgert.

2. Sinnrelationen

In diesem Kapitel geht es um Wortsemantik im engeren Sinn. Sinnrelationen sind Beziehungen zwischen Wortbedeutungen. Die wichtigste und zugleich die problematischste ist die *Synonymie*.

(8) *Synonymie*
   Zwei Ausdrücke sind synonym, falls sie sich nur in ihrer Laut- oder
   Schriftform, nicht dagegen in ihrer Bedeutung unterscheiden.

Ein Beispiel dafür ist etwa die Beziehung zwischen *Streichholz*
und *Zündholz*.
Man muß jedoch beachten, daß sich dieser Begriff nicht auf
Wortbedeutungen *per se*, sondern auf die Bedeutungen von Wörtern in Abhängigkeit von einer bestimmten Verwendung bezieht;
denn je nach Verwendung kann ein und dasselbe Wort völlig
verschiedene Bedeutungen haben. Es kann sogar vorkommen,
daß es in einem Kontext einen bestimmten Gegenstand bezeichnet, in einem anderen nichts. So bezeichnet z. B. in dem Satz

(9) Sie feuerten die Strandhaubitze ab.

der Ausdruck *Strandhaubitze* ein bestimmtes Geschütz. Dagegen
kann man in

(10) Er ist voll wie eine Strandhaubitze.

dem Wort *Strandhaubitze* überhaupt keinen Gegenstand als Bezeichnung zuordnen.
Wie streng sollen nun die Kriterien für Synonymie gefaßt werden? Wenn man verlangt, daß zwei Wörter nur dann synonym
sind, wenn sich nicht nur keine inhaltlichen Unterschiede, sondern auch keine stilistischen oder konnotativen Unterschiede
feststellen lassen, dann wird man kaum echte Synonyme finden
können. Vor allem ist mit solch einem Kriterium auch der Will-
kür Tür und Tor geöffnet. Man kann natürlich immer behaupten,
daß das Wort *Zündholz* ganz andere Assoziationen (= konno-
tative Unterschiede) hervorruft als *Streichholz*.
Ein etwas klareres und weniger rigides Kriterium für Synonymie
läßt sich so formulieren:

(11) *Kriterium für Synonymie*
   Zwei Wörter A und B sind synonym genau dann, wenn man in jedem
   Kontext, in dem A (B) vorkommt, an Stelle von A (B) B (A) setzen
   kann, ohne daß sich dadurch inhaltlich etwas ändert.

Aufgrund dieses Kriteriums sind z. B. die Wörter *Beerdigung* und
Bestattung nicht synonym, da es zwar Sinn macht, von einer
Feuerbestattung, nicht aber von einer *Feuerbeerdigung* zu sprechen. Im Kontext *Feuer-* läßt sich das Wort *Bestattung* nicht mit
dem Wort *Beerdigung* vertauschen. Dagegen sind nach diesem

Kriterium die Wörter *Beerdigungsunternehmen* und *Bestattungs-institut* synonym.

Aber auch dieses Kriterium ist alles andere als klar, da es recht problematisch ist, was unter *ohne daß sich inhaltlich etwas ändert* zu verstehen ist. Sind etwa im Englischen die Ausdrücke *to die* und *to kick the bucket* synonym? Man kann in einem Kontext durchaus passend das Wort *die* verwenden, dagegen mit *kick the bucket* im selben Kontext komplett aus der Rolle fallen. Aber zählen solche konventionellen Differenzierungen als inhaltliche Unterschiede? Selbst wenn man diese Frage mit »nein« beantwortet, hat man damit die Schwierigkeiten mit dem Begriff *Synonymie* nicht aus der Welt geschafft.

Geht man von der Annahme aus, daß die Bedeutung von Eigennamen durch eindeutige Beschreibungen (Kennzeichnungen) *fixiert* wird, so erscheint die These, daß Namen mit den betreffenden Kennzeichnungen synonym sind, auf den ersten Blick recht plausibel zu sein. Mit dieser These gerät man jedoch in ziemlich komplizierte semantische und philosophische Probleme. Bedeutet der Name *De Quincey* wirklich dasselbe wie die Kennzeichnung *der Autor von »Confessions of an English Opium Eater«*? In dieser Einführung soll nur angedeutet werden, wie komplex die mit dieser Frage zusammenhängenden Probleme sind. Die bisher tiefsinnigste Diskussion darüber findet man in Saul Kripkes »Naming and Necessity« (cf. Kripke (1972)).

Angenommen, Namen und die entsprechenden Kennzeichnungen sind synonym. Dann sollte nach dem Kriterium (11) der Gehalt der beiden Sätze

(12) (a) De Quincey ist De Quincey.
    (b) De Quincey ist der Autor von »Confessions of an English Opium Eater«.

gleich sein. Es ist aber klar, daß (12b) ungleich informativer ist als (12a). Die Annahme, daß Namen und Kennzeichnungen synonym sind, führt zusammen mit Kriterium (11) also zu einem reichlich seltsamen Ergebnis. Vielleicht ist (11) aber gänzlich unpassend als Kriterium für Synonymie. Trotzdem ergeben sich Probleme.

Angenommen, es stellt sich durch historische Nachforschungen heraus, daß nicht De Quincey, sondern Coleridge die »Confessions of an English Opium Eater« geschrieben hat. Dann müßten wir wegen der Annahme, daß *De Quincey* und *der Autor von* »*Confessions of an English Opium Eater*« synonym sind, schließen, daß Coleridge De Quincey war. Auch das ist kein befriedigendes Ergebnis. Man kann nun versuchen, das Problem dadurch zu lösen, daß man darauf hinweist, daß die Kennzeichnung *der Autor von* »*Confessions of an English Opium Eater*« nicht die einzige ist, die auf De Quincey zutrifft. Wir wissen wesentlich mehr über ihn, z. B., daß er *On murder as one of the fine arts* geschrieben hat, usw. Doch selbst wenn man versucht, Namen als Synonyme für Ansammlungen von Kennzeichnungen aufzufassen, gerät man immer wieder in Schwierigkeiten.

Diese Hinweise dürften reichen, um anzudeuten, welche Probleme mit dem Begriff *Synonymie* verbunden sind. Endgültig geklärt sind sie jedenfalls noch nicht. Wie immer die konkrete Definition des Begriffs *Synonymie* auch aussehen mag, bestimmte Eigenschaften sollte er auf jeden Fall haben. Z. B. sollte gelten, daß, wenn A synonym mit B ist, dann auch B synonym mit A ist, d. h. Synonymie sollte eine *symmetrische Relation* sein. Oder falls A synonym mit B und B synonym mit C ist, so sollte A synonym mit C sein; d. h. Synonymie soll *transitiv* sein.

Betrachten wir wiederum ein Beispiel. Angenommen, *Kommandeur* ist synonym mit *Befehlshaber,* und *Befehlshaber* ist synonym mit *Kommandant,* dann sind auch *Kommandeur* und *Kommandant* synonym.

Andere wichtige Sinnrelationen, die zum Glück weniger problematisch sind, sind *Hyponymie* und *Hyperonymie.* Typische Beispiele sind die folgenden:

(13)

Hyponym	Hyperonym
Krypta	Grab
Datscha	Haus
Graubär	Bär
bordeauxrot	rot
Guarani	Indianer
Haschisch	Rauschgift
bechern	trinken
Python	Schlange

Aus der Liste läßt sich leicht ersehen, wann A ein Hyponym von B bzw. B ein Hyperonym von A ist, nämlich dann, wenn B ein Oberbegriff von A ist.

Auch die Hyponymie ist eine *transitive Relation*. Da *Python* ein Hyponym von *Schlange* ist und *Schlange* ein Hyponym von *Tier*, ist auch *Python* ein Hyponym von *Tier*. Die Hyponymie ist dagegen nicht symmetrisch.

Die bisherigen Sinnrelationen hatten Bedeutungsähnlichkeiten oder Gemeinsamkeiten zum Thema. Man kann aber auch Sinnunterschiede durch Sinnrelationen etwas genauer bezeichnen.

Die wichtigsten dieser Relationen heißen *Inkompatibilität* und *Komplementarität*.

(14) *Inkompatibilität*
Zwei Ausdrücke A und B heißen inkompatibel, falls nichts gleichzeitig sowohl unter den durch A, als auch unter den durch B ausgedrückten Begriff fallen kann.

Nüchtern ist z. B. inkompatibel mit *sternhagelvoll*, da keine Person gleichzeitig nüchtern *und* sternhagelvoll sein kann. Daß diese Definition sinnvoll ist, sieht man am besten, wenn man die Wörter im Kontext von Sätzen betrachtet. So sind etwa die Aussagesätze *Wolfgang ist nüchtern* und *Wolfgang ist sternhagelvoll* miteinander unverträglich. Dabei ist natürlich vorausgesetzt, daß diese Ausdrücke nur bei Menschen sinnvoll gebraucht werden können, d. h. es ist sinnlos, von einem Gegenstand zu sagen, er sei nüchtern oder sternhagelvoll. Inkompatibilität bezeichnet einen sehr speziellen Sinnunterschied. Z. B. haben die Wörter *weich* und *schwarz* einen sehr verschiedenen Sinn. Sie sind aber nicht inkompatibel, wie man an den folgenden Sätzen sieht.

(15) (a) Beuys trug einen weichen Filzhut.
(b) Beuys trug einen schwarzen Filzhut.

Diese beiden Sätze sind nicht miteinander unverträglich. Dagegen haben die Wörter *dunkelrot* und *hellrot* einiges gemeinsam – beide sind Hyponyme von *rot* –, sind aber inkompatibel. Komplementarität ist eine Spezialisierung von Inkompatibilität:

(16) *Komplementarität*
Zwei Begriffe A und B sind zueinander komplementär, falls sie miteinander inkompatibel sind und alles entweder unter den durch A bezeichneten Begriff oder unter den durch B bezeichneten Begriff fällt.

Nüchtern und *sternhagelvoll* sind zwar inkompatibel, aber sie sind nicht zueinander komplementär, denn es kann sehr wohl

Leute geben, die weder nüchtern noch sternhagelvoll sind. Ein Beispiel für komplementäre Begriffe ist dagegen *ledig* vs. *verheiratet*, denn unter der oben gemachten Voraussetzung, daß solche Begriffe nur im Zusammenhang mit Menschen sinnvoll gebraucht werden können, gilt für jeden Menschen, daß er entweder ledig oder verheiratet ist, und außerdem, daß die Sätze

(17) (a) Hans ist verheiratet.
    (b) Hans ist ledig.

unverträglich sind.

Ein ähnliches Beispiel für Komplementarität ist *männlich* vs. *weiblich*. Echte Beispiele für Komplementarität sind recht selten. Vielleicht kann man noch *betrunken* vs. *nüchtern* als eines betrachten.

Häufig kommt in der Literatur die Bezeichnung *Antonymie* vor. Es ist jedoch nicht ganz klar, welche Sinnrelationen dieser Begriff bezeichnen soll. Antonymie kann im allgemeinsten Fall schlicht Sinnverschiedenheit bedeuten, kann etwas spezieller als Synonym für Inkompatibilität gebraucht werden und kann auch ausschließlich zur Bezeichnung der Beziehung zwischen Gegensatzpaaren wie *groß/klein*, *hoch/tief*, *gut/böse* usw. reserviert sein (cf. Lyons (1968)).

Die wichtigsten Sinnrelationen sind also einerseits Synonymie und Hyponymie, andererseits Inkompatibilität und Komplementarität.

Es ist zu beachten, daß hier zwar stets von Sinnrelationen die Rede war, nicht aber gesagt wurde, was der Sinn eines Ausdrucks sein soll. Dieser Begriff läßt sich in diesem Zusammenhang auch nur sehr indirekt und sicher nicht hinreichend klären. Der Sinn eines Ausdrucks ergibt sich aus der Gesamtheit der Sinnrelationen, in denen er vorkommt. Auch in bestimmten Wörterbüchern, z. B. in Band 8 des Duden, »Sinn- und sachverwandte Wörter«, wird nicht der Sinn eines Wortes angegeben, sondern es werden Hinweise auf andere Wörter gegeben, die zu diesem Wort in bestimmten Sinnrelationen stehen, d. h. die Bedeutungshinweise in diesen Wörterbüchern lassen sich zum größten Teil durch Sinnrelationen beschreiben.

3. Komponentenanalyse

Bisher wurden Beziehungen zwischen den Bedeutungen von Ausdrücken beschrieben und mit Namen belegt. Damit ist kein besonderer theoretischer Anspruch verbunden, die Vorgehensweise ist rein *ad hoc.*

Dies ändert sich bei der Komponentenanalyse. Die Ansprüche sind hier wesentlich höher. Es geht darum, eine empirisch adäquate, erklärungskräftige *Theorie* zu entwickeln. Historisch verdankt die Komponentenanalyse viel der strukturalistischen Semantik (cf. Coseriu (1974)). Ihre theoretisch ausgereifte Form erhielt sie durch Katz/Postal (1964).

Die Idee der Komponentenanalyse ist sehr einfach. Beschränken wir uns vorerst auf die Analyse von Wortbedeutungen. Die Komponentenanalyse arbeitet mit der Voraussetzung, daß man diese Bedeutungen in einzelne »Bestandteile« zerlegen kann. Z. B. kann man sagen, daß die Eigenschaft, ein Lebewesen zu sein, ein Bedeutungsbestandteil des Begriffs *Katze* ist. Die Eigenschaft, menschlich zu sein, gehört dagegen nicht zu den Bedeutungskomponenten von *Katze.* Führt man nun Abkürzungen für die entsprechenden Eigenschaften ein, etwa belebt für die Eigenschaft, ein Lebewesen zu sein, menschlich für die Eigenschaft, menschlich zu sein, -menschlich für die Eigenschaft, nicht menschlich zu sein usw., so kann man die Bedeutung des Wortes *Katze* etwas ökonomischer darstellen, etwa:

(18)   Bedeutung von *Katze* =

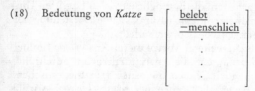

Die Punkte sollen natürlich andeuten, daß noch eine ganze Reihe von Eigenschaften fehlt. Vervollständigt man die Analyse, so hat man den Begriff *Katze* in eine Ansammlung von Bedeutungskomponenten zerlegt, die den semantischen Wert dieses Wortes bilden. Weitere in der Literatur übliche Ausdrücke für die Bedeutungskomponenten sind: *Sememe, Plereme, semantische Merkmale, semantische Kategorien.*

Einmal angenommen, daß ein solches Verfahren funktioniert;

was für ein Vorteil wäre damit verbunden? Ein Vorteil ist leicht zu sehen. Man erhält durch dieses Verfahren die Möglichkeit, *generalisierende Aussagen* über Bedeutungen und Bedeutungszusammenhänge von Wortklassen zu machen.

Die Aussage, daß *Junggeselle* ein Hyponym von *Mann* ist, läßt sich umformulieren in: Sämtliche Bedeutungskomponenten von *Mann* sind auch Bedeutungskomponenten von *Junggeselle*, konkret:

(19)   Bedeutung von *Junggeselle* =
$$\begin{bmatrix} \text{männlich} \\ \text{unverheiratet} \\ \text{erwachsen} \\ \text{menschlich} \end{bmatrix}$$

Sämtliche Merkmale, die in der Bedeutungsanalyse von *Mann* vorkommen, sind auch in (19) enthalten, d. h., daß *Mann* ein Hyperonym von *Junggeselle* ist.

Ein etwas komplizierteres Beispiel ist die folgende Begriffspyramide auf S. 307. Das Zeichen »→« symbolisiert die Hyponymierelation, das Zeichen »↔« die Inkompatibilitätsrelation (die eingezeichneten Relationen sind nicht vollständig).

Man kann nun durch Vergleichen der Merkmale die Gemeinsamkeiten und Unterschiede in den Bedeutungen der Wortklasse *Frau/Mann/Kind*, *Kuh/Stier/Kalb*, *Stute/Hengst/Fohlen* relativ ökonomisch beschreiben.

Der Sinn einer solchen Bedeutungsanalyse besteht also darin, mit Komponenten zu arbeiten, die in möglichst vielen Begriffen vorkommen, damit man eine möglichst umfassende Darstellung der Bedeutungsbeziehungen von Wörtern erhält.

Daran schließt sich ein weiterer Vorteil dieser Analyse an (immer unter der Voraussetzung, daß die Analyse überhaupt durchführbar ist). Diesmal handelt es sich um einen rein theoretischen. Angenommen, es ist möglich, mit einer relativ *kleinen* Anzahl von Merkmalen die Bedeutungen eines jeden Wortes einer beliebigen Sprache *eindeutig* als Kombination dieser Merkmale zu beschreiben, so glaubt man, damit eine Vereinfachung der Probleme der Wortsemantik erreicht zu haben. An einem Beispiel aus der Mathematik ist dies leicht zu verdeutlichen.

Jede natürliche Zahl läßt sich in eine bestimmte Kombination aus Zahlen zerlegen, die nur durch sich selbst und eins teilbar sind, sogenannte Primzahlen. In der elementaren Zahlentheorie wird

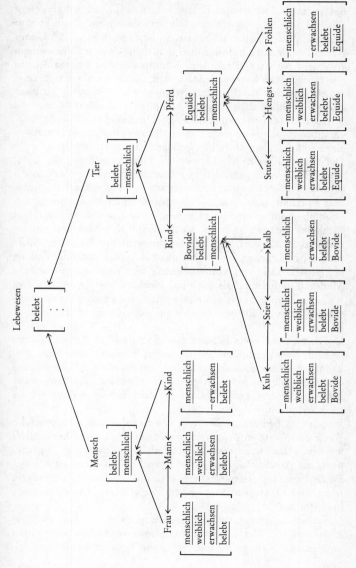

307

der wichtige Satz bewiesen, daß jede natürliche Zahl *eindeutig* (bis auf die Reihenfolge der Glieder) durch ein Produkt von Primzahlpotenzen darstellbar ist. So ist z. B. $36 = 3^2 \cdot 2^2$. Damit ist das Problem, Kenntnisse über natürliche Zahlen zu gewinnen, reduziert auf das Teilproblem, Kenntnisse über Primzahlen zu gewinnen. Man beachte jedoch, daß damit noch nicht gezeigt wurde, daß man das Problem *vereinfacht* hat. So ist die Struktur der Primzahlen selbst extrem kompliziert. Analog könnte die Struktur der für die semantische Beschreibung natürlicher Sprachen benötigten Merkmale so komplex sein, daß damit keine *Vereinfachung* der semantischen Probleme zu erreichen ist.

Der Vergleich hinkt natürlich etwas. Zum einen hat er nur Sinn, wenn man voraussetzt, daß es semantisch primitive Merkmale – primitiv im Sinne von nicht weiter analysierbar – überhaupt gibt, und zweitens, selbst wenn dies angenommen wird, so hat man noch überhaupt nichts über die möglichen Kombinationen dieser Merkmale gesagt. Ist etwa jede beliebige Kombination von semantischen Merkmalen möglicher semantischer Wert eines Wortes einer natürlichen Sprache? Dies ist sicherlich nicht der Fall, da es kein »Bündel« von Komponenten geben kann, das sowohl das Merkmal verheiratet, als auch das Merkmal -belebt enthält. Des weiteren kann es keine »Bündel« geben, die sowohl die semantischen Merkmale für *nüchtern* als auch die für *sternhagelvoll* enthalten.

Durch welche Regeln können nun die zulässigen von den unzulässigen Kombinationen unterschieden werden? Soweit uns bekannt ist, wurde niemals versucht, eine Antwort auf diese Frage in voller Allgemeinheit zu geben. Wir werden in einem etwas anderen Kontext nochmals auf ein sehr ähnliches Problem zu sprechen kommen.

Wie bereits bemerkt, sollen mit den Komponenten semantische Werte für Worte in *beliebigen* natürlichen Sprachen konstruiert werden. Daher kann man die Merkmale verheiratet, belebt usw. nicht als Ausdrücke einer Einzelsprache – in diesem Falle des Deutschen – auffassen, sondern sie sind als theoretisch postulierte *semantische Universalien* zu sehen. Die Unterstreichung soll dies hervorheben.

In diesem Zusammenhang ist es wichtig, zwischen dem *theoretischen Anspruch* der Komponentenanalyse und einer bestimmten *empirischen Aussage* zu unterscheiden. Ersterer kann etwa fol-

gendermaßen formuliert werden: Der semantische Wert eines jeden lexikalischen Ausdrucks irgendeiner natürlichen Sprache läßt
sich als Menge von Komponenten repräsentieren.
Im zweiten Fall handelt es sich etwa um eine Aussage wie: Es
existiert das Merkmal konkret. Aus dieser Aussage folgt, daß in
jeder natürlichen Sprache eine semantische Differenzierung zwischen Konkretem und Nicht-Konkretem (= Abstraktem) repräsentiert ist, wenn sie von diesem Merkmal Gebrauch macht.
Bisher wurden nur sehr einfache Beispiele von Komponentenana-
lysen erwähnt. Schwierig ist in diesem Rahmen eine Analyse von
Eigennamen.

(21)
Alter	unwichtig
Kopf	klein und rund
Augen	grün
.	.
.	.
.	.
Rist	unwichtig
Größe	163,0
Gewicht	55,9 kg

Dies ist eine Komponentenanalyse des Namens *Celia Counihan*,
die Samuel Beckett in seinem Roman »Murphy« vorgeschlagen
hat. Dabei wären die Komponenten Alter, Augen usw. allgemeine Konzepte, die je nach Person in bestimmter Weise zu para-
metrisieren sind; durch Angabe einer Zahl, einer Farbe usw.
Eine solche Analyse genügt natürlich niemals universellen Gesichtspunkten. Damit wären nur die semantischen Werte von Namen zu analysieren, die lebende Personen bezeichnen, bei denen
man also nachmessen kann, wie groß sie sind usw. In Bertrand
Russells Terminologie (cf. Russell (1905)) könnten wir die semantischen Werte nur durch »direkte Bekanntschaft« ermitteln. Die
Werte für die Namen *Arnold Geulincx* und *Jusepe de Ribera*
wären so nicht zu bestimmen. Im letzten Fall könnten wir die
Person, die diesen Namen trägt, durch eine Umschreibung *bestimmen*, etwa: Derjenige Maler, der in Italien *lo Spagnoletto*
genannt wurde. Natürlich ist es hier wiederum Unsinn, anzunehmen, daß eine solche Eigenschaft ein semantisches Universal sein
könnte.

In J.J. Katz' »The Philosophy of Language« (cf. Katz (1966)) wird der Vorschlag gemacht, den Namen *John* in folgende Komponenten zu zerlegen:

(22) Bedeutung von *John* =
$$
\begin{bmatrix}
\text{Physical Object} \\
\text{Animate} \\
\text{Capable of Intention} \\
\text{Human} \\
\text{Named »John«}
\end{bmatrix}
$$

Lassen wir einmal die Probleme beiseite, die durch Fragen entstehen wie:

(23) Sind die Merkmale Physical Object, Capable of Intention und Named X tatsächlich semantische Universalien?

(24) Ist es nicht zirkulär, die Bedeutung von (Eigen-)Namen durch ein Merkmal Named X zu analysieren? Und selbst wenn nicht, ist solch eine Analyse besonders aussagekräftig? (Für eine sorgfältige philosophische Auseinandersetzung mit Katz' Theorie cf. Vermazen (1966))

Es fällt auf, daß alle drei Bedeutungsbeschreibungen etwas gemeinsam haben. In allen Fällen wird versucht, die Bedeutung eines Eigennamens durch eine oder mehrere Kennzeichnungen zu ersetzen. Bei Katz würde dies etwa so aussehen: Der Name *John* bedeutet dasselbe wie *dasjenige physische Objekt, das belebt, intentionsfähig, menschlich ist und »John« genannt wird.* Wie aber bereits erwähnt, gerät man mit der Frage, ob Eigennamen und Kennzeichnungen überhaupt bedeutungsgleich sein können, in extrem komplizierte logische und philosophische Probleme. Diese betreffen also auch die Komponentenanalyse.

Ein weniger gravierendes Problem betrifft Wörter wie *Vater*, *trinken*, *töten* usw., die Relationen als Bedeutungskomponenten enthalten. *Vater* ist etwa zu analysieren als:

(25) Bedeutung von *Vater* =
$$
\begin{bmatrix}
\text{X Elternteil von Y} \\
\text{X männlich}
\end{bmatrix}
$$

Die semantischen Merkmale sind nun selbst komplex, sie enthalten z. B. Variable. Man beachte auch, daß wir X männlich nicht einfach durch männlich ersetzen können, da wir sonst nicht ausschließen können, daß sich männlich auf Y bezieht; daß Y männlich sein muß, ist sicher kein Bedeutungsbestandteil von *Vater*.

Die Tatsache, daß man komplexere semantische Merkmale zur Bedeutungsanalyse bestimmter Ausdrücke benötigt, ist natürlich kein prinzipieller Einwand gegen die betreffende Theorie. Man muß nur darauf achten, daß der reduktionistische Anspruch dadurch nicht aufgeweicht wird. Folgende Analysen lassen hier allerdings Zweifel aufkommen.

(26)   Bedeutung von *töten* = $\begin{bmatrix} \underline{\text{X verursacht}} & (\underline{\text{Y verändern zu}} \\ & (\underline{\text{Y nicht lebend}})) \\ \underline{\text{Y belebt}} & \end{bmatrix}$

(27)   Bedeutung von *geben* = $\begin{bmatrix} \underline{\text{X verursacht}} & (\underline{\text{Y hat Z}}) \\ & \cdot \\ & \cdot \\ & \cdot \end{bmatrix}$

Man beobachtet hier nicht nur eine bedenkliche Vermehrung semantischer Merkmale, sondern man muß feststellen, daß trotz dieser Aufblähung des Apparats keine adäquate semantische Beschreibung der betreffenden Verben möglich ist. Wie soll etwa der Unterschied zwischen den folgenden Sätzen dargestellt werden:

(28) (a) Julius gibt Hans ein Stück Kuchen.
     (b) Hans gibt Julius ein Stück Kuchen.

Und andererseits die Bedeutungsgleichheit von:

(29) (a) Julius gibt Hans ein Stück Kuchen.
     (b) Ein Stück Kuchen gibt Julius Hans.

Um dies korrekt analysieren zu können, muß es irgendeine Möglichkeit geben, auf das Subjekt, das direkte bzw. indirekte Objekt eines Satzes Bezug zu nehmen. Dies ist aber in einer *reinen* Komponentenanalyse nicht möglich. Üblicherweise werden diese Begriffe nämlich nicht in der Semantik, sondern in der Syntax definiert; *Subjekt* etwa als »höchste« NP des Satzes.
Analysiert man nun *töten* als (26')

(26') [$\underline{X_s}$ verursacht (X_o verändern zu (X_o nicht lebend)) usw.]

wobei X_s die Subjektstelle und X_o die Objektstelle markiert, so ist es damit möglich, den Unterschied zwischen (30a) und (30b)

(30) (a) Hans tötet den Hund.
     (b) Der Hund tötet Hans.

zu repräsentieren. Man benutzt dazu allerdings syntaktische Definitionen. Wie solche syntaktisch-semantischen Analysen aussehen, soll an einigen Beispielen erläutert werden.
Die syntaktische Analyse von (30a) *Hans tötet den Hund* läßt sich durch folgenden Phrasenstrukturbaum darstellen.

(31)

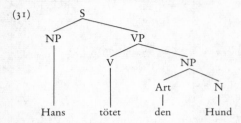

Außerdem setzen wir voraus, daß wir aus dem Lexikon erfahren, wie die Komponentenanalyse des terminalen Vokabulars aussieht.
Zunächst eine *Bemerkung zur Notation*: Statt »die Bedeutung von ›Hans‹« schreiben wir ab jetzt kürzer: ⟦Hans⟧. Generell gilt für jeden Ausdruck A, daß ⟦A⟧ die Bedeutung von A bezeichnet. Also:

(32) ⟦Hans⟧ =
$$\begin{bmatrix} X \text{ physisches Objekt} \\ X \text{ belebt} \\ X \text{ intentionsfähig} \\ X \text{ menschlich} \\ \text{Name von X »Hans«} \end{bmatrix}$$
(nach Katz (1966))

⟦töten⟧ =
$$\begin{bmatrix} X_s \text{ verursacht } (X_o \text{ verändern zu } (X_o \text{ nicht lebend})) \\ X_o \text{ belebt} \\ X_s \text{ belebt} \end{bmatrix}$$

⟦Hund⟧ =
$$\begin{bmatrix} Y \text{ physisches Objekt} \\ Y \text{ belebt} \\ Y \text{ nicht menschlich} \end{bmatrix}$$

Entscheidend ist nun, daß mit jeder syntaktischen Regel eine semantische Regel verbunden ist; d. h. die semantische Analyse des Satzes läßt sich parallel zur syntaktischen durchführen.

Wie soll nun aber die semantische Regel aussehen, die der Regel VP → V NP entspricht?

Es wird einfach angenommen, daß es sich bei der VP-Bedeutung um die Gesamtheit der Bedeutungskomponenten handelt, die die V- bzw. NP-Bedeutungen enthalten. Dies läßt sich etwa so schreiben:

(33) $[\![VP]\!] = [\![V]\!] \oplus [\![NP]\!]$

wobei das $\oplus$ die Operation bezeichnen soll, die die V- und NP-Bedeutung zur VP-Bedeutung kombiniert.

Welche semantische Regel entspricht NP → Art N?

Wir haben für die verschiedenen Lexikoneinträge von *Art*, wie *ein*, *der* usw., keinerlei semantisches Pendant.

Eine Lösung ergibt sich, wenn man wie Katz/Postal (1964) annimmt, daß der semantische Effekt eines bestimmten Artikels darin besteht, zu den semantischen Merkmalen die Komponente *definit* hinzuzufügen. Der Effekt von *ein* dagegen besteht darin, die Komponente *indefinit* hinzuzufügen, also:

(34) $[\![NP]\!] = [\![N]\!] \oplus$ definit oder $\oplus$ indefinit, je nach Wahl des Artikels.

Damit erhalten wir nun die folgenden syntaktischen bzw. semantischen Regeln:

(35)

Syntax			Semantik
(a)	S	→ NP VP	(a') $[\![S\ ]\!] = [\![NP]\!] \oplus [\![VP]\!]$
(b)	VP	→ V NP	(b') $[\![VP]\!] = [\![V]\!] \oplus [\![NP]\!]$
(c)	NP	→ Art N	(c') $[\![NP]\!] = [\![Art]\!] \oplus [\![N]\!]$
(d)	NP	→ {Hans, ...}	$[\![NP]\!]$, $[\![V]\!]$, $[\![N]\!]$ enthalten die Kompo-
(e)	V	→ {töten, ...}	nentenanalyse der entsprechenden
(f)	Art	→ {der, ein}	lexikalischen Einträge; $[\![der]\!]$ und
(g)	N	→ {Hund, ..}	$[\![ein]\!]$ enthalten die Komponenten definit bzw. indefinit.

Als Bedeutung von (30a) *Hans tötet den Hund* ergibt sich demnach:

(36) $[\![\text{Hans tötet den Hund}]\!] = [\![\text{Hans}]\!] \oplus [\![\text{tötet den Hund}]\!] =$
$[\![\text{Hans}]\!] \oplus [\![\text{tötet}]\!] \oplus [\![\text{den Hund}]\!] =$
$[\![\text{Hans}]\!] \oplus [\![\text{tötet}]\!] \oplus [\![\text{der}]\!] \oplus [\![\text{Hund}]\!] =$

$$\left[\begin{array}{l} \underline{X \text{ physisches Objekt}} \\ \underline{X \text{ belebt}} \\ \quad \cdot \\ \quad \cdot \\ \quad \cdot \end{array}\right] \quad \text{Komponenten von } \textit{Hans}$$

$$\left.\begin{array}{l} \underline{X_s \text{ verursacht } (\underline{X_o \text{ verändern zu } (\underline{X_o \text{ nicht lebend}}))}} \\ \underline{X_o \text{ belebt}} \\ \underline{X_s \text{ belebt}} \end{array}\right\} \begin{array}{l} \text{Kompo-} \\ \text{nenten} \\ \text{von } \textit{töten} \end{array}$$

$$\left[\begin{array}{l} \underline{Y \text{ physisches Objekt}} \quad \text{Komponenten von } \textit{der Hund} \\ \quad \cdot \\ \quad \cdot \\ \quad \cdot \\ \underline{Y \text{ definit}} \end{array}\right]$$

Aufgrund der syntaktischen Analyse weiß man, daß Y das Objekt ist und somit gleich X_o sein muß. Analog schließt man, daß X gleich X_s sein muß.

Obwohl noch bei weitem nicht alle technischen Details, die für eine wirklich exakte Durchführung einer solchen Komponentenanalyse nötig sind, erwähnt wurden, ist das Ergebnis bereits hinreichend umständlich.

Man kann allerdings eine etwas einfachere Darstellung erhalten, falls man sog. *Redundanzregeln* einführt. Eine Redundanzregel ist eine Regel der Form $\underline{k} \rightarrow \underline{b}$, wobei $\underline{k}$ und $\underline{b}$ semantische Merkmale sind. Zu lesen ist diese Regel folgendermaßen: Wann immer in einem Komponentenbündel das Merkmal $\underline{k}$ vorkommt, kommt $\underline{b}$ auch vor. Wenn also z. B. die Bedeutung von *Hans* wie in (32) repräsentiert wird und wenn die folgenden Redundanzregeln gelten:

(37) (a) $\underline{X \text{ menschlich}} \rightarrow \underline{X \text{ intentionsfähig}}$
(b) $\underline{X \text{ intentionsfähig}} \rightarrow \underline{X \text{ belebt}}$
(c) $\underline{X \text{ belebt}} \rightarrow \underline{X \text{ physisches Objekt}}$

dann läßt sich die Komponentenanalyse von *Hans* vereinfachen zu:

(38) $\llbracket Hans \rrbracket = \left[\begin{array}{l} \underline{X \text{ menschlich}} \\ \underline{\text{Name von X »Hans«}} \end{array}\right]$

Wegen Regel (37a) enthält *Hans* dann auch die Komponente $\underline{X}$ $\underline{\text{intentionsfähig}}$ und wegen (37b) und (37c) die Komponenten $\underline{X}$ $\underline{\text{belebt}}$ und $\underline{X \text{ physisches Objekt}}$.

Redundanzregeln tragen dazu bei, die Darstellungen etwas ökonomischer zu gestalten, da die Merkmale belebt, menschlich usw. sehr häufig verwendet werden.

Auffällig ist, daß nur eine einzige semantische Operation mit den verschiedenen syntaktischen Regeln korrespondiert. Tatsächlich hat Katz (1966) (vernachlässigt man Fragesätze usw.) nur eine semantische Regel vorgeschlagen, die er in erster Linie an der Kombination Adjektiv – Nomen illustriert.

(39) *Syntax*   *Semantik*
      N → Adj N $\llbracket N \rrbracket = \llbracket Adj \rrbracket \oplus \llbracket N \rrbracket$

Der semantische Wert von *graue Katze* entsteht durch die »Amalgamierung« (Katz' Terminus) der Werte für *grau* und *Katze*, d. h. eine graue Katze ist ein Objekt, das die semantischen Merkmale von *grau* und von *Katze* enthält.

Dies stimmt aber für einige Adjektive nicht. Ein *falscher Freund* ist kein Freund, der sowohl die Merkmale von *falsch* als auch die von *Freund* enthält. Wir würden schließlich nicht sagen, daß es sich bei einem falschen Freund um einen Freund handelt. Ähnliches gilt für Adjektive wie *mutmaßlich*, *angeblich*. Die Beschränkung auf eine einzige semantische Kombinationsregel ist also zu simpel.

Im folgenden wird gezeigt, daß bestimmte wortsemantische Begriffe sich leicht durch satzsemantische definieren lassen. Betrachtet man die Komponentenbündel etwas genauer, so sieht man leicht, daß sie sich äquivalent als Folge von Aussagesätzen, die jeweils durch *und* verbunden sind, darstellen lassen. So kann z. B. die Repräsentation

(40) $\llbracket$Junggeselle$\rrbracket$ = $\left[\begin{array}{l} \text{X männlich} \\ \text{X unverheiratet} \\ \text{X erwachsen} \\ \text{X menschlich} \end{array} \right]$

wie folgt umformuliert werden:

(41) X ist Junggeselle genau dann, wenn gilt: X ist männlich *und* X ist unverheiratet *und* X ist erwachsen *und* X ist menschlich.

Da letztlich jedes Wort, jeder Satzteil und jeder Satz, wie wir gesehen haben, nichts anderes als eine Ansammlung solcher Merkmale ist, läßt sich diese Umformulierung generell anwenden. Damit reduziert sich das Problem der Ermittlung semantischer Werte (ohne einige recht technische Details zu berücksichtigen) schließlich auf die Frage nach den semantischen Werten von durch *und* verbundenen Aussagesätzen. Dies ist aber eine der leichtesten Übungen der Satzsemantik (cf. Bierwisch (1970)).

Ein weiteres Beispiel für die Reduktion wortsemantischer Begriffe auf satzsemantische läßt sich mit Hilfe des Begriffs der *Implikation* geben. Die Implikation ist wie die durch *und* ausgedrückte Konjunktion eine Relation zwischen Sätzen.

(42) *Implikation*
Ein Satz S_1 impliziert einen Satz S_2 genau dann, wenn es nicht möglich ist, S_1 zu behaupten und S_2 zu verneinen (für genauere Ausführungen zu diesem Implikationsbegriff cf. Lyons (1971), S. 455 f.).

Damit läßt sich nun die Sinnrelation *Hyponymie* wie folgt definieren.

(43) *Hyponymie*
A ist ein Hyponym von B genau dann wenn gilt:
Für alle Gegenstände X impliziert der Satz *X ist A* den Satz *X ist B*.

Rose ist ein Hyponym von *Blume*, da für alle Gegenstände X gilt: Falls X eine Rose ist, ist X eine Blume, d. h. es ist nicht möglich, zu behaupten, daß X eine Rose ist (S_1) und gleichzeitig zu verneinen, daß X eine Blume ist (S_2). Wir können also sagen, daß S_1 S_2 impliziert.

Damit haben wir den Begriff der Hyponymie (zumindest teilweise) auf den Implikationsbegriff zurückgeführt. Ähnlich läßt sich die Synonymie und etwas aufwendiger Inkompatibilität definieren (das »teilweise« bezieht sich darauf, daß in der obigen Definition ein ganz bestimmtes Satzformat verwendet wird: *X ist A;* cf. Lyons (1971), S. 460 ff.).

Man beachte, daß wir auch mit den Hyponymiebegriff (43) die Synonymierelation definieren können.

(44) *Definition der Synonymie mit Hilfe der Hyponymie*
A ist synonym mit B genau dann, wenn A ein Hyponym von B und B ein Hyponym von A ist (Schlachter/Fleischer).

Satzsemantische Begriffe scheinen also sogar in der Wortsemantik eine wichtige Rolle zu spielen. Die Grundannahmen der Satzsemantik weichen allerdings von den bisher geschilderten Annahmen der Komponentenanalyse drastisch ab.

4. Satzsemantik

Man setzt in der Satzsemantik voraus, daß es einen überaus engen Zusammenhang zwischen den Bedeutungen von (Aussage-)Sätzen und ihrer Wahrheit bzw. Falschheit gibt. Dieser wird im allgemeinen durch eine Reihe von Prinzipien genauer bestimmt.

Sicherlich gilt das sog. »Most Certain Principle« (cf. Cresswell (1982)):

(45) *1. Satzsemantisches Prinzip*
Wenn A und B Sätze sind, und A ist wahr und B ist falsch, dann bedeuten A und B nicht dasselbe.

Um den Zusammenhang zwischen Wahrheit und Bedeutung linguistisch interessant zu machen, benötigt man allerdings stärkere Voraussetzungen. Mit den folgenden Prinzipien wird versucht, den Begriff der Bedeutung (von Aussagesätzen) auf den der Wahrheit zurückzuführen.

(46) *2. Satzsemantisches Prinzip*
Angenommen eine Person kennt notwendige und hinreichende Bedingungen für die Wahrheit bzw. Falschheit eines Satzes. Dann kennt diese Person die Bedeutung des betreffenden Satzes.

(47) *3. Satzsemantisches Prinzip*
Falls eine Person die Bedeutung eines Satzes kennt, dann sind dieser Person auch notwendige und hinreichende Bedingungen für Wahrheit bzw. Falschheit des Satzes bekannt.

(47) ist die Umkehrung von (46). Zusammen besagen die beiden Prinzipien, daß die Kenntnis der Bedeutung eines Satzes und die Kenntnis der Wahrheitsbedingungen für den betreffenden Satz gleichwertig sind.

Wichtig ist zu bemerken, daß in (46) und (47) von Wahrheitsbedingungen die Rede ist, nicht von der Wahrheit bzw. Falschheit eines bestimmten Satzes. Wir können sehr wohl die Wahrheitsbedingungen für einen Satz angeben, ohne zu wissen, ob er wahr oder falsch ist. Zum Beispiel ist der Satz *Der Sohn des Mnesarchos und Eupalinos von Megara lebten am Hof des Polykrates* genau dann wahr, wenn sowohl der Satz *Der Sohn des Mnesarchos lebte am Hof des Polykrates* wahr ist, als auch der Satz *Eupalinos von Megara lebte am Hof des Polykrates*. Wenn einer der beiden Teilsätze falsch ist, wissen wir, daß der komplexe Satz falsch ist.

Wir kennen also die *Wahrheitsbedingungen* des Satzes, ohne über die Wahrheit der Aussage selbst Bescheid zu wissen. Diese könnte man nur durch historische Nachforschungen ermitteln; sie kann somit überhaupt nicht Gegenstand einer *linguistischen* Theorie sein.

Der Vorteil, eine semantische Theorie auf den Wahrheitsbegriff zu gründen, liegt vor allem darin, daß dieser Begriff für *formale* Sprachen, wie wir sie aus der Mathematik kennen, sehr gut erforscht ist und zur Beschreibung der Semantik dieser Sprachen benutzt wurde.

Man mag einer Semantik, die mit diesen Prämissen arbeitet, vorwerfen, daß sie den Untersuchungsgegenstand dadurch in unzulässiger Weise verarmt. Doch auch wenn man dieser Meinung ist, kann man immer noch vertreten, daß die logische Semantik zumindest wichtige Aspekte des Bedeutungsbegriffs erfaßt. Denn eine semantische Theorie, welcher Art auch immer, sollte es auf jeden Fall erlauben, die Wahrheitsbedingungen von Sätzen korrekt zu erfassen.

Ein weiteres Prinzip, das postuliert wird, ist das sog. *Frege- oder Kompositionalitätsprinzip* (eine Diskussion findet man in Partee (1984)).

(48) *Fregeprinzip*
Die Bedeutung eines Satzes (= seine Wahrheitsbedingungen) läßt sich aus den Bedeutungen seiner Teilausdrücke ermitteln.

Dieses Prinzip stellt einen allgemeinen, von speziellen syntaktischen Analysen unabhängigen Zusammenhang zwischen syntaktischer und semantischer Struktur her. Beispielsweise genügte die semantische Analyse von *Hans tötet den Hund* im Rahmen der Komponentenanalyse (cf. Abschnitt (3.)) dem Fregeprinzip. Die Bedeutung des Satzes bestand dabei allerdings nicht in seinen Wahrheitsbedingungen, sondern in einem »Bündel« von semantischen Merkmalen. Zusammenfassend läßt sich also für die Satzsemantik festhalten:

(49) (a) Für jeden (Aussage-)Satz bestimmt die Semantik die Wahrheitsbedingungen.
(b) Es gilt das Fregeprinzip.

Eine Semantik, die (49a) und (49b) postuliert, wird häufig Frege-Tarski-Semantik oder auch, falls bestimmte mathematische Methoden verwendet werden, *modelltheoretische Semantik* genannt.

An einigen einfachen Beispielen wollen wir uns einmal ansehen, wie eine solche Semantik funktioniert. Das einfachste ist die Aussagenlogik.

4.1. Aussagenlogik

Am Beispiel des Satzes *Der Sohn des Mnesarchos und Eupalinos von Megara lebten am Hof des Polykrates* haben wir bereits gesehen, wie die Wahrheitsbedingungen für Sätze aussehen, die durch die Konjunktion *und* aus zwei Teilsätzen gebildet wurden (die syntaktische Oberflächenform des Satzes wird hier übergangen).

Der Satz ist wahr, wenn beide Teilsätze wahr sind, ansonsten ist er falsch. Um die Wahrheitsbedingungen in diesem Fall generell zu erfassen, müssen wir vier Möglichkeiten unterscheiden. Der erste Teilsatz kann wahr oder falsch sein, und der zweite Teilsatz kann wahr oder falsch sein. Schreibt man statt *wahr* und *falsch* kürzer *1* und *0*, so lassen sich die Wahrheitsbedingungen durch folgende einfache Tabelle angeben.

(50) *Konjunktion*

1. Teilsatz	2. Teilsatz	1. Teilsatz *und* 2. Teilsatz
1	1	1
1	0	0
0	1	0
0	0	0

Kennt man die semantischen Werte der Teilsätze, so gestattet diese Tabelle, den Wert des komplexen Satzes zu errechnen. Wir haben also bei unserer Analyse das Fregeprinzip beachtet. In der Logik nennt man eine solche Tabelle eine Wahrheitstafel, und *und* bezeichnet man als einen *Junktor* oder eine *Wahrheitswertfunktion*, da *und* zwei Wahrheitswerte auf einen dritten Wert abbildet. Unter einer etwas veränderten Perspektive kann man die Tabelle auch als eine Beschreibung (einer Verwendungsweise) des Wortes *und* auffassen.

Weitere wichtige Junktoren, die sich durch Wahrheitstafeln be-

schreiben lassen, sind *es ist nicht der Fall, daß . . .* , *oder* und *wenn
. . .* , *dann . . .* Dabei ist *es ist nicht der Fall, daß* ein einstelliger
Junktor, da nur ein Teilsatz nötig ist, um einen komplexen Ausdruck zu bilden, die anderen Ausdrücke sind wie *und* zweistellige
Junktoren. Die Wahrheitstafeln sehen wie folgt aus (statt »1. Teilsatz« und »2. Teilsatz« schreiben wir abkürzend »A« und »B«):

(51) *Negation*

A	Es ist nicht der Fall, daß A
1	0
0	1

(52) *Adjunktion*

A	B	A oder B
1	1	1
1	0	1
0	1	1
0	0	0

(53) *Implikation* (cf. dazu den Exkurs am Ende dieses Abschnitts)

A	B	Wenn A, dann B
1	1	1
1	0	0
0	1	1
0	0	1

Wichtig ist, den rekursiven Charakter dieser Definitionen zu bemerken. A und B können beliebig komplexe Sätze sein. Wenn wir
z. B. wissen wollen, wann der Satz

(54) *Wenn* Pythagoras *und* Eupalinos von Megara am Hof des Polykrates
lebten, *dann* lebte Pythagoras auf der Insel Samos.

falsch ist, so betrachten wir zuerst die Tafel (53) für *wenn . . .* ,
dann . . . Die dritte Spalte sagt uns, daß der Satz nur dann falsch
ist, wenn der erste Teilsatz wahr ist und der zweite falsch. Für
diesen zweiten Teilsatz gibt es nun keine Möglichkeiten mehr,
ihn weiter zu analysieren. Für den ersten dagegen sehr wohl; und
zwar mit der Tafel (50) für *und*. Daraus ergibt sich, daß der

erwähnte Satz nur dann falsch ist, falls beide Teilsätze im Wenn-Teil des Satzes wahr sind und der Satz im Dann-Teil falsch ist. Dies ist ein sehr einfaches Beispiel für die rekursive Anwendung der Wahrheitstafeln. Um komplexere Beispiele zu betrachten, ist es günstig, Abkürzungen einzuführen.

(55) | Junktoren | | Abkürzung |
|---|---|---|
| *und* | ∧ | *(Konjunktion)* |
| *oder* | ∨ | *(Adjunktion)* |
| *es ist nicht der Fall, daß ...* | ¬ | *(Negation)* |
| *wenn ..., dann ...* | → | *(Implikation)* |

Wir schreiben also statt *Wenn A, dann B* kürzer A → B. Ein längeres Beispiel ist:

(56) ¬ ((A ∨ B) ∧ ¬ C) → (¬ (A ∨ B) ∨ C)

Die Klammern deuten hier den »Bereich« der Junktoren an. So ist der Vordersatz der Implikation der ganze Satz ¬ ((A ∨ B) ∧ ¬ C) und nicht nur beispielsweise ¬ C. Der Nachsatz ist ebenfalls der ganze Satz (¬ (A ∨ B) ∨ C). Die Klammern um A ∨ B besagen, daß sich die Negation darauf bezieht, nicht jedoch auf C.

Anhand der Wahrheitstafeln kann man nun die Wahrheitsbedingungen für den komplexen Satz bestimmen. Man beginnt die Berechnung, indem man den *atomaren Sätzen* A, B und C Wahrheitswerte zuweist. Atomar heißen diese Sätze, weil sie im Gegensatz zu A ∨ B oder (A ∨ B) ∧ ¬ C nicht mehr weiter in »kleinere« Bestandteile zerlegt werden können. Nachdem man diesen Sätzen Wahrheitswerte zugewiesen hat, geht man zu den nächst größeren Einheiten über. In unserem Fall sind dies A ∨ B und ¬ C. Die Wahrheitstafel für diese Junktoren liefert die Wahrheitswerte für die komplexeren Ausdrücke. Diese Resultate wendet man nun auf noch komplexere Formeln an; etwa auf (A ∨ B) ∧ ¬ C. Da wir die Werte für A ∨ B und ¬ C bereits kennen, können wir mit Hilfe der Tafel für die Konjunktion den Wert von (A ∧ B) ∧ ¬ C berechnen. Auf diese Weise arbeitet man die gesamte Formel (56) von »unten« nach »oben« ab.

Bei drei atomaren Sätzen gibt es acht verschiedene Möglichkeiten, diesen Sätzen Wahrheitswerte zuzuordnen. Man muß also die oben beschriebene Prozedur für jede dieser Kombinationsmöglichkeiten durchführen. (Im allgemeinen gilt: Falls eine Formel n atomare Sätze enthält, dann gibt es 2^n Möglichkeiten, diesen Sätzen Wahrheitswerte zuzuweisen.)

Die Tafel des komplexen Satzes sieht schließlich so aus:

(57)

A	B	C	$\neg((A \lor B) \land \neg C) \rightarrow (\neg(A \lor B) \lor C)$
I	I	I	I
I	o	I	I
o	I	I	I
o	o	I	I
I	I	o	I
I	o	o	I
o	I	o	I
o	o	o	I

Wie wir an dieser Tafel sehen, wird bei allen acht verschiedenen Wahrheitswertverteilungen für die atomaren Sätze der komplexe Satz wahr. Dieser Satz kann also unter keinen Umständen falsch werden. Sätze dieser Art bezeichnet man als *logisch wahr*. Der Begriff der logischen Wahrheit läßt sich somit wie folgt definieren:

(58) *Aussagenlogische Wahrheit*
   Ein Satz ist aussagenlogisch wahr gdw. sich bei sämtlichen Wahrheitswertverteilungen an die atomaren Sätze für diesen Satz der Wert *wahr* ergibt.

Ein Satz dagegen, der immer nur den Wert o erhält, heißt *logisch falsch* oder *kontradiktorisch*. Ein ganz einfaches Beispiel ist A ∧ ¬ A:

(59)

A	$A \land \neg A$
I	o
o	o

Betrachten wir nochmals die Tafel für die Implikation:

(53) *Implikation* (cf. dazu den Exkurs am Ende dieses Abschnitts)

A	B	$A \rightarrow B$
I	I	I
I	o	o
o	I	I
o	o	I

In Abschnitt (3.) wurde die Implikation intuitiv so eingeführt:

(43) *Implikation*

    Ein Satz S_1 impliziert einen Satz S_2 genau dann, wenn es nicht möglich ist, S_1 zu behaupten und S_2 zu verneinen.

Übersetzt man diese Analyse mit Hilfe der eingeführten Zeichen in den hier skizzierten Rahmen, so ergibt sich:

(60) S_1 impliziert S_2 genau dann, wenn $\neg\,(S_1 \wedge \neg\,S_2)$.

Dabei fällt allerdings das *es ist nicht möglich, daß* unter den Tisch. Es wird hier zu *es ist nicht der Fall, daß*. Die Frage stellt sich, ob die Formulierungen (53) und (60) der Implikation dasselbe besagen oder nicht. Technisch ausgedrückt heißt dies: Sind die Wahrheitstafeln für $S_1 \rightarrow S_2$ und $\neg\,(S_1 \wedge \neg\,S_2)$ gleich? Hierzu berechnen wir $\neg\,(S_1 \wedge \neg\,S_2)$:

(61)

S_1	S_2	$\neg(S_1 \wedge \neg S_2)$
I	I	I
I	o	o
o	I	I
o	o	I

Wie man sieht, sind die Wahrheitstafeln für die beiden Formeln gleich; diese besagen also dasselbe.

Formeln, die dieselben Wahrheitstafeln haben, heißen *(logisch) äquivalent*. Der Begriff der logischen Äquivalenz läßt sich auf den der logischen Wahrheit zurückführen. Dies wird an folgendem Beispiel illustriert.

Statt $(A \rightarrow B) \wedge (B \rightarrow A)$ schreibt man kürzer $A \leftrightarrow B$ und nennt »$\leftrightarrow$« Bikonditional. Leicht nachzuweisen ist dann, daß $A \leftrightarrow B$ folgende Wahrheitstafel hat:

(62) *Bikonditional*

A	B	$A \leftrightarrow B$
I	I	I
I	o	o
o	I	o
o	o	I

Wenden wir dies auf $(S_1 \rightarrow S_2)$ und $\neg(S_1 \wedge \neg S_2)$ an, so ergibt sich:

(63)	S_1	S_2	$(S_1 \rightarrow S_2) \leftrightarrow \neg (S_1 \wedge \neg S_2)$
	1	1	1
	1	o	1
	o	1	1
	o	o	1

Man sieht, daß sich bei der komplexen Formel für alle möglichen Wahrheitswertkombinationen nur der Wert 1 ergibt. Damit ist $(S_1 \rightarrow S_2) \leftrightarrow \neg (S_1 \wedge \neg S_2)$ logisch wahr. (Logische) Äquivalenz läßt sich also wie folgt auf logische Wahrheit zurückführen:

(64) *Logische Äquivalenz und logische Wahrheit*
   Zwei Formeln A und B sind (logisch) äquivalent, wenn A ↔ B logisch wahr ist, oder wenn ¬ A ↔ B kontradiktorisch ist.

Aufgrund der Abkürzung ↔ und der Tafel für *und* ergibt sich, daß A ↔ B logisch wahr ist genau dann, wenn sowohl A → B als auch B → A logisch wahr ist. Eine Formel, die weder logisch wahr noch kontradiktorisch ist, für die es also sowohl eine 1 als auch eine o in der Tafel gibt, heißt *konsistent*.
Die Begriffe *logisch wahr*, *kontradiktorisch*, *äquivalent* und *konsistent* spielen in der Satzsemantik eine zentrale Rolle. Ein Verfahren, um zu testen, ob zwei Sätze A und B logisch wahr, kontradiktorisch usw. sind, ist, ihre Wahrheitstafeln zu berechnen. Allerdings wurden in der Logik auch viel effizientere Verfahren entwickelt, die hier nicht behandelt werden können (cf. hierzu z. B. Hodges (1977)).
Einige Beispiele für wichtige logisch äquivalente Formeln:

(65) (a) A→B   gdw. ¬B→¬A   (Kontraposition)
      (b) ¬(A∧B)   gdw. ¬A∨¬B ⎫
      (c) ¬(A∨B)   gdw. ¬A∧¬B ⎬ (De Morgan'sche Formeln)
      (d) A∨(B∧C)   gdw. (A∨B)∧(A∨C)
      (e) A∧(B∨C)   gdw. (A∧B)∨(A∧C)

Betrachten wir nochmals die folgende Formel:

(66) ¬ ((A ∨ B) ∧ ¬ C) → (¬ (A ∨ B) ∨ C)

Wir wissen, daß diese Formel stets wahr ist (cf. (57)).
Angenommen, wir wissen zusätzlich, daß ¬ ((A ∨ B) ∧ ¬ C) wahr ist – diese Formel ist nicht logisch wahr (wenn A und B 1 sind und C o ist, dann ist die Formel o) –, dann wissen wir sicher auch, daß ¬ (A ∨ B) ∨ C wahr ist.

Dies folgt mit Hilfe der Schlußregel »*Modus Ponens*«.
Sie lautet:

(67) *Modus Ponens (MP)*
　　 Falls
　　 (a)　A → B wahr ist und
　　 (b)　A wahr ist, ist auch
　　 (c)　B wahr.

Dazu folgendes Beispiel: Angenommen, die beiden folgenden
Sätze sind wahr:

(68) (a) Wenn Peter fünf Maß Bier trinkt, fühlt er sich wohl.
　　 (b) Peter trinkt fünf Maß Bier.

Dann gilt auch:

(68) (c) Peter fühlt sich wohl.

Man sagt, daß (68c) eine (Schluß-)Folgerung aus (68a) und (68b)
ist.
Das Interessante an der Regel (67) ist nun, daß man zeigen kann,
daß sie nichts Falsches liefert. Dies kann man mit Hilfe der Wahrheitstafeln kontrollieren. Wir wollen in Form eines indirekten
Beweises zeigen, daß aus der Annahme, daß A → B und A wahr
sind und B falsch ist, ein Widerspruch folgt:

(69)

A	B	A→B
1	1	1
−1−−	−−o−−	−−−−−−o−−−−−
−o−−	−−1−−	−−−−−−1−−−−−
−o−−	−−o−−	−−−−−−1−−−−−

Da wir annehmen, daß A→B wahr ist, können wir Zeile zwei
streichen. Außerdem nehmen wir an, daß A wahr ist. Also sind
die Zeilen drei und vier zu streichen. Zeile eins aber fordert, daß
B wahr ist. Nach unserer Annahme wäre B aber falsch. B müßte
also, wenn unsere Annahmen zuträfen, sowohl wahr als auch
falsch sein. Dies ist unmöglich.
Regel (67) (MP) läßt sich auch wiederholt anwenden. Dazu wiederum ein Beispiel. Angenommen, es gelten die folgenden drei
Sätze:

(70) (a) Wenn Sigi fünf Maß Bier trinkt, dann fängt er an, auf Strauß zu
　　　　 schimpfen.

(b) Wenn Sigi anfängt, auf Strauß zu schimpfen, dann bekommt er Ärger mit dem Wirt.

(c) Sigi trinkt fünf Maß Bier.

Dann folgt:

(70) (d) Sigi bekommt Ärger mit dem Wirt.

Dies sieht man wie folgt. Aus (70a) und (70c) folgt mit (MP) der Dann-Satz von (70a). Aus diesem und aus (70b) folgt der Dann-Satz von (70b). Diese iterativen Anwendungen von (MP) erlauben es, Schlüsse aus beliebig vielen Prämissen zu ziehen.

Falls ein Satz A durch die Anwendung von (MP) aus einer Menge von Sätzen Γ gefolgert wurde, schreibt man oft kürzer: $\Gamma \vdash A$. In unserem Beispiel besteht Γ aus (70a), (70b) und (70c); A ist (70d).

Abschließend sei auf folgendes hingewiesen. Bisher wurden verschiedene Möglichkeiten analysiert, Aussagesätze zu kombinieren. Dabei wurden viele Konstruktionen nicht erwähnt, z. B.: *Es ist möglich, daß A; A obwohl B; A weil B.* Die Analyse solcher Ausdrücke ist komplizierter und kann mit den hier dargestellten Methoden nicht geleistet werden.

Syntaktisch läßt sich das Fragment, das bis jetzt beschrieben wurde, leicht durch eine Phrasenstrukturgrammatik erfassen.

(71)   (a)   S $\rightarrow$ Neg S

       (b)   S $\rightarrow$ S J S

       (c)   Neg $\rightarrow$ $\{\neg\}$

       (d)   J $\rightarrow$ $\{\wedge, \vee, \rightarrow, \leftrightarrow\}$

       (e)   S $\rightarrow$ $\{A, B, \ldots\}$

Exkurs zur Implikation

Die Wahrheitstafel für $\rightarrow$ ist sicherlich keine sinnvolle Repräsentation der Semantik natürlichsprachlicher Konditionalsätze. Der Satz

(72) Wenn der Papst kein Katholik ist, dann ist Ronald Reagan der Papst.

ist, da der Vordersatz falsch ist, wegen der Tafel für $\rightarrow$ wahr. Auf Grund des fehlenden Zusammenhanges zwischen dem Wenn-Satz und dem Dann-Satz wird man (72) aber intuitiv nicht für wahr halten. Wie immer die korrekte Analyse solcher Sätze letztlich aussehen mag, es ist – unter den bisherigen Voraussetzungen – nicht möglich, die Semantik von → zu verändern. Dies folgt aus dem 1. satzsemantischen Prinzip, dem »Most Certain Principle« (cf. (45)).

Es gibt, falls man die ersten beiden Zeilen der Tafel unverändert läßt, drei mögliche Varianten für → (cf. 53).

(53') *1. Variante*

A	B	A→B
1	1	1
1	0	0
0	1	0
0	0	1

Nach dieser Tafel bedeuten → und ↔ dasselbe. Dies kann aber nicht korrekt sein. Denn angenommen (73) ist wahr:

(73) Wenn Peter fernsieht, dann betrinkt er sich.

Wegen der oben genannten Änderung der Wahrheitstafel ist (73) genau dann wahr, wenn (74) wahr ist:

(74) Wenn Peter sich betrinkt, dann sieht er fern.

(74) schließt aus, daß Peter sich unter anderen Umständen als beim Fernsehen betrinkt. (73) tut dies keineswegs. Peter könnte sich etwa auch beim Kegeln betrinken. Das heißt aber, daß es Umstände gibt, unter denen (73) wahr und (74) falsch ist. Nach dem »Most Certain Principle« bedeuten sie daher nicht dasselbe. Die 1. Variante ist also widerlegt.

(53'') *2. Variante*

A	B	A→B
1	1	1
1	0	0
0	1	0
0	0	0

Nach dieser Tafel müßten → und ∧ dasselbe bedeuten. Dies ist mindestens so unsinnig wie die Behauptung, daß → und ↔ dasselbe bedeuten.

(53''') 3. *Variante*

A	B	A→B
1	1	1
1	0	0
0	1	1
0	0	0

Aus dieser Tafel ergibt sich ebenfalls eine Menge Unsinn, u. a. gilt nun nicht mehr, daß A ↔ B dasselbe bedeutet wie (A → B) ∧ (B → A):

(75)

A	B	(A→B)∧(B→A)
1	1	1
1	0	0
0	1	0
0	0	0

Dagegen (cf. 62)):

(76)

A	B	A↔B
1	1	1
1	0	0
0	1	0
0	0	1

4.2. Kompositionalität

In diesem Kapitel wird vorausgesetzt, daß der Funktionsbegriff bekannt ist. Sollte diese Voraussetzung nicht vorliegen, kann sie sich der Leser ohne Schwierigkeiten z. B. aus Halmos (1968) selbst aneignen.

Ein Prinzip der Satzsemantik ist das Frege- oder Kompositionalitätsprinzip (cf. (48)). Die Wahrheitstafeln des letzten Kapitels waren stets so aufgebaut, daß sie diesem Prinzip genügten. Wie wir am Beispiel der Komponentenanalyse gesehen haben (cf. Abschnitt (3.)), war es möglich, jede syntaktische Regel mit einer semantischen Regel zu korrelieren. Kann man nun die semantischen Regeln so formulieren, daß sie den syntaktischen Regeln (71a-d) entsprechen? Dazu müßte man garantieren, daß sich die semantischen Werte der syntaktischen Konstituenten in (71a-d) aus den Werten ihrer Teilkonstituenten ermitteln lassen. Man beachte, daß dies eine Verschärfung des Frege-Prinzips ist, da hier auf spezielle syntaktische Analysen Bezug genommen wird. Um die Frage positiv zu beantworten, müssen semantische Werte für A, B ... gefunden werden. Dies ist jedoch sehr einfach. Man nimmt an, daß es sich hierbei um 1 oder 0 handelt.

Komplizierter wird es, wenn man Werte für $\wedge$, $\vee$, $\rightarrow$, $\leftrightarrow$ und $\neg$ angeben soll. Von diesen Werten hängt es dann ab, wie die Werte für Neg S und S J S aussehen.

Betrachten wir nochmals die Wahrheitstafel für *und*:

(77) *Konjunktion*
  $(=(50))$

A	B	$A \wedge B$
1	1	1
1	0	0
0	1	0
0	0	0

Diese Tafel kann man als eine Zuordnungsvorschrift auffassen. Das $\wedge$ ordnet dem Paar $<1,1>$ den Wert 1 zu und den Paaren $<1,0>$, $<0,1>$ und $<0,0>$ den Wert 0.

Das heißt nichts anderes, als daß $\wedge$ eine Funktion ist, die Paare von Wahrheitswerten auf einen weiteren Wahrheitswert abbildet. Diese Funktion wählen wir als semantischen Wert von $\wedge$. Also (man beachte die in Abschnitt (3.) eingeführte Notation!):

(78) $[\![\wedge]\!] = \begin{bmatrix} <1,1> \longrightarrow 1 \\ <1,0> \\ <0,1> \longrightarrow 0 \\ <0,0> \end{bmatrix}$

Für die Negation dagegen benötigt man nicht zwei Argumente, sondern nur eines. Die Negation ist also eine Funktion, die die 1 auf die 0 abbildet und die 0 auf die 1.

(79) $[\![\neg]\!]$ = $\left[\begin{array}{l} \text{I} \longrightarrow \text{o} \\ \text{o} \longrightarrow \text{I} \end{array}\right]$

Die anderen Junktoren dagegen sind wieder zweistellig.

(80) $[\![\lor]\!]$ = $\left[\begin{array}{l} <\text{I,I}> \longrightarrow \text{I} \\ <\text{I,o}> \\ <\text{o,I}> \\ <\text{o,o}> \longrightarrow \text{o} \end{array}\right]$

(81) $[\![\rightarrow]\!]$ = $\left[\begin{array}{l} <\text{I,I}> \\ <\text{I,o}> \longrightarrow \text{o} \\ <\text{o,I}> \longrightarrow \text{I} \\ <\text{o,o}> \end{array}\right]$

(82) $[\![\leftrightarrow]\!]$ = $\left[\begin{array}{l} <\text{I,I}> \longrightarrow \text{I} \\ <\text{I,o}> \\ <\text{o,I}> \longrightarrow \text{o} \\ <\text{o,o}> \end{array}\right]$

Nun können wir beginnen, die semantischen Regeln zu formulieren.

Die angegebenen Phrasenstrukturregeln definieren z. B. den folgenden Strukturbaum.

(83)

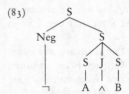

Welche semantische Regel entspricht nun z. B. der syntaktischen Regel

(71e) $S \rightarrow \{A, B, \ldots\}$

also dem Baum

(71e')   S
            |
            β

wobei β irgendein lexikalisches Element aus der Menge rechts von dem Pfeil ist? Es ist die Regel

330

Sem (71e)   Falls α ein Baum der Struktur S ist und β ein

$$\overset{\textstyle S}{\underset{\textstyle \beta}{|}}$$

lexikalisches Element der Kategorie S ist, dann ist $[\![\alpha]\!] = [\![\beta]\!]$.

Regel Sem(71e) besagt, daß in unserem Beispiel die semantischen Werte der Sätze A und B einfach zum nächsten S-Knoten »hochgereicht« werden.

Analog sehen die semantischen Regeln für (71d) und (71c) aus. Der einzige Unterschied besteht darin, daß hier »feste« semantische Werte nach »oben weitergereicht« werden.

Sem (71d)   Falls α ein Baum der Struktur J ist und β ein

$$\overset{\textstyle J}{\underset{\textstyle \beta}{|}}$$

lexikalisches Element der Kategorie J, dann ist $[\![\alpha]\!] = [\![\beta]\!]$.

Sem (71c)   Falls α ein Baum der Struktur Neg ist, dann ist

$$\overset{\textstyle Neg}{\underset{\textstyle \neg}{|}}$$

$[\![\alpha]\!] = [\![\neg]\!]$.

Die semantischen Regeln für (71a) und (71b) sehen ein bißchen komplizierter aus. Hier nützt man aus, daß $\wedge, \vee, \rightarrow, \leftrightarrow$ die Paare von Wahrheitswerten auf Wahrheitswerte abbilden. Zunächst noch eine kurze Bemerkung zur Notation: $\overset{\triangle}{S}$ oder $\overset{\triangle}{J}$ symbolisiert den *ganzen* Baum mit oberstem Knoten S oder J.

Sem (71b)   Falls $\alpha = \overset{\triangle}{J}$, $\beta = \overset{\triangle}{S}$ und $\tau = \overset{\triangle}{S}$, und falls

$$\delta = \overset{\textstyle S}{\underset{\textstyle \beta\ \ \alpha\ \ \tau}{\diagup|\diagdown}}\quad \text{ist, dann ist } [\![\delta]\!] = [\![\alpha]\!]([\![\beta]\!],[\![\tau]\!]).$$

Regel Sem (71b) besagt, daß sich die Interpretation des gesamten Baumes δ ergibt, indem man die (zweistellige) Wahrheitswertfunktion $[\![\alpha]\!]$ auf ihre Argumente $[\![\beta]\!]$ und $[\![\tau]\!]$ anwendet. Betrachten wir den Teilbaum

(84)   δ =

$$\begin{array}{ccc} & S & \\ S & J & S \\ | & | & | \\ A & \wedge & B \end{array}$$

aus (83).
Hier ist $\alpha = $ J $, \beta = $ S und $\tau = $ S .

       $\wedge$ A   B

Nehmen wir an, daß die semantischen Werte für α, β und τ bereits mit den Regeln Sem(71e) und Sem(71d) ermittelt wurden, dann erhält man mit Sem(71b): $[\![\delta]\!] = [\![\wedge]\!]\,([\![A]\!], [\![B]\!])$. Wie gezeigt, entspricht dies der Wahrheitstafel für die Konjunktion.
Eine ähnliche Regel ist nun noch für die Negation zu formulieren.

Sem (71a)   Falls $\alpha = $ Neg, $\beta = $ S und $\tau = $ $\overset{\displaystyle S}{\overset{\frown}{\alpha\quad\beta}}$ ist, dann ist
                              $\triangle$ $\triangle$

$$[\![\tau]\!] = [\![\alpha]\!]([\![\beta]\!]).$$

In dieser Regel wird, um den semantischen Wert für τ zu ermitteln, die (einstellige) Wahrheitswertfunktion $[\![\text{Neg}]\!] = [\![\alpha]\!]$ auf ihr Argument $[\![\beta]\!]$ angewendet. Für unser Beispiel (83) erhält man auf diese Weise: $[\![S]\!] = [\![\text{Neg}]\!]\,([\![S]\!])$. Der semantische Wert für die eingebettete S-Struktur (84) wurde bereits ermittelt. Damit ergibt sich nun:

(83') $[\![S]\!] = [\![\text{Neg}]\!]\,([\![\wedge]\!]\,([\![A]\!], [\![B]\!]))$.

In der üblichen logischen Notation entspricht dies den Wahrheitsbedingungen für $\neg\,(A \wedge B)$.
Damit ist es gelungen, zu sämtlichen syntaktischen Regeln eine semantische zu formulieren und umgekehrt.
So simpel diese Grammatik auch ist, so generiert sie doch mehrdeutige Sätze. Betrachten wir dazu das folgende Beispiel.

(85) Peter hört Musik oder ($\vee$) Karl schnarcht und ($\wedge$) Hans schläft.

Bei einer Lesart (i) des Satzes ist er wahr, wenn Peter Musik hört, ganz egal, was Karl und Hans machen.
Bei einer anderen Lesart (ii) ist der Satz nur wahr, wenn Hans schläft und außerdem gilt, daß Peter Musik hört oder Karl schnarcht.
Die beiden Lesarten werden in der skizzierten Grammatik wie folgt repräsentiert:

Sei A = Peter hört Musik.
    B = Karl schnarcht.
    C = Hans schläft.

(86) (a) *Syntax*:
        Lesart (i):

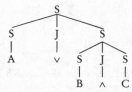

        Lesart (ii):

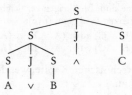

(86) (b) *Semantik*:
        Lesart (i): [[∨]]([[A]],[[∧]]([[B]],[[C]]))
        Formuliert man um, so ergibt dies die Wahrheitstafel:

A	B	C	A∨(B∧C)
1	1	1	1
1	0	1	1
0	1	1	1
0	0	1	0
1	1	0	1
1	0	0	1
0	1	0	0
0	0	0	0

Wie die Umformung durchzuführen ist, ist leicht einzusehen.
Angenommen, wir haben den Fall [[A]] = 1, [[B]] = 0 und [[C]] = 1,
also Zeile 2 (insgesamt sind 8 Fälle zu berücksichtigen), dann gilt:
[[∧]] ([[B]], [[C]]) = [[∧]] (0,1) = 0.
Dann wendet man [[∨]] auf dieses Ergebnis und den semantischen
Wert von A (also [[A]]) an und erhält:
[[∨]] ([[A]], 0) = [[∨]] (1,0) = 1.
Damit hat man das Ergebnis von Zeile 2 errechnet.
Die restlichen sieben Fälle berechnet man analog.
Lesart (ii): [[∧]] ([[∨]] ([[A]], [[B]]), [[C]])
Die entsprechende Wahrheitstafel sieht dann so aus:

A	B	C	(A∨B)∧C
1	1	1	1
1	0	1	1
0	1	1	1
0	0	1	0
1	1	0	0
1	0	0	0
0	1	0	0
0	0	0	0

Die beiden Tafeln unterscheiden sich im »unteren« Teil ziemlich stark. Sie zeigen, daß die beiden Lesarten des angegebenen Satzes nicht äquivalent sind. Im übrigen vergleiche man hierzu die logischen Äquivalenzen (65d) und (65e):

(65) (d) A ∨ (B ∧ C) gdw. (A ∨ B) ∧ (A ∨ C)
  (e) A ∧ (B ∨ C) gdw. (A ∧ B) ∨ (A ∧ C)

Nach diesem etwas technischen Kapitel wenden wir uns der Analyse atomarer Sätze zu.

4.3. Prädikation

Betrachten wir nochmals die Regel

(71e) S → {A, B, ...}

der Phrasenstrukturgrammatik des letzten Abschnitts. Sie besagt, daß A, B etc. für Sätze stehen, daß das Lexikon also Variable für atomare Aussagen wie

(87) Peter schläft.

enthält. Dies ist natürlich äußerst unbefriedigend, da es nicht ausreicht, nur Kombinationen von atomaren Sätzen semantisch zu beschreiben, sondern es sollte auch möglich sein darzustellen, wie sich der semantische Wert von *Peter schläft* aufgrund der Werte für *Peter* und *schläft* ergibt.

Da es die Aufgabe der Semantik ist, für jeden Aussagesatz seine Wahrheitsbedingungen anzugeben, stellt sich somit die Frage, von welchen Umständen es abhängt, daß ein einfacher Aussagesatz wie

(87) Peter schläft.
(88) Hans liest.

usw. wahr bzw. falsch wird. Nun, zum einen davon, wer *Peter* bzw. *Hans* ist, und zum anderen, wer zu dem Zeitpunkt, an dem diese Aussage gemacht wurde, alles schläft bzw. liest. Übergehen wir der Einfachheit halber die Frage, wie man Tempusbedeutungen beschreibt, so können wir für die einfachsten atomaren Sätze folgendes festlegen. Namen entsprechen Personen oder bestimmten Orten (der Name einer Kneipe etwa), intransitiven Verben entsprechen Mengen von Personen usw. Dem intransitiven Verb *schlafen* entspricht etwa die Menge der Schläfer. Man sagt auch, daß die Menge der Schläfer bzw. der Leser die *Extension* der Verben *schlafen* bzw. *lesen* ist.

Nimmt man nun an, daß es jeweils klar ist, wer mit den Namen bezeichnet wird, und welche Extensionen welchen Verben entsprechen, so können wir die Wahrheitsbedingungen für die angegebenen einfachen Sätze sehr leicht beschreiben.

(89) *Regel der elementaren Prädikation*
    Der Wahrheitswert eines Satzes der Form *Name Verb* ist 1, falls die Person, die durch den Namen bezeichnet wird, ein Element der Extension des Verbs ist. Ansonsten ist der Wert 0.

Wir können nun auch die Wahrheitsbedingungen von Sätzen wie

(90) Peter schläft und Hans liest.

differenzierter beschreiben. Der fragliche Satz ist genau dann 1, falls die durch *Peter* bezeichnete Person ein Element der Extension von *schlafen* und die durch *Hans* bezeichnete Person ein Element der Extension von *lesen* ist.

Im folgenden sollen nun diese intuitiven Beschreibungen systematisiert werden. Angenommen, wir hätten es mit einer Sprache zu tun, in der es nur drei Eigennamen, sagen wir *Peter*, *Hans*, *Sigi*, und nur drei intransitive Verben, etwa *schlafen*, *schnarchen* und *bechern*, gibt. Außerdem soll es möglich sein, Aussagesätze mit Junktoren zu kombinieren. Eine solche Sprache, bezeichnen wir sie mit L_o, ist natürlich reichlich mickrig, eignet sich aber gut zu Illustrationszwecken.

Wie kann man in systematischer Weise die Semantik von L_o beschreiben? Wir wissen, daß uns die Personen Peter, Hans und Sigi gegeben sein müssen, die als Interpretationen für die Eigennamen dienen. Außerdem müssen die Extensionen der intransitiven Verben gegeben sein, die kurz mit $[\![schlafen]\!]$, $[\![schnarchen]\!]$ und $[\![bechern]\!]$ bezeichnet werden. Nehmen wir also an, A sei eine beliebige Menge von Individuen, die u. a. die Personen Peter, Hans und Sigi enthält. Die Interpretation der sprachlichen Ausdrücke von L_0 nehmen wir nun durch eine Zuordnung der folgenden Art vor:

Den Eigennamen ordnen wir wie folgt Individuen als Interpretationen zu:

(91) (a) Peter → Peter
      Hans → Hans
      Sigi → Sigi

Den intransitiven Verben ordnen wir die folgenden Mengen von Individuen als Interpretation zu:

(91) (b) schlafen   → {Hans, Peter}
        schnarchen → {Hans}
        bechern   → {Sigi}

Eigentlich müßten noch die semantischen Werte für die Junktoren angegeben werden. Da diese aber für jede Struktur gleich sind, läßt man sie einfach weg.

Was wir hier gemacht haben, läßt sich in einer etwas technischeren Sprechweise der Semantik auch so formulieren: Wir haben für unsere Mini-Sprache L_0 »eine Struktur angegeben«. Dabei ist eine Struktur M für unsere Sprache L_0 nichts anderes als eine Menge A von Individuen plus einer Zuordnung oder, wie wir jetzt etwas technischer sagen wollen, Funktion F, die den Eigennamen von L_0 Elemente aus A und den intransitiven Verben von L_0 Teilmengen von A als Interpretation zuordnet. Die angegebene Struktur M für L_0 ist nun:

(92) M = <A,F>, wobei
    (a) A eine beliebige Menge von Individuen ist
    (b) F wie folgt aussieht:
        F(Peter) = Peter
        F(Hans) = Hans
        F(Sigi) = Sigi
        F(schlafen) (d. h. $[\![schlafen]\!]$) = {Hans, Peter}
        F(schnarchen) = {Hans}
        F(bechern) = {Sigi}

Es ist klar, daß wir L_0 auch durch eine andere Struktur hätten interpretieren können, z. B. eine, in der F folgendermaßen aussieht:

(93) F(*Peter*) = Peter
   F(*Hans*) = Hans
   F(*Sigi*) = Sigi
   F(*schlafen*) = {Hans, Sigi}
   F(*schnarchen*) = {Peter}
   F(*bechern*) = {Hans, Peter}

Eine Sprache kann also durch Strukturen unterschiedlicher Art interpretiert werden. Ebenso ist klar, daß für unterschiedliche Sprachen die Strukturen unterschiedlich sein müssen. Hätten wir eine Sprache mit sechs Eigennamen und fünf intransitiven Verben, so bräuchten wir eine Struktur mit einer Funktion F, die uns die Interpretation der sechs Eigennamen und die Extension der fünf Verben angibt.

Wir wollen uns nun ansehen, welchen Einfluß unterschiedliche Strukturen auf die Wahrheitswerte der Sätze einer Sprache haben. Beginnen wir mit einigen Beispielen aus unserer Sprache L_o:

(94) (a) Peter schläft.
   (b) Peter schläft und Hans bechert.
   (c) Wenn Hans schnarcht, dann bechert Sigi.

Legen wir nun die oben gewählte Struktur (92) zugrunde und fragen wir uns, ob die Sätze in (94) wahr sind. Dabei schreiben wir anstelle des umständlichen »Peter ist in der Extension von *schlafen* enthalten« kurz: »Peter ∈ ⟦*schlafen*⟧«. Man liest dies als: »Peter ist Element der Extension von *schlafen*«, was nichts anderes besagt, als daß Peter zu denen gehört, die schlafen.

Ist nun der Satz (94a) wahr? Die Regel der elementaren Prädikation (89) besagt, daß dies genau dann zutrifft, wenn die durch *Peter* bezeichnete Person in der Extension von *schlafen* enthalten ist. *Der Struktur (92) zufolge* ist dies der Fall. Daher ist Satz (94a) bzgl. *dieser Struktur* wahr. Hätten wir die andere Struktur mit der Zuordnung (93) zugrundegelegt, so sieht man leicht, daß die durch *Peter* bezeichnete Person hier nicht in der Extension von *schlafen* enthalten ist. Daher ist Satz (94a) bzgl. dieser Struktur falsch. Man sieht also, daß wir die Wahrheit eines Satzes nur relativ zu einer bestimmten Struktur bestimmen können. Bevor wir das nächste Beispiel betrachten, wollen wir noch einige Abkürzungen einführen. Für die Aussage, daß der Satz A bezüglich der Struktur M wahr ist, schreibt man kurz: $⟦A⟧^M = 1$. Ist der Satz A in M falsch, schreibt man analog: $⟦A⟧^M = 0$. Wie steht es nun mit Satz

(94) (b) Peter schläft und Hans bechert.

Die semantische Regel für die Konjunktion besagt, daß beide Teilsätze wahr sein müssen, wenn der ganze Satz wahr sein soll. Legen wir die zweite Struktur (93) zugrunde, so wissen wir bereits, daß der erste Teilsatz bzgl. dieser Struktur falsch ist, d. h. daß gilt:

(95) $[\![\textit{Peter schläft}]\!]^M = 0$.

Damit ist auch die ganze Konjunktion bzgl. dieser Struktur falsch, d. h. es gilt:

(96) $[\![\textit{Peter schläft und Hans bechert}]\!]^M = 0$.

Legen wir die erste Struktur (92) zugrunde, so wissen wir bereits, daß der erste Teilsatz bzgl. dieser Struktur wahr ist, d. h. jetzt gilt:

(97) $[\![\textit{Peter schläft}]\!]^M = 1$.

Damit (94b) in dieser Struktur wahr ist, müßte also in dieser Struktur auch gelten:

(98) $[\![\textit{Hans bechert}]\!]^M = 1$.

Dies ist genau dann der Fall, wenn Hans $\in [\![\textit{bechern}]\!]$. Da, wie ein Blick auf (92) zeigt, Hans kein Element der Extension von *bechern* ist, ist der Satz falsch. Also gilt bzgl. der Struktur (92):

(99) $[\![\textit{Hans bechert}]\!]^M = 0$.

und ergo

(100) $[\![\textit{Peter schläft und Hans bechert}]\!]^M = 0$.

Auch das dritte angegebene Beispiel (94c) wird so analysiert; man verwendet nur die Wahrheitstafel für die Implikation (53) statt der für die Konjunktion (50). Es ergibt sich, daß (94c) in der Struktur (92) wahr ist.

Ist ein Satz in einer Struktur wahr, so sagt man auch, daß diese Struktur ein *Modell* für diesen Satz ist. Halten wir also fest:

(101) *Der Modellbegriff*
   Falls gilt, daß $[\![A]\!]^M = 1$, so sagt man, daß M ein Modell des Satzes A ist.
   (Es ist üblich, für $[\![A]\!]^M = 1$ auch $M \models A$ (M ist Modell von A) und für $[\![A]\!]^M = 0$ auch $M \not\models A$ (M ist nicht Modell von A) zu schreiben.)

Die Struktur (92) ist also ein Modell von (94c). Sie ist dagegen kein Modell des zweiten Konjunkts *Hans bechert* von (94b). Man beachte aber, daß sie sehr wohl ein Modell der Negation dieses Satzes ist. Dies folgt aus der Wahrheitstafel für die Negation (51).

Wir wollen nun eine Verallgemeinerung des Strukturbegriffs vornehmen. Sie ist motiviert durch die folgende Überlegung.

Wir haben gesehen, daß die Wahrheitswerte von Sätzen bzgl. verschiedener Strukturen variieren können. Nun wurde aber bereits am Anfang von Abschnitt (4.) darauf hingewiesen, daß die Aufgabe des Semantikers nicht darin besteht anzugeben, *ob* ein Satz wahr oder falsch ist, sondern darin anzugeben, *unter welchen Bedingungen* er wahr oder falsch ist; d. h. der Semantiker muß sich bei seiner Aufgabe in gewisser Weise von der zufälligen Beschaffenheit »der Welt«, bzgl. derer die Wahrheit oder Falschheit von Sätzen bestimmt wird, unabhängig machen. Dies ist der Sinn des bekannten Satzes aus Wittgensteins »Tractatus« (4.024): »Einen Satz verstehen, heißt, wissen was der Fall ist, wenn er wahr ist. (Man kann ihn also verstehen, ohne zu wissen, ob er wahr ist.)« Diese Unabhängigkeit erreicht man durch die folgende Verallgemeinerung des Strukturbegriffs:

(101) *Definition des Strukturbegriffs für L_o*

> Eine Struktur M besteht aus einer nicht-leeren Menge A und einer Funktion F, die den Eigennamen Elemente aus A und den intransitiven Verben Teilmengen von A zuordnet.

Die Wahrheitsbedingungen für die Sätze von L_o bzgl. einer beliebigen Struktur lassen sich nun wie folgt formulieren:

(102) (a)   Sei α ein Name und β ein intransitives Verb. Dann gilt:
$M \models \alpha\beta$ gdw. $[\![\alpha]\!]\ \varepsilon\ [\![\beta]\!]$. Ansonsten: $M \not\models \alpha\beta$.

(b)   Falls A ein Satz ist, dann gilt:
$M \models \neg\ A$ gdw. $M \not\models A$.

(c)   Falls A und B Sätze sind, dann gilt:
$M \models (A \wedge B)$ gdw. $M \models A$ und $M \models B$.

(d)   Falls A und B Sätze sind, dann gilt:
$M \models (A \vee B)$ gdw. $M \models A$ oder $M \models B$.

(e)   Falls A und B Sätze sind, dann gilt:
$M \models (A \rightarrow B)$ gdw. gilt:
Falls $M \models A$, dann $M \models B$.

(f)   Falls A und B Sätze sind, dann gilt:
$M \models (A \leftrightarrow B)$ gdw. $M \models (A \rightarrow B)$ und $M \models (B \rightarrow A)$.

Damit haben wir unserer Semantik für L_0 eine systematische Form gegeben.

Exkurs zum Verhältnis
von Syntax und Semantik

Wir wollen nun noch einmal illustrieren, wie sich unsere semantischen Regeln syntaktischen Strukturen anpassen lassen. Schließlich ist es das Ziel des Grammatikers zu zeigen, wie sich die Bedeutung komplexer Ausdrücke aus deren Bestandteilen *entsprechend einem ganz bestimmten strukturellen Aufbau* ergibt; die Interpretation eines komplexen Ausdrucks muß daher dessen Konstituentenstruktur respektieren. Dies ist der Grund, warum man sich bemüht, die semantischen Regeln in struktureller Analogie zu den syntaktischen Regeln zu formulieren.

Betrachten wir eine Phrasenstruktursyntax für unsere Sprache L_0:

(103) (a) S   → Neg S
      (b) S   → S J S
      (c) S   → N V
      (d) Neg → $\{\neg\}$
      (e) J   → $\{\wedge, \vee, \to, \leftrightarrow\}$
      (f) N   → {Peter, Hans, Sigi}
      (g) V   → {schlafen, schnarchen, bechern}

Wie die semantischen Entsprechungen für die Regeln (103a/b/d/e) aussehen, haben wir in Abschnitt (4.2.) bereits gesehen. Die Deutung der Regeln (103f) und (103g) ist unproblematisch. Sie erhalten dasselbe semantische Format wie Sem(71d) und Sem(71c):

Sem (103) (f/g) Falls α = N oder α = V, wobei β ein lexikalisches

$$\overset{\textstyle\alpha}{\underset{\textstyle\beta}{\big|}} \qquad \overset{\textstyle\alpha}{\underset{\textstyle\beta}{\big|}}$$

Element ist, dann ist $[\![\alpha]\!] = [\![\beta]\!]$.

Komplizierter ist die Deutung von (103c). Wir müssen aus einem semantischen Wert für ein intransitives V den semantischen Wert eines Satzes konstruieren. Der semantische Wert intransitiver Verben besteht aber, wie wir wissen, in einer Menge von Individuen, während Sätze Wahrheitswerte $(0,1)$ als semantische Werte haben. Um nun von einer Menge von Individuen auf Wahrheitswerte zu kommen, und zwar in einer Weise, die die Struktur von Regel (103c) nachzeichnet, gibt es mehrere Möglichkeiten. Eine davon, die wir hier darstellen wollen, nützt eine einfache mengentheoretische Überlegung aus. Man kann, wie wir das im Fall der Junktoren auch schon gesehen haben, Mengen durch Funktionen ersetzen. Diese Funktionen heißen die *charakteristischen Funktionen* der entsprechenden Mengen.

(104) *Definition der charakteristischen Funktion einer Menge*
Angenommen, eine Menge A ist gegeben. Die charakteristische Funktion $\int_A$ dieser Menge A soll uns für jedes Element x sagen, ob dieses Element in A liegt oder nicht.
Also: $\int_A (x) = \begin{cases} 1, & \text{falls } x \in A \\ 0, & \text{sonst} \end{cases}$

Betrachten wir die charakteristische Funktion der Menge $[\![schlafen]\!]$ = (Hans, Peter). Welchen Wert hat $\int_{[\![schlafen]\!]}$ (Peter)? Der Wert ist 1, da Peter ein Element von $[\![schlafen]\!]$ ist. Der Wert von $\int_{[\![schlafen]\!]}$ (Sigi) dagegen ist 0, da Sigi kein Element von $[\![schlafen]\!]$ ist.

Man sieht an diesem Beispiel, daß die charakteristische Funktion einer Menge dieselbe Information liefert wie die Menge selbst. Man kann daher die semantischen Werte der intransitiven Verben einfach durch ihre charakteristischen Funktionen ersetzen. Wenn wir wieder unsere Struktur (92) zugrundelegen, erhalten wir:

(105) (a) $[\![schlafen]\!]$ = $\begin{bmatrix} \text{Peter} \longrightarrow 1 \\ \text{Hans} \nearrow \\ \text{Sigi} \longrightarrow 0 \end{bmatrix}$

(b) $[\![schnarchen]\!]$ = $\begin{bmatrix} \text{Peter} \\ \text{Hans} \quad 1 \\ \text{Sigi} \quad 0 \end{bmatrix}$

(c) $[\![bechern]\!]$ = $\begin{bmatrix} \text{Peter} \longrightarrow 0 \\ \text{Hans} \\ \text{Sigi} \quad 1 \end{bmatrix}$

Nun ist es leicht, die zu (103c) korrespondierende semantische Regel zu schreiben.

Sem (103) (c) Sei $\alpha = \underset{\triangle}{N}$, $\beta = \underset{\triangle}{V}$, und $\tau = \underset{\alpha \ \beta}{\overset{S}{\diagup \diagdown}}$, dann ist

$[\![\tau]\!] = [\![\beta]\!]([\![\alpha]\!])$.

Sehen wir uns zu dieser Regel Beispiel (106) an.

(106) (a) Hans schläft.
    (b) *Die syntaktische Struktur*

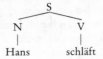

    (c) *Die semantische Struktur*
       Die Interpretation von N ist Hans, die Extension von V ist die
       Funktion [[*schlafen*]]. Mit Regel Sem(103c) ermittelt man nun den
       semantischen Wert von S durch die Anwendung der Funktion
       [[*schlafen*]] auf ihr Argument Hans; also: [[S]] = [[*schlafen*]] (Hans).
       Wegen (105a) ist der Wert 1.

Man erhält dasselbe Ergebnis wie mit Regel (102a). Damit ist der
Parallelismus zwischen syntaktischen und semantischen Regeln
wieder hergestellt. (Ende des Exkurses)

Es sollte nun klar sein, wie wir unsere Struktur erweitern müssen,
wenn unsere extrem einfache Sprache L₀ mehr Namen oder mehr
intransitive Verben enthält und damit zu einer erweiterten Sprache L₁ wird.
Bevor unser semantischer Apparat weiter verallgemeinert wird,
sollen noch einige bereits bekannte Begriffe im neuen Rahmen
betrachtet werden.
Ein Satz aus einer Sprache L der die Form A ∧ ¬ A hat, kann in
keiner Struktur wahr sein, oder anders ausgedrückt, keine Struktur kann ein Modell für A ∧ ¬ A sein. Denn falls M ein Modell
für A ist, gilt wegen der Klausel für die Negation, daß $M \not\models \neg$ A
ist, und daher wegen der Regel für die Konjunktion, daß $M \not\models$ A
∧ ¬ A. Falls $M \models \neg$ A gilt, kann dieselbe Argumentation erneut
durchgespielt werden, wobei man nur die Rollen von A und ¬ A
vertauscht. Ein logisch wahrer Satz wie A ∨ ¬ A dagegen soll in
jeder Struktur wahr sein. Diese Überlegung motiviert die folgenden Definitionen:

(107) *Logische Wahrheit und Kontradiktion*
    (a) Ein Satz A einer Sprache L ist *logisch wahr* gdw. jede Struktur
       für L ein Modell von A ist.
    (b) Ein Satz A einer Sprache L ist *kontradiktorisch* gdw. keine
       Struktur für L ein Modell von A ist.

Aus Abschnitt (4.1.) sind uns auch die beiden folgenden Definitionen vertraut.

(108) *Logische Äquivalenz und logische Folgerung*

    (a) Zwei Sätze A und B einer Sprache L sind *logisch äquivalent* gdw. A in denselben Strukturen wahr ist wie B und in keinen anderen. Also kurz, A und B sind äquivalent, wenn A und B dieselben Modelle haben.

    (b) Ein Satz B ist eine *logische Folgerung* aus einem Satz A gdw. gilt: Falls eine Struktur für L ein Modell von A ist, dann ist diese Struktur auch ein Modell von B.

Definition (108b) läßt sich verallgemeinern. Es kann vorkommen, daß ein Satz nicht aus einem einzelnen Satz folgt, sondern aus einer Menge von Sätzen, z. B.:

(109) (a) Die Wachmannschaft durchsuchte alle, die das Grundstück betraten, außer diejenigen, die von Angehörigen der Firma begleitet waren.

    (b) Einige von Fiorecchios Leuten betraten das Grundstück ohne Begleitung von Leuten, die nicht zu seiner Bande gehörten.

    (c) Die Wachmannschaft durchsuchte keinen von Fiorecchios Leuten.

Aufgrund dieser drei Aussagen wird ein halbwegs heller Kriminalbeamter schließen, daß

(109) (d) Einige von Fiorecchios Leuten waren Angestellte der Firma (cf. Quine (1974), s. 237ff.).

Man benötigt alle drei Prämissen, um einzusehen, daß (109d) wahr ist. Dies motiviert die folgende Definition:

(110) *Logische Folgerung (verallgemeinert)*

    Ein Satz B ist eine *logische Folgerung* aus einer Menge von Sätzen Γ gdw. gilt:

    Alle Strukturen, die für *alle* Sätze aus Γ ein Modell sind, sind auch für B ein Modell. Man symbolisiert diesen Sachverhalt häufig durch: $\Gamma \models B$.

In unserem Beispiel besteht Γ aus (109a-c), und B ist (109d). Der Unterschied zu dem im letzten Abschnitt eingeführten Folgerungsbegriff – symbolisiert durch $\Gamma \vdash B$ – läßt sich wie folgt beschreiben. Bei dem früher eingeführten Begriff wurde auf eine explizit angegebene syntaktische Schlußregel (Modus ponens) Bezug genommen. Jetzt dagegen wird der Begriff semantisch, d. h. auf Grund der Wahrheit von Sätzen in Strukturen definiert.

Die Frage stellt sich, ob die beiden Begriffe nicht letztlich dasselbe besagen. Für den Fall der Aussagenlogik trifft dies zu. Bei komplexeren Systemen ist dies nicht immer der Fall. In dieser Einführung werden allerdings solche Systeme nicht behandelt.

Wir wollen nun noch eine erweiterte Sprache L_2 betrachten, die auch zweistellige Verben enthalten kann. Bisher können wir ja nicht einmal die folgenden Sätze semantisch beschreiben:

(111) (a) Hans liebt Erna.
     (b) Frankfurt liegt südlich von Hamburg.
     (c) Sigi verabscheut Pinochet.

Wie muß der semantische Apparat geändert werden, wenn man nicht einfach *liebt Erna* als intransitives Verb auffassen, sondern die VP genauer analysieren will?

Falls eine Struktur, wie die für L_0, nur Denotationen für intransitive Verben enthielte, müßten wir fordern, daß sie für jeden Namen *N* eine Denotation für *liebt N* enthält. Dieses Vorgehen ist erstens umständlich und zweitens nicht gerade ein Muster für deskriptive Adäquatheit. Überlegen wir kurz, welchen Anforderungen eine semantische Analyse der betreffenden Sätze genügen soll.

Aus dem Satz

(111) (a) Hans liebt Erna.

sollte nicht (112) folgen:

(112) Erna liebt Hans.

Ähnliches gilt für die Sätze (111b/c).

Die semantische Analyse muß also differenziert genug sein, den Sätzen (111a) und (112) im allgemeinen verschiedene Werte zuzuordnen. Führt man nun eine Operation ein, die aus Personen Paare von Personen bildet, so läßt sich dies bewerkstelligen.

(113) *Geordnete Paare*
     Bezeichnen wir das Paar von Personen, das aus Hans und Erna besteht, mit: <Hans, Erna>. Nun wird gefordert: <Hans, Erna> ist nicht dasselbe Paar wie <Erna, Hans>. Man schreibt dafür kurz: <Hans, Erna> ≠ <Erna, Hans>. Man nennt solche Paare aus diesem Grund auch geordnete Paare, im Gegensatz zur *ungeordneten Menge* {Hans, Erna}.

Legen wir weiterhin fest, daß der semantische Wert von *lieben* die Menge aller *geordneten* Paare ist, für die gilt, daß die erste Person des Paares die zweite liebt, so können wir unsere semantische Intuition systematisieren.

(114) $[\![lieben]\!]$ = die Menge aller Paare <x,y>, mit der Eigenschaft, daß Person x Person y liebt.

Nun kann man die Wahrheitsbedingung für den Satz (111a) formulieren.

Hans liebt Erna ist wahr gdw. <Hans, Erna> ∈ $[\![lieben]\!]$. Dagegen ist Satz *Erna liebt Hans* wahr gdw. <Erna, Hans> ∈ $[\![lieben]\!]$. Da wir vorausgesetzt haben, daß <Hans, Erna> ≠ <Erna, Hans> ist, sind die beiden Sätze wie gewünscht unter verschiedenen Bedingungen wahr bzw. falsch.

Um zweistellige Verben zu behandeln, braucht man diese Bemerkungen nur zu verallgemeinern. Beispielsweise soll *liegt südlich von* diejenige Menge von geordneten Paaren <x,y> sein, für die gilt, daß x ein Ort ist, der südlich von y liegt. Bei anderen zweistelligen Verben geht man analog vor.

Mengen von geordneten Paaren bezeichnet man als *zweistellige Relationen*. Zweistellige Verben erhalten also als Denotationen zweistellige Relationen. Der Begriff der Struktur für ein Sprache L_2, die zweistellige Verben enthält, ist somit entsprechend zu modifizieren.

(115) *Definition des Strukturbegriffs für L_2*

Eine Struktur M für L_2 ist ein Paar <A,F>, wobei:
(a) F den Eigennamen der Sprache Elemente aus A zuordnet,
(b) F die intransitiven Verben als Teilmengen von A interpretiert,
(c) F den zweistelligen Verben zweistellige Relationen, die Paare von Elementen aus A enthalten, zuordnet.

Nun läßt sich allgemein eine semantische Regel für Sätze der Form α δ β angeben, wobei α und β Namen sind und δ ein zweistelliges Verb ist.

(116) $M \models$ α δ β gdw. $<[\![α]\!], [\![β]\!]> ∈ [\![δ]\!]$.

Natürlich ist auch dies bei weitem noch nicht ausreichend, um als Rahmen für eine semantische Analyse natürlicher Sprache zu dienen. Wir können etwa keine bitransitiven Verben behandeln, wie z. B. *geben* oder *schenken*. Schlimmer noch, die obige Beschreibung der Wahrheitsbedingungen für Sätze klappt nur, wenn es sich bei α und β um Eigennamen handelt. Der Satz

(117) Hans findet ein Buch.

ist mit unseren Mitteln noch nicht zu analysieren. Die Idee sollte jedoch soweit klar geworden sein, daß der Leser sich in entsprechenden Semantikbüchern über potentielle Erweiterungen selbst informieren kann.

Ein weiterer Exkurs
zum Verhältnis von Syntax und Semantik

Die folgende Phrasenstrukturgrammatik liefert jene Konstituenten und Sätze, die mit den dargestellten Mitteln semantisch beschrieben werden können:

(118)	(a)	S	$\rightarrow$	Neg S
	(b)	S	$\rightarrow$	S J S
	(c)	S	$\rightarrow$	N VP
	(d)	VP	$\rightarrow$	V N
	(e)	VP	$\rightarrow$	{*schlafen, bechern*}
	(f)	Neg	$\rightarrow$	$\{\neg\}$
	(g)	J	$\rightarrow$	$\{\wedge, \vee, \rightarrow, \leftrightarrow\}$
	(h)	N	$\rightarrow$	{*Peter, Erna, Hans,* ...}
	(i)	V	$\rightarrow$	{*lieben, finden,* ...}

Will man auch für diese Grammatik die semantischen Regeln parallel zu den syntaktischen formulieren, so bereitet vor allem (118d) Schwierigkeiten. Wir wissen auf Grund von Regel (118c), daß man aus einer VP und einem Nomen einen Satz bilden kann. D. h. hier liegt dieselbe syntaktische Situation vor, die wir bislang bei den intransitiven Verben vorgefunden haben. Es liegt daher nahe, einer VP dieselbe Art von semantischem Wert zuzuordnen wie einem intransitiven Verb, nämlich eine Menge von Individuen. Die Denotation der VP *liebt Peter* wäre demnach einfach die Menge der Individuen, die Peter lieben. Die semantische Deutung der Regel (118d) stellt uns dann vor das Problem, aus dem semantischen Wert eines zweistelligen Verbs und dem semantischen Wert eines Nomens den semantischen Wert eines intransitiven Verbs zu konstruieren. Dieses Problem kann man wiederum dadurch lösen, daß man bestimmte Mengen (hier Mengen von geordneten Paaren) als Funktionen auffaßt. In diesem Fall betrachtet man die Denotation eines zweistelligen Verbs als Funktion, die eine N-Denotation auf eine VP-Denotation abbildet; z. B. wird der semantische Wert von *lieben* als Funktion aufgefaßt, die, angewendet auf die Denotation des Objekts *Peter,* die Denotation von *lieben Peter* liefert. Damit ist das Problem bereits gelöst, denn die VP-Denotationen können, wie bei den intransitiven Verben auch als Funktionen betrachtet werden, die N-Denotationen auf 1 oder 0 abbilden (für Details cf. hierzu Dowty/Wall/Peters (1981)). (Ende des Exkurses)

4.4. Quantoren

In den letzten zwei Abschnitten geht es um etwas kompliziertere semantische Phänomene. Es werden dafür minimale Kenntnisse der Mengenlehre vorausgesetzt.

Man betrachte nun die Subjektposition in folgenden Sätzen:

(119) (a) Keine Katze mag Waldi.
     (b) Alle Kinder lieben Egon.
     (c) Ein Kind liebt Egon.
     (d) Der Kommissar kennt den Mörder.
     (e) Nicht alle Philosophen kennen den berühmten Linguisten.

Wir setzen voraus, daß die Denotationen der VPs in diesen Sätzen gegeben sind. Z. B. soll der semantische Wert der VP *mag Waldi* einfach diejenige Teilmenge der Grundmenge der Struktur sein, die aus Individuen besteht, die Waldi mögen. Eine genauere Analyse der VP-Denotation, die man sich aus einer V-Denotation und der Objekt-NP-Denotation zusammengesetzt vorstellen kann, wird hier nicht versucht. Gezeigt werden soll aber, wie sich die Bestandteile der Subjekt-NP-Denotation auf den semantischen Wert des betreffenden Satzes auswirken. Dabei werden allerdings nur die syntaktisch einfachsten Subjektformen betrachtet, die wie in den angegebenen Sätzen aus einem Determinator (*keine, alle einige, der*) und einem Nomen bestehen. Eigennamen in Subjektposition wurden bereits im letzten Abschnitt behandelt.

Im Gegensatz zu den semantischen Analysen des letzten Kapitels handelt es sich jetzt allerdings um ein Verfahren, das den syntaktischen Oberflächenstrukturen in keiner Weise entspricht. Wir werden auf dieses Problem später noch zurückkommen.

Bevor wir nun die Subjekt-NPs in den Sätzen (119a-e) genauer betrachten, wird ein etwas einfacheres Problem behandelt, dessen

Lösung dann als Ausgangspunkt für die Analyse von (119a-e) dient.

(120) (a) Sie mag Waldi.
      (b) Er schätzt Noam Chomsky.

Wie sollen die Pronomina in (120a) und (120b) interpretiert werden? Die Interpretation dieser Ausdrücke kann nur über entsprechende Kontexte bestimmt werden. Man kann sich vorstellen, daß anstelle der Pronomina in (120a) und (120b) gewissermaßen Variable x, y stehen, deren Werte mit Hilfe der Kontexte festgelegt werden.

(121) (a) x mag Waldi.
      (b) y schätzt Noam Chomsky.

Angenommen nun, ein bestimmter Kontext k liefert uns die Information, daß es sich bei x um Susanne handelt, so ist es ganz einfach, damit den Einfluß der Interpretation der Pronomina auf den Wahrheitsgehalt der Sätze zu bestimmen. Sei k(x) das Individuum, das der Kontext k für die Variable x liefert; in unserem Beispiel ist k(x) = Susanne. Nun lassen sich die Wahrheitsbedingungen für (121a) mit Hilfe der Regel der elementaren Prädikation beschreiben: (121a) ist in einem Kontext k wahr genau dann, wenn k(x) ∈ ⟦*Waldi mögen*⟧. Also genau dann, wenn Susanne ∈ ⟦*Waldi mögen*⟧. Ansonsten ist (121a) bezüglich Kontext k falsch. Analog geht man bei Satz (121b) vor; z. B. könnte hier k(y) = Erich sein. Dann ist (121b) wahr genau dann, wenn k(y) ∈ ⟦*Noam Chomsky schätzen*⟧ ist.

Unter der Voraussetzung, die wir in diesem Kapitel machen wollen, daß Pronomina die Rolle von Variablen spielen, kann man die Wahrheitsbedingungen von (121a) und (121b) einfach auf die der ursprünglichen Sätze (120a) und (120b) übertragen.

Dieses Verfahren kann leicht generalisiert werden, um die Sätze in (122) zu behandeln.

(122) (a) Er liebt sie.
      (b) Er findet es.

Man formuliert sie analog zu (120a/b) um, etwa zu:

(123) (a) x liebt y.
      (b) x findet y.

Dann gilt: (123a) ist in einem Kontext k wahr gdw. $<$k(x),k(y)$>$ $\in$ [[*lieben*]]. Und für (123b) gilt: (123b) ist in Kontext k wahr gdw. $<$k(x),k(y)$>$ $\in$ [[*finden*]].

Sei nun V = $\{x_1, x_2, \ldots\}$ eine Menge von Variablen. Häufig werden Elemente aus V auch mit x, y, z bezeichnet. Doch ist die Schreibweise mit Indizes für viele Zwecke recht nützlich.

Falls eine Struktur $M = <$A,F$>$ gegeben ist, wobei A die Grundmenge bezeichnet und F die Interpretationsfunktion, dann ist jede Funktion k von V in A ein Kontext. In der Logik nennt man solche Funktionen *Variablenbelegungen*. Für linguistische Zwecke stellt man sie sich, wie in den Beispielen gezeigt, am besten als Kontexte vor. So jedenfalls hat sie R. Montague in seiner »Universal Grammar« eingeführt (cf. Montague (1974a)). Wir können nun die bisherigen Einsichten durch die folgende Generalisierung zusammenfassen.

(124) *Kontextabhängige Wahrheitsbedingungen*

Angenommen, Z ist ein Verb. Es kann sich dabei um ein intransitives oder zweistelliges Verb handeln. Um syntaktische Stellungsprobleme zu umgehen, schreiben wir statt $x_1 Z x_2$ (für zweistellige Verben) einfach $Z(x_1, x_2)$ bzw. $Z(x_1)$ (für intransitive Verben). Dann gilt: $Z(x_1, \ldots, x_n)$ mit n = 1 oder 2 ist in einer Struktur $M = <$A,F$>$ bezüglich des Kontextes k: V $\to$ A wahr gdw. $<$k(x_1),\ldots,k(x_n)$>$ $\in$ F(Z). Ansonsten ist $Z(x_1, \ldots, x_n)$ bezüglich k falsch.

Wir benötigen die folgende Notation: Falls $Z(x_1, \ldots, x_n)$ in M bezüglich k wahr ist, schreibt man häufig auch:

(125) $[[Z(x_1, \ldots x_n)]]^{M,k} = 1$, oder: $M \models Z(x_1, \ldots x_n)$ [k].

Falls $Z(x_1, \ldots x_n)$ falsch ist, schreibt man analog:

(126) $[[Z(x_1, \ldots x_n)]]^{M,k} = 0$, oder : $M \not\models Z(x_1, \ldots, x_n)$ [k].

Man beachte, daß man nun auch die Sätze in (127) analysieren kann:

(127) (a) Er liebt sie und sie liebt ihn.
     (b) Wenn er es schätzt, dann kauft er es.

Der erste Satz wird umformuliert in (128a) bzw. (128b):

(128) (a) x liebt y und y liebt x.
     (b) *lieben* (x,y) $\wedge$ *lieben* (y,x).

(128) ist in einer Struktur M bezüglich einer Variablenbelegung k wahr gdw. $M \models lieben$ (x,y) $\wedge$ $lieben$ (y,x) [k] gdw. $M \models lieben$ (x,y) [k] und $M \models lieben$ (y,x) [k].

Für den zweiten Satz erhält man:

(129) *schätzen* (x,y) → *kaufen* (x,y)

Es ist nicht schwer, zu sehen, unter welchen Bedingungen dieser Satz in einer Struktur M bezüglich eines Kontextes k wahr ist.

Es wird nun gezeigt, wie man dieses Verfahren benutzen kann, um Sätze wie (119a-e) semantisch zu analysieren. Dabei wird, wie bereits bemerkt, die syntaktische Struktur verändert.

Betrachten wir den Satz (119b)

(119) (b) Alle Kinder lieben Egon.

Ausgehend von den bisherigen Überlegungen können wir sagen, daß (119b) wahr wird, falls die Formel

(130) *Kind* (x) → *lieben* (x,*Egon*)

für *alle* denkbaren Belegungen der Variablen x wahr wird.

Bevor wir diese semantische Regel allgemein formulieren können, müssen allerdings einige technische Schwierigkeiten gelöst werden. Ein Problem illustriert Satz (131).

(131) Alle Kinder lieben ihn.

Ersetzt man das Pronomen durch eine Variable und formuliert (131) analog zu (130), so erhält man:

(132) *Kind* (x) → *lieben* (x,y)

Da Kontexte Funktionen von V in A sind, kann man bei diesem Beispiel nicht einfach die Wahrheitsbedingung für (130) übernehmen, da auch die Variable y im Definitionsbereich dieser Funktionen ist. Für y darf man aber nicht alle Belegungen heranziehen, da man sonst für (132) die Lesart *Alle Kinder lieben jeden* erhalten würde. Um dies zu verhindern, muß die Variable y den Wert, der ihr durch den vorliegenden Kontext zugewiesen wurde, behalten. Nur für x sollen sämtliche Werte betrachtet werden. Etwas technischer ausgedrückt heißt dies, daß (132) bezüglich eines Kontextes k wahr ist, wenn für alle Belegungen k', die mit k für alle Variablen *außer* x übereinstimmen, (132) wahr wird, d. h. für alle Variablen außer x müssen die Belegungen konstant bleiben, und nur *für x* werden alle Belegungen betrachtet. Damit lauten die Wahrheitsbedingungen für (132) in einer Struktur M bezüglich einer Variablenbelegung k: (132) ist wahr in M gdw. für alle k', die mit Ausnahme der Belegung der Variablen x mit k identisch sind, gilt:

(133) $M \models$ *Kind* (x) $\rightarrow$ *lieben* (x,y) [k'].

D. h., für alle k' gilt, falls $M \models$ *Kind* (x) [k'], dann auch $M \models$ *lieben* (x,y) [k']. Oder anders formuliert, falls bezüglich M für alle k' gilt: k' (x) $\in$ [[*Kind*]], dann auch <k'(x),k'(y)> $\in$ [[*lieben*]]. Da laut Definition von k' gilt, daß k'(y) = k(y), kann man den letzten Teil auch schreiben als: <k'(x),k(y)> $\in$ [[*lieben*]].

Wir benötigen nun eine abkürzende Notation. Der Ausdruck $k_{x=a}$ bezeichnet dieselbe Funktion wie k, bis auf den Unterschied, daß der Wert dieser Funktion für die Variable x das Element a aus A ist. Dies schließt nicht aus, daß k und $k_{x=a}$ identisch sind, denn k könnte der Variablen x ohnehin den Wert a zuordnen. Die beiden Funktionen *müssen* aber nicht identisch sein.

Es sei z. B. eine Struktur $M = <A,F>$ gegeben mit:

(134) (a) A = {Peter, Susanne, Erich, Egon, Waldi}
     (b) F(*Peter*) = Peter
          F(*Susanne*) = Susanne
          usw.
          F(*Kind*) = {Peter, Susanne}
          F(*lieben*) = {<Peter, Waldi>, <Susanne, Waldi>,
                       <Erich, Susanne>, <Peter, Egon>}

Der Einfachheit halber nehmen wir an, daß unsere Sprache keine weiteren Ausdrücke enthält.

Gilt in dieser Struktur bezüglich k: V $\rightarrow$ A, mit k(y) = Waldi und k(x) = Peter, der Satz (135)?

(135) Alle Kinder lieben y.

Dabei soll y das Pronomen *ihn* in dem Satz

(131) Alle Kinder lieben ihn.

ersetzen. Um die Frage zu beantworten, betrachtet man die Formel: *Wenn x ein Kind ist, dann liebt x y*, denn mit einem Allsatz der Art (131) wird ja gesagt, daß, falls jemand ein Kind ist, es ihn liebt. Also:

(136) *Kind*(x) $\rightarrow$ *lieben*(x,y)

Da in dieser Formel nur die Variablen x und y vorkommen, braucht man sich nicht zu überlegen, welche Werte k anderen Variablen zuordnet. Die Funktion k läßt sich veranschaulichen durch:

(137) k:
$$\begin{bmatrix} x & \to & \text{Peter} \\ y & \to & \text{Waldi} \\ \cdot & \to & \cdot \\ \cdot & \to & \cdot \\ \cdot & \to & \cdot \end{bmatrix}$$

Um herauszufinden, ob (131) bezüglich unseres Beispielmodells und k wahr ist, müssen wir (136) bezüglich aller Belegungen überprüfen, wobei nur die Zuordnung des Wertes für x variiert, während die Variable y ihren ursprünglichen Wert aus (137) behält. Auf diese Weise garantieren wir, daß alle Individuen aus A als Werte für x vorkommen. Falls (136) bezüglich aller dieser Belegungen in M wahr ist, ist (131) wahr, ansonsten ist der Satz falsch.

Beginnen wir die Überprüfung mit $k_{x=\text{Susanne}}$. Diese Belegung ordnet y denselben Wert zu wie k, die Variable x aber erhält den Wert Susanne. Also:

(138) $k_{x=\text{Susanne}}$:
$$\begin{bmatrix} x \to & \text{Susanne} \\ y \to & \text{Waldi} \\ \cdot \to & \cdot \\ \cdot \to & \cdot \\ \cdot \to & \cdot \end{bmatrix}$$

(136) ist nun in M bezüglich $k_{x=\text{Susanne}}$ wahr genau dann, wenn

(139) Falls (a) $M \models Kind(x) \,[k_{x=\text{Susanne}}]$, dann
(b) $M \models lieben(x,y) \,[k_{x=\text{Susanne}}]$.

(139a) ist richtig, da $k_{x=\text{Susanne}}(x) = $ Susanne, und Susanne ein Element aus F(*Kind*) ist (cf. (134b)). Wir überprüfen nun, ob (139b) gilt. Dazu muß das Paar $<k_{x=\text{Susanne}}(x),k_{x=\text{Susanne}}(y)> = $ <Susanne,Waldi> ein Element aus F(*lieben*) sein. Dies ist nach (134b) der Fall. Damit wissen wir, daß (136) bezüglich $k_{x=\text{Susanne}}$ in M wahr ist.

Analog muß (136) nun noch bezüglich aller Belegungen in (140) überprüft werden.

(140) (a) $k_{x=\text{Peter}} = k$
(b) $k_{x=\text{Erich}}$

(c) $k_{x=Egon}$
(d) $k_{x=Waldi}$

Da die Argumentation sich nicht wesentlich von der oben durchgeführten unterscheidet, übergehen wir den umständlichen Nachweis. Man beachte aber, daß für (140b-d) die Formel (136) bereits dadurch wahr wird, daß der Vordersatz des Konditionals falsch wird. Denn Erich, Egon und Waldi sind laut (134b) keine Kinder.

Damit ist gezeigt, daß (131) in M gilt.

Als nächstes Beispiel betrachten wir den Satz

(141) Alle Kinder lieben Egon. (=(119)(b))

Die Struktur M und die Belegung k seien wieder wie im vorherigen Beispiel, also (cf. (134b)):

(142) F(*lieben*) = {<Peter, Waldi>, <Susanne, Waldi>,
<Erich, Susanne>, <Peter, Egon>}

Man betrachte (143) (=(130)):

(143) *Kind*(x) → *lieben*(x,*Egon*)

Auch in diesem Fall müssen sämtliche Belegungen $k_{x=a}$ (a ∈ Å) untersucht werden. Fangen wir mit a=Peter an. Gilt (143) in M bezüglich $k_{x=Peter}$? Es ist klar, daß $M \models Kind(x)$ [$k_{x=Peter}$], da Peter ∈ F(*Kind*). Des weiteren gilt aber auch, daß das Paar <Pe­ter, Egon> ein Element aus F(*lieben*) ist, womit bezüglich $k_{x=Peter}$ (143) in M wahr wird.

Wie sieht die Situation für die Belegung $k_{x=Susanne}$ aus? Natürlich gilt: $M \models Kind(x)$ [$k_{x=Susanne}$]. Das Paar <Susanne,Egon> ist aber kein Element aus F(*lieben*) (cf. (134b)). Daher ist bezüglich dieser Belegung die zusammengesetzte Aussage in M nicht wahr. Ohne noch die weiteren in Frage kommenden Belegungen überprüfen zu müssen, wissen wir nun bereits, daß der Satz *Alle Kinder lieben Egon* in M nicht wahr sein kann, da wir eine Belegung gefunden haben, für die er falsch wurde.

Bei diesem Beispiel wurde die ursprüngliche Belegung k für die Berechnung des semantischen Wertes überhaupt nicht benötigt. Dies ist auch intuitiv korrekt, da k das Pronomen *ihn* in *Alle Kinder lieben ihn* interpretieren sollte. Da anstelle des Pronomens in *Alle Kinder lieben Egon* der Eigenname *Egon* steht, der durch die Funktion F eine Interpretation erhält, ist k dafür überflüssig.

Weil für die Variable x außerdem *alle* denkbaren Belegungen betrachtet werden müssen, ist ihre Interpretation wiederum nicht von einer *bestimmten* Belegung abhängig. D. h., im zweiten Beispiel können wir sagen, daß der Satz (141) in *M* falsch ist; im ersten dagegen müssen wir sagen, daß der Satz (131) in *M bezüglich der Belegung k* wahr ist.

Bevor wir uns Sätze mit anderen quantifizierenden Ausdrücken ansehen, muß noch eine zusätzliche Notation eingeführt werden.

(144) *Notation für den Allquantor*
Wir betrachteten bisher stets die Formel
$Kind(x) \rightarrow lieben(x,y)$.
Im zweiten Beispiel stand anstelle von y *Egon*. In dieser Formel fehlt ein Element, das den Ausdruck *alle* aus den entsprechenden Sätzen des Deutschen repräsentiert. Dies wird nun durch den sogenannten Allquantor ∀ eingeführt.

Der Satz

(131) Alle Kinder lieben ihn.

wird wie folgt symbolisiert:

(145) ∀ x($Kind(x) \rightarrow lieben(x,y)$)

Man liest dies als: *Für alle Individuen x, falls x ein Kind ist, dann liebt x y*. Für das zweite Beispiel erhält man demnach die Formel (146):

(146) ∀ x($Kind(x) \rightarrow lieben(x,Egon)$)

An der Formel (145) läßt sich der Unterschied zwischen freien und gebundenen Variablen illustrieren:

(147) *Freie und gebundene Variablen*
Man sagt in diesem Fall, daß die Variable x vom Allquantor *gebunden* ist, d. h. ihre Interpretation muß nach den Regeln der Allquantifikation erfolgen. Alle in Frage kommenden Belegungen der Variable x müssen bei der semantischen Auswertung berücksichtigt werden. Die Variable y dagegen ist *frei*. Ihre Interpretation hängt vom jeweils vorgegebenen Kontext ab.

Eine Variable kann in einer Formel sowohl frei als auch gebunden vorkommen, z. B.: $lieben(x,y) \wedge$ ∀ x $Kind(x)$. Im ersten Teil *lieben*(x,y) ist sowohl x als auch y frei, im zweiten Teil dagegen wird x vom Allquantor gebunden. Die zweite Formel (146) enthält überhaupt keine freien Variablen, da es sich bei *Egon* um keine

Variable handelt und x durch den Allquantor gebunden ist. Formeln, die keine freien Variablen enthalten, heißen auch *Sätze*. Der natürlich-sprachliche Satz *Alle Kinder lieben ihn* wurde in eine *Formel* mit einer freien Variablen y übersetzt, der Satz *Alle Kinder lieben Egon* dagegen in einen *Satz* der formalen Logik.

An den unterschiedlichen semantischen Auswertungen bezüglich einer Struktur *M* haben wir gesehen, daß die Wahrheitsbedingungen von Formeln nur dann von Belegungen oder Kontexten abhängen, wenn sie freie Variablen enthalten. Die Wahrheitsbedingungen von Sätzen dagegen sind von der Wahl einer bestimmten Variablenbelegung unabhängig.

(148) *Notation für den Existenzquantor*
> Außer dem Allquantor wird in der Logik üblicherweise noch der Existenzquantor ∃ eingeführt.
> Der Satz *Ein Kind liebt ihn* wird damit wie folgt symbolisiert:
> ∃ x($Kind$(x) ∧ $lieben$(x,y))
> Auch bezüglich des Existenzquantors unterscheidet man freie und gebundene Variablen.

Wir wenden uns nun der semantischen Interpretation der Existenzquantifikation zu. Satz (119c)

(119) (c) Ein Kind liebt Egon.

soll wahr werden, falls es *wenigstens ein* Kind gibt, das Egon liebt.

Wann gilt nun in unserer Struktur *M* (cf. (134)) der Satz

(149) ∃ x($Kind$(x) ∧ $lieben$(x,Egon))

der (125c) symbolisiert? (Man beachte, daß hier die Bezugnahme auf eine bestimmte Variablenbelegung nicht nötig ist, da in (149) keine freien Variablen vorkommen.) Damit (149) wahr ist, müssen wir mindestens eine Belegung k finden für die gilt:
$M \models Kind$(x) ∧ $lieben$(x,Egon) [k']. Wir überprüfen nun die in Frage kommenden Belegungen.

Fangen wir mit $k_{x=Susanne}$ an. Das erste Konjunktionsglied gilt, da Susanne in *M* ein Kind ist. Damit das zweite Konjunktionsglied wahr wird, muß das Paar <$k_{x=Susanne}$(x),Egon> = <Susanne, Egon> ein Element aus F(*lieben*) sein (cf. hierzu (134b)). Susanne müßte also Egon lieben. Dies ist jedoch nicht der Fall. Das zweite Konjunktionsglied ist also falsch, und damit die gesamte Konjunktion. Wir haben daher noch keine Belegung gefunden, die (119c) wahr macht.

Wie steht es mit $k_{x=Peter}$ = k? Das erste Konjunktionsglied ist wieder wahr, da auch Peter in M ein Kind bezeichnet. Das zweite Konjunktionsglied wird wahr, falls Peter Egon liebt, d. h. falls $<k_{x=Peter}(x),Egon>$ ein Element aus F(*lieben*) ist. Wegen (134b) gilt dies. Wir haben damit gezeigt, daß (119c) in M wahr ist. Man mag sich an dieser Stelle fragen, warum der Satz

(119) (b) Alle Kinder lieben Egon.

symbolisiert wird durch die Formel

(146) $\forall$ x(*Kind*(x) → *lieben*(x,Egon)),

der Satz

(119) (c) Ein Kind liebt Egon.

dagegen durch

(149) $\exists$ x(*Kind*(x) ∧ *lieben*(x,Egon)).

Warum verwendet man im ersten Fall die Implikation, im zweiten Fall die Konjunktion? Der Grund hierfür ist ganz einfach. Würde man z. B (119b) durch

(150) $\forall$ x(*Kind*(x) ∧ *lieben*(x,Egon))

formalisieren, so erhielte man eine inadäquate Lesart des Satzes. Er würde dann besagen, daß alle Individuen (Elemente aus A) Kinder sind und Egon lieben. Für die Wahrheit oder Falschheit des Satzes wären dann auch alle Individuen maßgebend, die keine Kinder sind. Beispielsweise würde in M (119b) falsch, weil etwa Waldi Egon nicht liebt. Dies sollte jedoch überhaupt keine Rolle spielen, da Waldi kein Kind ist. Durch die Formalisierung mit Hilfe der Implikation vermeidet man dieses unplausible Resultat.

Die bisherigen Überlegungen werden nun verallgemeinert. Denn wie wir bereits am Beispiel der Prädikation gesehen haben, reicht es nicht, den Begriff der Wahrheit bezüglich einer *bestimmten* Struktur, wie unser M, zu formulieren, sondern er muß bezüglich einer beliebigen Struktur definiert sein.

Gegeben sei eine Sprache L, die Ausdrücke für Eigennamen, Nomina, intransitive und zweistellige Verben enthält. Mit M wollen wir eine beliebige zu L passende Struktur bezeichnen, und mit φ(x) eine Formel, die wenigstens die freie Variable x enthält (möglicherweise aber auch mehr).

Wie sehen nun die semantischen Klauseln für ∃ x φ(x) und für ∀ x φ(x) bezüglich einer beliebigen Struktur M und einer beliebigen Belegung k aus?

(151) *Die Semantik des Existenz- und des Allquantors*

    (a) $M \models$ ∃ x φ(x) [k] gdw. es *eine* Belegung k' gibt, die bis auf die Werte, die k x zuordnet, mit k identisch ist, und ferner gilt: $M \models$ φ(x) [k'].

    (b) $M \models$ ∀ x φ(x) [k] gdw. für *alle* Belegungen k', die bis auf den Wert, den k x zuordnet, mit k identisch sind, gilt: $M \models$ φ(x) [k'].

Es sollte klar sein, daß für Ausdrücke ohne freie Variable (Sätze) die Bezugnahme auf k keinen Effekt hat. Für die aussagenlogischen Junktoren und die Prädikation bleibt alles beim alten.

Der Einfachheit halber werden wir uns in den folgenden Definitionen auf Formeln *ohne freie Variablen* beschränken, also auf (logische) Sätze. Denn für Formeln ohne freie Variablen können wir die Begriffe *logische Wahrheit*, *Kontradiktion* und *Konsistenz* einfach so übernehmen, wie sie im vorangegangenen Abschnitt über die Prädikation (4.3.) eingeführt wurden.

Betrachten wir nun ein Beispiel für einen etwas komplizierteren logisch wahren Satz:

(152) ∃ x ∀ y P(x,y) → ∀ y ∃ x P(x,y)

Will man auf direktem Weg überprüfen, ob dieser Satz wahr ist, so muß man für *jede* Struktur, die eine Interpretation für das zweistellige Prädikat P enthält, zeigen, daß er in dieser Struktur gilt. Dies ist eine unmögliche Aufgabe, da es *unendlich viele* solcher Strukturen gibt. Man geht daher anders vor. Es wird angenommen, daß es eine Struktur gibt, in der die Negation des Satzes, also in diesem Fall (153)

(153) ¬ (∃ x ∀ y P(x,y) → ∀ y ∃ x P(x,y))

gilt, und man führt diese Annahme zu einem Widerspruch. Aus der Tatsache, daß es *keine* Struktur gibt, in der der negierte Satz gilt, folgt, daß der unnegierte Satz in *jeder* Struktur gilt, da man gezeigt hat, daß es keine Möglichkeit gibt, ihn falsch zu machen.

Also angenommen, es gibt M mit

(154) $M \models$ ¬ (∃ x ∀ y P(x,y) → ∀ y ∃ x P(x,y))

Der Junktor, den wir zuerst betrachten müssen, ist →. Die Implikation ist negiert, daher gilt (154) gdw. (155a) und (155b) gelten.

(155) (a) $M \models \exists \, x \, \forall \, y \, P(x,y)$
     (b) $M \models \neg \, \forall \, y \, \exists \, x \, P(x,y)$

Nun ist (155a) in M genau dann wahr, wenn wir für irgendein $a \in A$ eine Belegung $k_{x=a}$ finden, mit $M \models \forall \, y \, P(x,y) \, [k_{x=a}]$. Diese Formel ist in M wiederum genau dann wahr, wenn für *alle* Belegungen $k'_{x=a}$, die mit $k_{x=a}$ identisch sind bis auf den Wert, den sie der Variable y zuordnen, gilt: $M \models P(x,y)$. Wir schreiben dies kurz:

(155) (c) $M \models P(x,y) \, [k'_{x=a}]$.

Dieser Ausdruck kann nicht weiter vereinfacht werden. Er bedeutet, daß das Paar $<a,k'_{x=a}(y)>$ für alle $k'_{x=a}$ ein Element der durch das Modell M vorgegebenen Relation $[\![P]\!]$ ist.

Es muß nun gezeigt werden, daß es ein Modell, in dem *diese* Aussage *und* (155b) gelten, nicht geben kann. Dazu muß die Behauptung (155b) analog zu (155a) in ihre Bestandteile zerlegt werden. (155b) besagt, daß die Formel $\exists x \, P(x,y)$ *nicht* für *alle* Belegungen in M gilt. Dies bedeutet nichts anderes, als daß es wenigstens eine Belegung – nennen wir sie $g_{y=b}$ – geben muß mit: $M \models \neg\exists x \, P(x,y) \, [g_{y=b}]$. Zerlegt man diesen Ausdruck weiter, so erhält man: $\neg \, P(x,y)$ ist in M bezüglich *jeder* Belegung $g'_{y=b}$ wahr, die mit $g_{y=b}$ identisch ist bis auf den Wert, den sie der Variablen x zuordnet.

(155) (d) $M \models \neg \, P(x,y) \, [g'_{y=b}]$

Nun ist es nicht mehr schwierig, den gewünschten Widerspruch abzuleiten. Wir wählen dazu eine *bestimmte* Belegung $g'_{y=b}$; und zwar diejenige, die y den Wert b zuordnet und x den Wert a. Diese Belegung symbolisieren wir durch: $[g_{y=b}]_{x=a}$. Wegen (155c) kann man nun für $k'_{x=a}$ wieder eine bestimmte Belegung $[k_{x=a}]_{y=b}$ wählen, die x den Wert a zuordnet und y den Wert b. Aus (155c) und (155d) erhalten wir nun:

(155) (e) $M \models P(x,y) \, [k_{x=a}]_{y=b}$ und
      $M \models \neg \, P(x,y) \, [g_{y=b}]_{x=a}$

Mit dem ersten Konjunktionsglied wird behauptet, daß das Paar $<a,b>$ ein Element von $[\![P]\!]$ ist, und mit dem zweiten, daß das Paar $<a,b>$ kein Element von $[\![P]\!]$ ist. Mit (155e) haben wir also einen Widerspruch aus der Annahme (154) abgeleitet und damit gezeigt, daß (153) logisch wahr ist.

Ist es mit dem bisher entwickelten Instrumentarium auch möglich, die anderen am Anfang dieses Abschnitts erwähnten Sätze semantisch zu analysieren?

(119) (a) Keine Katze mag Waldi.
     (d) Der Kommissar kennt den Mörder.
     (e) Nicht alle Philosophen kennen den berühmten Linguisten.

Dies sollte natürlich möglich sein, da es völlig unsinnig wäre, zur Analyse jedes natürlich-sprachlichen Satzes ein eigens *dafür* zugeschnittenes semantisches Instrumentarium zu entwerfen. Vielmehr möchte man möglichst allgemein anwendbare Methoden zur Verfügung haben, also solche, mit denen man möglichst viele Beispiele beschreiben kann.

Es ist leicht zu sehen, wie Satz (119a) zu analysieren ist. Man kann ihn durch folgende Formel repräsentieren:

(156) $\neg\,\exists\,x(Katze(x) \wedge mögen(x, Waldi))$

Damit erhält man automatisch, daß (119a) in einer Struktur M wahr ist genau dann, wenn es *keine* Belegung k gibt, für die k(x) eine Katze ist, und $M \models mögen(x, Waldi)$ [k]. Dies ist äquivalent mit: Für *alle* Belegungen k gilt: Falls k(x) eine Katze ist, dann $M \models \neg\,mögen(x, Waldi)$ [k].

Ebenso einfach ist die Analyse von (119e), wenn man voraussetzt, daß die VP-Denotation gegeben ist. Die genauere Erläuterung der semantischen Interpretation der Objekt-NP *den berühmten Linguisten* geht weit über den Rahmen dieser Einführung hinaus. Davon abgesehen, erhält man für (119e) sofort:

(157) $\neg\,\forall\,x(Philosoph(x) \rightarrow kennen\ den\ berühmten\ Linguisten(x))$

Die VP-Denotation soll durch diejenige Menge von Individuen gegeben sein, die den berühmten Linguisten kennen. Die semantische Interpretation von (119e) ist dann klar.

Etwas komplizierter wird es bei Beispiel (119d). Welchen semantischen Effekt hat der bestimmte Artikel? Der definite Artikel soll aus der Menge der Kommissare denjenigen herausgreifen, der den Mörder kennt. Eine Möglichkeit, dies exakt auszudrücken, ist die, (119d) als eine Konjunktion von drei Aussagen aufzufassen, und zwar:

(158) (a) Wenigstens eine Person ist ein Kommissar.
    (b) Höchstens eine Person ist ein Kommissar.
    (c) Eine Person, die Kommissar ist, kennt den Mörder.

Akzeptiert man diese Analyse, so behauptet man auch, daß (119d) auf wenigstens drei Arten falsch werden kann; zum einen, falls es keinen Kommissar gibt (158a), zum zweiten, falls es mehr als einen Kommissar gibt (158b), und drittens, falls es keinen Kommissar gibt, der den Mörder kennt (158c).

Ob dieser Vorschlag, der von B. Russell stammt (cf. Russell (1905)), korrekt ist, ist gegenwärtig noch umstritten (cf. hierzu auch das Kapitel (VII.D.) über die Präsuppositionen). Angenommen jedoch, diese Analyse des bestimmten Artikels ist richtig, so ist leicht zu sehen, wie sie mit den bisher entwickelten technischen Hilfsmitteln zu formulieren ist:

(159) (a) *Der Kommissar kennt den Mörder* gdw.
    (b) $\exists$ y(*Kommissar*(y) $\land$ $\forall$ x(*Kommissar*(x) $\rightarrow$ x=y) $\land$
    kennen den Mörder(y)).

Die Formel symbolisiert die Konjunktion der Aussagen (158a-c). Dabei besagt $\exists$ y(*Kommissar*(y) $\land$ $\forall$ x(*Kommissar*(x) $\rightarrow$ x=y)), daß es genau eine Person gibt, die Kommissar ist. Denn wegen des ersten Konjunktionsgliedes muß es wenigstens einen Kommissar p geben. Falls es nun einen Kommissar q gibt, so folgt aus dem zweiten Argument der Konjunktion, daß p und q identisch sind. Also kann es nur einen Kommissar geben.

Wenn die skizzierte Analyse des bestimmten Artikels vernünftig ist, können wir seinen semantischen Effekt problemlos mit unseren Mitteln beschreiben.

Es sei jedoch darauf hingewiesen, daß, wie immer die Frage nach der korrekten semantischen Beschreibung des bestimmten Artikels auch beantwortet werden mag, mit ihm häufig eine Lesart verbunden ist, die nicht darauf hinausläuft, ein bestimmtes Individuum aus einer Menge von Individuen herauszugreifen.

Als Beispiel dafür betrachte man Satz (160).

(160) Der Philosoph kennt Kurt Gödel.

Diesen Satz wird man vorwiegend so verstehen, daß der typische Philosoph Kurt Gödel kennt. Man nennt dies die *generische* Lesart von (160). Auch der unbestimmte Artikel hat häufig eine generische Lesart, z. B. in (161).

(161) Ein Junge weint doch nicht.

Da die Analyse solcher generischer Lesarten recht kompliziert ist, wird hier nicht weiter darauf eingegangen.

Es ist nach den bisherigen Ausführungen nicht schwierig, sich klarzumachen, daß auch andere quantifizierende Ausdrücke des Deutschen, wie etwa *mindestens zwei* oder *höchstens zehn*, mit den eingeführten Quantoren ∃ und ∀ zu beschreiben sind. Weitere Beispiele für quantifizierende Ausdrücke sind:

(162) *kein, die sieben, zehn von den zwanzig, die zwanzig konservativen, 20 Prozent der, alle blonden und alle schwarzhaarigen, genau fünf, zwischen zwanzig und fünfzig, fast alle, die meisten, mehr als die Hälfte*

Es gibt in (162) allerdings auch Ausdrücke, für die man zeigen kann, daß ihr semantischer Effekt mit diesen Methoden nicht mehr zu erfassen ist; dazu gehören *mehr als die Hälfte* oder *die meisten*. Man beachte, daß dies nicht auf das Problem der Vagheit zurückzuführen ist, denn *die meisten* mag vage sein, *mehr als die Hälfte* ist dies sicherlich nicht. Die Darstellung dieses Ergebnisses ist allerdings für eine Einführung bei weitem zu kompliziert.

Um einen weiteren wichtigen semantischen Begriff, den der *Skopusambiguität*, zu erläutern, betrachten wir Beispiel (163).

(163) Jeder liebt jemand.

Dieser Satz hat eine Lesart, die sich durch die Formel (164) repräsentieren läßt.

(164) ∀ x ∃ y *lieben*(x,y)

Satz (163) ist jedoch mehrdeutig. Er kann zum einen besagen, daß es für jede Person x irgendeine (nicht immer dieselbe) Person gibt, die x liebt. Zum anderen kann (163) aber auch besagen, daß es eine ganz bestimmte Person gibt, die alle anderen Personen lieben. Intuitiv ist klar, daß die letztere Lesart stärker ist als die erstere: Wenn es eine bestimmte Person gibt, die von allen geliebt wird, dann hat jeder eine Person, die er liebt; die Umkehrung dagegen gilt nicht. Die erstere Lesart folgt also logisch aus der letzteren, aber nicht umgekehrt. Mit unserer Formalisierung stellen wir die erste Lesart von (163) dar. Die zweite kann man durch folgende Formel ausdrücken:

(165) ∃ y ∀ x *lieben*(x,y)

Es wird nun gezeigt, daß diese Formeln verschiedene Modelle haben und daß sie die verschiedenen Bedeutungen, d. h. die Wahrheitsbedingungen von (163) korrekt symbolisieren. Dazu betrachten wir die einfache Struktur M:

(166) $M = <A,F>$ mit
    (a) A = {Peter, Susanne, Egon}
    (b) F(*lieben*) = {<Peter, Susanne>, <Susanne, Egon>,
                 <Egon, Peter>}

Ist (164) in M wahr? Dazu muß überprüft werden, ob es für alle Belegungen $f_{x=a}$ wenigstens eine Belegung $f_{y=b}$ (für a,b ∈ A) gibt, für die gilt: $<a,b>$ ∈ F(*lieben*). Es ist leicht zu sehen, daß dies zutrifft; z. B. gibt es für $f_{x=Peter}$ die Belegung $f_{y=Susanne}$ mit: <Peter, Susanne> ∈ F(*lieben*). Für $f_{x=Susanne}$ gibt es die Belegung $f_{y=Egon}$, und für $f_{x=Egon}$ gibt es $f_{y=Peter}$. Mehr Belegungen brauchen wir nicht zu überprüfen, da A nur drei Individuen enthält; also gilt (164) in M.

Bei der Formel (165) ist dies jedoch nicht der Fall. Denn dazu müßte es eine Belegung $f_{y=a}$ geben, und für alle a ∈ A müßte gelten: $<b,a>$ ∈ F(*lieben*). Zwar gilt für $f_{y=Peter}$, daß <Egon,Peter> ∈ F(*lieben*). Es gilt aber auch: <Susanne,Peter> ∈ F(*lieben*). Damit scheidet $f_{y=Peter}$ aus. Für $f_{y=Susanne}$ und $f_{y=Egon}$ sieht die Situation nicht anders aus. Denn es gilt zwar, daß <Peter,Susanne> und <Susanne,Egon> Elemente von F(*lieben*) sind. Die Paare <Egon,Susanne> und <Peter,Egon> dagegen sind nicht in F(*lieben*). Damit kann (165) in M nicht gelten; d. h. es ist dadurch nicht nur gezeigt, daß die beiden Formeln unterschiedliche Wahrheitsbedingungen haben, es ist auch gezeigt, daß (165) nicht aus (164) folgt, da es ein Modell für (164) gibt, das kein Modell für (165) ist. Umgekehrt folgt aber aus (165) die Formel (164). Der Nachweis hierfür verläuft ebenso wie der für die Formel (152). Damit ist gezeigt, daß (165) eine stärkere Aussage ist als (164); stärker in dem Sinne, daß jedes Modell für (165) auch ein Modell für (164) ist, aber nicht umgekehrt.

Man nennt Ambiguitäten, wie sie in Satz (163) auftreten, *Skopus-ambiguitäten*. Um zu verstehen, weshalb dieser Terminus gewählt wurde, muß der Begriff des *Skopus* oder des *Bereiches* eines Quantors eingeführt werden.

(167) *Der Skopus (Bereich) eines Quantors*
    Der Skopus eines Quantors ist jener Teil einer Formel, der auf den

Quantor folgt, also der Teil der betreffenden Formel, in der der Quantor Variable binden kann.

Z. B. ist in der Formel

(168) $P(x,y) \land \exists y \forall x R(x,y)$

der Skopus von $\exists$ y die Formel $\forall$ x R(x,y). In dieser Formel wird die Variable y durch $\exists$ gebunden. Der Skopus von $\forall$ x dagegen ist die Formel R(x,y). P(x,y) liegt weder im Bereich von $\exists$ y noch im Bereich von $\forall$ x. Die Variablen x und y sind in P(x,y) frei. In der Formel

(165) $\exists y \forall x$ *lieben*(x,y)

ist der Allquantor im Bereich des Existenzquantors. In diesem Fall sagt man, daß der Existenzquantor gegenüber dem Allquantor *weiten* Skopus hat. Dagegen hat in der Formel

(164) $\forall x \exists y$ *lieben*(x,y)

der Allquantor weiten Skopus und der Existenzquantor *engen* Skopus. Der Begriff *Skopusambiguität* bezieht sich also darauf, daß die beiden verschiedenen Lesarten von (163) durch die unterschiedlichen Bereiche von $\exists$ und $\forall$ verursacht werden. Bei der stärkeren Lesart hat der Existenzquantor weiten Skopus, bei der schwächeren der Allquantor.

Der Leser ist eingeladen, für Satz (169) selbst die beiden Formeln herauszufinden, welche die zwei Lesarten des Satzes symbolisieren.

(169) Jeder Autor verachtet einen Kollegen.

Es ist nun an der Zeit, etwas über unsere bisherige Vorgehensweise nachzudenken. Es wurden stets Sätze und Phrasen einer natürlichen Sprache in eine künstliche Notation *übersetzt*. So wurden bestimmte Konjunktionen durch *logische* Junktoren ausgedrückt, oder der Satz *Hans schläft* durch den symbolischen Ausdruck *schlafen*(*Hans*) wiedergegeben. Dabei sollte man die Komponenten *schlafen* und *Hans* in diesem Ausdruck nicht als Wörter des Deutschen betrachten, sondern als Elemente einer künstlichen Sprache. Wir hätten genausogut die Buchstaben *X* und *Z* an ihrer Stelle wählen können. Dies hätte allerdings das Lesen der Ausdrücke erschwert.

Die Bedeutungen der Phrasen und Sätze wurden bei unserem Verfahren nicht direkt angegeben, sondern gewissermaßen über einen Umweg. Wir bestimmten die Denotationen der Ausdrücke der künstlichen Sprache, also der Übersetzungen der ursprünglichen natürlich-sprachlichen Phrasen und Sätze. Genauer gesagt wurde einfach die Semantik einer Standardsprache, des Prädikatenkalküls erster Stufe, übernommen. Unter der Annahme, daß unsere Übersetzungen adäquat sind, wurde dann *diese* Semantik auf die Ausdrücke der natürlichen Sprache übertragen. Die Interpretation erfolgte also auf indirektem Weg. Daraus erklärt sich auch, warum bei unserer Analyse quantifizierender Ausdrücke die Syntax des Deutschen so extrem verändert wurde. Die Syntax der *formalen* Sprache hat in diesem Fall einfach keinerlei Ähnlichkeiten mit der des Deutschen.

(170)

Welche Vorteile hat nun das Übersetzungsverfahren?

Die Semantik des Prädikatenkalküls ist eindeutig. Es tritt also das für natürliche Sprachen typische Problem der Mehrdeutigkeit nicht auf. Dies ermöglicht es nun gerade, Ambiguitäten zu analysieren. So repräsentierten wir den Satz *Jeder liebt jemand* durch zwei verschiedene Sätze der formalen Sprache, die in *eindeutiger* Weise die beiden Lesarten des Satzes darstellten. Daraus folgt, daß die Übersetzung eine *Relation* zwischen natürlich-sprachlichen Ausdrücken und den Symbolen der formalen Sprache herstellt. Diese Übersetzung kann nicht als Funktion repräsentiert werden, da die Eindeutigkeitsbedingung, die für eine *Funktion* erforderlich wäre, wegen der Ambiguitäten nicht erfüllt ist. Der Prädikatenkalkül verfügt über Beweisverfahren, mit denen man effizient testen kann, ob ein Satz aus einem anderen folgt, ob ein Satz eine Tautologie oder eine Kontradiktion ist etc.; d. h. man erhält durch das Übersetzungsverfahren die Möglichkeit, solche Verfahren auch für die systematische Untersuchung natürlicher Sprachen anzuwenden. Allgemein erhofft man sich, durch die Übersetzung in ein System, dessen systematische Eigenschaften gut erforscht sind, Aufschluß über die semantischen Strukturen natürlicher Sprachen zu bekommen.

Allerdings gibt es auch formale Sprachen, über deren Eigenschaften sehr wenig bekannt ist. Eine Übersetzung in ein solches System würde im Extremfall nicht mehr bieten als eine abkürzende Notation. In diesem Fall würde man eine Sprache, deren Semantik man erforschen will, in eine Sprache übersetzen, deren semantische Strukturen ebenfalls unklar sind.

In welches System man eine natürliche Sprache wie das Deutsche übersetzen kann, ist keinesfalls klar. Es wurde bereits darauf hingewiesen, daß man etwa den Ausdruck *mehr als die Hälfte* nicht durch eine Kombination der Quantoren ∃ und ∀ interpretieren kann; d. h. man kann ihn nicht in das System der Prädikatenlogik erster Stufe übersetzen. Unter bestimmten Umständen hat das Übersetzungsverfahren also in erster Linie technische Vorzüge.

Wir können auch ohne dieses Verfahren natürlich-sprachliche Ausdrücke direkt interpretieren. Im abschließenden Exkurs wird dies für einige quantifizierende Ausdrücke angedeutet.

Exkurs:
Direkte Interpretation quantifizierender Ausdrücke

Wie wir an den behandelten Beispielen gesehen haben, ist die semantische Struktur quantifizierter Sätze gänzlich verschieden von ihrem syntaktischen Aufbau. So wird aus (171a) die schwerfällige Umschreibung (171b):

(171) (a) Jeder Philosoph kennt Kurt Gödel.
     (b) Für jede Person x gilt, falls x ein Philosoph ist, dann kennt x Kurt Gödel.

Gibt es eine Möglichkeit, die syntaktische und die semantische Struktur einander anzupassen? Dies ist tatsächlich möglich; da dabei allerdings einige recht komplizierte technische Fragen zu klären sind, wird die Lösung des Problems hier nur angedeutet (cf. Hamm (1986)). Betrachten wir dazu Satz (171a). Die übliche syntaktische Analyse veranschaulicht der folgende Phrasenstrukturbaum:

(172)

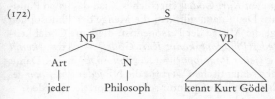

Soll die Semantik den syntaktischen Aufbau des Satzes respektieren, also z. B. den semantischen Wert der NP *jeder Philosoph* aus den semantischen Werten des Artikels *jeder* und des Nomens *Philosoph* ermitteln, so müssen wir unter anderem irgendeinen semantischen Wert für den Ausdruck *jeder* finden. Vorausgesetzt wird, daß die Denotationen von *Philosoph* und *kennt Kurt Gödel* bekannt sind. Es handelt sich in beiden Fällen um Teilmengen der Grundmenge einer entsprechenden Struktur; im ersten Fall um die Menge der Individuen, die Philosophen sind, im zweiten um die Menge der Individuen, die Kurt Gödel kennen. Der Quantor *jeder* stellt ein bestimmtes Verhältnis zwischen diesen beiden Mengen her. Der Ausdruck besagt nämlich, daß die gesamte Menge der Philosophen eine Teilmenge der Menge von Personen ist, die Kurt Gödel kennen. Also:

(173) $\llbracket Philosoph \rrbracket \subseteq \llbracket kennt\ Kurt\ G\ddot{o}del \rrbracket$

Der erste Schritt zur Interpretation des Quantors *jeder* ist, die Denotation der NP *jeder Philosoph* zu ermitteln. Dazu abstrahiert man von der *bestimmten* VP *kennt Kurt Gödel*.

Um nun die Denotation von *jeder Philosoph* plausibel zu machen, benützen wir eine Idee, die auf den Philosophen Leibniz zurückgeht und derzufolge ein Individuum gleichgesetzt werden kann mit der Menge der Eigenschaften, die es besitzt. Nun haben wir Ausdrücke, die Eigenschaften bezeichnen (z. B. intransitive Verben), selbst wiederum als Mengen gedeutet, nämlich als Menge von Individuen. Die Denotation von *jeder Philosoph* bestimmen wir nun analog als die Menge von Eigenschaften (ausgedrückt durch VPs), die alle Philosophen besitzen, bzw. wieder in mengentheoretischer Sprechweise: als die Menge der Mengen, die jeden Philosophen enthalten, die also die Menge der Philosophen als Teilmenge haben. Damit erhält man: $\llbracket jeder\ Philosoph \rrbracket = \{X: \llbracket Philosoph \rrbracket \subseteq X\}$.

Der Satz *Jeder Philosoph kennt Kurt Gödel* ist nun genau dann wahr, wenn $\llbracket kennt\ Kurt\ G\ddot{o}del \rrbracket$ ein solches X ist, das jeden Philosophen enthält. Denn dann gilt, daß die Menge der Philosophen eine Teilmenge der Menge der Personen ist, die Kurt Gödel kennen. Also: $\llbracket Jeder\ Philosoph\ kennt\ Kurt\ G\ddot{o}del \rrbracket = 1$ gdw. $\llbracket kennt\ Kurt\ G\ddot{o}del \rrbracket \in \llbracket jeder\ Philosoph \rrbracket = \{X: \llbracket Philosoph \rrbracket \subseteq X\}$. Damit haben wir einen semantischen Wert für die NP *jeder Philosoph* gefunden. Doch wie soll der Quantor selbst interpretiert werden?

Soll die syntaktische Struktur respektiert werden, so sollte die Denotaton der NP aus der Denotation des Quantors und der Denotation des Nomens *Philosoph* gebildet werden können. Die Denotationen der NP und des Nomens sind uns bereits bekannt. Damit können wir aber die Denotation von *jeder* bestimmen: Und zwar als diejenige Funktion, die aus Denotationen wie der von *Philosoph*, also aus Teilmengen der Grundmenge der Struktur, die geschilderten NP-Denotationen bildet, d. h.:

(174) $[\![jeder]\!]$ = diejenige Funktion J mit der Eigenschaft:
$$J([\![N]\!]) = \{X: [\![N]\!] \subseteq X\}.$$

Mit (174) sieht nun die semantische Analyse unseres Beispielsatzes so aus:
$[\![Jeder\ Philosoph\ kennt\ Kurt\ Gödel]\!]$ = 1 gdw.
$[\![kennt\ Kurt\ Gödel]\!] \in [\![jeder]\!]\ ([\![Philosoph]\!])$, d. h. gdw.
$[\![kennt\ Kurt\ Gödel]\!] \in \{X: [\![Philosoph]\!] \subseteq X\}$.
Läßt sich nun dieses Verfahren auch auf andere quantifizierende Ausdrücke anwenden?
Es wird hier nur gezeigt, daß dies für den unbestimmten und den bestimmten Artikel möglich ist. Man kann jedoch damit wesentlich mehr beschreiben. So kann man etwa sämtlichen Ausdrücken in (170) auf diese Weise eine Denotation zuordnen, auch den quantifizierenden Ausdrücken *mehr als die Hälfte* und *die meisten*, deren semantische Effekte durch Kombinationen der Quantoren ∃ und ∀ nicht zu erfassen sind.
Es ist kein Problem, zu sehen, wie man dem unbestimmten Artikel einen semantischen Wert zuordnen kann. Zum Beispiel deuten wir die NP *ein Kind* in

(119c) Ein Kind liebt Egon.

als die Menge der Eigenschaften, die wenigstens ein Kind besitzt, also als die Menge der Mengen, die wenigstens ein Kind enthalten, oder, wie wir mengentheoretisch auch sagen können, als die Menge jener Mengen, deren Durchschnitt mit der Menge der Kinder nicht leer ist. Bezeichnet man mit ∅ die leere Menge, so läßt sich dies wie folgt ausdrücken: $[\![Ein\ Kind]\!] = \{X: [\![Kind]\!] \cap X \neq \emptyset\}$. Der semantische Wert für *ein* ist nun analog zu dem von *jeder*:

(175) $[\![ein]\!]$ = diejenige Funktion E mit der Eigenschaft:
$$E([\![N]\!]) = \{X: [\![N]\!] \cap X \neq \emptyset\}.$$

Damit erhalten wir für (119c):

$[\![Ein\ Kind\ liebt\ Egon]\!] = 1$ gdw.

$[\![liebt\ Egon]\!] \in [\![ein]\!]([\![Kind]\!])$, d. h. gdw.

$[\![liebt\ Egon]\!] \in \{X: [\![Kind]\!] \cap X \neq \emptyset\}$.

Natürlich ist auch die Semantik des bestimmten Artikels auf diese Weise leicht zu beschreiben. In folgendem Satz

(176) Der Linguist kritisiert einen Studenten.

wird die NP *der Linguist* als die Menge von Eigenschaften gedeutet, die genau ein Linguist besitzt. Daher gilt:

(177) $[\![der]\!]$ = diejenige Funktion D mit der Eigenschaft:
$\qquad$ $D([\![N]\!]) = \{X:[\![N]\!] \subseteq X$ und $[\![N]\!]$ besitzt genau ein Element$\}$

Die semantische Analyse des angeführten Satzes ist nun eine leichte Übungsaufgabe für den Leser.

Abschließend sei nochmals darauf hingewiesen, daß wir auf diese Weise nur NPs in Subjektposition analysieren können. Die korrekte semantische Beschreibung von NPs in Objektpositionen ist weitaus komplizierter.

4.5. Bedeutungspostulate

Im letzten Abschnitt kommen wir nochmals zum Problem der Wortbedeutungen zurück. Man betrachte den Satz

(178) Alle Junggesellen sind unverheiratet.

Intuitiv erwartet man, daß (178) immer wahr, also eine Tautologie sein soll. Dies folgt jedoch nicht aus unseren semantischen Regeln.

Symbolisiert man (178) durch

(179) $\forall$ x(*Junggeselle*(x) $\rightarrow \neg$ *verheiratet*(x))

so ist leicht zu sehen, daß (178) keine Tautologie ist. Hierzu muß man nur eine Struktur finden, in der (178) nicht wahr ist. Ein Beispiel hierfür ist:

(180) $M = <A,F>$ mit:
$\qquad$ (a) A = {Peter, Hans, Erich}
$\qquad$ (b) F(*Junggeselle*) = {Peter, Erich}
$\qquad\quad$ F(*verheiratet*) = {Erich}

Es ist leicht zu zeigen, daß (179) in *M* nicht gilt. Man betrachte dazu die Belegung $k_{x=Erich}$. Es gilt zwar, daß Erich ∈ F(*Junggeselle*), aber es gilt auch, daß Erich ∈ F(*verheiratet*). Damit ist bereits nachgewiesen, daß (179) in *M* nicht gilt.

Wir haben also ein intuitiv unbrauchbares Resultat erhalten, denn nach unserer Analyse würde aus *Erich ist ein Junggeselle* nicht folgen, daß Erich unverheiratet ist.

Ähnlich unplausible Resultate sind etwa:

(181) (a) Aus *Ein Senator ermordet Taylor Henry* folgt nicht
         Taylor Henry stirbt.
      (b) Aus *Hans liest einen Kriminalroman* folgt nicht *Hans liest ein
         Buch.*
      (c) Der Satz *Hans hat Erna geheiratet und Hans ist ledig geblieben*
         ist keine Kontradiktion.

Den Nachweis für (181a-c) kann man durch eine ähnliche Argumentation führen wie für den Satz (178). Wie kommt es zu diesen Ungereimtheiten?

Man betrachte abermals die angegebene Struktur *M* für (178). In *M* waren die Personen Peter und Erich Junggesellen, aber Erich war verheiratet. Unsere bisherigen semantischen Klauseln verbieten uns nicht, die Extension der Ausdrücke *Junggeselle* und *verheiratet* auf diese Weise zu wählen, wohl aber unser Wissen über die Bedeutungen der Worte *Junggeselle* und *unverheiratet*. Es sagt uns, daß für die Semantik des Deutschen Strukturen wie in unserem Beispiel einfach nicht in Frage kommen. Solange die Worte *Junggeselle* und *unverheiratet* bedeuten, was sie eben bedeuten, muß gelten, daß F(*Junggeselle*) ∩ F(*verheiratet*) = Ø, und damit, daß

(178) Alle Junggesellen sind unverheiratet.

immer wahr ist.

Es ist zu beachten, daß dies nichts mit der *logischen* Struktur von (178) zu tun hat, denn der Satz

(182) Alle Verheirateten sind Säufer.

hat dieselbe logische Struktur wie (178). Man wird aber kaum behaupten wollen, daß dieser Satz immer wahr ist. Ebenso schließen wir aufgrund unseres Wissens über die Bedeutungen der Worte *ermorden*, *Kriminalroman*, *Buch*, *heiraten* und *ledig* die unsinnigen Ergebnisse in (181a-c) aus.

Wir haben bisher jedoch keine Methode angegeben, wie dieses sprachliche Wissen vernünftig repräsentiert werden soll. Eine Möglichkeit, dieses Problem zu lösen, sind die von Rudolf Carnap eingeführten Bedeutungspostulate (cf. Carnap (1947)). Diese Postulate dienen dazu, die möglichen Strukturen für eine bestimmte Sprache zu restringieren. Sagt man etwa, daß (179) ein Bedeutungspostulat ist, so behauptet man damit, daß für das Deutsche nur Strukturen in Frage kommen, in denen gilt, daß die Menge der Junggesellen eine Teilmenge der Menge der Unverheirateten ist.

Dies wirft auch Licht auf unser bisheriges Vorgehen. Bis jetzt hatten wir für sprachliche Ausdrücke nur Bedeutungs*typen* angegeben, so etwa Teilmengen bzw. Elemente der Grundmenge als mögliche Bedeutungen von Nomina bzw. Eigennamen, oder (zweistellige) Relationen als Denotationen von transitiven Verben. Es wurde aber an keiner Stelle darauf hingewiesen, *welche* Menge etwa ein *bestimmtes* Nomen interpretieren sollte. Die spezifische Wortbedeutung konnte auf diese Weise natürlich nicht berücksichtigt werden, womit die erwähnten unplausiblen Resultate auch nicht weiter erstaunlich sind.

Die Bedeutungspostulate geben uns nun die Möglichkeit, mehr über die Bedeutungen von Wörtern zu sagen, als nur ihren Denotationstyp festzulegen. So wird z. B. durch das Bedeutungspostulat (179) behauptet, daß die Bedeutungen von *Junggeselle* und *unverheiratet* in einer gewissen Beziehung zueinander stehen, nämlich, daß die Menge der Junggesellen eine Teilmenge der Menge der unverheirateten Personen ist; d. h. alle Strukturen, in denen diese Relation nicht gilt, sind durch (179) ausgeschlossen.

Ebenso wie man den Satz (178) unabhängig von bestimmten empirischen Gegebenheiten für wahr hält, so wird man, falls man den Satz

(183) Der Killer tötet sein Opfer.

für korrekt hält, auch wissen, daß der Satz

(184) Das Opfer stirbt.

wahr ist. Intuitiv sollte also der zweite Satz aus dem ersten folgen. Unser ursprünglicher Folgerungsbegriff leistet dies nicht, da es sehr einfach ist, ein Modell für den ersten Satz anzugeben, in dem der zweite *nicht* gilt. Um das intuitiv unplausible Resultat auszuschließen, muß der Folgerungsbegriff verändert werden, und zwar so, daß er gewissermaßen Rücksicht auf die Bedeutungspostulate nimmt. Man definiert daher den Begriff der *zugelassenen Struktur*.

(185) *Zugelassene (mögliche) Struktur*
    Gegeben sei eine Menge von Bedeutungspostulaten B. Welche Elemente B enthält, ist in erster Linie eine empirische Frage. Die Postulate sollten natürlich die tatsächlichen Wortbedeutungen korrekt erfassen. Eine zugelassene Struktur ist dann eine Struktur *M*, in der *alle* Elemente aus B gelten.

Nun ist aber leicht zu sehen, wie man den klassischen Folgerungsbegriff abzuändern hat, damit er die durch die Bedeutungspostulate gegebene Information erfaßt. Man definiert:

(186) *Logische Folgerung (revidiert)*
    Ein Satz φ folgt aus einem Satz ψ genau dann, wenn gilt: in allen *zugelassenen* Strukturen, in denen ψ gilt, gilt auch φ.

Ebenso kann man den Begriff der Allgemeingültigkeit oder der Kontradiktion auf zugelassene Strukturen beschränken. Als konkretes Beispiel soll hier gezeigt werden, wie man auf diese Weise das unplausible Resultat

(181) (a) Aus *Ein Senator ermordet Taylor Henry* folgt nicht *Taylor Henry stirbt*.

vermeidet. Das Bedeutungspostulat, das wir benötigen, lautet etwa:

(187) Wenn jemand irgendeine Person ermordet, dann stirbt diese Person.

Formal heißt das:

(188) $\forall x \forall y (ermorden(x,y) \rightarrow sterben(y))$

Für unseren einfachen Fall reicht es, wenn B nur dieses eine Element enthält. Zu zeigen ist nun, daß aus

(189) $\exists x (Senator(x) \land ermorden(x, T.\,Henry))$

der Satz

(190) *sterben(T.\,Henry)*

folgt, falls man den Folgerungsbegriff auf jene Strukturen beschränkt, für die (188) gilt. Der Nachweis wird bezüglich einer beliebigen zugelassenen Struktur *M* geführt.

(191) Sei M = <A,F> mit:

F(*T. Henry*) ∈ A
F(*ermorden*) ⊆ A
F(*Senator*) ⊆ A
F(*sterben*) ⊆ A

Es wird nun gezeigt, daß aus der Annahme, daß in M (189) gilt, (192) folgt:

(192) $M \models$ *sterben* (*T. Henry*)

Aus der Voraussetzung können wir schließen, daß es eine Person gibt – nennen wir sie Z –, die Senator ist und T. Henry ermordet. Also:

(193) $M \models$ *ermorden* (*Z, T. Henry*)

Ohne das Bedeutungspostulat (188) können wir nicht mehr sagen. (188) aber gibt uns die erforderliche Information über die Bedeutung des Wortes *ermorden*. Wenn eine Person y durch eine Person x ermordet wird, dann stirbt Person y. Etwas technischer ausgedrückt heißt dies, daß die Menge E = {b; <a,b> ∈ ⟦*ermorden*⟧} eine Teilmenge von ⟦*sterben*⟧ ist. Da wir bereits wissen, daß T. Henry ein Element von E ist, muß er auch ein Element von ⟦*sterben*⟧ sein. Also:

(194) $M \models$ *sterben* (*T. Henry*)

Man beachte, daß hier nicht behauptet wird, daß (188) ein sinnvolles Bedeutungspostulat sei. Es sollte nur gezeigt werden, wie Bedeutungspostulate Schlußfolgerungen beeinflussen. Welche Postulate unter empirischen und systematischen Gesichtspunkten vernünftig sind und welche nicht, ist in dieser Einführung nicht zu zeigen, da diese Frage nur bezüglich des gesamten semantischen Systems beantwortet werden kann. Z. B. könnte es erforderlich sein, Bedeutungspostulate anzunehmen, aus denen (188) logisch folgt. Damit wäre *dieses* Postulat natürlich überflüssig. Außerdem gibt es auch die Möglichkeit, die Bedeutung von Wörtern dadurch zu fixieren, daß man ihnen von Anfang an ganz *bestimmte* Denotationen zuordnet. Dies geschah etwa in Abschnitt (4.4.) mit dem Quantor *jeder*, dem als semantischer Wert eine *bestimmte* Funktion von N-Denotationen auf NP-Denotationen zugewiesen wurde.

Bedeutungspostulate kann man unter zwei Aspekten sehen. Zum einen unter einem vorwiegend technischen, zum anderen unter dem empirischen Aspekt der korrekten Beschreibung von Wortbedeutungen.

Unter dem technischen Gesichtspunkt besteht die Funktion der Postulate darin, sukzessive »unpassende« Strukturen für bestimmte natürliche Sprachen auszuschließen. D. h. man versucht, diejenige Struktur, die z. B. speziell für das Deutsche paßt, auf diese Weise zu approximieren. Gelingt dies, so hat man damit *die* Bedeutungstheorie für das Deutsche konstruiert. Aufgrund verschiedener rein technischer Überlegungen ist es jedoch äußerst unplausibel, daß man ein derart starkes Ergebnis je erreichen wird.

Die empirische Aufgabe ist bei weitem einfacher. Das Bedeutungspostulat soll in diesem Fall *die* Bedeutung des betreffenden Wortes korrekt repräsentieren. Der Einwand, der sich hier natürlich sofort aufdrängt, ist der, daß dieses Verfahren rein *ad hoc* ist. Für jedes Wort, von dem man bemerkt, daß es spezielle Schlußfolgerungen auslöst, konstruiert man einfach ein entsprechendes Bedeutungspostulat, das es erlaubt, diese Schlußfolgerung als semantisch korrekt auszuzeichnen. Dann stellt sich aber die Frage, ob dadurch nicht empirische Gemeinsamkeiten zwischen verschiedenen Wortbedeutungen unter den Tisch fallen.

Dieses Problem kann hier nicht weiter diskutiert werden, da für eine angemessene Erörterung der damit zusammenhängenden Fragen ein relativ ausgefeilter technischer Apparat benötigt wird (cf. Dowty (1979)).

VII Pragmatik

A. PRAGMATIKBEGRIFFE

In Kapitel (1.4.) wurde darauf hingewiesen, daß man den Gebrauch von Sätzen unter verschiedenen Gesichtspunkten betrachten kann. Als »Performanz« wurde eine Art des Gebrauchs bezeichnet, die als eine defizitäre Realisierung der sprachlichen Kompetenz anzusehen ist. Auf der anderen Seite wurde der Gebrauch von Sätzen aber auch als eine sprachliche Kompetenz sui generis charakterisiert. Bei dieser geht es nicht um die strukturelle Bildung und Rezeption von Sätzen, sondern um die kompetente Verwendungsweise korrekt gebildeter Sätze in den angemessenen Kontexten. Diese Kompetenz wurde – im Unterschied zur grammatischen Kompetenz – als »pragmatische Kompetenz« bezeichnet.

Die Frage, welche Fähigkeitssysteme bzw. kognitiven Module die pragmatische Kompetenz konstituieren, ist schwer zu beantworten, und die linguistische und psychologische Forschung stellt dazu bislang auch nicht mehr als Ansätze bereit. Die vielfältigen Faktoren, die dem korrekten Gebrauch von Sätzen zugrundeliegen, lassen sich nur schwer systematisieren, geschweige denn auf universelle Prinzipien unserer kognitiven Ausstattung zurückführen.

Die in Kapitel (1.) angeführten Beispiele dafür, worin sich die pragmatische Kompetenz äußert, betreffen nur einen kleinen, bislang systematisierten Ausschnitt aus der Vielzahl der pragmatischen Phänomene unserer Sprachfähigkeit; und selbst zur Analyse dieser noch relativ abgrenzbaren Phänomene hat man schon so komplexe Faktoren heranzuziehen wie die gesellschaftliche Situation der Kommunikationspartner, Eigenschaften der Äußerungssituation, gesellschaftliche Konventionen, Annahmen der Kommunikationspartner über die Beschaffenheit der Welt, Annahmen der Kommunikationspartner über ihre gegenseitigen Annahmen, die tatsächliche Beschaffenheit der Welt, Form und Inhalt des Gesagten etc.

Aber nicht nur die Frage nach den die pragmatische Kompetenz konstituierenden Fähigkeitssystemen muß als kaum beantwortet angesehen werden; auch zu dem Problem einer Abgrenzung von grammatischer und pragmatischer Kompetenz gibt es alles andere als unumstrittene Auffassungen. Für die Tatsache etwa, daß wir den Satz (1a) gegenüber (1b) als abweichend empfinden

(1) (a) *Hans$_i$ glaubt, daß Hans$_i$ einen Fehler gemacht hat.
     (b) Hans$_i$ glaubt, daß er$_i$ einen Fehler gemacht hat.

sind sowohl Diagnosen vorgeschlagen worden, die unsere grammatische Kompetenz betreffen, als auch solche, die unser Urteil auf eine pragmatische Kompetenz zurückführen.

Wie ist zu erklären, daß man mit der im Präteritum abgefaßten Äußerung

(2) Wer bekam den Champagner?

die Frage stellen kann, wer hic et nunc, also zu einem relativ zur Äußerungssituation *gegenwärtigen* Zeitpunkt, den Champagner bekommt? Auch diese Frage ist sowohl unter Bezugnahme auf Faktoren der grammatischen Kompetenz als auch auf solche der pragmatischen Kompetenz zu beantworten versucht worden.

Aufgrund grammatischer Kompetenz kennen wir die Bedeutung des Junktors *und*, wie sie sich in den Wahrheitstafeln für dieses Verknüpfungszeichen repräsentieren läßt. In diesen ist jedoch in keiner Weise auf die Reihenfolge der Konjunktionsglieder Bezug genommen. Ist die Tatsache, daß wir den Bedeutungsunterschied in den Sätzen (3a) und (3b) erkennen, also nicht Sache der grammatischen Kompetenz?

(3) (a) Peter ging zur Bank und stahl das Geld.
     (b) Peter stahl das Geld und ging zur Bank.

Betrachten wir des weiteren die folgende Situation bei einer Vernissage. Peter steht mit Freundin Inge am Büffet. Ihnen gegenüber zwei Herren; einer mit einem Glas in der Hand ihnen zugewandt, der andere steht mit dem Rücken zu ihnen. Peter erklärt Inge:

(4) Der Mann mit dem Glas Champagner ist der Maler.

Unglücklicherweise hat der ihnen zugewandte Herr, den Peter meinte und den er Inge gegenüber auch identifizieren konnte, Mineralwasser im Glas; allerdings ist er in der Tat der Maler. Wie konnte es Peter gelingen, mit einer nicht zutreffenden Kennzeichnung (also einem grammatisch, nämlich semantisch, inkorrekten Gebrauch eines Ausdrucks) seinem Gegenüber eine Person erfolgreich zu identifizieren? Auch dieses Problem mündet in die Streitfrage, ob es sich hier überhaupt um ein Phänomen der grammatischen Kompetenz handle.

Diese Frage ist um so schwieriger zu entscheiden, als unsere Intuitionen darüber, ob Peters Aussage nun tatsächlich als wahr anzusehen ist, oder ob sie als wahrheitsdefinite Aussage nicht vielmehr gescheitert ist, alles andere als klar sind. Dies wird noch deutlicher, wenn wir die Situation dieses Beispiels dahingehend ändern, daß der von Peter für Inge identifizierte Herr nicht nur keinen Champagner in seinem Glas hat, sondern auch nicht der Maler ist, daß aber der Herr neben ihm, der mit dem Rücken zu Peter und Inge steht, sowohl ein Glas mit Champagner in der Hand hält als auch der Maler ist. Hat Peter in diesem Fall eine wahre Aussage gemacht? Wir werden in Abschnitt (VII.C.) auf dieses Beispiel zurückkommen.

Das Problem der Abgrenzung von grammatischer und pragmatischer Kompetenz und dabei insbesondere zwischen Semantik und Pragmatik findet schließlich seine Verschärfung in der Auffassung Chomskys, daß Semantik als Theorie der Wahrheitsbedingungen *generell* nicht als Phänomen der grammatischen Kompetenz anzusehen sei, eine Auffassung, die nicht zuletzt dadurch eine Bestätigung erfuhr, daß etwa Kamp (1978) zeigen konnte, daß die (rekursive) Berechnung des Wahrheitswertes komplexer Sätze aus den Wahrheitswerten ihrer Teilsätze bisweilen auf pragmatische Faktoren Bezug zu nehmen hat (cf. dazu auch Grewendorf (1984)).

Die Vielfalt pragmatischer Fragestellungen und Probleme hat dazu geführt, daß die unterschiedlichsten Vorstellungen und Konzeptionen von Pragmatik ausgebildet wurden (cf. z.B. Braunroth/Seyfert/Siegel/Vahle (1975)), und die Vielfalt dieser Pragmatikbegriffe ist mitverantwortlich für die Konfusionen und Schwierigkeiten, die Abgrenzungsdiskussionen kennzeichnen.

Im folgenden werden daher zunächst einige der geläufigen Pragmatikbegriffe unterschieden. Daraufhin werden Teiltheorien jener Pragmatikkonzeption vorgestellt, die für die Analyse grammatischer Phänomene herangezogen werden kann.

(i) *Pragmatik als semiotische Kategorie*
Morris (1955) unterscheidet in seiner allgemeinen Zeichentheorie
drei Dimensionen des Zeichenprozesses (der »Semiose«): Die
syntaktische Dimension betrifft die Beziehung zwischen Zeichen
untereinander; die *semantische* Dimension betrifft die Beziehung
zwischen Zeichen und Bezeichnetem, und die *pragmatische* Dimension betrifft die Beziehung zwischen Zeichen und Zeichenbe-
nutzer. In dieser allgemeinen Form wird unter Pragmatik also
jene Art der Zeichen-Analyse verstanden, in der explizit auf den
Sprecher bzw. Sprachbenutzer Bezug genommen wird.

(ii) *Pragmatik als indexikalische Semantik*
Dieser Begriff von Pragmatik geht zurück auf die Auffassung von
der strukturellen Ähnlichkeit formaler und natürlicher Sprachen.
Eine Sprache ist danach ein interpretiertes formales Zeichensy-
stem. Die Interpretation der Ausdrücke dieses Systems hat anzugeben, inwiefern das, was diese Ausdrücke bezeichnen (die Denotate dieser Ausdrücke), von den Kontexten abhängt, in denen
diese Ausdrücke gebraucht werden. Am besten kann man sich
diese Kontextabhängigkeit solcher Denotate am Beispiel sog.
»deiktischer« Ausdrücke vorstellen wie *ich, hier, jetzt*, deren De-
notat vom Sprecher bzw. dem Äußerungsort bzw. der Äuße-
rungszeit abhängt. Die Analyse dieser für deiktische Ausdrücke
(engl. »indexicals«) typischen Kontextabhängigkeit der Denotation kennzeichnet die indexikalische Semantik.

(iii) *Pragmatik als Performanztheorie*
Dieser Begriff von Pragmatik rekurriert auf ein Verständnis vom
»Gebrauch der Sprache«, das auf die generative Transformationsgrammatik zurückgeht: Gebrauch der Sprache als eine mehr oder
weniger defiziente Realisierung der zugrundeliegenden Kompetenz.
Neuerdings wird Pragmatik aber auch in der generativ-transfor-
mationellen Sprachtheorie nicht nur als Theorie der Realisierungsformen der Kompetenz angesehen, sondern als Theorie
einer Kompetenz sui generis, der sog. »pragmatischen Kompetenz«. Danach ist der korrekte Gebrauch von Äußerungen von
einer Vielzahl interaktionssteuernder kognitiver Fähigkeitssysteme abhängig, deren angeborene Prinzipien die komplexe
Sprachfähigkeit im weitesten Sinne ausmachen. Als Untersu-

chung dieser, dem Gebrauch von Äußerungen zugrundeliegenden Systeme wird Pragmatik zu einer Teildisziplin der Psycholinguistik.

(iv) *Pragmatik als Bedeutungstheorie*
Dieser Pragmatikbegriff geht zurück auf Grundgedanken der sog. »ordinary language philosophy« und hier insbesondere auf den Bedeutungsbegriff des späten Wittgenstein, demzufolge die Bedeutung eines Ausdrucks in seinem (richtigen) Gebrauch besteht. Insofern danach also die Analyse der sprachlichen Bedeutung notwendigerweise auf den kontextabhängigen Gebrauch Bezug nehmen muß, wird die Semantik als Theorie der Bedeutung zu einer Theorie des kontextabhängigen Gebrauchs und geht damit in der Pragmatik auf.

(v) *Pragmatik als Texttheorie*
Diese Art von Pragmatik hat größere sprachliche Einheiten als den Satz oder die Äußerung zum Gegenstand. Sie untersucht das Inventar sprachlicher Kategorien sowie die Organisationsprinzipien, die der Konstitution und Kohärenz von mündlichen oder schriftlichen Texten zugrundeliegen. Darunter würden u. U. sowohl theoretische Diskursanalysen, z. B. von intersententiellen Anaphora, als auch Aspekte der funktionalen Satzperspektive fallen.

(vi) *Pragmatik als Theorie des sprachlichen Handelns*
Unter diesen Begriff müßten, intuitiv betrachtet, natürlich auch pragmatische Untersuchungen im Sinne von (iv) oder (v) subsumiert werden. Er soll jedoch hier in einer ganz spezifischen Weise verstanden und auf die Bereiche Sprechakttheorie, Theorie der konversationellen Implikaturen, Präsuppositionstheorie und Konversationsanalyse eingegrenzt werden.

Sprechakttheorie, Theorie der konversationellen Implikaturen und Präsuppositionstheorie bilden den weiteren Gegenstand dieses Pragmatikkapitels, weil es sich dabei um jene ausgearbeiteten pragmatischen Theorien handelt, die man für die Analyse grammatischer Phänomene heranzuziehen versucht hat.
Die »Konversationsanalyse« befaßt sich mit Mustern, Mechanismen und Strategien bei der kohärenten sequentiellen Organisa-

tion faktischer Konversationsverläufe. Dabei werden transkribierte Konversationsausschnitte aus den verschiedensten Bereichen menschlicher Kommunikation (beim Arzt, vor Gericht, in Institutionen, zwischen den Geschlechtern, in der Psychotherapie etc.) ohne Rekurs auf theoretische Hilfsmittel und unter teilweise explizitem Verzicht auf theoretisches Erkenntnisinteresse (cf. Levinson (1983), Kap. 6) in einer Weise analysiert, die man als »aufgeklärtes Paraphrasieren« bezeichnen könnte.

Weder ist also die Konversationsanalyse selbst eine Theorie (cf. Searle (1985)) noch ist sie für eine grammatische Theorie brauchbar. Zwar ist, wie bereits illustriert, auch die grammatische Relevanz der Bereiche Sprechakttheorie, Theorie der konversationellen Implikaturen und Präsuppositionstheorie nicht unumstritten. Hier liegen jedoch sowohl theoretische Konzeptionen vor als auch Versuche, die diesbezüglichen Analysekategorien in die Grammatik zu integrieren (cf. z. B. Stickel (1984)). Dies ist der Grund, warum sich die folgende Darstellung von Pragmatik auf diese Bereiche beschränkt.

Die Unterscheidung der Pragmatikbegriffe (i)-(vi) ist sicherlich nicht erschöpfend. Sie liefert aber ein gutes heuristisches Instrumentarium, um sich etwas in den komplexen Pragmatikdiskussionen zurechtzufinden und um einige Konfusionen in sog. Abgrenzungsdiskussionen diagnostizieren zu können.

So ist z. B. klar, daß jemand, für den Semantik die Theorie der Wahrheitsbedingungen ist, die Frage nach der Abgrenzung von Semantik und Pragmatik je nach Pragmatikbegriff in unterschiedlicher Weise beantworten wird. Semantik und Pragmatik (i) wird er für klar unterscheidbar halten; Pragmatik (ii) wird er als Teil der Semantik ansehen; Semantik wird er möglicherweise in die zweite Version von Pragmatik (iii) integrieren, und Pragmatik (iv) und Semantik wird er möglicherweise für nicht klar unterscheidbar halten. Versteht jemand unter Semantik die Theorie der Bedeutung, wird die Antwort entsprechend anders ausfallen.

Die folgende Pragmatik-Darstellung ist nicht nur motiviert durch einen Mindestanspruch an den theoretischen Entwicklungsstand Grammatik-relevanter pragmatischer Konzeptionen, sondern auch durch den Versuch, einer Pragmatik-Diskussion durch eine restriktive Begrifflichkeit einen klaren Ausgangspunkt zu verschaffen.

B. Sprechakttheorie

1. Der Gegenstand der Sprechakttheorie

Die Sprache dient nicht nur dazu, die Welt zu beschreiben. Diese Aussage repräsentiert wohl eine jener Wahrheiten, von denen Wittgenstein sagt, daß sie »dem Bemerktwerden nur entgehen, weil sie ständig vor unsern Augen sind« (*Philosophische Untersuchungen* § 415). Dennoch hat erst der englische Philosoph J. L. Austin in seinem Werk »How to do things with words« (1962) (dtsch. Zur Theorie der Sprechakte (Austin (1972))) die Erkenntnis dieser Wahrheit in eine Theorie umgesetzt, in der sowohl die deskriptiven als auch die nicht-deskriptiven Funktionen der Sprache eine systematische Untersuchung erfahren. Betrachten wir eine Äußerung des Satzes

(1) Morgen komme ich.

Mit diesem Satz äußert man einen Satz der deutschen Sprache, der verstanden wird, auch wenn man nicht weiß, von wem oder wozu er geäußert wurde. Weiß man, wer diesen Satz wann geäußert hat, weiß man also, daß dieser Satz besagt, daß Simon am 20.3.83 kommt, so kennt man zwar den Inhalt der betreffenden Äußerung, weiß aber noch nicht, was mit dieser Äußerung »getan« wird. So weiß man z. B. nicht, ob es sich hier lediglich um eine Mitteilung handelt, ob ein Versprechen gegeben wird, ob eine Drohung ausgesprochen wird, ob gewarnt wird etc., kurz, man weiß nicht, welche Art von sprachlicher *Handlung* mit dieser Äußerung vollzogen wird.

Dieser Handlungsaspekt sprachlicher Äußerungen bildet den Gegenstand der von J. L. Austin (1962) entwickelten und von J. R. Searle (1969) fortgeführten *Sprechakttheorie*. Den Gegenstand dieser Theorie bilden daher Fragen wie die folgenden:

(a) In welchem Sinne kann man davon sprechen, daß mit sprachlichen Äußerungen Handlungen vollzogen werden?

(b) Wovon hängt es ab und wie kann man feststellen, welche Handlungen mit solchen Äußerungen vollzogen werden?

(c) Wie sieht die Struktur solcher Handlungen aus?

(d) Wie lassen sich diese Handlungen systematisieren?

(e) Welche Beschränkungen gibt es für die Sequenzierung indivi-
    dueller bzw. interpersonaler Handlungsabfolgen?

Die Sprechakttheorie ist daher nicht nur ein Beitrag zur Klärung
der Frage, was der Gebrauch einer Äußerung ist; sie kann als eine
systematische Rekonstruktion der Wittgenstein'schen Auffassung angesehen werden, daß die Bedeutung von sprachlichen
Äußerungen in ihrem Gebrauch besteht.

2. Die performativ/konstativ Distinktion

Ihren Ausgang nimmt die Sprechakttheorie bei Austins Kritik an
einem alten philosophischen Vorurteil: daß Sprache ausschließlich dazu diene, über die Welt zu reden. Diesem *deskriptiven
Fehlschluß* hält Austin die Beobachtung entgegen, daß es Äußerungen gibt, die zwar die grammatische Form von Tatsachenfest-
stellungen haben, mit denen man jedoch keineswegs Tatsachen
beschreibt, berichtet oder feststellt, mit denen man vielmehr
durch den Vollzug einer Handlung (die nicht nur darin besteht,
»etwas zu sagen«) »Tatsachen schafft«. Betrachten wir dazu die
folgenden Beispiele:

(2) Ich vermache dir meine Uhr.
(3) Ich bringe dir meine Uhr.

Wenn ein Sprecher (2) äußert, so kann er, unter geeigneten Umständen, *allein durch die Äußerung dieses Satzes* jemandem seine
Uhr vermachen; d. h., die Äußerung dieses Satzes in geeigneten
Situationen stellt den Vollzug der Handlung des Vermachens
dar.

Anders verhält es sich mit der Äußerung des Satzes (3). Es gibt
keine Situation, in der man allein durch die Äußerung des Satzes
(3) jemandem seine Uhr bringt; d. h. es gibt keine Situation, in der
die Äußerung von (3) den Vollzug der Handlung des Bringens
darstellt. Um diese Handlung zu vollziehen, muß man schon
etwas mehr tun, als einen bestimmten Satz zu äußern.

Mit der Äußerung von (2) – unter geeigneten Umständen – beschreibt man nicht, was man tut (seine Uhr vermachen), man
stellt auch nicht fest, daß man seine Uhr vermacht (man kann
z. B. nicht mit »das ist nicht wahr« darauf reagieren); mit der
Äußerung dieses Satzes (unter geeigneten Umständen) *vermacht*

man seine Uhr. Äußerungen der Art (2) nannte Austin – da man mit ihnen eine Handlung ausführt – *performative Äußerungen* (cf. engl. *to perform*). Weitere Beispiele für solche performativen Äußerungen sind:

(4) Ich wette fünfzig Mark, daß Bayern München deutscher Fußballmeister wird. (25. 4. 86)
(5) Ich verspreche dir, daß ich dir eine Eintrittskarte besorge.
(6) Ich taufe dieses Schiff auf den Namen »Queen Elizabeth«.

Die performativen Äußerungen werden durch zwei Merkmale, nämlich
(a) daß sie den Vollzug einer Handlung darstellen
(b) daß sie weder wahr noch falsch sind
von den sog. *konstativen Äußerungen* abgegrenzt, mit denen man Feststellungen trifft, die es also mit Tatsachen zu tun haben, und die je nachdem, ob sie diesen entsprechen oder nicht, wahr oder falsch sind. Beispiele für konstative Äußerungen sind neben (3):

(7) Simon hat heute Geburtstag.
(8) Petra ist verheiratet.
(9) Die Erde dreht sich um die Sonne.

Um zum Vollzug von Handlungen zu dienen, müssen Äußerungen jedoch nicht unbedingt die *Form* der Beispiele (2) bzw. (4)-(6) besitzen. Das Versprechen, sich um eine Angelegenheit zu kümmern, kann man nicht nur mit

(10) Ich verspreche dir, daß ich mich darum kümmern werde.

abgeben, sondern u. U. schon mit

(11) Ich werde mich darum kümmern.

Um davor zu warnen, daß der Hang lawinengefährlich ist, braucht man nicht unbedingt

(12) Ich warne dich, der Hang ist lawinengefährlich.

zu äußern. Oft genügt schon

(13) Der Hang ist lawinengefährlich.

Austin unterscheidet daher zwei Typen performativer Äußerungen.
Bei den *explizit performativen Äußerungen* (Typ (2), (4)-(6), (10), (12)) ist durch geeignete Verwendung (1. Pers. Sing. Ind. Präs. Akt.) jener Verben, die die zu vollziehende Handlung bezeichnen

(also *vermachen, warnen, wetten, versprechen, taufen*), explizit zu erkennen gegeben, welche Handlung mit der betreffenden Äußerung vollzogen wird.

Bei den *primär (implizit) performativen Äußerungen* (Typ (11), (13)) ist den Äußerungsumständen zu entnehmen, welche Handlung mit ihnen vollzogen wird. Ihre Bezeichnung verdanken primär performative Äußerungen der Auffassung, daß die expliziten Formeln *Ich verspreche, daß ..., Ich warne davor* etc. Verständigungsmittel sind, die im Laufe der Sprachentwicklung später ausgebildet wurden.

Während bei konstativen Äußerungen die Frage nach der Wahrheit oder Falschheit im Vordergrund steht, ist die für performative Äußerungen relevante *Beurteilungsdimension* die des Glückens oder Nicht-Glückens: Der Versuch, mit einer bestimmten Äußerung eine bestimmte Handlung zu vollziehen, kann mißlingen. So vollzieht etwa mit der Äußerung (6) nur derjenige den Akt der Taufe, der in der entsprechenden Position dazu ist, und mit einer Äußerung der Art *Ich verspreche dir, daß* wird dann kein Versprechen zustandekommen, wenn *offensichtlich* ist, daß der Sprecher niemals in der Lage sein wird, das Versprochene zu tun.

In Austins *Theorie der Fehlschläge* liegt eine erste Systematisierung der Fehlertypen vor, die performative Äußerungen mißlingen lassen können. Aus diesen Fehlertypen ergeben sich die Bedingungen, die für einen erfolgreichen Vollzug sprachlicher Handlungen notwendig sind:

(A1) Es muß eine Konvention geben, kraft derer wir mit der Äußerung bestimmter Wörter eine bestimmte Handlung ausführen können (z. B. gibt es keine Konvention, nach der man jemanden mit *Ich beleidige dich* beleidigen kann).

(A2) Die Konvention muß unter den richtigen Umständen angewandt sein (mit *Ich befehle, daß ...* kann nur befehlen, wer in der richtigen Position dazu ist).

(B1) Die von der Konvention geforderte Prozedur muß korrekt ausgeführt sein (mit *Ich entschuldige mich, du bist keine Niete, sondern eine Flasche* kann man sich nicht entschuldigen).

(B2) Die Prozedur muß vollständig sein (zum Wetten gehören mindestens zwei).

Fehler der Art (A1)-(B2) verhindern, daß die mit der Äußerung versuchte Handlung vollzogen wird; die beiden folgenden Fehler (Γ1) und (Γ2) lassen sie zwar zustandekommen, jedoch nur unter einem Mißbrauch der Regel:

(Γ1) Bei performativen Äußerungen, die bestimmte Absichten oder Gefühle involvieren, muß der Sprecher diese auch tatsächlich haben (wer sagt, *Ich verspreche, daß ich mich darum kümmern werde*, aber nicht die Absicht hat, das Versprochene zu tun, gibt zwar ein Versprechen, ist aber der *Unredlichkeit* zu bezichtigen).

(Γ2) Bei performativen Äußerungen, die zu bestimmten Verhaltenserwartungen berechtigen, muß das in Aussicht gestellte Konsequenzverhalten auch realisiert werden (wer mit der eben genannten Äußerung ein Versprechen gibt, das Versprochene dann aber nicht tut, ist *inkonsequent*).

Die am Beispiel explizit performativer Äußerungen illustrierten möglichen Fehlschläge performativer Äußerungen lassen sich auf die primär performativen Äußerungen übertragen. Diese Tatsache zeigt jedoch, *daß die Unterscheidung zwischen performativen und konstativen Äußerungen problematisch ist.* Bereits die für primär performative Äußerungen angeführten Beispiele (11) und (13) weisen ja Charakteristika auf, die gerade für konstative Äußerungen als konstitutiv gelten sollten: Sie haben einen Bezug zu Tatsachen und können wahr oder falsch sein.

Austin selbst hat die Problematik der performativ/konstativ Distinktion aufgezeigt und Einwände vorgebracht, die ihn schließlich zur Aufgabe seiner Ausgangsdichotomie veranlaßt haben. Diese Einwände bestehen im wesentlichen in dem Nachweis, daß die für die eine Art von Äußerungen angenommenen charakteristischen Merkmale auch auf die andere zutreffen:

(i) Auch konstative Äußerungen sind Fehlschlägen ausgesetzt, z. B.: (a) Wer sagt *Dieser Mann ist unschuldig*, aber nicht glaubt, daß dieser Mann unschuldig ist, verstößt gegen (Γ1); (b) wer sagt *Peters Kinder sind gute Fußballspieler*, obwohl Peter gar keine Kinder hat, verstößt gegen (A2); (c) wer sowohl behauptet *Die Katze ist auf der Matte* als auch *Die Matte ist nicht unter der Katze* verstößt gegen (Γ2).

(ii) Auch performative Äußerungen lassen sich nach einer Entsprechung zu den Tatsachen beurteilen: Die Entscheidung des Schiedsrichters auf »Tor« kann sich bei der Betrachtung der Fernsehaufzeichnungen als falsch herausstellen.

Schließlich führt Austin als weiteres Argument gegen die performativ/konstativ Distinktion an:

(iii) Es gibt weder ein grammatisches noch ein lexikographisches Kriterium, nach dem sich konstative von performativen Äußerungen unterscheiden ließen

Die Begründung für (iii) besteht im wesentlichen in den folgenden Beobachtungen:

(a) Die 1. Person Singular Indikativ Präsens Aktiv ist für die performativen Äußerungen nicht wesentlich, cf.

(14) Sie werden hiermit aufgefordert, den fälligen Betrag unverzüglich zu überweisen.

(b) Betrachtet man Verben wie *versprechen, warnen, wetten*, so zeigt sich eine spezielle Asymmetrie: In der 1. Person Singular Indikativ Präsens Aktiv sind diese Verben explizit performativ, in anderen Personen sind sie deskriptiv. Man könnte nun als Kriterium für performative Äußerungen anführen, daß sie auf eine Form reduzierbar sind, in der sie ein solches asymmetrisches Verb in der 1. Person Singular Indikativ Präsens Aktiv enthalten. Aber auch dieses Kriterium ist nicht adäquat: Es gibt Äußerungen, die genau diese Form besitzen, aber dennoch nicht performativ sind. Dies ist der Fall bei »habitueller« oder »historischer« Verwendung der betreffenden Verben wie z. B. in

(15) Ich wette (jeden Morgen) mit ihm, daß es regnen wird.

(16) Auf Seite 49 protestiere ich gegen das Urteil.

Zum anderen gibt es Äußerungen, die eindeutig performativ sind wie z. B. die Äußerung

(17) Du Idiot!

mit der man zweifellos jemanden beleidigen kann, die jedoch in der reduzierten Form (*Ich beleidige dich*) den Vollzug der entsprechenden Handlung gerade nicht zulassen.

(c) Es gibt Fälle, sogenannte »halb-deskriptive« Äußerungen, wo ein und dieselbe Wendung, etwa

(18) Ich billige es.

einmal explizit performativ (Akt des Billigens), ein andermal deskriptiv (im Sinne von *Ich finde es richtig*) aussieht.

Austin zog aus diesen Überlegungen den Schluß, daß der Begriff

»performativ« keinen klassifikatorischen Wert besitzt, da im Grunde alle sprachlichen Äußerungen performativ sind. Ein neuer Ansatz mit der *Theorie der Sprechakte* ist Austins Konsequenz.

3. Die Theorie der Sprechakte

Mit der performativ/konstativ Distinktion hat Austin den Blick auf die Tatsache gelenkt, daß mit sprachlichen Äußerungen Handlungen vollzogen werden. Der Fehler, der ihm mit dieser Distinktion unterlief, besteht darin, daß er zwei verschiedene Unterscheidungen miteinander vermischt hat:

(i) die Unterscheidung zwischen unterschiedlichen Handlungen, die man mit Äußerungen vollziehen kann (z. B. versprechen vs. beschreiben oder konstatieren)

(ii) die Unterscheidung zwischen unterschiedlichen Arten, auf die wir ein und dieselbe Handlung mit Äußerungen vollziehen können (z. B. explizit vs. primär performatives Versprechen)

Die in der zweiten Hälfte von Austin (1962) vorgelegte *Theorie der Sprechakte* vermeidet den Fehler der performativ/konstativ Distinktion, geht andererseits aber von der wesentlichen Erkenntnis dieser Distinktion aus, nämlich daß mit sprachlichen Äußerungen Handlungen vollzogen werden. Die Theorie der Sprechakte liefert eine systematische Analyse dieses Handlungscharakters.

Die Fragestellung ist nun nicht mehr, mit welchen Äußerungen man Handlungen vollzieht und mit welchen nicht. Ausgehend vielmehr von der Tatsache, daß man mit *allen* Äußerungen Handlungen vollzieht, lautet die Ausgangsfrage: *In welchem Sinne* kann man davon sprechen, daß wir mit Äußerungen *etwas tun*?

In mehrfacher Hinsicht ist dies nach Austin der Fall. Z. B. spricht man mit der Äußerung

(19) Die Nordwand hat Schwierigkeitsgrad 6+.

einen Satz der deutschen Sprache aus und sagt damit, daß die Nordwand Schwierigkeitsgrad 6+ hat. Dieser Akt des Etwas-Sagens heißt *lokutionärer Akt*. Da jedoch auch Etwas-Sagen in verschiedener Hinsicht Etwas-Tun bedeuten kann, sind weitere

Differenzierungen nötig. Innerhalb des lokutionären Aktes werden daher die folgenden Aspekte unterschieden:

(a) *der phonetische Akt:* Es werden gewisse Laute geäußert, die von der Art sind, wie sie von der Phonetik beschrieben werden.

(b) *der phatische Akt:* Es werden Wörter ausgesprochen, die nach den grammatischen Konstruktionsregeln einer Sprache kombiniert sind, eine bestimmte Intonation besitzen etc. Über den phatischen Akt einer Äußerung (z. B. *Die Katze ist auf der Matte*) berichtet man in der direkten Rede: *Er sagte: »Die Katze ist auf der Matte«.*

(c) *der rhetische Akt:* Das Produkt des phatischen Aktes wird so gebraucht, daß mehr oder weniger genau festlegt, worüber gesprochen wird (reference) und was darüber gesagt wird (sense). Den rhetischen Akt einer Äußerung berichtet man in der indirekten Rede: *Er sagte,* daß die Katze auf der Matte ist. Über etwas sprechen (reference) und etwas darüber sagen (sense) machen für Austin die *Bedeutung* (meaning) einer Äußerung aus.

(a), (b) und (c) bilden die gesamte Handlung, *etwas zu sagen*, den lokutionären Akt.

Nun kann man allerdings mit Äußerungen nicht nur im lokutionären Sinne etwas tun. Man kann das im lokutionären Akt Gesagte in einer bestimmten Weise gebrauchen. Mit der obigen Äußerung

(19) Die Nordwand hat Schwierigkeitsgrad 6+.

kann man z. B. jemanden vor dem Besteigen dieser Wand *warnen*; man kann ihn über den Schwierigkeitsgrad dieser Wand *informieren*; man kann ihm, wenn er schon lange nach einer extremen Bewährungsprobe sucht, mit dieser Äußerung diese Wand *empfehlen*.

Die Handlung, die man mit dem im lokutionären Akt Gesagten vollzieht (nach Austin heißt einen lokutionären Akt ausführen im allgemeinen »auch und eo ipso« einen illokutionären Akt ausführen), *indem* man etwas sagt, heißt *illokutionärer Akt*. Ergebnis dieses Aktes ist, daß eine Äußerung eine bestimmte *illokutionäre Rolle* (z. B. Warnung, Rat, Empfehlung) besitzt; welche das jeweils ist, hängt davon ab, welche Äußerung in welcher Situation gemacht wird.

Hat eine Äußerung einen bestimmten *kausalen Effekt* (führt z. B. bei gewissen Personen zu gewissen Gefühlen, Gedanken oder Handlungen), die obige Äußerung etwa, daß der andere die Nordwand meidet, so vollzieht man mit ihr – *dadurch, daß* man etwas sagt – auch noch einen *perlokutionären Akt*. Perlokutionäre Akte wie z. B. jemanden von etwas abhalten, ihn zu etwas überreden, ihn von etwas überzeugen, hat man also erst dann vollzogen, wenn auf seiten der Zuhörerschaft gewisse Wirkungen eingetreten sind, wie z. B. beim Abhalten, daß er etwas Bestimmtes nicht tut, beim Überreden, daß er etwas Bestimmtes tut, beim Überzeugen, daß er jetzt glaubt, daß etwas Bestimmtes der Fall ist etc.

Der wichtigste Unterschied zwischen illokutionären und perlokutionären Akten besteht darin, daß erstere, nicht aber letztere, *kraft einer Sprachkonvention* vollzogen werden. Dies zeigt sich z. B. daran, daß illokutionäre Akte, nicht aber perlokutionäre Akte, explizit performativ vollzogen werden können. So kann man z. B. davon, daß das Fassbinder-Stück in Frankfurt aufgeführt werden sollte, niemanden dadurch überzeugen, daß man sagt

(20) Ich überzeuge dich hiermit davon, daß das Fassbinder-Stück in Frankfurt aufgeführt werden sollte.

Lokutionärer, illokutionärer und perlokutionärer Akt sind nicht drei Akte, die man nacheinander, in einer bestimmten Reihenfolge etc. vollzieht; es handelt sich vielmehr um verschiedene Aspekte *einer* komplexen Äußerungshandlung. Dabei ist klar, daß man einen illokutionären Akt vollziehen kann, ohne einen lokutionären Akt zu vollziehen: Man kann z. B. auf nichtverbale Art protestieren. Die Frage, ob man mit jedem illokutionären Akt auch einen perlokutionären Akt vollzieht, wird zwar von Austin verneint, ist aber in der sprachphilosophischen Diskussion nicht unumstritten (cf. z. B. Meggle (1981)).

Wirft man im Lichte der Theorie der Sprechakte einen Blick zurück auf die performativ/konstativ Distinktion, so zeigt sich, daß der Unterschied zwischen performativen und konstativen Äußerungen aufgehoben ist in der Unterscheidung zwischen unterschiedlichen Arten illokutionärer Rollen (z. B. versprechen, wetten, taufen vs. beschreiben, feststellen, behaupten). Konstative Äußerungen bilden also keinen speziellen Äußerungstyp; es handelt sich hier lediglich um Äußerungen, mit denen man typisch deskriptive illokutionäre Akte vollzieht.

Wenn die Theorie der Sprechakte auch die Konzeption der performativen und konstativen Äußerungen ersetzt, so sind Relikte der letzteren dennoch in dem neuen Ansatz wiederzufinden. Die Beobachtung, daß performative wie konstative Äußerungen sowohl fehlschlagen können als auch einen Bezug zu Tatsachen aufweisen, hat als sogenannte *»Zwei-Dimensionen-Theorie«* in die Theorie der Sprechakte Eingang gefunden. Bei dieser Theorie handelt es sich um die Hypothese, daß *jede Äußerung* in *zwei Dimensionen* zu bewerten ist:

(i) Ist der entsprechende illokutionäre Akt geglückt oder nicht?

(ii) Ist es angesichts der Tatsachen richtig oder falsch, den entsprechenden illokutionären Akt zu vollziehen?

Geblieben ist weiterhin die explizit/primär Unterscheidung. Man kann illokutionäre Akte explizit oder implizit (= primär) vollziehen:

(21) Ich behaupte, daß dieses Mittel schädlich ist.
(22) Dieses Mittel ist schädlich.

Die Tatsache, daß der zum rhetischen Akt gehörende Modus von Sätzen bereits Determinanten der illokutionären Rolle enthält, führte zu einer Kritik an Austins Trennung zwischen rhetischem und illokutionärem Akt, die Searle (1968) zu folgender Strukturierung des Sprechaktes veranlaßte:

– der *Äußerungsakt* (= das Relikt des Austin'schen lokutionären Aktes) umfaßt die Äußerung von Wörtern, Morphemen und Sätzen.

– der *propositionale Akt* (= der verselbständigte rhetische Akt) umfaßt die unvollständigen, d. h. nur im Zusammenhang mit illokutionären Akten vollziehbaren *Sprechakte der Referenz und Prädikation.*

– der *illokutionäre Akt* entspricht Austins illokutionärem Akt.

Obwohl die sprechakttheoretische Diskussion der Searle'schen Strukturierung des Sprechaktes gegenüber der Austin'schen den Vorzug gibt, ist festzuhalten, daß auch die Searle'sche Variante den gegenüber Austins Unterscheidungen vorgebrachten Einwänden nicht entgeht. Da nämlich der Akt der Prädikation mit Hilfe von Moduskategorien definiert werden muß, gehen Determinanten der illokutionären Rolle in diesen Akt ebenso ein wie in

Austins rhetischen Akt. Wenn also zwischen rhetischem und illokutionärem Akt keine strikte Trennung möglich ist, dann auch nicht zwischen propositionalem und illokutionärem Akt.

In Entsprechung zu der Unterscheidung zwischen propositionalem und illokutionärem Akt lassen sich nach Searle (1969) zwei – nicht notwendig getrennte – Elemente in der syntaktischen Struktur des Satzes unterscheiden: der *propositionale Indikator* und der *Indikator der illokutionären Rolle*. Letzterer zeigt an, wie die Proposition aufzufassen ist, bzw. welche illokutionäre Rolle die Äußerung haben soll. Illokutionäre Indikatoren sind z. B.: Wortfolge, Betonung, Interpunktion, der Modus des Verbs, explizit performative Formeln.

Bei der Formulierung der zusammen notwendigen und hinreichenden Bedingungen für den erfolgreichen Vollzug illokutionärer Akte sowie für die korrekte Verwendung der entsprechenden illokutionären Indikatoren unterscheidet Searle (1969), indem er Austins Theorie der Fehlschläge für jeweils konkrete illokutionäre Akte spezifiziert, zwischen:

– *normalen Eingabe- und Ausgabebedingungen.*
  Sie gewährleisten, daß die allgemeinsten Bedingungen für sinnvolles Sprechen sowie für Verstehen erfüllt sind.
– *Bedingungen des propositionalen Gehalts.*
  Hier wird die Proposition von dem übrigen Teil des Sprechaktes isoliert und entsprechend der Besonderheit des jeweiligen illokutionären Aktes charakterisiert. Beim Versprechen z. B. muß der Sprecher über eine zukünftige Handlung bzw. ein zukünftiges Verhalten von sich sprechen.
– *Einleitungsbedingungen.*
  Sie betreffen zum einen die Tatsache, daß der Akt einen Sinn oder Zweck haben muß, beinhalten also z. B., daß man jemanden nicht auffordern kann, etwas zu tun, das er bereits tut. Zum anderen beziehen sie sich auf die Gegebenheiten, die – je nach Art des zu vollziehenden Aktes – beim Sprecher bzw. Hörer vorliegen müssen. Bei Aufforderungen z. B. muß der Aufgeforderte in der Lage sein, die betreffende Handlung zu tun, und der Sprecher muß dies annehmen.
– *einer Aufrichtigkeitsbedingung.*
  Sie entspricht Austins Bedingung (Γ1).
– *einer wesentlichen Bedingung.*
  Sie spezifiziert, worin die Natur des jeweiligen illokutionären

Aktes besteht. Bei Versprechen z. B. besteht sie nach Searle in der Absicht des Sprechers, sich mit einer Äußerung zur Ausführung einer bestimmten Handlung zu verpflichten.
– *einer bedeutungstheoretischen Bedingung.*
Diese soll gewährleisten, daß die vorgebrachte Äußerung *aufgrund von Sprachkonventionen* den Vollzug des jeweiligen illokutionären Aktes darstellt.
Man beachte, daß Searle zufolge die Aufrichtigkeitsbedingung eine notwendige Bedingung dafür ist, daß ein illokutionärer Akt glückt, während eine Verletzung dieser Bedingung Austin zufolge zwar einen Mißbrauch darstellt, aber nicht dazu führt, daß der betreffende illokutionäre Akt nicht zustandekommt.

4. Zur Klassifikation von Sprechakten

Austins Versuch, eine Klasse von sog. konstativen Äußerungen auszuzeichnen, erwies sich im Lichte der Theorie der Sprechakte als Spezialfall eines generelleren Unternehmens: nämlich Klassen von verwandten Sprechakten zu finden. Zu solchen Klassenbildungen hat Austin – allerdings ohne Angabe von Unterscheidungskriterien – am Ende von »How to do things with words« einen ersten Vorschlag gemacht.
Wenn wir jene Verben, die illokutionäre Akte bezeichnen, als *illokutionäre Verben* bezeichnen und jene Teilklasse illokutionärer Verben, die man explizit performativ verwenden kann, *performative Verben* nennen (danach ist also *beleidigen* zwar ein illokutionäres, aber kein performatives Verb), dann zeigt Austins Klassifikationsvorschlag, daß er über eine Katalogisierung illokutionärer *Verben* (und nicht *Akte*; cf. die Kritik in Searle (1979a)) zu folgender Einteilung illokutionärer Rollen kam:
– Verdiktiva
– Exerzitiva
– Kommissiva
– Konduktiva
– Expositiva
Mit *verdiktiven* Äußerungen entscheidet man über eine Werte oder Tatsachen betreffende Frage, über die sich nur schwer Ge-

wißheit erlangen läßt. Typische Beispiele für verdiktive Äußerungen sind Urteile einer Jury oder eines Schiedsrichters. Verdiktive Akte sind also z. B. beurteilen, einschätzen, schuldig sprechen, freisprechen, bewerten.

Mit *exerzitiven* Äußerungen übt man Macht, Rechte oder Einfluß aus. Dieser Typ von Äußerungen repräsentiert Entscheidungen, daß etwas so und so sein solle, und nicht Urteile, daß etwas so und so ist. Beispiele sind: befehlen, anordnen, bitten, empfehlen.

Mit *kommissiven* Äußerungen legt man sich auf bestimmte Handlungen fest bzw. übernimmt Verpflichtungen. Typische kommissive Äußerungen sind Versprechen, Garantien, das Schließen von Verträgen, etc.

Konduktive Äußerungen haben mit Einstellungen und dem Verhalten in der Gesellschaft zu tun; insbesondere geht es um die Reaktion auf das Verhalten anderer sowie um Einstellungen gegenüber dem Verhalten anderer bzw. dem eigenen Verhalten. Beispiele sind: sich entschuldigen, gratulieren, Beileid aussprechen, kritisieren, applaudieren, danken.

Expositive Äußerungen machen klar, welche Funktion Äußerungen in einer Unterhaltung oder Diskussion haben. Beispiele sind: antworten, behaupten, einräumen, berichten, beschreiben, etc.

·Austin war sich der Schwächen dieser Klassifikation bewußt. Er hat sie auch selbst als »vorläufig« bezeichnet und im großen und ganzen nur als Anregung verstanden. Er hat selbst darauf hingewiesen, daß es viele unklare Fälle, Grenzfälle und Überschneidungen gibt.

Searle (1979a) hat an Austins Klassifikation u. a. kritisiert, daß sie eine Einteilung illokutionärer *Verben* und nicht illokutionärer *Akte* sei. So weist er darauf hin, daß zwei Verben mit unterschiedlicher Bedeutung nicht immer verschiedene illokutionäre Akte kennzeichnen. *Verkünden* sei z. B. ein illokutionäres Verb, das keinen Typus illokutionärer Akte bezeichne, sondern vielmehr die Art und Weise, auf die ein illokutionärer Akt vollzogen wird. Dasselbe gelte vermutlich für *antworten*.

Wenn Searle recht hat, müßten wir zweifellos unseren Begriff des illokutionären Verbs etwas modifizieren. Da allerdings nicht ganz klar ist, was Searle meint, wenn er sagt, daß eine Verkündigung niemals bloß eine Verkündigung ist, sondern immer auch eine Feststellung, ein Befehl oder dergleichen sein muß, und da sich zudem der Verdacht aufdrängt, Searle habe gar nicht den Unterschied zwischen illokutionären Akten und illokutionären Verben, sondern den zwischen allgemeineren und spezifischeren illokutionären Akten im Auge, soll auf dieses Problem hier nicht weiter eingegangen werden.

Die gravierendste Schwäche der Austin'schen Taxonomie sieht Searle darin, daß sie auf keinem klaren oder durchgängigen Prinzip beruht, daß also keine eindeutigen Klassifikationskriterien erkennbar sind. Searle leitet daher seinen eigenen Klassifikationsvorschlag für illokutionäre *Akte* mit der Formulierung expliziter *Klassifikationskriterien* ein. Die wichtigsten seiner zwölf Unterscheidungsprinzipien sind:

(a) *Unterschiede im illokutionären Zweck.*

Diese den wesentlichen Bedingungen der jeweiligen illokutionären Akte entsprechenden Unterschiede fassen zum Beispiel jene Akte (wie zum Beispiel Versprechen, Wetten, Einwilligen) in einer Klasse zusammen, deren Zweck darin besteht, den Sprecher auf ein bestimmtes Verhalten festzulegen.

(b) *Unterschiede in der Anpassungsrichtung zwischen Wort und Welt.*

Bei Versprechen oder Aufforderungen geht es z. B. darum, daß die Welt mit den geäußerten Worten in Übereinstimmung gebracht wird. Demgegenüber verhält es sich bei Behauptungen umgekehrt. Hier sind mit dem Anspruch, wahre Äußerungen zu machen, die Worte mit der Welt in Übereinstimmung zu bringen.

(c) *Unterschiede in den jeweils ausgedrückten psychischen Zuständen.*

Die Unterschiede in den mit unterschiedlichen illokutionären Akten ausgedrückten psychischen Zuständen oder Einstellungen entsprechen den Unterschieden zwischen den Aufrichtigkeitsbedingungen dieser Akte.

Indem Searle also von dem Unterschied zwischen illokutionären Akten als Teil *der* Sprache und illokutionären Verben als Teil einer *bestimmten* Sprache ausgeht, gelangt er auf der Grundlage der angeführten drei Unterscheidungsprinzipien zu folgenden *Grundkategorien illokutionärer Akte:*

– *Repräsentativa* (Assertive) wie behaupten, feststellen, beschreiben, sind durch den illokutionären Zweck gekennzeichnet, den

Sprecher darauf festzulegen, daß etwas Bestimmtes der Fall ist, daß also eine ausgedrückte Proposition wahr ist. Dementsprechend sind die Worte mit der Welt in Übereinstimmung zu bringen. Der ausgedrückte psychische Zustand ist die Überzeugung, daß etwas Bestimmtes der Fall ist.

– *Direktiva* wie befehlen, auffordern, erlauben, raten, haben den illokutionären Zweck, daß ein Sprecher versucht, einen Hörer dazu zu bringen, etwas zu tun. Die Welt ist mit der Äußerung in Übereinstimmung zu bringen, und der ausgedrückte psychische Zustand ist ein Wunsch.

– *Kommissiva* wie versprechen, ankündigen, drohen, haben den illokutionären Zweck, den Sprecher auf einen zukünftigen Handlungsverlauf bzw. ein zukünftiges Verhalten festzulegen. Entsprechend ist die Welt mit der Äußerung in Übereinstimmung zu bringen. Der ausgedrückte psychische Zustand ist eine Absicht.

– *Expressiva* wie danken, gratulieren, sich entschuldigen, haben den illokutionären Zweck, zu einem (in dem propositionalen Gehalt angegebenen) Sachverhalt eine psychische Einstellung auszudrücken. Hier gibt es keine Anpassungsrichtung zwischen Wort und Welt. Die ausgedrückten psychischen Zustände variieren.

– *Deklarativa* wie den Krieg erklären, heiraten, kündigen, sind fast durchweg an die Existenz außersprachlicher Institutionen gebunden. Das Besondere dieser Klasse illokutionärer Akte ist, daß der erfolgreiche Vollzug eines deklarativen illokutionären Aktes die Übereinstimmung zwischen propositionalem Gehalt und Realität *herstellt*.

5. Indirekte Sprechakte

Die Frage, wovon es abhängt, welchen illokutionären Akt man mit einer bestimmten Äußerung vollzieht, läßt sich nur sehr vage beantworten. Es hängt zum einen davon ab, welche Äußerung gemacht wurde, zum anderen davon, in welcher Situation diese Äußerung gemacht wurde.

Welche Rolle dem Situationskontext dabei zukommt, hängt davon ab, wie stark die Äußerung selbst bereits einen bestimmten illokutionären Akt determiniert. Bei explizit performativen Äußerungen etwa spielt der Kontext für die Bestimmung des illokutionären Aktes eine geringere Rolle als bei primär performativen Äußerungen. Der Kontext kann bisweilen eine derart entscheidende Bedeutung annehmen,

(a) daß er die Wirkung illokutionärer Indikatoren neutralisiert, etwa bei der als Drohung zu verstehenden Äußerung

(23) Ich rate dir, das nicht noch einmal zu sagen.

(b) daß eine Äußerung zusätzlich zu dem durch Indikatoren signalisierten illokutionären Akt X den Vollzug eines weiteren illokutionären Aktes Y darstellt, etwa bei der als Aufforderung zu verstehenden Frage

(24) Kannst du mir das Salz reichen?

(c) daß eine Äußerung, die den Vollzug eines durch Indikatoren signalisierten illokutionären Aktes X darstellt, auch noch den Vollzug eines illokutionären Aktes Y mit überdies verschiedenem propositionalem Gehalt darstellt, etwa wenn jemand mit der Äußerung

(25) Dort ist die Tür.

dazu aufgefordert wird, den Raum zu verlassen.
Während im Fall von (23) kein Ratschlag gegeben, sondern nur eine Drohung ausgesprochen wird, wird in den Fällen (24) und (25) *sowohl* eine Frage gestellt bzw. Feststellung getroffen *als auch* eine Aufforderung gemacht, und diese Aufforderung wird gerade *mit* dieser Frage bzw. Feststellung erhoben.
Wird, wie in diesen Fällen, ein illokutionärer Akt X durch den Vollzug eines anderen illokutionären Aktes Y quasi indirekt vollzogen, so wird ersterer *indirekter Sprechakt* genannt. Diese Charakterisierung bezieht sich also nicht auf bestimmte Typen illokutionärer Akte, sondern auf *Typen des Vollzugs* solcher Akte. Zwei Fragen stellen sich hier:
– Wie ist es möglich, daß man illokutionäre Akte auf diese Weise vollziehen kann, d. h. wie ist es möglich, mit der Äußerung eines Satzes, dessen wörtliche Bedeutung eine Frage ist, und dessen Äußerung *auch* in dieser wörtlichen Bedeutung zu verstehen ist, auch eine Aufforderung vorzubringen?

– Aus welchen Gründen werden illokutionäre Akte auf diese
  indirekte Weise vollzogen?
Zunächst zur ersten Frage.
Die Tatsache, daß der Sprecher in indirekten Sprechakten dem
Hörer mehr »kommuniziert«, als er in seiner Äußerung tatsäch-
lich sagt, kann man erklären, wenn man zusätzlich zu den Kategorien der Sprechakttheorie auf gewisse, im nächsten Kapitel dargestellte allgemeine konversationelle Kooperationsprinzipien
nach der Art von Grice (1968), auf Annahmen über gemeinsame
Überzeugungen bei Sprecher und Hörer sowie auf gewisse Ratio-
nalitätsannahmen des Sprechers über den Hörer Bezug nimmt.
Mit diesen Bezugnahmen läßt sich rekonstruieren, wie der Hörer
A dazu kommt, B's als Frage verstandene Äußerung (24) auch als
Aufforderung, das Salz zu reichen, zu verstehen (cf. Searle
(1979b)). Die zentralen Punkte einer solchen Rekonstruktion
sind:
  (I) der Nachweis, daß es außer dem in der Bedeutung des geäu-
      ßerten Satzes enthaltenen illokutionären Zweck einen weite-
      ren illokutionären Zweck der Äußerung gibt;
 (II) die Strategie, nach der man herausfindet, worin dieser wei-
      tere illokutionäre Zweck besteht.
Bei (24) z. B. besteht der wesentliche Hinweis bezüglich (II) in
der Erkenntnis, daß die geäußerte Frage *eine Einleitungsbedingung eines anderen illokutionären Aktes* betrifft.
Der Hinweis auf einen indirekt vollzogenen direktiven illokutionären Akt muß jedoch nicht immer in der Frage nach einer seiner
Einleitungsbedingungen bestehen. Denselben Effekt können haben:
(a) eine eine Einleitungsbedingung betreffende Behauptung, z. B.

   (26) Du kannst gehen.

(b) eine eine Bedingung des propositionalen Gehalts betreffende
    Frage oder Behauptung, z. B.

   (27) Wirst du damit aufhören?
   (28) Du wirst von jetzt an deine Hausaufgaben am Nachmittag ma-
        chen.

(c) eine eine Aufrichtigkeitsbedingung betreffende Behauptung,
    z. B.

   (29) Ich wünsche, daß das in Zukunft anders gemacht wird.

(d) die Behauptung von oder Frage nach Gründen für den Hörer, das vom Sprecher Gewünschte zu tun, z. B.

(30) Warum versuchst du es nicht?
(31) Es wäre besser für dich, wenn du es zugeben würdest.

Die Möglichkeiten (a) bis (d) betreffen dabei nicht nur den indirekten Vollzug direktiver illokutionärer Akte, sondern gelten ebenso für den indirekten Vollzug anderer Typen von illokutionären Akten.

Die genannten Möglichkeiten der Indikation indirekter Sprechakte legen eine Antwort auf die oben gestellte Frage nahe, aus welchen Gründen illokutionäre Akte auf diese indirekte Weise vollzogen werden. Da der Hörer die Möglichkeit hat, sich den mit indirekten Sprechakten verbundenen Verpflichtungen durch entsprechende Reaktionen auf den direkt vollzogenen Sprechakt zu entziehen, können Gründe für den indirekten Vollzug von Sprechakten u. a. in folgenden Faktoren gesehen werden (cf. Franck (1975)):

– dem Sprecher oder Hörer wird ein breiterer Fortsetzungs- oder Auswegspielraum gelassen;
– unerwünschte Verpflichtungen werden umgangen;
– der für den Vollzug eines illokutionären Aktes mögliche Rekurs auf Status oder Berechtigung wird vermieden bzw. verschleiert;
– der Anschein von Unverbindlichkeit wird erweckt;
– Formen der Höflichkeit werden berücksichtigt.

6. Die linguistische Analyse von Sprechakten

Die Tatsache, daß mit sprachlichen Äußerungen Sprechakte vollzogen werden, stellt eine die kommunikative Funktion von Sprache in Rechnung stellende Sprachwissenschaft vor Fragen wie die folgenden: Welche Konsequenzen ergeben sich aus der Tatsache, daß mit Äußerungen illokutionäre Akte vollzogen werden, für einen Begriff der sprachlichen Bedeutung? Was ist die allgemeine Struktur von Sprechakten bzw. Sprechaktsequenzen? Mit welchen sprachlichen Verfahren werden in welchen Sprachen welche Sprechakte realisiert?

In der traditionellen *Bedeutungstheorie* hat man im wesentlichen

nur *eine* Funktion der Sprache berücksichtigt: ihre Repräsenta-
tions- und Darstellungsfunktion. Man betrachtete Sprache primär
als ein Mittel, die Welt zu beschreiben. Da Deklarativsätze die
sprachliche Kategorie bilden, mit der deskriptive Aussagen gemacht werden, hat man sich auf die Analyse dieser Sätze und d. h.
auf den Begriff der Proposition beschränkt.

Dieser Beschränkung unterliegen auch einige Versuche, die Bedeutung *nicht-deklarativer Sätze* unter Verwendung sprechakt-
theoretischer Termini zu analysieren. Lewis' (1972) Vorschlag,
Nicht-Deklarative wie

(32) Sei still!

als Paraphrasen der korrespondierenden »Performative« wie

(33) Ich befehle dir, still zu sein.

zu analysieren, krankt, wie ein vergleichbarer Vorschlag von
Cresswell (1973), an einer unzulässigen Reduktion von Nicht-
Deklarativen auf vermeintlich deklarative Paraphrasen.

Zum einen gibt es keinen überzeugenden Versuch, die Wahrheits-
definitheit von Äußerungen wie (33) sprachanalytisch zu motivieren (vgl. Grewendorf (1979a)), zum anderen ist die Annahme
einer Paraphrasenrelation zwischen Sätzen wie (32) und (33)
höchst unplausibel. Eine Paraphrase von (32) wäre dann nämlich
ebenso

(34) Ich fordere dich auf, still zu sein.

(34) steht jedoch nicht in Paraphrasenrelation zu (33), was gelten
müßte, wenn (33) eine Paraphrase von (32) sein soll. Das Problem
liegt darin, daß eine Äußerung von (32) die Bedeutung haben
kann, die durch (33) explizit gemacht wird. Eine Analyse der
Bedeutung von (32) hätte jedoch gerade zu klären, *unter welchen
Umständen* dies der Fall ist.

Versuche zur sprechakttheoretischen Erweiterung einer linguistischen Bedeutungstheorie unternimmt Wunderlich (1976). Ausgehend von der Annahme, daß es Teil der Bedeutung eines Satzes
(32) ist, daß eine Äußerung dieses Satzes einen direktiven Sprechakt realisieren kann, wird auf der semantischen Ebene zwischen
illokutionären Typen unterschieden, die – ähnlich wie bei Searle –
unter dem Gesichtspunkt ihrer konventionellen Konsequenzen
unterschieden werden.

Ziel dieser Unterscheidung ist es, die Unterschiede zwischen Versprechen, Behauptungen oder Fragen auf der semantischen Ebene zu bestimmen, jedoch Unterschiede zwischen Bitten, Befehlen, Verlangen (die alle zum Typ der Aufforderung gehören) auf der pragmatischen Ebene. Wie bereits an Searles Klassifikation erkennbar, können die einzelnen illokutionären Typen nicht mit Äußerungen beliebiger propositionaler Gehalte realisiert werden. Das Resultat einer Anwendung eines illokutionären Typs T auf einen geeigneten propositionalen Gehalt A nennt Wunderlich *Sprechaktkonzept.* Unter Zugrundelegung der Definition eines – auf einen bestimmten Satz s relativierten – Begriffs des neutralen Kontextes wird die wörtliche Bedeutung eines Satzes s expliziert als jenes Sprechaktkonzept, das durch diesen Satz s in einem bzgl. s neutralen Kontext ausgedrückt wird.

Während es Gegenstand einer *universellen Semantik* ist, die Eigenschaften und Strukturen von Sprechaktkonzepten, illokutionären Typen und propositionalen Gehalten zu untersuchen, besteht die Aufgabe der *einzelsprachlichen Semantik* in der Untersuchung, welche Sprechaktkonzepte durch welche Sätze einer jeweils bestimmten Sprache – relativ zu einem jeweils neutralen Kontext – ausgedrückt werden. Da die illokutionären Typen – jeweils sprachspezifisch – durch grammatische Modi zum Ausdruck gebracht werden können, ist die Auszeichnung sog. fundamentaler Sprechakte, für die es auch einen grammatischen Modus gibt, auf *bestimmte* Sprachen zu relativieren (cf. Grewendorf/ Zaefferer (1986)).

Nun werden Sätze nicht in einem neutralen Kontext *geäußert.* Um zur Bestimmung des mit der Äußerung eines Satzes vollzogenen illokutionären Aktes zu kommen, muß man also wissen, *in welchem Kontext* der Satz geäußert wurde. Die auf Kontexte relativierte Analyse des illokutionären Charakters von Äußerungen ist Gegenstand der *Pragmatik.* Dabei untersucht die *universelle Pragmatik,* welche Kontext-Voraussetzungen (etwa Wissen, Präferenzen, Annahmen, sozialer Status von Sprecher und Hörer, institutionelle Zusammenhänge, Kooperations- und Konversationsprinzipien) für den Vollzug bestimmter illokutionärer Akte gegeben sein müssen, welche Obligationen mit dem Vollzug solcher Akte eingegangen werden, wie Sprechaktkonzepte, Sprechakttypen und propositionale Gehalte relativ zu diesen Voraussetzungen zu spezifizieren sind etc. Die *einzelsprachliche Pragmatik* untersucht, mit welchen sprachlichen Mitteln einer *bestimmten* Sprache welche illokutionären Akte in welchen Kontexten vollzogen werden.

Die sprachspezifische Untersuchung von Sprechakten erfolgt also im Rahmen der einzelsprachlichen Pragmatik. Für diese in einer empirischen Sprechaktanalyse vorzunehmende Untersuchung sind Fragestellungen wie die folgenden wesentlich (vgl. Wunderlich (1979)):

(a) Welches sind die sprachspezifischen Mittel (Satzkonstruktion, Intonationsmuster, explizit performative Formeln, Wortstellung, besondere lexikalische Mittel), um bestimmte Sprechakte zu realisieren?

(b) Welche Erscheinungsformen besitzen Sequenzmuster von Sprechakten, institutionelle Sprechakte, komplexe Sprechakte?

(c) Über welche Sprechaktbezeichnungen, Sprechaktzusammenhänge und Sprechaktpositionen verfügt die betreffende Sprache, d. h. welches Potential an Sprechaktklassifizierung und Sprechaktidentifizierung stellt die betreffende Sprache bereit?

Die Beantwortung solcher Fragen verlangt eine Analyse faktischer Diskursabläufe. Zur Durchführung solcher empirischer Sprechaktanalysen ist es notwendig, Diskurse mit Tonband und/oder Videogeräten aufzunehmen und geeignete Transkriptionen dieser Aufnahmen anzufertigen. Solche Transkriptionstexte bilden die Grundlage für Verfahren der *Diskursanalyse*, mit denen die möglichen Realisierungsformen (z. B. grammatische Realisierung oder implizite kontextuelle Realisierung) von Sprechakten zu untersuchen sind.

Neben Gesichtspunkten der Redeorganisierung (Sprecherwechsel, Verständnissicherung, Strukturierung des Redebeitrags, Korrekturformen) findet hier die *sequentielle Natur* von Sprechakten besondere Beachtung. Sprechakte werden fast nie isoliert vollzogen, sondern erfahren stets bestimmte Situierungen in einem Interaktionsablauf. Dabei ist zwischen zwei großen Klassen von Sprechakten zu unterscheiden: initiativen Sprechakten, wie z. B. der Frage, die eine Sequenz eröffnen, und reaktiven Sprechakten, wie z. B. der Entschuldigung, die entweder eine Sequenz abschließen oder innerhalb einer Sequenz vorkommen. Neben zweigliedrigen Sequenzen wie Frage – Antwort sowie Möglichkeiten der Einbettung von Sequenzen in andere Sequenzen gibt es auch mehrgliedrige Sequenzen wie z. B. Beschuldigung-Entschuldigung-Akzeptieren der Entschuldigung.

C. KONVERSATIONELLE IMPLIKATUREN

1. Konversationsmaximen

Man betrachte folgende Beispiele:

(1) Wenn Karl etwas macht, dann macht er es.
(2) Entweder ist er ein Kommunist oder er ist keiner.
(3) Politik ist Politik.

Eine semantische Analyse solcher Beispiele zeigt nur, daß es sich dabei um Tautologien handelt. Für Beispiel (1) mit A = *Karl macht etwas* ergibt sich die aussagenlogische Formel A→A, die immer wahr, also eine Tautologie ist. Etwas komplizierter ist Beispiel (2), da es sich dabei um ein ausschließendes *oder* handelt. Doch läßt sich auch hier leicht nachweisen, daß die Aussage eine Tautologie ist. (Entweder A oder B gdw. $(A \lor B) \land \neg(A \land B)$. Setzt man B = $\neg$A, so erhält man wieder eine Tautologie.)
Üblicherweise wird behauptet, daß Tautologien nicht informativ, nichtssagend sind. Doch dies ist bei den Beispielen (1), (2) und (3) offensichtlich nicht der Fall. So kann man mit der Äußerung von (1) etwa jemandem zu verstehen geben, daß Karl eine Person ist, auf die man sich verlassen kann.
Mit der Äußerung (2) kann man andeuten, daß die betreffende Person im Verdacht steht, Kommunist zu sein, und daß es nötig ist, sich darüber Klarheit zu verschaffen.
Und (3) schließlich kann jemand dazu verwenden, seine resignative Einstellung gegenüber Politik auszudrücken; d. h. mit der Äußerung von (3) kann jemand sagen, daß Politik ein schmutziges Geschäft ist und man sich deshalb über die entsprechenden Niederträchtigkeiten nicht zu wundern braucht. Man sieht also, daß man mit diesen Sätzen, trotz ihrer logischen Struktur, informative Aussagen machen kann. Die Semantik, jedenfalls in ihrer bisherigen Form, bietet keine Möglichkeiten, diesen Sachverhalt korrekt zu repräsentieren.

Grice's System der Konversationsmaximen hat den Zweck, unter anderem auch eine (partielle) Erklärung für solche Phänomene zu bieten.

Die Konversationsmaximen lassen sich als genauere Ausführungen zu einem übergreifenden Prinzip auffassen, das besagt, daß sprachliches Handeln *rationales* Handeln ist.

(P) *Das Kooperationsprinzip:*
     Gestalte deine Äußerung so, daß sie dem anerkannten Zweck dient, den du gerade zusammen mit deinen Kommunikationspartnern verfolgst.

Konkretisiert wird (P) durch ein System (M) von vier Maximen, die selbst verschiedene Untermaximen enthalten.

(M) *(MI) Maximen der Quantität:*
     (1) Mache deinen Gesprächsbeitrag so informativ, wie es der anerkannte Zweck des Gespräches verlangt.
     (2) Mache deinen Gesprächsbeitrag nicht informativer, als es der anerkannte Zweck des Gespräches verlangt.

     (MII) Maximen der Qualität:
     (1) Obermaxime: Versuche, einen Gesprächsbeitrag zu liefern, der wahr ist.
     (2) Spezialisierungen:
     (a) Sage nichts, wovon du glaubst, daß es falsch ist.
     (b) Sage nichts, wofür du keine hinreichenden Gründe hast.

     (MIII) Maximen der Relation:
     (1) Sage nur Relevantes.

     (MIV) Maximen der Modalität:
     (1) Vermeide Unklarheit.
     (2) Vermeide Mehrdeutigkeit.
     (3) Vermeide unnötige Weitschweifigkeit.
     (4) Vermeide Ungeordnetheit.

Diese Maximen sollen in dem Sinne rational sein, als jeder, der ein Interesse an den Zielen der Kommunikation hat, auch ein Interesse daran hat, daß diese Ziele im großen und ganzen in Übereinstimmung mit diesen Maximen erreicht werden. Diese Maximen spezifizieren also, was es heißt, effizient zu kommunizieren.

An einem Beispiel von Grice läßt sich dies leicht verdeutlichen: Angenommen, Person A sagt zu einem Passanten B:

A: *Mir ist gerade das Benzin ausgegangen.*
B antwortet: *Gleich um die Ecke ist eine Tankstelle.*

Wir würden B nicht für besonders kooperativ halten, wenn die Tankstelle geschlossen wäre und wir Grund zu der Annahme hätten, daß B dies auch gewußt hat. B hätte in diesem Fall die Maxime »Sage nur Relevantes« verletzt.

Sowohl durch das Befolgen als auch durch gezieltes Mißachten einzelner Maximen kann es nun zu sogenannten *konversationellen Implikaturen* kommen. Betrachten wir vorerst nur Beispiele für konversationelle Implikaturen, die durch das Befolgen der Maximen zustande kommen.

Quantität:

(4) Einige Philosophen halten die These für unsinnig.

Mit der Äußerung dieses Satzes impliziert man konversationell, daß nicht alle Philosophen die These für unsinnig halten. Dies sieht man aufgrund der Konversationsmaximen durch folgende Argumentation:

Angenommen, ein Sprecher S hat diesen Satz geäußert und es ist der Fall, daß alle Philosophen die These für unsinnig halten und S dies auch weiß, so hat er gegen die Maxime (M1) (1) verstoßen, da er seinen Gesprächsbeitrag nicht so informativ gemacht hat, wie das Gespräch es verlangte. Da der Hörer H aber annimmt, daß S die Maximen beachtet, kann H also annehmen, daß nicht alle Philosophen die These für unsinnig halten, d. h. daß es auch einige Philosophen gibt, die die These für nicht unsinnig halten. Dazu wäre H allein aufgrund der logischen Beziehungen zwischen den betreffenden Sätzen nicht berechtigt. Wegen der angeführten Argumentation kann H aber annehmen, daß S mit der Äußerung *Einige Philosophen halten diese These für unsinnig konversationell impliziert* hat, daß nicht alle Philosophen die These für unsinnig halten.

Man erkennt an diesem Beispiel einen wichtigen Unterschied zwischen logischem Implizieren und konversationellem Implizieren. Die logische Implikation ist eine Relation zwischen Sätzen, unabhängig von ihren Äußerungen; dagegen bezieht sich die konversationelle Implikatur nur auf die *Äußerung* von Sätzen.

Qualität:

(5) Hans besitzt einen wertvollen Weinkeller.

Die Äußerung dieses Satzes durch einen Sprecher S impliziert konversationell, daß S glaubt, daß Hans einen wertvollen Weinkeller besitzt und daß er hinreichende Gründe für die Wahrheit seiner Aussage hat.

Denn falls dies nicht der Fall wäre, würde S gegen die Maximen (MII) (2a) und (MII) (2b) verstoßen. Der Hörer H hat aber keinen Grund zur Annahme, daß S diese Maximen nicht beachtet, also kann H annehmen, daß S auch glaubt, was er sagt, und hinreichende Gründe hat, seine Aussage für wahr zu halten. Diese Überlegung erklärt die pragmatische Ungereimtheit von Äußerungen wie

(6) Hans besitzt zwei Porsches, aber ich glaube es nicht.

Dies wird in der Literatur als »Moore's Paradox« bezeichnet.

Relation:
Ein Beispiel für eine konversationelle Implikatur, die sich aufgrund der Maxime der Relation ergibt, haben wir bereits kennengelernt. Wenn in dem oben erwähnten Gespräch B sagt:

(7) Gleich um die Ecke ist eine Tankstelle.

so ist A berechtigt, anzunehmen, daß B glaubt, die Tankstelle sei geöffnet. B hat dies also konversationell durch die Äußerung von (7) impliziert.

Modalität:
Man betrachte die Sätze:

(8) Peter schläft und Hans arbeitet.
(8′) Hans arbeitet und Peter schläft.

Aber:

(9) Greg öffnete die Whiskyflasche und nahm einen gehörigen Schluck.
(9′) Greg nahm einen gehörigen Schluck und öffnete die Whiskyflasche.

Wie kommt es, daß üblicherweise ein Hörer die Sätze (8) und (8′) gleich interpretiert, nicht dagegen die Sätze (9) und (9′)?

Eine mögliche Erklärung dafür bieten die Maximen der Modalität. Da in (9) und (9′) sukzessive Ereignisse beschrieben werden, würde ein Sprecher S, der die tatsächliche Reihenfolge der Ereignisse in seiner Äußerung vertauscht, gegen die Maxime »Vermeide Ungeordnetheit« ((MIV) (4)) verstoßen. S impliziert also

konversationell, daß die entsprechenden Ereignisse so abliefen, wie er sie durch seine Äußerung wiedergegeben hat. Damit verleiht er dem *und* automatisch den Sinn von *und dann*. Man beachte, daß ein Hörer (9') etwa interpretieren würde als: *Greg nahm einen gehörigen Schluck Kaffee (oder irgendein anderes Getränk) und öffnete dann die Whiskyflasche.*
Bei anderen Beispielen ist es schwierig, überhaupt eine Deutung der Äußerungen zu finden.

(10) Lew Archer startete den Wagen und fuhr hinter dem Gauner her.
(10')?Lew Archer fuhr hinter dem Gauner her und startete den Wagen.

Die Erklärung dieser Phänomene durch den Begriff der »konversationellen Implikatur« erleichtert in gewisser Weise die Arbeit eines Semantikers. Wegen der Wahrheitstafel für *und* müßten die Äußerungen (9), (9') und (10), (10') gleich interpretiert werden, also analog zum Fall (8), (8'). Dies werden sie aber nicht.
Für eine semantische Analyse stehen dann zwei Wege offen. Man kann behaupten, daß *und* mehrdeutig ist, also einmal das normale *wahrheitswertfunktionale und* zum anderen das *temporale,* nicht wahrheitswertfunktionale *und dann* denotieren kann. Die andere Möglichkeit ist, zu behaupten, daß die Bedeutung von *und* einfach vage ist und je nach Verwendungsweise schwanken kann.
Keine dieser beiden Möglichkeiten ist besonders attraktiv. Mit Hilfe der Grice'schen Konversationsmaximen entgeht ein Semantiker diesem Dilemma.
Er kann nun sagen, daß die Bedeutung von *und* diejenige ist, die durch die entsprechende Wahrheitstafel gegeben wird, und Phänomene wie (9), (9') und (10), (10') dadurch erklären, daß er annimmt, daß die normale Bedeutung von *und* hier durch eine konversationelle Implikatur überlagert wird, die ein Hörer aufgrund der Äußerung eines Sprechers, von dem er annimmt, daß er die Konversationsmaximen beachtet, erschließt.
Bis jetzt wurden nur Beispiele für konversationelle Implikaturen gegeben, die dadurch zustande kamen, daß die Konversationsmaximen befolgt wurden. Bei den folgenden Beispielen für konversationelle Implikaturen handelt es sich um solche, bei denen eine Konversationsmaxime *gezielt mißachtet* wurde. Die argumentative Rekonstruktion der Implikatur ist hier etwas komplizierter. Vorausgesetzt wird, daß das Kooperationsprinzip für die betreffenden Gespräche weiterhin gültig ist.

Quantität:

Betrachten wir nochmals die zu Beginn erwähnten Beispiele (hier unter (11) wiederholt):

(11) (a) Wenn Karl etwas macht, dann macht er es.
  (b) Entweder er ist ein Kommunist oder er ist keiner.
  (c) Politik ist Politik.

Die semantischen Werte dieser drei Sätze können wir nicht unterscheiden; denn alle drei Sätze sind immer wahr. Trotzdem kann der Satz *Wenn Karl etwas macht, dann macht er es* dazu verwendet werden, eine Aussage zu machen, die man mit dem Satz *Politik ist Politik* nicht machen kann. Wie läßt sich dies erklären?

Konzentrieren wir uns auf den Satz *Wenn Karl etwas macht, dann macht er es*. Wie kann ein Hörer erschließen, was ein Sprecher mit der Äußerung dieses Satzes gemeint haben könnte? S äußert eine Tautologie. Tautologien sind eigentlich uninformativ. Damit verstößt S gegen die Maxime (MI) (1). Es liegt aber kein Grund vor anzunehmen, daß S nicht zumindest das Kooperationsprinzip beachtet. Also muß es irgendwelche informativen Schlußfolgerungen geben.

Bis hierher kann H unabhängig von zusätzlichen Annahmen räsonnieren. Um den konkreten Gehalt der Implikatur herausarbeiten zu können, sind jedoch eine ganze Reihe weiterer Annahmen nötig, die hochgradig von Situation zu Situation verschieden sind. Beispielsweise könnte H zuvor die Zuverlässigkeit von Karl in Zweifel gezogen haben. Wegen der Maxime der Relevanz kann H dann die Äußerung von S als eine Bekräftigung der Aussage, daß Hans zuverlässig ist, auffassen. Wegen derselben Maxime läßt sich einsehen, warum in diesem Fall S's Äußerung *Politik ist Politik* unangebracht wäre. Damit ist zumindest angedeutet, warum die erwähnten Tautologien so verschiedene kommunikative Funktionen haben können.

Qualität:

Man betrachte folgendes Gespräch:

(12) A: Konsalik ist ein großartiger Schriftsteller.
  B: Ja genau, und Goethe so ziemlich der mieseste, den ich kenne.

Man kann annehmen, daß A und B beide Bs Äußerung für falsch halten. A weiß daher, daß B gegen die Maxime der Qualität (MII) (2a) verstoßen hat. Da er aber annimmt, daß B zumindest das

Kooperationsprinzip befolgt, versucht er Bs Äußerung anders zu deuten. Mit einigen Zusatzannahmen wird A zu dem Schluß kommen, daß B die Aussage *Konsalik ist ein großartiger Schriftsteller* für absurd hält. Erweitert man die Konversationsmaximen etwas, fordert etwa von Fragen, daß sie ernsthaft gestellt werden (man erfragt nichts, was man schon weiß), so bilden rhetorische Fragen weitere Beispiele für Verstöße gegen die Maximen der Qualität.

(13) Sind wir nicht fähig, uns zu behaupten?

Ein Hörer dieser Frage wird daraus schließen, daß, wer immer mit *wir* bezeichnet wird, diese Personen ohne Zweifel in der Lage sind, sich zu behaupten.

Relation:
Grice selbst nimmt an, daß Beispiele, bei denen die Maxime der Relation verletzt wird, ziemlich selten sind. Er gibt ein ähnliches Beispiel wie das folgende:

(14) A: Frau Maier ist eine alte Schreckschraube.
      B: Die Picasso-Ausstellung wurde gerade eröffnet.

Es ist klar, daß Bs Äußerung keine relevante Fortführung von As Beitrag ist.
Es gibt hier für A sehr viele Möglichkeiten, die stark von Kontext zu Kontext variieren, Bs Äußerung zu deuten.
B könnte A zu verstehen geben wollen, daß seine Äußerung peinlich ist und er sie übergehen will, oder er könnte ihn darauf aufmerksam machen, daß Frau Maier fünf Meter hinter ihm steht und jetzt nicht der richtige Zeitpunkt ist, seine Aussage zu diskutieren. Wie die konkrete konversationelle Implikatur in diesem Fall aussieht, muß also vor allem durch die Informationen, die der (verbale wie nicht-verbale) Kontext bietet, erschlossen werden.

Modalität:

(15) A: Wer ist der Chefredakteur des politischen Teils der »Zeit«?
      B: So ein Liberaler.

Angenommen A und B wissen beide, daß B weiß, um wen es sich handelt, so weiß A, daß B gegen die Maxime »Vermeide Unklarheit« verstoßen hat. A kann dann etwa annehmen, daß B sich nicht auf eine Diskussion über Theo Sommer einlassen will usw.

Ein Beispiel für einen Verstoß gegen die Maxime »Vermeide Ungeordnetheit« findet man in Goethes Faust I, wenn Mephisto sagt:

(16) Ihr Mann ist tot und läßt sie grüßen.

(In der Literaturwissenschaft wird eine solche Stilfigur auch *Hysteron proteron* genannt.)
Beispiele für Verstöße gegen die Maximen »Vermeide Mehrdeutigkeit« und »Vermeide unnötige Weitschweifigkeit« bietet die Literatur in Hülle und Fülle.
Die ersten Sätze aus R. Musils Roman »Der Mann ohne Eigenschaften« sind ein Paradebeispiel für einen Verstoß gegen die letztere Maxime; und das Verstehen dieser Stelle ein Paradebeispiel für das Herausarbeiten einer konversationellen Implikatur.
An diesen Beispielen wurde der Zusammenhang zwischen den Konversationsmaximen und den konversationellen Implikaturen deutlich. Verallgemeinern wir dies, so erhalten wir eine Charakterisierung konversationeller Implikaturen. Unter folgenden Bedingungen hat ein Sprecher S, der p geäußert hat, q konversationell impliziert.

(a) Man kann annehmen, daß S *zumindest* das Kooperationsprinzip beachtet.

(b) Die Tatsache, daß S p äußert, ist mit der Bedingung (a) nur dann in Übereinstimmung zu bringen, wenn man annimmt, daß S denkt, daß q.

(c) S denkt (und erwartet, daß der Hörer dies annimmt), daß es in der Kompetenz des Hörers liegt, »herauszuarbeiten« bzw. intuitiv zu erfassen, daß Bedingung (b) erforderlich ist.

Bei einer konversationellen Implikatur stützt sich ein Sprecher also stets auf die Annahme, daß es dem Hörer zumindest im Prinzip möglich ist, das Zustandekommen der Implikatur argumentativ zu rekonstruieren.
Zu einer solchen Rekonstruktion kann der Hörer folgende Daten verwenden:

– die konventionelle Bedeutung der verwendeten Wörter
– das Kooperationsprinzip und die Konversationsmaximen
– den sprachlichen und außersprachlichen Kontext der Äußerung

– Hintergrundwissen
– die Annahme, daß diese vorangegangenen Daten Sprecher und Hörer zugänglich sind und daß sie dies voneinander annehmen.

Grice gibt ein allgemeines Schema für das mit einer konversationellen Implikatur verbundene Räsonnement (bei einem Hörer aufgrund der Äußerung eines Sprechers S) an.

I) S hat gesagt, daß p.

II) Es gibt keinen Grund zu der Annahme, daß S zumindest das Kooperationsprinzip nicht beachtet.

III) Sein Befolgen der Maximen verlangt, daß er denkt, daß q.

IV) S weiß (und er weiß, daß ich weiß, daß er weiß), daß ich erkennen kann, daß die Annahme, er denke, daß q, erforderlich ist.

V) Er tat nichts, um zu verhindern, daß ich denke, daß q.

VI) Er beabsichtigt also oder will zumindest zulassen, daß ich denke, daß q.

VII) S hat also impliziert, daß q.

Konversationelle Implikaturen sind ein Beispiel dafür, daß ein Sprecher in einer bestimmten Situation mit einer Äußerung einem Hörer etwas »bedeuten« kann, das nichts mit der konventionellen Bedeutung der in der Äußerung verwendeten Ausdrücke zu tun hat.

2. Eigenschaften konversationeller Implikaturen

Zwei Eigenschaften konversationeller Implikaturen haben wir bereits kennengelernt; sie müssen argumentativ rekonstruiert werden können, und sie sind nicht Teil der konventionellen Bedeutung der verwendeten Ausdrücke. Letztere Eigenschaft unterscheidet sie von den sog. *konventionellen Implikaturen*, die sich dadurch auszeichnen, daß sie ebenfalls keine Implikationen im üblichen logischen Sinne sind, aber aufgrund der konventionellen Bedeutung bestimmter Wörter zustande kommen. Ein Beispiel hierfür ist:

(17) Peter faulenzt, aber Hans arbeitet.

Achtet man bei diesem Satz nur auf die Wahrheitswerte, so hat er dieselbe Bedeutung wie:

(18) Peter faulenzt, und Hans arbeitet.

Betrachtet man die *logischen* Implikationen, so folgt in beiden Fällen:

(19) Peter faulenzt.
(20) Hans arbeitet.

Andererseits ist es aber Teil der *konventionellen* Bedeutung der Konjunktion *aber*, daß ein gewisser Gegensatz zwischen den durch *aber* verbundenen Teilsätzen bestehen muß. Diese konventionelle Implikatur wird durch das wahrheitswertfunktionale *aber* nicht erfaßt. Es ist klar, daß konventionelle Implikaturen nicht in dem erwähnten Sinne argumentativ rekonstruiert werden können.
Andere Beispiele für »Auslöser« konventioneller Implikaturen sind Partikel, wie *sogar, jedoch* usw.
Weitere Eigenschaften *konversationeller* Implikaturen sind Annullierbarkeit und Nicht-Abtrennbarkeit. Zur Erläuterung des Merkmals *Annullierbarkeit* betrachte man die beiden Beispiele.

(21) (a) Wenn Hans sich dieses Auto kauft, dann ist er pleite.
(b) Hans kauft sich dieses Auto. Also:
(c) Hans ist pleite.
(22) Mit der Äußerung *Einige Linguisten lieben Champagner* impliziert Sprecher S konversationell, daß nicht alle Linguisten Champagner lieben.

Ein Unterschied zwischen (21) und (22) ist, daß bei (21) Satz (21c) aus den Sätzen (21a) und (21b) folgt, unabhängig davon, welche zusätzlichen Angaben gemacht werden, während die konversationelle Implikatur in (22) durch eine zusätzliche Bemerkung leicht aufgehoben werden kann. Man kann hier die konversationelle Implikatur etwa durch die Äußerung *Einige Linguisten lieben Champagner, vielleicht alle* streichen. Eine solche Möglichkeit ist in (21) nicht gegeben, es sei denn, daß die Zusätze den Wahrheitsgehalt der Prämissen (21a) und (21b) betreffen. Die Wahrheitsbedingungen des Satzes *Wenn Hans sich dieses Auto kauft, dann ist er vielleicht pleite* sind verschieden von den Wahrheitsbedingungen für (21a).
Das Merkmal der Annullierbarkeit ist also ein Charakteristikum, mit dem konversationelle Implikaturen von logischen Schlußfolgerungen unterschieden werden können.
Eine weitere Eigenschaft ist die *Nicht-Abtrennbarkeit*. Sie besagt, daß eine Implikatur nicht an eine bestimmte wörtliche Bedeutung

einer Äußerung gebunden ist, d. h. es ist nicht möglich, die Implikatur dadurch zu umgehen, daß man für einen bestimmten Ausdruck einen anderen Ausdruck mit derselben wörtlichen Bedeutung verwendet. An einem typischen Beispiel für konversationelle Implikaturen wird dies sofort klar (vgl. Posner (1979), S. 357).

Ein Kapitän und sein Maat verstehen sich nicht gut. Der Maat ist ein schwerer Säufer, und der Kapitän versucht, ihn so rasch wie möglich loszuwerden. Als der Maat wieder einmal sternhagelvoll ist, schreibt der Kapitän in das Logbuch:
Heute, 23. März, der Maat ist betrunken.
Während seiner nächsten Wache liest der Maat diese Eintragung. Er überlegt, was er dagegen tun kann, ohne sich selbst in Schwierigkeiten zu bringen. Er macht folgende Eintragung in das Logbuch:
Heute, 26. März, der Kapitän ist nicht betrunken.

Jemand, der dies liest, wird sich überlegen, warum eine solche Feststellung im Logbuch steht, d. h. die Eintragung löst das erwähnte, für konversationelle Implikaturen typische Räsonnement aus. Offensichtlich wurde gegen die Maxime der Relation verstoßen. Es liegen keine Gründe vor, daß der Schreiber nicht zumindest das Kooperationsprinzip befolgt. Logbücher verwendet man, um besondere Vorkommnisse aufzuzeichnen. Also will der Schreiber zu verstehen geben, daß die Nüchternheit des Kapitäns ein besonderes Ereignis war, d. h. er impliziert konversationell, daß der Kapitän gewöhnlich betrunken war.

Das Merkmal der Nicht-Abtrennbarkeit besagt nun, daß sich diese Implikatur nicht ändert, wenn der Maat etwa statt *nicht betrunken nüchtern* geschrieben hätte. Dies zeigt, daß konversationelle Implikaturen an eine bestimmte wörtliche Bedeutung gebunden sind.

Die Eigenschaften konversationeller Implikaturen lassen sich also wie folgt zusammenfassen:

(a) Konversationelle Implikaturen müssen (im Prinzip) *argumentativ rekonstruiert* werden können (im Gegensatz zu logischen Schlüssen oder konventionellen Implikaturen).

(b) Konversationelle Implikaturen sind *nicht-konventionell* (im Gegensatz zu konventionellen Implikaturen).

(c) Konversationelle Implikaturen sind *annullierbar* (im Gegensatz zu logischen Schlüssen).

(d) Konversationelle Implikaturen sind *nicht-abtrennbar*.

Grice differenziert den Begriff der konversationellen Implikatur und unterscheidet zwischen *generalisierten* und *partikularisierten* Implikaturen. Generalisierte Implikaturen sind solche, die weitgehend unabhängig vom Kontext zustande kommen. Die Implikatur *Nicht alle Linguisten lieben Champagner* aufgrund der Äußerung *Einige Linguisten lieben Champagner* kommt (weitgehend) unabhängig vom Kontext zustande. Bei anderen dagegen wie der, daß der Kapitän gewöhnlich betrunken ist (aufgrund der Bemerkung, daß er nicht betrunken ist), benötigt man Hintergrundwissen und einen bestimmten Kontext. Man muß in dem erwähnten Beispiel etwa wissen, welche Funktion ein Logbuch hat, um das Räsonnement durchführen zu können. Grice nennt solche Implikaturen partikularisierte (konversationelle) Implikaturen.

Zum Schluß dieses Abschnitts eine Bemerkung zum *Status des Kooperationsprinzips und der Konversationsmaximen:*

Es ist nicht adäquat, die Konversationsmaximen als empirische Beschreibung tatsächlich stattfindender Kommunikation zu betrachten. Denn gegen eine solche Auffassung könnte man einwenden, daß bei bestimmten Gesprächen etwa die Maxime der Relation verletzt wird (cf. Beispiel (14)). Aus dieser Beobachtung würde man den Schluß ziehen, daß die Konversationsmaximen keine korrekte empirische Beschreibung von faktischer Kommunikation darstellen, sondern vielleicht einen Idealzustand schildern. Daß dies falsch ist, kann man an den Beispielen für konversationelle Implikaturen sehen, die dadurch ausgelöst wurden, daß gerade gegen eine Maxime verstoßen wurde. Entscheidend ist vielmehr, daß wir bei unseren Gesprächspartnern – zumindest solange wir sie für rational halten – die Befolgung der Maximen unterstellen.

Gibt es einen offensichtlichen Verstoß gegen eine Maxime, so versuchen wir, den Gesprächsbeitrag so umzuinterpretieren, daß wenigstens das Kooperationsprinzip gewahrt bleibt. Die empirische Aussage bezüglich des Kooperationsprinzips und der Maximen lautet also: *Es ist eine Tatsache, daß wir unseren Gesprächspartnern die Befolgung der Maximen unterstellen.* Dies ist eine gänzlich andere Aussage als die, daß es sich bei den Maximen um eine empirische Beschreibung tatsächlich stattfindender Kommunikation handelt.

3. Semantische Referenz und Sprecher-Referenz

Im erwähnten Beispiel vom Kapitän und seinem Maat kommt eine konversationelle Implikatur zustande, die beinahe die Negation der sie auslösenden Logbucheintragung ist. Man wird also kaum behaupten können, daß diese Implikatur aufgrund der konventionellen Bedeutung des Satzes *Der Kapitän ist nicht betrunken* möglich wird.

Das heißt, daß konversationelle Implikaturen ein Paradebeispiel dafür sind, daß zwischen den konventionellen Bedeutungen von Ausdrücken und den Bedeutungen, die ein Sprecher durch die Äußerung dieser Ausdrücke in bestimmten Situationen ihnen verleiht, unterschieden werden muß. Die Beschreibung der konventionellen Bedeutung von Ausdrücken ist die Aufgabe der *Semantik*.

Zu beschreiben, wie es dazu kommt, daß ein Sprecher mit der Äußerung eines Ausdrucks in einer bestimmten Situation etwas »bedeuten« kann, das nichts mit der konventionellen Bedeutung des Ausdrucks zu tun hat, fällt dagegen in das Gebiet der *Pragmatik*. Es soll nun gezeigt werden, daß sich diese Unterscheidung auch in Phänomenen manifestiert, die bislang noch nicht mit Hilfe konversationeller Implikaturen analysiert worden sind.

Ein Beispiel sind *Eigennamen* (vgl. Kripke (1977)). Der folgende Dialog zwischen zwei Spaziergängern, die Herrn Schuster aus der Entfernung sehen und ihn mit seinem Nachbarn Meier verwechseln, zeigt dies sehr deutlich.

A: *Was macht denn Meier?*
B: *Er klaut Kirschen.*

In diesem Gespräch bezieht sich A mit dem Namen *Meier* auf die Person, die normalerweise mit dem Namen *Schuster* bezeichnet wird. Da B As Äußerung auch so versteht, ist es A offensichtlich auch geglückt, diesen Bezug herzustellen, jedenfalls soweit er für die Verständigung von A und B wichtig ist. Aber weder A noch B würden behaupten, daß der Name *Meier* das Individuum Schuster bezeichnet. Die konventionelle Bedeutung des Namens *Meier* ist selbstverständlich die entsprechende Person und nicht die Person, die üblicherweise mit dem Namen *Schuster* bezeichnet wird.

Bei Eigennamen und Kennzeichnungen verwendet man häufig

den Terminus »Referenz« statt »Bedeutung«. Das obige Beispiel zeigt also, daß man zwischen *Sprecher-Referenz* und *semantischer Referenz* (konventioneller Bedeutung) unterscheiden muß. Diese Unterscheidung stellt die bedeutungstheoretische Grundlage für das Konzept der konversationellen Implikaturen dar. Letztere können daher zur Klärung der Frage herangezogen werden, wie es zur Sprecher-Referenz kommen kann.

4. Anwendungen: Tempus und Kennzeichnungen

Es soll nun gezeigt werden, daß sich die Theorie konversationeller Implikaturen auch dazu verwenden läßt, im engeren Sinne grammatische Phänomene zu beschreiben. Es geht um die These (vgl. Grewendorf (1982)), daß sich bestimmte Tempusverwendungen als konversationelle Implikaturen deuten lassen. Es handelt sich im folgenden allerdings um eine stark vereinfachte Fassung dieser These, da in Grewendorf (1982) eine recht komplizierte *semantische* Theorie der Tempusbedeutungen vorausgesetzt wird (vgl. hierzu Bäuerle (1979)), und außerdem mehr Phänomene analysiert werden als in dieser Einführung.
Man betrachte nun die Beispiele

(23) Von 1801 bis 1807 lebt Hegel in Jena.
(24) Ich höre, du willst verreisen.
(25) Ich komme. (Als Reaktion auf eine Einladung).

Das Tempus aller drei Sätze ist das Präsens. Üblicherweise nimmt man an, daß bei Präsens ein Bezug zur Gegenwart vorliegt.
Dies ist aber bei den genannten Beispielen nicht der Fall. Vielmehr bezieht man sich mit (23) auf die Vergangenheit (das sogenannte historische Präsens), mit (24) ebenfalls (konstatierendes Präsens), mit (25) dagegen auf die Zukunft (futurisches Präsens).
Versucht man, diese Phänomene als semantische Phänomene zu analysieren, und nimmt man außerdem an, daß die Präsensbedeutung die Gegenwart ist, so kommt man mit diesen Beispielen in Schwierigkeiten. Betrachtet man aber andererseits die Beispiele als pragmatische Phänomene, so kann man die semantische Theorie durchaus beibehalten, falls es eine einleuchtende pragmatische Analyse gibt.

Versuchen wir nun, für das konstatierende Präsens den Vergangenheitsbezug als konversationelle Implikatur zu erschließen. Dazu ist es nötig, das entsprechende Räsonnement des Hörers zu rekonstruieren. Für die Äußerung von Satz (24) durch einen Sprecher S sieht dies etwa so aus (K_1 ist stark vereinfacht):

K_1 S hat in seiner Äußerung die Präsensform verwendet. Wörtlich verstanden bezieht er sich damit auf die Gegenwart.

K_2 Da S und ich sich in derselben Situation befinden, würde, falls S's wörtlich verstandene Äußerung wahr ist, auch ich hören, was S hört. S würde gegen die Maxime der Quantität (M_I) (1) oder der Relevanz verstoßen. Falls S's wörtlich verstandene Äußerung falsch ist, wäre das auch für mich offensichtlich; er würde mir etwas Falsches sagen und damit gegen die Maxime der Qualität verstoßen.

K_3 Es gibt keinen Grund zu der Annahme, daß S nicht kooperiert.

K_4 Was S als Gegenstand seiner akustischen Wahrnehmung berichtet, bezieht sich auf ein Vorhaben von mir. Den Anspruch, von diesem Vorhaben Kenntnis zu haben, kann S nur erheben, wenn er über diesbezügliche Informationen verfügt.

K_5 S weiß, daß ich erkennen kann, daß er sich auf eine (relativ zur Sprechzeit) vergangene akustische Information beziehen muß, wenn seine Äußerung – angesichts von K_4 – kooperativ sein soll (Maxime (M_I) (1) oder (M_{III})).

K_6 S tut nichts, um zu verhindern, daß ich denke, daß er sich auf eine (relativ zur Sprechzeit) vergangene akustische Information bezieht.

K_7 Andererseits hat S nicht das Präteritum, sondern das Präsens verwendet, und Äußerungen im Präsens haben, wörtlich verstanden, Gegenwartsbezug, stellen also einen Sachverhalt als aktuell dar.

K_8 S beabsichtigt also, daß ich denke, daß er sich auf eine (relativ zur Sprechzeit) vergangene Information bezieht, und will mir diese als aktuell darstellen.

K_9 S hat also impliziert, daß er gehört hat, daß ich verreisen will, und will mir dies als aktuell darstellen.

Man geht bei diesem Räsonnement von der konventionellen Präsensbedeutung aus, verwendet in K_2 und K_3 das Konversationsprinzip und die Maximen und argumentiert in K_4 mit dem vorhandenen Hintergrundwissen. K_4 und K_5 sind dann die eigentlichen »Schaltstellen« für die Reinterpretation der Äußerung (24).

Man sieht an diesem Beispiel auch, daß von der konventionellen Präsensbedeutung etwas »übrig« bleibt; der Hörer rekonstruiert nämlich, daß S ihm eine Tatsache als aktuell darstellt.

Eine ganz ähnliche Analyse liefert den Vergangenheitsbezug von (23) als konversationelle Implikatur. Wie ist es nun möglich, das futurische Präsens in Beispiel (25) mit den Grice'schen Methoden zu analysieren?

Das Räsonnement eines Hörers vollzieht sich analog zu den Beispielen mit Vergangenheitsbezug.

K_1 wie für Beispiel (24).

K_2 Da S und ich sich in derselben Situation befinden, wäre, wenn S's wörtlich verstandene Äußerung wahr ist, für mich offensichtlich, daß S kommt. Damit würde S gegen die Maxime der Qualität (M1) (1) oder der Relevanz verstoßen.

Falls S jetzt nicht kommt, wäre dies für mich ebenfalls offensichtlich. S würde somit mit seiner wörtlich verstandenen Äußerung etwas Falsches sagen. Er würde also in diesem Fall gegen die Maxime der Qualität verstoßen.

K_3 wie für Beispiel (24).

K_4 Ich habe S gefragt, wie er auf die betreffende Einladung reagiert. Seine Äußerung liefert jedoch keinen Hinweis auf eine *unmittelbare* Reaktion auf die Einladung.

K_5 Reaktionen auf Einladungen lassen ein bestimmtes Konsequenzverhalten in der Zukunft erwarten, und durch Angabe eines solchen Konsequenzverhaltens kann man über eine derartige Reaktion Aufschluß geben.

K_6 Da das Treffen, zu dem eingeladen worden ist, noch nicht stattgefunden hat, kann (25) kein (relativ zur Sprechzeit) zukünftiges Konsequenzverhalten von S's Reaktion auf die Einladung beschreiben.

K_7 Angesichts dieser Umstände (K_1-K_6) muß S wissen, daß ich erkennen kann, daß er sich mit seiner Äußerung auf ein (relativ zur Sprechzeit) zukünftiges Konsequenzverhalten seiner Reaktion auf die Einladung beziehen muß, wenn seine Äußerung als kooperativ gelten soll.

K_8 S tat nichts, um zu verhindern, daß ich denke, daß er sich auf ein (relativ zur Sprechzeit) zukünftiges Konsequenzverhalten seiner Reaktion auf die Einladung bezieht.

K9 Er beabsichtigt also oder will zumindest zulassen, daß ich das denke.

K10 S hat also impliziert, daß er in der Zukunft (relativ zur Sprechzeit) kommen wird.

Mit diesem Räsonnement ist der Zukunftsbezug der Äußerung (25) etabliert.

An diesem Beispiel kann man erneut sehen, daß die Arbeitsteilung zwischen Semantik und Pragmatik sinnvoll ist. Dies soll jedoch nicht heißen, daß die geschilderten Phänomene prinzipiell keiner semantischen Analyse zugänglich sind.

Üblicherweise wird in der Semantik der Satz als größte zu analysierende Einheit betrachtet. Unter dieser Voraussetzung ist es allerdings äußerst schwierig zu sehen, wie historisches Präsens, futurisches Präsens usw. analysiert werden sollen, da Präsens normalerweise eben Gegenwartsbezug bedeutet. Betrachtet man aber als größte zu analysierende Einheiten der Semantik Texte oder Dialoge, so ist keineswegs mehr so klar, daß diese Phänomene einer semantischen Analyse nicht zugänglich sind. Die Demarkationslinie zwischen Semantik und Pragmatik ist also keineswegs für alle Zeiten festgelegt.

Eine zweite Anwendung ist etwas abstrakter. Sie betrifft Kennzeichnungen, also Ausdrücke wie *der Autor von »Confessions of an English Opium Eater«* (vgl. Abschn. (VI.2.)). Die wohl berühmteste Analyse von Sätzen, in denen solche Kennzeichnungen vorkommen, stammt von Russell (1905) (cf. dazu Kap. (D.2.2.)).

Der Satz *Der Autor von »Confessions of an English Opium Eater« ist ein Engländer* muß Russell zufolge als Konjunktion von drei Sätzen analysiert werden.

Es gibt eine Person x, für die gilt:

  (i) x hat die Eigenschaft, der Autor von »Confessions of an English Opium Eater« zu sein.

 (ii) Keine andere Person y, die von x verschieden ist, besitzt diese Eigenschaft.

(iii) x hat die Eigenschaft, ein Engländer zu sein.

Nach Russell ist der *semantische* Gehalt eines jeden Satzes mit einer Kennzeichnung das, was durch die Konjunktion von Klauseln wie (i), (ii) und (iii) ausgedrückt wird.

Keith Donnellan hat (in Donnellan (1966)) auf ein Problem mit dieser Analyse aufmerksam gemacht. An folgendem Satz läßt sich dies illustrieren:

(26) Der Mann, der da drüben Champagner trinkt, ist heute abend glücklich.

Angenommen, sowohl der Sprecher als auch der Hörer dieses Satzes wissen nicht, daß es sich bei dem betreffenden Mann um einen Antialkoholiker handelt, der statt Champagner nur Mineralwasser trinkt. Der Sprecher kann aber mit seiner Äußerung von (26) dem Hörer sehr wohl etwas Korrektes über den betreffenden Mann mitgeteilt haben, falls beide sich auf denselben Mann beziehen und dieser tatsächlich glücklich ist. Man vergleiche hierzu das Beispiel mit Eigennamen aus Abschn. (3.). Wie aber sieht Russells Analyse dieses Satzes aus?

Es gibt eine Person x, für die gilt:

(i) x hat die Eigenschaft, der Mann zu sein, der da drüben Champagner trinkt.

(ii) wie oben.

(iii) x hat die Eigenschaft, glücklich zu sein.

Da eine Konjunktion falsch ist, wenn ein Konjunktionsglied falsch ist, und da wir außerdem annehmen, daß (i) nicht zutrifft, ist der Satz demnach falsch.

Saul Kripke (1977) verschärft dieses Beispiel noch etwas. Angenommen, in der beschriebenen Szene kommt noch ein Mann vor, der nun tatsächlich Champagner trinkt, wobei dies aber weder vom Sprecher noch vom Hörer wahrgenommen werden kann, und dieser Mann ist an dem betreffenden Abend nicht glücklich. Dann ist nach Russell Satz (26) falsch, obwohl über *diesen* Mann überhaupt nicht gesprochen wurde. Aufgrund dieser Argumentation sieht sich Donnellan veranlaßt, zwischen einer *attributiven* und einer *referentiellen* Verwendung von Kennzeichnungen zu unterscheiden. Ein weiteres Beispiel von Donnellan mag diese Unterscheidung verdeutlichen.

Angenommen, jemand findet die fürchterlich verstümmelte Leiche von Herrn Schmid. Er äußert:

(27) Der Mörder von Schmid ist verrückt.

Mit dieser Kennzeichnung bezieht sich der Sprecher von (27) auf irgendeine Person, die er vermutlich nicht kennt und die den Tatbestand erfüllt, der Mörder von Schmid zu sein. In diesem Fall liegt nach Donnellan die *attributive* Verwendung der Kennzeichnung vor.

Angenommen nun, Herr Schuster wird des Mordes an Schmid angeklagt. Angesichts des unmöglichen Benehmens von Herrn Schuster im Gerichtssaal äußert ein Sprecher (27). In diesem Fall referiert der Sprecher mit der Kennzeichnung auf die Person, die den Namen *Schuster* trägt, gleichgültig, ob die Kennzeichnung auf diese Person zutrifft oder nicht. Stellt sich etwa im Verlauf der Gerichtsverhandlung heraus, daß Herr Schuster Schmid nicht getötet hat, so trifft auch zu dem Augenblick, an dem der Sprecher seine Äußerung machte, die Kennzeichnung *der Mörder von Schmid* nicht zu. Trotzdem referiert in dieser Äußerung die Kennzeichnung auf Herrn Schuster. Donnellan nennt dies die *referentielle* Verwendung von Kennzeichnungen.

Er stellt nun die These auf, daß Russells Analyse zwar die attributive Verwendung von Kennzeichnungen korrekt erfassen kann, nicht aber die referentielle. Kripke (1977) stellt daraufhin die Frage, ob dies zu einer Inkonsistenz der Russell'schen Theorie von Kennzeichnungen führen muß. Dazu unterscheidet Kripke zwei Versionen von Donnellans These. Bei der einen handelt es sich um eine *Verschärfung*. Sie lautet:

1. Die Unterscheidung zwischen attributiven und referentiellen Kennzeichnungen hat eine systematische semantische Ambiguität bei Sätzen, die Kennzeichnungen enthalten, zur Folge.

Daraus folgt, daß der Satz *Der Mörder von Schmid ist wahnsinnig* verschiedene Wahrheitsbedingungen haben muß, je nachdem, ob es sich um eine attributive oder eine referentielle Kennzeichnung handelt. Kennzeichnungen wären in diesem Fall genauso mehrdeutig wie bestimmte Wörter, etwa *Bank*.

Der Satz

(28) Sie finden die Bank neben der Kirche.

hat verschiedene Wahrheitsbedingungen, je nachdem, ob es sich bei *Bank* um ein Geldinstitut oder eine Sitzgelegenheit handelt.

Falls man bei Sätzen mit Kennzeichnungen zwischen verschiedenen Wahrheitsbedingungen unterscheiden muß, so führt dies tatsächlich zu einer Inkonsistenz der Russell'schen Theorie. Denn bei dem Champagnerbeispiel ist der Satz in seiner attributiven Lesart (Russells Version) falsch, in seiner referentiellen Lesart aber wahr. Doch ist es tatsächlich der Fall, daß der Satz *Der*

Mörder von Schmid ist verrückt in gleicher Weise mehrdeutig ist wie der Satz *Sie finden die Bank neben der Kirche?*

Intuitiv ist dies alles andere als klar. Man wird wohl eher dazu neigen, diese Frage zu verneinen. Jedenfalls steht die verschärfte These I intuitiv auf recht wackligen Beinen. Man kann sie also kaum als ein Argument gegen Russell ansehen.

Betrachten wir nun die *schwächere Form* der These Donnellans:

II. Eine Kennzeichnung kann in einer Äußerung auf zwei verschiedene Arten verwendet werden, nämlich attributiv und referentiell.

Daraus folgt nun *nicht*, daß ein Satz mit einer Kennzeichnung verschiedene Wahrheitsbedingungen haben muß, je nachdem, ob es sich um eine referentielle oder um eine attributive handelt. Dies folgt genausowenig, wie aus der Tatsache, daß man mit dem Namen *Meier* auf die Person Schuster referieren kann (vgl. das Beispiel aus Abschn. (3.)), folgt, daß der Satz *Meier klaut Kirschen* mehrdeutig ist. Daraus ergibt sich nun jedoch kein Widerspruch zu Russells Analyse von Kennzeichnungen.

Man kann sehr wohl die Ansicht vertreten, daß Russell den semantischen Gehalt von Sätzen mit Kennzeichnungen korrekt beschrieben hat *und* daß Kennzeichnungen auf zwei verschiedene Weisen bei der Äußerung von Sätzen verwendet werden können.

Außerdem können diese Verwendungsweisen durch die Grice-'sche Unterscheidung zwischen Sprecher-Referenz und semantischer Referenz beschrieben werden. Der *attributiven* Verwendungsweise entspricht die *semantische* Referenz. Hier werden also Kennzeichnungen in Übereinstimmung mit ihrer konventionellen Bedeutung verwendet. Dies entspricht dem Fall, wenn ein Eigenname dazu verwendet wird, die Person zu bezeichnen, die tatsächlich so heißt. Die *referentielle* Verwendungsweise ergibt sich durch die *Sprecher-Referenz*. Wir haben hier also ein Begriffspaar, das es uns gestattet, dieselben Unterscheidungen zu treffen, wie das Begriffspaar »attributiv/referentiell«. Letzteres bezieht sich aber nur auf Kennzeichnungen. Mit dem ersteren dagegen ist es möglich, unter Verwendung konversationeller Implikaturen recht diverse semantisch/pragmatische Phänomene zu erfassen. Daher lautet Kripkes These, daß mit Donnellans schwächerer Aussage II. zwar ein empirisches Phänomen korrekt beschrieben wird, die Unterscheidung in attributive bzw. referentielle Kennzeichnungen aber überflüssig ist, da sie durch ein viel allgemeineres Begriffspaar ersetzt werden kann.

D. PRÄSUPPOSITIONEN

1. Einleitung

Mit konversationellen Implikaturen haben wir eine spezielle Art von »pragmatischer Schlußfolgerung« kennengelernt; pragmatisch deshalb, weil sie mit der Kooperation von Sprechern zu tun hatte und in starkem Maße von kontextuellen Faktoren abhängig war. Im folgenden werden wir eine Art von Schlußfolgerung betrachten, bei der unklar ist, ob sie als *pragmatisch* anzusehen ist oder nicht, nämlich *Präsuppositionen*.

Die linguistische Diskussion (1969-1976) war lange der Ansicht, daß es sich hierbei um ein Phänomen handelt, das – im Gegensatz zu konversationellen Implikaturen – in einem systematischen Zusammenhang mit den grammatischen Strukturen von Sätzen steht und als solches kein pragmatisches Phänomen darstellt. Doch im Verlauf der Diskussion geriet der nicht-pragmatische Charakter immer mehr ins Wanken. Mit der Unterscheidung zwischen zwei Arten von Präsuppositionen – semantischen und pragmatischen – versuchte man zwar, einen »harten« grammatischen Kern des Phänomens zu retten. Neuere Untersuchungen lassen jedoch auch diesen Versuch wenig erfolgreich erscheinen und kommen zu dem Schluß, daß es sich bei Präsuppositionen auch um rein pragmatische Phänomene handelt. Aber bevor man den semantischen oder pragmatischen Charakter von Präsuppositionen beurteilen kann, muß man wissen, worum es überhaupt bei Präsuppositionen geht.

»Präsupposition« heißt wörtlich »Voraussetzung«; und wenn man sich ansieht, in welchem Sinne wir bei der Sprachverwendung Voraussetzungen machen oder von Voraussetzungen ausgehen bzw. jemand anderen dazu berechtigen, von bestimmten Voraussetzungen ausgehen zu dürfen, dann fallen einem vielleicht Beispiele wie die folgenden ein:

(1) Wenn wir jemanden ansprechen, setzen wir voraus, daß er unsere Sprache versteht.

(2) Wenn wir jemand in Frankfurt fragen, wo Giorgio Armani einen Laden hat, und der andere sagt: »In der Goethestraße«, dann setzen wir voraus, daß er nicht die Goethestraße in München meint.

(3) Wenn ich hier von »konversationellen Implikaturen« gesprochen habe, so habe ich vorausgesetzt, daß die Zuhörer wissen, was darunter zu verstehen ist.

(4) Bei der Ankündigung dieser Lehrveranstaltung wurde die Teilnahme am Grundkurs 1 nicht vorausgesetzt.

(5) Sprechen setzt das Funktionieren der Stimmbänder voraus.

(6) Wenn mich jemand fragt, wie spät es ist, setze ich voraus, daß er nicht weiß, wie spät es ist.

(7) Mit der Äußerung »Hans hat aufgehört zu rauchen« setzt man voraus, daß er vorher geraucht hat.

(8) Mit der Äußerung »Hans hat seinem Sohn nicht erlaubt, ins Kino zu gehen« setzt man voraus, daß der Sohn ins Kino gehen wollte.

(9) Mit der Äußerung »Hans weiß, daß Chomsky sechzig ist« setzt man voraus, daß Chomsky sechzig ist.

(10) Mit der Äußerung »Peter brachte es fertig, das Problem zu lösen« setzt man voraus, daß Peter sich bemüht hat, das Problem zu lösen.

(11) Mit der Äußerung »Kannst du mir wenigstens das Salz rübergeben« setzt man voraus, daß andere Gefälligkeiten nicht erwiesen worden sind bzw. erwartet werden.

(12) Mit der Äußerung »Der Kaiser von Bayern hat Masern« setzt man voraus, daß es den Kaiser von Bayern gibt.

Um welche Arten von »Voraussetzung« es in der Präsuppositionsdiskussion geht, werden wir in den folgenden Abschnitten sehen.

2. Existenzpräsuppositionen und Kennzeichnungstheorien

2.1. Freges »Voraussetzung«

Die Diskussion über Präsuppositionen wurde in der Philosophie ausgelöst und ursprünglich auch nur dort – und nicht in der Linguistik – geführt, und zwar im Zusammenhang mit Fragen danach, was ein Ausdruck bezeichnet, welche Ausdrücke etwas bezeichnen, was es heißt, daß ein Ausdruck etwas bezeichnet etc.

So wies etwa Frege (1892) (»Über Sinn und Bedeutung«), der sich als erster Vertreter der modernen Philosophie mit Präsuppositionsproblemen befaßte, darauf hin, daß mit der Verwendung von Eigennamen in einer Behauptung die »*Voraussetzung*« verbunden ist, daß diese Eigennamen etwas bezeichnen, z. B. mit der Behauptung

(13) Dostojewski war ein Spieler.

die Voraussetzung, daß *Dostojewski* etwas bezeichnet. Diese Voraussetzung bleibt erhalten, wenn die gegenteilige Behauptung gemacht wird

(14) Dostojewski war kein Spieler.

Dasselbe gilt, wenn wir statt des Namens einen anderen eindeutig bezeichnenden Individuenausdruck (»Kennzeichnung«) verwenden:

(15) Der Autor der Brüder Karamasow war ein Spieler.

Die entscheidende Frage war nun: Was hat es für Konsequenzen für einen Satz/für eine Äußerung, wenn ein Ausdruck, der eigentlich zur Kategorie der Ausdrücke gehört, die etwas bezeichnen, nichts bezeichnet, wenn also eine Voraussetzung der erwähnten Art fälschlicherweise gemacht wird?
Ein solcher Fall liegt vor bei der heute gemachten Äußerung

(16) Der gegenwärtige König von Bayern ist krank.

Frege war der Meinung, daß in diesem Fall der betreffende Satz nicht auf seine Wahrheit oder Falschheit zu bewerten ist, daß er also weder wahr noch falsch ist. Halten wir also als *Theorie Freges* fest:

(i) Die Verwendung eines referierenden/bezeichnenden Ausdrucks bringt die Präsupposition mit sich, daß dieser Ausdruck etwas bezeichnet.

(ii) Ein Satz S hat dieselben Präsuppositionen wie die Negation von S.

(iii) Ist eine Präsupposition eines Satzes nicht erfüllt, so ist der Satz weder wahr noch falsch.

Ohne auf das sprachphilosophische Problem einzugehen, in welcher Weise etwas bezeichnen mit der Existenz des Bezeichneten einhergeht, wollen wir den von Frege untersuchten Typ von Präsuppositionen *Existenzpräsupposition* nennen.

2.2. Russells Kennzeichnungstheorie

Man könnte gegen Freges Theorie, insbesondere Punkt (iii), folgendes einwenden: Man kann die Aussage

(16) Der gegenwärtige König von Bayern ist krank.

doch wie folgt bestreiten:

(17) Daß der gegenwärtige König von Bayern krank ist, stimmt nicht, denn es gibt zum gegenwärtigen Zeitpunkt gar keinen König von Bayern.

In diesem Fall hat man den betreffenden Satz genau aus dem Grunde *als falsch angesehen*, weil die betreffende Existenzpräsupposition nicht erfüllt ist. Entsprechend wird man die Negation des betreffenden Satzes

(18) Es ist nicht der Fall, daß der gegenwärtige König von Bayern krank ist.

trotz nicht-erfüllter Präsupposition für wahr halten.
Eine Präsuppositions-Analyse, der diese Auffassung zugrundeliegt, liefert die – Frege entgegengesetzte – *Kennzeichnungstheorie* von B. Russell (1905) (»On Denoting«). Russell war der Meinung, daß Kennzeichnungen wie

(19) Der gegenwärtige König von Bayern

an der Oberfläche der natürlichen Sprache zwar als nominaler Ausdruck vorkommen, daß sie ihrer logischen Struktur nach jedoch ganz anders zu analysieren sind, nämlich als eine *komplexe Existenzbehauptung*, etwa des folgenden Inhalts

(20) Es gibt zum gegenwärtigen Zeitpunkt einen König von Bayern, und zwar genau einen.

Kennzeichnungen werden danach also analysiert als eine Kombination aus einer *Existenz- und einer Eindeutigkeitsbehauptung*. Die Aussage

(16) Der gegenwärtige König von Bayern ist krank.

ist danach zu analysieren als die aus drei Teilen bestehende Behauptung

(21) Es gibt einen gegenwärtigen König von Bayern, und zwar genau einen, und dieser ist krank.

Nun wissen wir aus der Aussagenlogik, daß eine Konjunktion von Sätzen

(22) p∧q∧r

genau dann falsch ist, wenn einer der Teilsätze falsch ist. Die aus drei Konjunktionsgliedern bestehende Existenzbehauptung (21) kann demnach aus drei – gewissermaßen gleichberechtigten – Gründen falsch sein:

(a) Wenn es *keinen* gegenwärtigen König von Bayern gibt.
(b) Wenn es mehr als einen gibt, also *nicht nur einen* gibt.
(c) Wenn er *nicht* krank ist.

Die Gründe für diese Falschheit bestehen darin zu sagen, welche der Teilbehauptungen zu negieren ist. Die angezeigten Negationen beziehen sich also jeweils auf eine spezielle Teilbehauptung oder, wie man auch sagt, haben als Bereich oder *Skopus* die betreffende Teilbehauptung. Eine Negation mit dem weitesten Skopus, also vor der gesamten komplexen Behauptung, besagt, daß die gesamte Behauptung falsch ist.

Damit sehen wir, welche Analyse von Präsuppositionen der Auffassung zugrundeliegt, daß Sätze mit nicht-erfüllten Präsuppositionen falsch sind: Die vermeintlichen Präsuppositionen werden hier nämlich gar nicht – wie bei Frege – als *Voraussetzungen einer Behauptung* analysiert, sondern als *Bestandteil der Behauptung* selbst. Ihr Vorliegen wird nicht vorausgesetzt, sondern mitbehauptet, und ist dieser Teil der Behauptung falsch, dann ist eben die ganze Behauptung falsch.

2.3. Starke und schwache Negation

Die beiden unterschiedlichen Auffassungen bezüglich der Konsequenzen nicht-erfüllter Präsuppositionen, nämlich

(F) Ein Satz ist dann weder wahr noch falsch.
(R) Ein Satz ist dann falsch.

haben mit einer Vagheit des umgangssprachlichen Begriffs der Falschheit zu tun. Dieser läßt nämlich in der Tat zwei Deutungen zu.

Wenn man die Richtigkeit des folgenden Satzes bestreitet

(23) Der bayerische König ist krank.

so setzt man im allgemeinen voraus, daß es einen bayerischen König gibt, und bestreitet, daß er krank ist. Eine Reaktion wie

(24) Es gibt ja gar keinen.

wäre dementsprechend keine Begründung für die Negation von (23), sondern eine *Zurückweisung der Behauptung*. Mit den Sätzen der Form

(25) Es ist nicht der Fall, daß der bayerische König krank ist.

macht man die genannte Voraussetzung nicht unbedingt, was sich an der entsprechenden Begründung

(26) weil es gar keinen solchen König gibt

zeigt.

Wir wollen dieser Vagheit des umgangssprachlichen Falschheitsbegriffs dadurch Rechnung tragen, daß wir eine *starke, präsupponierende* und eine *schwache, nicht-präsupponierende* Negation unterscheiden.

Daß ein Satz falsch ist, heißt, daß seine Negation wahr ist. Ein stark negierter Satz mit nicht-erfüllter Präsupposition ist dann weder wahr noch falsch; ein schwach negierter Satz mit nicht-erfüllter Präsupposition ist dann wahr (cf. Blau (1978)):

(27)   *starke Negation*   *schwache Negation*

$-$	S	$-$S
	w	f
	f	w
	u	u

$\neg$	S	$\neg$S
	w	f
	f	w
	u	w

2.4. Strawsons Präsuppositionstheorie

Bisher wurde ohne Differenzierung von Sätzen, Aussagen und Behauptungen gesprochen. Der Vorwurf, daß eine derartige Differenzierung nicht vorgenommen wird, fungiert als Grundlage einer weiteren Analyse in der philosophischen Präsuppositionsdiskussion, die speziell als Kritik an der Russell'schen Theorie vorgebracht wurde. Es ist die Analyse von Strawson (1950) (»On referring«).

Strawson unterscheidet zu Recht zwischen *Sätzen* und dem *Ge-*

brauch von Sätzen und stellt fest, daß nicht Sätze an sich wahr oder falsch sind, sondern die Aussagen, die man mit dem Gebrauch von Sätzen in bestimmten Situationen macht. So ist der Satz

(16) Der gegenwärtige König von Bayern ist krank.

nicht, wie Russell annahm, per se wahr oder falsch. Sondern vielmehr: Eine mit diesem Satz im Jahre 1810 gemachte Aussage ist wahr oder falsch. Und im Jahre 1986 kann der Satz nicht zu einer wahren oder falschen Aussage gebraucht werden, weil es gar keinen bayerischen König mehr gibt, sich die Frage nach seiner Gesundheit also gar nicht mehr stellt.

Strawson zufolge müssen also bestimmte Voraussetzungen dafür erfüllt sein, daß man einen Satz zu einer wahren oder falschen Aussage gebrauchen kann. Eine dieser Voraussetzungen betrifft *den Gebrauch der Kategorie bezeichnender (referierender) Ausdrücke*. Wird ein solcher Ausdruck »falsch« oder »leer« gebraucht, so kommt gar keine Aussage oder Behauptung zustande, die als wahr oder falsch beurteilt werden könnte.

Strawson nennt solche Voraussetzungen *Präsuppositionen*, und man sieht einerseits die Verwandtschaft mit Freges Auffassung, andererseits einen Bezug zu Austins Zwei-Dimensionen-Theorie, wonach die Bewertung einer Äußerung in der wahr/falsch-Dimension voraussetzt, daß sie einen illokutionären Akt darstellt, der eine solche Bewertung zuläßt.

Strawsons *Präsupposition* hat also Züge von Austins *Glückensbedingungen* für den Vollzug illokutionärer Akte, und es wird zu prüfen sein, ob Präsuppositionen mit Bedingungen dieser Art gleichgesetzt werden können.

Wenn die Erfülltheit von Präsuppositionen also eine notwendige Voraussetzung dafür ist, daß man mit einem Satz eine wahre oder falsche Aussage machen kann, so heißt dies, daß eine Präsupposition für einen bestimmten Satz erfüllt sein muß, *sowohl wenn er wahr ist als auch, wenn er falsch ist*.

Damit haben wir eine Eigenschaft ermittelt, die generell als Charakteristikum von Präsuppositionen angesehen und als Präsuppositionstest verwendet wird: *Konstanz unter Negation*. Wir können dies wie folgt ausdrücken:

(28) Eine Aussage A präsupponiert eine Aussage B gdw.
    (a) wenn A wahr ist, dann ist B wahr.

(b) wenn A falsch (d. h. die Negation von A wahr) ist, dann ist B
wahr.

Dazu ein Beispiel:
Die Aussage

(29) (A) Hans hat aufgehört zu rauchen.

präsupponiert die Aussage

(30) (B) Hans hat geraucht.

Denn:
(a) Wenn A wahr ist, wenn es also stimmt, daß Hans aufgehört
hat zu rauchen, dann ist auch B wahr, nämlich daß Hans
geraucht hat.
(b) Wenn A falsch ist, wenn vielmehr stimmt, daß Hans nicht
aufgehört hat zu rauchen, dann ist ebenfalls B wahr, nämlich
daß Hans geraucht hat.

3. Präsuppositionen in der Linguistik

3.1. Präsupposition und logische Folgerung

Von der linguistischen Diskussion wurde die Präsuppositions-
problematik etwa um 1969 aufgenommen. Erste Versuche, Prä-
suppositionsphänomene in eine logisch-semantische Analyse der
natürlichen Sprache zu integrieren, bestanden darin, daß man den
Begriff der Präsupposition *auf den Begriff der logischen Folgerung* zurückzuführen versuchte. Dabei wurde jener Aspekt der
Strawson'schen Analyse, der als »Konstanz unter Negation« bezeichnet wurde, übernommen. Man ignorierte jedoch deren pragmatischen, auf die Verwendungsweise von Sätzen ausgerichteten
Aspekt und bezog sich – im Russell'schen Geiste – wieder auf
Sätze. Die Präsuppositionsrelation – als kontextunabhängiges
Phänomen betrachtet – wurde demnach definiert als

(31) Ein Satz A *präsupponiert semantisch* einen Satz B gdw.
(a) aus A folgt logisch B (A⊩B)
(b) aus ¬A folgt logisch B (¬A⊩B)

Die Frage ist: Was heißt hier »folgt logisch«? Der Grundgedanke
von (31) war auch hier, daß ein Satz A bei Falschheit von B, also

bei nicht-erfüllter Präsupposition, weder wahr noch falsch sein sollte. Dies aber heißt, daß »folgt logisch« nicht im Sinne der klassischen zweiwertigen Logik (Bivalenzprinzip) verstanden werden darf. Aufgrund des hier geltenden Modus Tollens ($p \rightarrow q$, $\neg q \Vdash \neg p$) würde bei Falschheit von B der Widerspruch $A \wedge \neg A$ resultieren. Zum anderen wäre die *folgende Konsequenz* abzuleiten.

Angenommen, A präsupponiert B. Dann folgt aus (31) $A \Vdash B$ und $\neg A \Vdash B$. Dies ist aber gleichbedeutend mit: $A \vee \neg A \Vdash B$. Da $A \vee \neg A$ im klassischen Sinne eine Tautologie ist, also nie falsch sein kann, muß B immer wahr sein, was gleichbedeutend damit wäre, *daß nur Tautologien präsupponiert würden*. Nur zur Illustration der *logischen Probleme*, die (31) mit sich bringt, sei also darauf hingewiesen, daß sich hier die Notwendigkeit ergibt, die klassische zweiwertige Logik entweder zu modifizieren (indem der Modus Tollens nicht gilt) oder zu verlassen (indem das Bivalenzprinzip aufgegeben wird).

3.2. Semantische vs. pragmatische Präsuppositionen

Die Präsuppositionsrelation »x präsupponiert y« ist eine zweistellige Relation. Die Frage ist, zwischen Dingen welcher Art sie besteht. Wofür steht x, wofür steht y? Oder anders: Was ist der Vor- und Nachbereich dieser Relation? Vergleicht man die Strawson'sche Präsuppositionsdefinition (28) mit der Definition (31), so stellt man fest, daß von jeweils unterschiedlichen Dingen gesagt wird, daß sie präsupponieren. (28) zufolge ist es die *Äußerung eines Satzes A mit der illokutionären Rolle X*; (31) zufolge ist es ein Satz bzw. logisch/semantisch gesprochen: das, was von einem Satz ausgedrückt wird (»Proposition«). Als weitere Kandidaten für diesen »Vorbereich« der Präsuppositionsrelation sind vorgeschlagen worden: der Sprecher oder der Sprecher und der Hörer.

Die linguistische Diskussion ist hier durch zahlreiche Konfusionen gekennzeichnet. Es herrscht alles andere als Einigkeit in der Frage, wer oder was präsupponiert. Man hat die Beantwortung dieser Frage bisweilen auch mit einer Unterscheidung zwischen *semantischen* und *pragmatischen* Präsuppositionen in Verbindung gebracht und gesagt: Besteht der Vorbereich aus Sätzen oder Propositionen, so kennzeichnet dies einen semantischen Präsuppositionsbegriff; besteht er aus Äußerungen oder Sprechern/Hörern, so kennzeichnet dies einen pragmatischen Präsuppositionsbegriff.

Dieser Unterscheidung zwischen semantischen und pragmatischen Präsuppositionen wollen wir uns im folgenden nicht anschließen. Sie ist vielmehr insofern irreführend, als es sich bei den hier zugrundeliegenden Präsuppositionsversionen (auf der Basis von Prinzip (31)) möglicherweise nur um – vielleicht äquivalente (wie Reis (1977) zu zeigen versucht hat) – Formulierungsalternativen (Quantifikationen über alle Sprecher etc., cf. Reis (1977), Kap. (1.2.)) ohne *linguistisch* relevante empirische Konsequenzen handelt. Dies soll hier nicht weiter begründet werden; es sollte lediglich auf die betreffenden Konfusionsquellen hingewiesen werden. (Empirische Konsequenzen hat allerdings die Frage, ob man Präsuppositionen mit den Glückensbedingungen identifiziert oder nicht!)

Zum Nachbereich der Präsuppositionsrelation sei kurz bemerkt, daß hier größere Einigkeit besteht: Man nimmt meist an, daß Sachverhalte oder Propositionen präsupponiert werden.

Wir wollen im folgenden von einer Unterscheidung ausgehen, die den linguistisch, d. h. grammatisch relevanten Aspekt einer Präsuppositionsanalyse in das Zentrum der Betrachtung rückt. Und zwar soll unterschieden werden zwischen (cf. Reis (1977))

(32) (i) jenen Präsuppositionen eines Satzes, die diesem ausschließlich aufgrund seiner sprachlichen Form (d. h. der vorkommenden Lexeme und seiner syntaktischen Struktur) zukommen und damit unabhängig von jedem Kontext sind (»semantische Präsuppositionen«)

   (ii) jenen Präsuppositionen eines Satzes, die dieser nur bei der Äußerung in bestimmten Kontexten hat (»pragmatische Präsuppositionen«).

Zur Illustration dieser Unterscheidung das folgende *Beispiel:* Betrachten wir den folgenden Kontext:

(33) Kontext: Letzte Woche haben die Nationalspieler über die Ablösung Derwalls diskutiert.

Das Beispiel:

(34) Der Flankengott aus dem Kohlenpott hat Derwall verteidigt.

Dieses Beispiel hat neben den Existenzpräsuppositionen

(35) (a) Es gibt genau einen Kohlenpott.
  (b) Es gibt genau einen Flankengott aus dem Kohlenpott.

die Präsupposition

(36) Der Flankengott aus dem Kohlenpott ist Nationalspieler.

Dies wird durch den Negationstest (bezüglich des Beispiels (34) im Kontext (33)) bestätigt:

(37) Der Flankengott aus dem Kohlenpott hat Derwall nicht verteidigt.

Die Präsuppositionen (35) und (36) sind aber nicht von derselben Art. Wird (34) beispielsweise im Kontext eines Berichtes über die Situation bei Galatasaray Istanbul geäußert, würde dieser Satz zwar weiterhin die Existenzpräsuppositionen (35), aber nicht mehr (36) präsupponieren. (36) ist daher aufgrund eines speziellen *Kontextes* für den Satz (34) präsupponiert, (35) aufgrund der speziellen *Form* des Satzes (34). In diesem Fall würden wir also (35) als semantische, (36) als pragmatische Präsupposition ansehen.
Wir können also definieren:

(38) S *präsupponiert* S' *im Kontext* K_i gdw.
  (i) aus S folgt S' in K_i.
  (ii) aus ¬S folgt S' in K_i.
(39) S *präsupponiert semantisch* S' gdw.
  S präsupponiert S' in allen Kontexten.
(40) S *präsupponiert pragmatisch* S' gdw.
  (i) Es existiert ein Kontext K_i, so daß:
    S präsupponiert S' in K_i.
  (ii) Es existiert ein Kontext K_j ($i \neq j$), so daß:
    S präsupponiert S' nicht in K_j.

Halten wir also fest: Wie das Beispiel (34) zeigt, *liefert uns der Negationstest nicht nur die semantischen Präsuppositionen.*
Es stellt sich nun die Frage, ob wir sprachliche Formen, d.h. Lexeme oder bestimmte sprachliche Strukturen ausmachen können, mit denen stets, d.h. für alle Sätze und alle Kontexte, in systematischer Weise Präsuppositionen verbunden sind.
Wir wollen solche sprachliche Formen *Präsuppositions-Auslöser* nennen. Wir könnten dann als semantische Präsuppositionen auch jene Präsuppositionen ansehen, die *Resultat der Präsenz*

eines Präsuppositions-Auslösers sind (cf. Reis (1977) – leichte Unterschiede zu dem obigen semantischen Präsuppositionsbegriff wollen wir hier vernachlässigen; cf. dazu Reis (1977), S. 29).

3.3. Präsuppositions-Auslöser

Der in der philosophischen Diskussion nur im Zusammenhang mit referierenden Ausdrücken diskutierte Präsuppositionsbegriff ist in der linguistischen Diskussion auf eine Vielzahl anderer Phänomene ausgedehnt worden. So sind als *Präsuppositions-Auslöser* im oben genannten Sinne u. a. die folgenden sprachlichen Formen angesehen worden (cf. Reis (1977), Levinson (1983)): (⟿ soll heißen: präsupponiert)

(a) *Kennzeichnungen*

> (41) Der gegenwärtige König von Bayern ist krank/nicht krank.
> ⟿ Es gibt genau einen gegenwärtigen König von Bayern.

(b) *Faktive Prädikate* (wie z. B. *wissen, bedauern, erkennen, vergessen, seltsam, wundervoll, klug, dumm, unverschämt*)

> (42) Peter bedauert/bedauert nicht, daß Maria abgesagt hat.
> ⟿ Maria hat abgesagt.

(c) *Implikative Verben* (wie z. B. *es fertigbringen, sich herablassen, gelingen*)

> (43) Peter brachte es fertig/nicht fertig, das Problem zu lösen.
> ⟿ Peter hat sich bemüht, das Problem zu lösen.

(d) *Verben der Zustandsveränderung* (wie z. B. *aufhören, beginnen, fortfahren*)

> (44) Hans hat aufgehört/nicht aufgehört zu rauchen.
> ⟿ Hans hat geraucht.

(e) *Judikative Verben* (»verbs of judging«; wie z. B. *tadeln, beschuldigen*)

> (45) Peter beschuldigte Hans, ihn verraten zu haben.
> ⟿ Peter sieht es als etwas Schlechtes an, daß Hans ihn verraten hat.
> (Behauptung: Peter behauptet, daß Hans es getan hat.)

(46) Peter tadelte Hans, ihn verraten zu haben.
>> Peter sieht es als gegeben an, daß Hans ihn verraten hat.
(Behauptung: Peter behauptet, daß dies etwas Schlechtes ist.)

(f) *Partikel* (wie z. B. *schon, noch, nur, sogar, auch, wieder*)

(47) Der starke Vater ist jetzt wieder gefragt.
>> Der starke Vater war vor der Äußerungszeit einmal nicht gefragt.

(g) *Konjunktionen* (wie z. B. *aber, denn, weil*)

(48) Der Papst verbot die Pille, aber niemand hörte auf ihn.
>> Wenn der Papst die Pille verbietet, dann erwartet man, daß auf ihn gehört wird.

(h) *Selektionsbeschränkungen*

(49) Eike ist schwanger.
>> Eike ist eine Frau.

(i) *Grammatische Kategorien* (wie z. B. Tempus, Modus)

(50) Peter wird aus der Kirche austreten.
>> Peter ist noch in der Kirche.

(j) *Temporale Nebensätze*

(51) Frege hat auf Präsuppositionen aufmerksam gemacht, bevor Strawson auf die Welt kam.
>> Strawson kam auf die Welt.

(k) *Asymmetrisch koordinierte Sätze* (Linearität spielt eine Rolle)

(52) Anna hat mit einem Mann geschlafen (S_1) und ein Kind bekommen (S_2). S_2 >> S_1

(l) *Spannsätze* (cleft-Sätze)

(53) Es war Peter, der Maria geküßt hat.
>> Jemand hat Maria geküßt.

(m) *Kontrastierende Konstruktionen*

(54) Die Linguistik wurde/wurde nicht von Chomsky erfunden.
>> Jemand hat die Linguistik erfunden.
(55) Fischer nannte Zimmermann einen bleifreien Hanswursten, und dann beleidigte *dieser ihn*.
>> Jemanden »bleifreien Hanswursten« nennen heißt ihn beleidigen.

(n) *Nicht-restriktive (appositive) Relativsätze*

> (56) Die Bayern, die als besonders fortschrittlich gelten, sind überall gerne gesehen.
> ⅊ Die Bayern gelten als besonders fortschrittlich.

(o) *Irreale Konditionalsätze*

> (57) Wenn es heute nicht regnen würde, würden wir eine Bergtour machen.
> ⅊ Heute regnet es.

(p) *Fragesätze* (Ja/Nein-Fragen; disjunktive Fragen; w-Fragen)
   (a) Ja/Nein-Fragen

> (58) Ist Peter verheiratet?
> ⅊ Peter ist verheiratet oder Peter ist nicht verheiratet.

   (b) Disjunktive Fragen

> (59) Gehst du heute abend ins Kino oder arbeitest du?
> ⅊ Du gehst entweder ins Kino oder du arbeitest.

   (c) w-Fragen

> (60) Wer hat den Käsekuchen aufgegessen?
> ⅊ Jemand hat den Käsekuchen aufgegessen.

Die in dieser Liste aufgeführten mutmaßlichen Präsuppositions-Auslöser repräsentieren zweifellos sehr heterogene Phänomene, von denen einige sicherlich unseren engen, an die sprachliche Form gebundenen, kontextunabhängigen Begriff des Präsuppositions-Auslösers gar nicht erfüllen. Zwar bestehen im großen und ganzen alle den Test »Konstanz unter Negation«; dieser Test ist aber, wie wir bereits gesehen haben, kein hinreichendes Kriterium für die Bestimmung semantischer Präsuppositionen. So bestand ihn etwa auch die pragmatische Präsupposition des Beispiels

(34) Der Flankengott aus dem Kohlenpott hat Derwall verteidigt.

Auch Glückensbedingungen, wie wir sie in der Sprechakttheorie kennenlernten, können den Negationstest bestehen, cf.

(61) Mach' die Türe /nicht/ zu.
   ⅊ Die Türe ist offen.

Das Negationskriterium muß daher durch andere Kriterien ergänzt bzw. verallgemeinert werden, z. B. wie folgt:

(62) *Kriterien für semantische Präsuppositionen eines Satzes S:*
    (a) Konstanz unter Negation von S
    (b) Konstanz unter Infragestellung und imperativischer Abwandlung
        von S
    (c) Konstanz in modalen Kontexten bzw. unter modalen Verände-
        rungen von S
    (d) Konstanz bei Einbettung von S

Die Frage ist, ob sich auf der Basis dieser Kriterien eine *semanti-*
sche Präsuppositionsrelation auszeichnen läßt, die ausreichend
scharf von den folgenden Relationen unterschieden werden kann:

(63) – logischer Folgerung
     – konventioneller bzw. konversationeller Implikatur
     – Glückensbedingungen für illokutionäre Akte
     – speziellen illokutionären Akten wie z. B. Behauptung

Die angeführte Liste mutmaßlicher Präsuppositionsgaranten erfüllt diese Forderung zweifellos nicht. Z. B. stellen wir fest:

(a) Die Präsuppositionen implikativer Verben sind stark kontextabhängig und daher eher als konventionelle bzw. konversationelle Implikaturen zu rekonstruieren, cf.

    (64) (a) Hans brachte es fertig, sich mit allen zu zerkrachen.
        (b) Hans brachte es nicht fertig, die Arbeit in dem geforderten
           Zeitraum zu schreiben. Er hat sich auch gar keine Mühe
           gegeben.

(b) Die durch Partikel ausgelösten Präsuppositionen sind kontextabhängig und daher als konventionelle bzw. konversationelle Implikaturen zu rekonstruieren, cf.

    (65) Hans besuchte seinen Vetter. Nach drei Tagen reiste er wieder
        ab.
        ↛ Er ist vorher schon mal abgereist.

(c) Daß Präsuppositionen von Konjunktionen als konventionelle
Implikaturen zu analysieren sind, hat der Abschnitt über
Grice bereits gezeigt.

(d) Die angeführten Präsuppositionen appositiver Relativsätze
sind eher als Behauptungen anzusehen. Man kann sie z. B.
bestreiten, ohne daß der Gesamtsatz seine Wahrheitsdefinit-
heit verlieren würde.

    (66) cf. zu (56): Aber die Bayern gelten doch keineswegs als beson-
        ders fortschrittlich. – Mag sein, aber dennoch sind sie überall
        gerne gesehen.

(e) Die Präsuppositionen judikativer Verben sind eher als Glük-
kensbedingungen für die betreffenden illokutionären Akte zu
analysieren, cf.

(67) Maria hat Hans beschuldigt, sie geküßt zu haben, obwohl ihr
das durchaus gut gefallen hat.

In diesem Fall stimmt es – obwohl die Präsupposition geleug-
net wird – dennoch, daß Maria Hans beschuldigt hat. Sie hat
ihn nur *zu Unrecht beschuldigt* (vgl. etwa *versprechen*, wenn
man nicht glaubt, daß man es halten kann; cf. Reis (1977),
S. 162/163).

(f) Die Präsuppositionen referierender Ausdrücke sind – wie
Strawson und Austin gezeigt haben – ebenfalls eher als Glük-
kensbedingungen für den Vollzug illokutionärer Akte zu analysieren.

(g) Präsuppositionen von Fragen sind stark kontextabhängig, cf.

(68) Wer meldet sich freiwillig?
⇸ Jemand meldet sich freiwillig.

Wir wollen es bei diesen Hinweisen belassen und nicht weiter auf
problematische Details der Präsuppositionsdiskussion eingehen,
sondern vielmehr gleich einen Blick auf die Gretchenfrage dieser
Diskussion werfen, nämlich: Gibt es überhaupt sprachliche Präsuppositions-Auslöser in dem oben erwähnten strengen, kontextunabhängigen Sinn bzw. gibt es überhaupt semantische Präsuppositionen?

3.4. Die problematischen Eigenschaften:
Nicht-Abtrennbarkeit, Annullierbarkeit und das
Projektionsproblem

Wie die angeführte Detailkritik an der Liste mutmaßlicher Präsuppositions-Auslöser bereits zeigt, muß diese Liste auf jeden
Fall stark reduziert werden. Die neueren Ergebnisse der linguistischen Forschung legen noch einen radikaleren Schluß nahe: daß
es nämlich gar keine semantischen Präsuppositionen gibt.
Um diesen Schluß zu begründen, hätte man zu zeigen, daß es
keine kontextunabhängigen, allein durch sprachliche Formen bedingten Präsuppositionen gibt. Man hätte also für Präsuppositio-

nen eine Eigenschaft nachzuweisen, die wir schon als spezielle Eigenschaft konversationeller Implikaturen kennengelernt haben, nämlich die *Annullierbarkeit in bestimmten Kontexten*.

Auch eine andere Eigenschaft konversationeller Implikaturen, nämlich *Nicht-Abtrennbarkeit*, läßt sich möglicherweise ebenso für Präsuppositionen nachweisen.

Schließlich wollen wir noch ein drittes Problem betrachten, um über den semantischen Charakter von Präsuppositionen Klarheit zu gewinnen, nämlich die Frage, ob die Präsuppositionen eines komplexen Satzes sich kompositionell aus den Präsuppositionen seiner Teile ergeben. Diese als *Projektionsproblem* bekannte Frage könnte uns Aufschlüsse darüber geben, ob sich Präsuppositionen wie Bedeutungsaspekte verhalten oder wie logische Folgerungen oder wie keines von beiden.

Wir wollen also im folgenden der Reihe nach die Eigenschaften in (69) im Hinblick auf Präsuppositionen diskutieren (cf. Levinson (1983)):

(69) (i)   Nicht-Abtrennbarkeit
      (ii) Annullierbarkeit
      (iii) Projektionsproblem

3.4.1. Nicht-Abtrennbarkeit

Nicht-Abtrennbarkeit hieß bei konversationellen Implikaturen, daß eine Implikatur nicht an die sprachliche Oberflächenform von Ausdrücken gebunden ist, sondern an den semantischen Gehalt dessen, was gesagt wird. Dies heißt, daß konversationelle Implikaturen einer Äußerung bei Substitution synonymer Ausdrücke erhalten bleiben, also nicht abgetrennt werden können. In bezug auf Präsuppositionen könnte das folgende Beispiel nahelegen, daß sie abtrennbar, d. h. an sprachliche Oberflächenformen gebunden sind. So wird (72) zwar von (70), nicht aber von dem semantisch und wahrheitsfunktional ungefähr äquivalenten (71) präsupponiert:

(70) Hans brachte es nicht fertig, den Gipfel zu erreichen.
(71) Hans hat den Gipfel nicht erreicht.
(72) Hans bemühte sich, den Gipfel zu erreichen.

Dieser Unterschied zu konversationellen Implikaturen existiert jedoch nur scheinbar. Zum einen bringt das implikative Verb *es*

fertigbringen, wie bereits im vorangehenden Abschnitt dargestellt, nicht immer eine Präsupposition der Art (72) mit sich. Zum
anderen läßt sich für Ausdrücke, die sehr viel eher als sichere
Kandidaten für *Präsuppositions-Auslöser* in Frage kommen, nämlich faktive Verben wie z. B. *bedauern*, die Eigenschaft der Ab-
trennbarkeit nicht nachweisen. Jede der Quasi-Paraphrasen in
(73)

(73) (a) Hans bedauert, daß er den ganzen Kuchen allein gegessen hat.
    (b) Hans tut es leid, daß er den ganzen Kuchen allein gegessen hat.
    (c) Hans bereut, daß er den ganzen Kuchen allein gegessen hat.
    (d) Hans ist zerknirscht darüber, daß ...
    (e) Hans entschuldigt sich dafür, daß ...
    (f) Hans ist untröstlich darüber, daß ...
    (g) Hans ist betrübt darüber, daß ...

sowie ihre negativen Gegenstücke erhalten die Präsupposition,
die der Satz mit dem Verb *bedauern* hat, nämlich

(74) Hans hat den ganzen Kuchen allein gegessen.

Es liegt also der Schluß nahe, daß Präsuppositionen die Eigenschaft der Nicht-Abtrennbarkeit mit konversationellen Implikaturen gemeinsam haben (auszunehmen sind hier natürlich
Implikaturen, die aufgrund der Maxime der Modalität erschlossen werden, da in dieser Maxime ja speziell auf die sprachliche
Form von Äußerungen Bezug genommen wird).

3.4.2. Annullierbarkeit

Wenn Präsuppositionen in gewissen Diskurskontexten oder in
intrasententiellen Kontexten annullierbar wären, so hätte dies für
die These von der Existenz semantischer Präsuppositionen fatale
Folgen. Die folgenden Annullierbarkeitsphänomene bei vermeintlich gesicherten Präsuppositions-Auslösern lassen die Existenz semantischer Präsuppositionen in der Tat fragwürdig werden (cf. Levinson (1983)).
In dem folgenden Beispiel

(75) Wenn der katholische Frauenbund F. J. Strauß zur Podiumsdiskus-
    sion einlädt, dann wird er es bedauern, einen Grünen eingeladen zu
    haben.

liegt aufgrund des faktiven Verbs *bedauern* die folgende Präsupposition vor:

(76) Der katholische Frauenbund hat einen Grünen eingeladen.

In dem Beispiel

(77) Wenn der katholische Frauenbund Joschka Fischer zur Podiumsdiskussion einlädt, dann wird er es bedauern, einen Grünen eingeladen zu haben.

liegt jedoch diese Präsupposition trotz gleicher Präsenz von *bedauern* und formal gleichem Komplement nicht vor. Da wir nämlich wissen, daß Joschka Fischer ein Grüner ist, interpretieren wir den Ausdruck *ein Grüner* mit anaphorischem Bezug auf Joschka Fischer, und ob der eingeladen wird, wird ja mit dem *wenn*-Satz gerade nicht als sicher hingestellt. Ob in den Sätzen (75) und (77) die Präsupposition (76) vorliegt oder nicht, hängt also mit unseren Hintergrundannahmen zusammen. Nehmen wir an, daß F. J. Strauß kein Grüner ist, dann präsupponiert (75) (76); nehmen wir an, daß Joschka Fischer ein Grüner ist, dann wird (76) von (77) aller Wahrscheinlichkeit nach nicht präsupponiert.

Selbst bei einem relativ harmlosen Präsuppositions-Auslöser wie dem Verb *wissen* läßt sich dasselbe Phänomen nachweisen. So könnte in einer Diskussion darüber, ob Peter schwul ist, als Argument dafür, daß er es nicht ist, angeführt werden:

(78) Peters Frau weiß nicht(s) davon, daß er schwul ist.

Maßgeblich ist dabei die Annahme, daß so etwas der eigenen Frau nicht verborgen bleiben würde.

Eindeutigere Beispiele für nicht-faktive Gebrauchsweisen von *wissen* sind z. B. (cf. Reis (1977))

(79) Wissen ist relativ: Vor einigen Jahrhunderten wußte man z. B., daß sich die Sonne um die Erde dreht, heute weiß man es anders und hoffentlich auch besser.

(80) Weiß Helmut, daß Erna ihn hintergeht, oder bildet er es sich nur ein?

(81) Ich wüßte nicht, daß ich Ihnen jemals begegnet bin.

Auch bei temporalen Nebensätzen sind Präsuppositionen annullierbar. So sind die Inhalte von *bevor*-Sätzen im allgemeinen präsupponiert. Der Satz

(82) Peter hat geheiratet, bevor er das Examen gemacht hat.

beispielsweise präsupponiert

(83) Peter hat das Examen gemacht.

Unser Wissen, daß einem Aktivitäten dieser Art nicht mehr möglich sind, wenn man gestorben ist, führt zur Annullierung dieser Präsupposition in dem folgenden Satz:

(84) Peter starb, bevor er das Examen gemacht hat.

Schließlich lassen sich auch für Kennzeichnungen und Eigennamen Kontexte angeben, in denen Existenzpräsuppositionen, die im allgemeinen mit dieser Kategorie von Ausdrücken verbunden sind, nicht vorliegen, so z. B. Existenzsätze wie in

(85) (a) Das Ungeheuer von Loch Ness gibt es nicht.
(b) Es gibt den König von Bayern.

wo die Existenz der entsprechenden Denotate nicht präsupponiert, sondern behauptet oder bestritten wird. (85b) beispielsweise ist nicht etwa weder wahr noch falsch, sondern falsch (im Gegensatz zu

(16) Der gegenwärtige König von Bayern ist krank.)

Andere Kontexte, in denen die betreffenden Existenzpräsuppositionen nicht vorliegen, sind generische oder gesetzesähnliche Aussagen wie (cf. Reis (1977))

(86) (a) Der ehrliche Finder erhält eine Belohnung.
(b) Der Wal ist ein Säugetier.

Zukunftserwartungen wie in

(87) (a) Wo ist meine bessere Hälfte? (Heiratsanzeige)
(b) Der Abfahrtsweltmeister von 1989 wird nicht aus Amerika kommen.

prädikative Gebrauchsweisen wie in

(88) Franz Josef Strauß ist der König von Bayern.

oder bei nichtgenerischem kollektivem Singular wie in

(89) Am nächsten Morgen griff der Russe schließlich an.

Als nächstes Beispiel wollen wir betrachten, wie ein spezieller Diskurskontext Präsuppositionen annullieren kann, wie sie für Cleft-(Spann-)Sätze angenommen werden (cf. Levinson (1983)).

(90) (a) Es ist Peter, der dich nicht leiden kann.
(b) Jemand kann dich nicht leiden.

Man betrachte nun das Ausschließungsverfahren in folgendem Räsonnement:

(91) Du sagst, daß dich jemand in dieser Wohnung nicht leiden kann. Mag sein. Aber es ist nicht Hans, der dich nicht leiden kann; es ist auch nicht Maria, die dich nicht leiden kann; und es ist mit Sicherheit nicht Angela. Daher gibt es in Wahrheit niemanden in dieser Wohnung, der dich nicht leiden kann.

Hier würde zwar jeder Spannsatz für sich präsupponieren, daß es jemanden gibt, der dich nicht leiden kann; aber der Zweck der gesamten Äußerung besteht darin, den Adressaten davon zu überzeugen, daß es in Wirklichkeit niemanden gibt, der ihn nicht leiden könnte. Die vermeintliche Präsupposition wurde sozusagen als kontrafaktischer Ausgangspunkt angenommen, dessen Unhaltbarkeit erwiesen werden sollte.

Bevor man aus diesen Betrachtungen allerdings den Schluß zieht, es gäbe tatsächlich keine semantischen Präsuppositionen, ist noch folgende Überlegung anzustellen. Es könnte nämlich sein, daß die Kontexte, für die die Annullierung von Präsuppositionen aufgezeigt wurde, auf rein sprachlicher Ebene, d. h. syntaktisch-semantisch, als *generell* nichtpräsuppositional abgrenzbar wären. Damit bliebe die Annullierung von Präsuppositionen aber noch im Bereich dessen, was semantisch analysierbar wäre. Nun läßt sich aber für alle der hier zugrundegelegten Kontexte zeigen, daß die betreffenden Kontextabhängigkeiten einer semantischen Erklärung nicht zugänglich, sondern nur mit Hilfe pragmatischer Konzepte charakterisierbar sind.

Vor dem Hintergrund dieser Tatsache werden aber die festgestellten Kontextabhängigkeiten von Präsuppositionen in der Tat zu einem gravierenden Argument gegen die Annahme semantischer Präsuppositionen im oben charakterisierten Sinne.

3.4.3. Das Projektionsproblem

Zwei für ein pragmatisches Phänomen wie konversationelle Implikaturen charakteristische Eigenschaften, nämlich Nicht-Abtrennbarkeit und Annullierbarkeit, ließen sich ebenfalls bei Präsuppositionen nachweisen. Es ist nun zu prüfen, ob Präsuppositionen bezüglich der dritten Eigenschaft, dem Projektionsproblem, eine distinktive Charakterisierung erfahren können.

Die Frege'sche Auffassung, daß die Bedeutung von Sätzen *kompositionell* ist, d.h. daß sich die Bedeutung des gesamten Ausdrucks aus den Bedeutungen seiner Teile ergibt, also eine Funktion dieser Bedeutungen ist, ist am Anfang der linguistischen Präsuppositionsdiskussion auf Präsuppositionen übertragen worden. Man war also der Meinung, daß die Menge der Präsuppositionen eines komplexen Ausdrucks die Summe der Präsuppositionen seiner Teile darstellt. Diese Auffassung mußte jedoch als falsch zurückgewiesen werden, da sich herausstellte, daß Präsuppositionen zwar in gewissen Fällen kompositionell sind, in anderen aber nicht.

Die Frage ist, ob sich generelle Aussagen darüber machen lassen, in welchen Fällen Präsuppositionen von Teilausdrücken an den Gesamtausdruck »vererbt« werden, und in welchen nicht. Die Fakten sehen folgendermaßen aus (cf. Levinson (1983))

(i) Präsuppositionen vererben sich an den Gesamtkomplex in Kontexten, wo dies für Folgerungen nicht gilt.

(ii) Präsuppositionen vererben sich in anderen Kontexten, wo Folgerungen kompositionell sind, nicht.

Zunächst zu Punkt (i): Vererbung von Präsuppositionen:

(a) *Negation:*

Der erste und bereits bekannte Kontext, wo Präsuppositionen sich vererben, Folgerungen jedoch nicht, ist die Negation. In Beispiel (92b)

(92) (a) Der Präsident hat drei Minister entlassen.
(b) Der Präsident hat nicht drei Minister entlassen.

überlebt die Präsupposition (93a), nicht aber die Folgerung (93b) von (92a):

(93) (a) Es gibt genau einen Präsidenten.
(b) Der Präsident hat zwei Minister entlassen.

(b) *Modale Kontexte:*

Dasselbe Phänomen läßt sich in modalen Kontexten beobachten. Der Satz (94) präsupponiert zwar ebenfalls (93a), läßt jedoch nicht mehr die Folgerung (93b) zu.

(94) Es ist möglich, daß der Präsident drei Minister entlassen hat.

(c) *Junktoren:*

Bisweilen überleben Präsuppositionen in komplexen, durch Junktoren gebildeten Sätzen. Satz (95a) hat z. B. Präsupposition (95b) und Folgerung (95c) (mit den Einschränkungen, die oben über den Präsuppositions-Auslöser-Status von Partikeln gemacht wurden):

(95) (a) Peter hat gestern nacht wieder zwei Anfälle bekommen.
     (b) Peter hat früher schon einmal einen Anfall bekommen.
     (c) Peter hat gestern nacht einen Anfall bekommen.

In den Sätzen (96) und (97) überlebt die Präsupposition, aber nicht die Folgerung:

(96) Wenn Peter gestern nacht wieder zwei Anfälle bekommen hat, muß er ins Krankenhaus.

(97) Entweder hat Peter gestern nacht wieder zwei Anfälle bekommen, oder er hat sich mit seiner Frau gestritten.

(d) *Löcher:*

Es gibt eine größere Reihe von Satzoperatoren oder subordinierenden Verben, die Präsuppositions-durchlässig sind, also erlauben, daß Präsuppositionen an den Gesamtsatz weitergegeben werden. Solche Ausdrücke werden daher als *Löcher* (holes) bezeichnet im Unterschied zu sog. *Stöpseln* (plugs), die nicht Präsuppositions-durchlässig sind und die wir bei der Betrachtung von (ii) kennenlernen werden. Die Liste solcher *Löcher* umfaßt, wie bereits gesehen, Negation und Modaloperatoren, aber z. B. auch faktive Verben. Es ist also dieser Beobachtung zu verdanken, daß man die Kriterien für Präsuppositionen, wie oben (cf. (62)) angeführt, erweitert hat.

Zu Punkt (ii): Nicht-Vererbung von Präsuppositionen:

Hier haben wir also einen Teilbereich jener Präsuppositionseigenschaft zu betrachten, die bereits zur Sprache kam, nämlich die *Annullierbarkeit* von Präsuppositionen in bestimmten intrasententiellen Kontexten.

(a) *Explizite Negierung der Präsupposition:*

Präsuppositionen werden nicht an den Gesamtsatz vererbt, wenn sie in einem Teilsatz explizit negiert werden wie z. B. bei folgenden koordinierten Sätzen:

(98) (a) Hans muß es nicht bereuen, in Germanistik promoviert zu haben, da er ja tatsächlich in Mathematik promoviert.

(b) Reinhold Messner brachte es nicht fertig, die Eiger-Nord-
wand zu durchqueren; er hat es auch gar nie versucht.
(c) Franz Josef Strauß findet es sonderbar, der König von Bayern zu sein, wo es doch einen solchen König gar nicht gibt.

Die Tatsache, daß entsprechende Präsuppositions-Annullie-
rungen in den korrespondierenden positiven Sätzen nicht
möglich sind, cf.

(99) *Hans muß es bereuen, in Germanistik promoviert zu haben, da
er ja tatsächlich in Mathematik promoviert.

ist als starkes Argument dafür angeführt worden, daß wir es
in den betreffenden positiven Sätzen mit *Folgerungen* (und
nicht mit Präsuppositionen) zu tun haben.

(b) *Stöpsel:*
Bestimmte Verben, nämlich gewisse Verben der propositionalen Einstellung wie *wünschen, glauben, träumen* etc. sowie
alle Verba dicendi wie *sagen, behaupten* etc. sind Präsupposi-
tions-blockierend, lassen also nicht zu, daß Präsuppositionen
von Teilsätzen an den Gesamtsatz weitergegeben werden.
Z. B. hat (100a) nicht die Präsupposition (100b):

(100) (a) Peter glaubt/behauptet, daß er der König von Bayern ist.
(b) Es gibt jetzt einen König von Bayern.

Die generelle Geltung dieser Beobachtung ist allerdings zu
bezweifeln, cf. Satz

(101) Der Mechaniker hat mir gesagt, daß die Bremsen auch kaputt
sind.

der den Komplementsatz präsupponieren kann, obwohl der
Matrixsatz ein Stöpsel-Verb enthält. Beobachtungen wie
diese lassen die Existenz vermeintlicher Stöpsel in der Tat
sehr zweifelhaft erscheinen.

(c) *Junktoren:*
In *wenn-dann*-Sätzen kommen Präsuppositionen der *dann*-
Sätze zum Verschwinden, wenn ihnen in den *wenn*-Sätzen
hypothetischer Charakter zugeschrieben wird; so präsupponiert (102a) nicht (102b):

(102) (a) Wenn Peter Linguistik studiert, wird er es später bereuen,
Linguistik studiert zu haben.
(b) Peter hat Linguistik studiert.

Analoges läßt sich in disjunktiven Sätzen beobachten. (103a) präsupponiert z. B. auch nicht (103b):

(103) (a) Entweder ist Katharina die Zarentochter oder es gibt gar keine Zarentochter.
      (b) Es gibt genau eine Zarentochter.

Man hat versucht, dieses ambivalente Projektions-Verhalten von Präsuppositionen in komplexen, durch Junktoren gebildeten Sätzen durch sog. *Filter-Bedingungen* in den Griff zu bekommen, nämlich

(104) (a) In einem Satz der Form *wenn p dann q* (und ebenso *p und q*) werden die Präsuppositionen der Teile an den Gesamtsatz nicht weitergegeben, wenn folgendes der Fall ist: q präsupponiert r und aus p folgt r.
      (b) In einem Satz der Form *p oder q* werden Präsuppositionen der Teile an den Gesamtsatz nicht weitergegeben, wenn folgendes der Fall ist: q präsupponiert r und aus p folgt ¬r.

Wenden wir also die Bedingung (104b) auf Beispiel (103) an und setzen:

(105) q = Katharina ist die Zarentochter
      p = es gibt keine Zarentochter
      r = es gibt genau eine Zarentochter

Dann ist klar, daß r von q präsupponiert wird, daß aber aus p die Negation von r folgt. Filterbedingungen der genannten Art geben also Kontexte an, in denen der allgemeine Mechanismus der Präsuppositionsprojektion neutralisiert ist.
Diese Filterbedingungen wiederum erfassen aber Fälle nicht, wo – z. B. bzgl. (104a) – Präsuppositionen ausgefiltert werden müssen, weil sie aus dem *wenn*-Satz erst zusammen mit bestimmten Hintergrundannahmen folgen, wie z. B. in dem oben bereits erwähnten Beispiel

(77) Wenn der katholische Frauenbund Joschka Fischer zur Podiumsdiskussion einlädt, dann wird er es bedauern, einen Grünen eingeladen zu haben.

Es läßt sich abschließend feststellen, daß auch das Projektionsverhalten von Präsuppositionen keine distinktive Eigenschaft zutage gebracht hat. Ein diesbezüglich ambivalentes Verhalten weisen nämlich auch konversationelle Implikaturen auf. So behält z. B. der Satz

(106) Es ist möglich, daß Peter einige Kollegen beschimpft hat.

die konversationelle Implikatur (107a) von der Äußerung (107b):

(107) (a) Peter hat nicht alle Kollegen beschimpft.
     (b) Peter hat einige Kollegen beschimpft.

Aber auch hier kann eine konversationelle Implikatur gelöscht werden wie in

(108) Peter hat einige Kollegen beschimpft, wenn nicht sogar alle.

Die Tatsache, daß wir charakteristische Eigenschaften des pragmatischen Phänomens »konversationelle Implikatur« ebenso bei Präsuppositionen fanden, legt den Schluß nahe, daß es spezielle semantische Präsuppositionen gar nicht gibt.

Für die Frage, ob pragmatische Präsuppositionen ein eigenständiges Phänomen darstellen oder ob sie in den Bereich der konversationellen Implikaturen bzw. Glückensbedingungen für Sprechakte zu integrieren sind, drängt sich damit ebenfalls eine Antwort im letzteren Sinne auf. In diesem Fall hätte sich das Präsuppositionsproblem semantisch in den Begriff der logischen Folgerung und pragmatisch in die erwähnten anderen Phänomene aufgelöst. Diese Konsequenz wäre nicht weiter beunruhigend, denn ein Problem zum Verschwinden gebracht zu haben, ist auch ein wichtiges Ergebnis wissenschaftlicher Forschung.

Literatur zu Kapitel I:
Sprachtheorie

Bierwisch, M. (1981): *Die Integration autonomer Systeme – Überlegungen zur kognitiven Linguistik*, Mskr.

Bußmann, H. (1983): *Lexikon der Sprachwissenschaft*, Stuttgart.

Chomsky, N. (1979): *Language and Responsibility*, Sussex.

– (1981): *Regeln und Repräsentationen*, Frankfurt/Main.

– (1981a): »Principles and Parameters in Syntactic Theory«. In: N. Hornstein/D. Lightfoot (eds.), *Explanation in Linguistics*, London/New York, S. 32-75.

Drach, E. (1963): *Grundgedanken der deutschen Satzlehre*, Darmstadt.

Fanselow, G./Felix, S. W. (1987): *Sprachtheorie. Eine Einführung in die Generative Grammatik. Bd. 1: Grundlagen und Zielsetzungen*, Tübingen.

Fodor, J. A. (1983): *The Modularity of Mind*, Cambridge, Mass.

Fromkin, V./Rodman, R. (1978): *An Introduction to Language*, New York.

Garfield, E. (1985): »When the Apes Speak, Linguists Listen, Part 1«, *The Ape Language Studies, Current Contents, 31*, S. 3-11.

Grewendorf, G. (1985): »Sprache als Organ und Sprache als Lebensform. Zu Chomskys Wittgenstein-Kritik«. In: D. Birnbacher/A. Burkhardt (eds.), *Sprachspiel und Methode*, Berlin/New York, S. 89-129.

Kratzer, A. (1982): *Einführung in die Linguistik*, Arbeitspapiere zur Linguistik 14, TU Berlin.

Landau, G./Gleitman, L. R. (1985): *Language and Experience. Evidence from the Blind Child*, Cambridge/Mass.

Lieb, H.-H. (1976): *Vorlesungen zur Sprachtheorie: Syntax, Semantik, Morphologie. Teil 1*, Mskr. FU Berlin.

Ryker, L. C. (1984): »Kommunikation beim Douglasien-Borkenkäfer«, *Spektrum der Wissenschaft 8*, S. 62-72.

Literatur zu Kapitel II:
Phonetik

Chomsky, N./Halle, M. (1968): *The Sound Pattern of English*, New York.

Fromkin, V./Rodman, R. (1978): *An Introduction to Language*, New York.

Halle, M./Clements, G. N. (1983): *Problem Book in Phonology*, Cambridge, Mass.

Kenstowicz, M./Kisseberth, Ch. (1979): *Generative Phonology. Description and Theory*, New York.

Kohler, K. J. (1977): *Einführung in die Phonetik des Deutschen*, Berlin.

Kratzer, A. (1982): *Einführung in die Linguistik*, Arbeitspapiere zur Linguistik 14, TU Berlin.

Ladefoged, P. (1982): *A Course in Phonetics*, San Diego.

Moulton, W. G. (1956): »Syllable Nuclei and Final Consonant Clusters in German«. In: M. Halle/H. C. Lunt/H. McLean/C. H. v. Schoonefeld (eds.), *For Roman Jakobson*, The Hague, S. 372-381.

Schubiger, M. (1977): *Einführung in die Phonetik*, Berlin/New York.

Stechow, A. v. (1984/85): *Phonetik und Phonologie*, Mskr. Universität Konstanz.

Wurzel, W. U. (1981): »Phonologie: Segmentale Struktur«. In: K. E. Heidolph/W. Flämig/W. Motsch u. a. (eds.), *Grundzüge einer deutschen Grammatik*, Berlin, Kap. 7, S. 898-990.

Literatur zu Kapitel III:
Phonologie

Benware, W. A. (1987): »Accent Variation in German Nominal Compounds of the Type (A(BC))«, *Linguistische Berichte* 108, S. 102-127.

Bußmann, H. (1983): *Lexikon der Sprachwissenschaft*, Stuttgart.

Chomsky, N./Halle, M. (1968): *The Sound Pattern of English*, New York.

Clements, G. N./Keyser, S. J. (1983): *CV-Phonology. A Generative Theory of the Syllable*, Cambridge, Mass.

Cruttenden, A. (1986): *Intonation*, Cambridge.

Féry, C. (1986): »Metrische Phonologie und Wortakzent im Deutschen«, *Studium Linguistik* 20, S. 16-43.

Fromkin, V./Rodman, R. (1978): *An Introduction to Language*, New York.

Goldsmith, J. (1976): »An Overview of Autosegmental Phonology«, *Linguistic Analysis* 2, S. 23-68.

Giegerich, H. J. (1983): »Metrische Phonologie und Kompositionsakzent im Deutschen«, *Papiere zur Linguistik* 28, S. 3-25.

Giegerich, H. J. (1985): *Metrical Phonology and Phonological Structure. German and English*, Cambridge.

Halle, M./Clements, G. N. (1983): *Problem Book in Phonology*, Cambridge, Mass.

Hankamer, J./Aissen, J. (1974): »The Sonority Hierarchy«. In: A. Bruck/R. A. Fox/M. W. LaGaly (eds.), *Papers from the Parasession on Natural Phonology*, Chicago Linguistic Society, S. 131-145.

Hogg, R./McCully, C. B. (1987): *Metrical Phonology. A Coursebook*, Cambridge.

Hooper, J. (1976): *Introduction to Natural Generative Phonology*, New York.

Hulst, H. van der (1984): *Syllable Structure and Stress in Dutch*, Dordrecht.

Hulst, H. van der/Smith, N. (1982): »An Overview of Autosegmental and Metrical Phonology«. In: dies. (eds.), *The Structure of Phonological Representation (Part 1)*, Dordrecht, S. 1-45.

Hulst, H. van der/Smith, N. (1985): »The Framework of Nonlinear Phonology«. In: dies. (eds.), *Advances in Nonlinear Phonology*, Dordrecht, S. 3-55.

Hyman, L. M. (1975): *Phonology. Theory and Analysis*, New York.

– (1985): *A Theory of Phonological Weight*, Dordrecht.

Kenstowicz, M./Kisseberth, Ch. (1979): *Generative Phonology. Description and Theory*, New York.

Kloeke, W. van Lessen (1982): *Deutsche Phonologie und Morphologie*, Tübingen.

Liberman, M./Prince, A. (1977): »On Stress and Linguistic Rhythm«, *Linguistic Inquiry 8*, S. 249-336.

Mayerthaler, W. (1974): *Einführung in die generative Phonologie*, Tübingen.

McCarthy, J. J. (1982): »Nonlinear Phonology: An Overview«, *GLOW Newsletter 8*, S. 63-77.

Meinhold, G./Stock, E. (1982): *Phonologie der deutschen Gegenwartssprache*, Leipzig.

Moulton, W. G. (1956): »Syllable Nuclei and Final Consonant Clusters in German«. In: M. Halle/H. C. Lunt/H. McLean/C. H. v. Schoonefeld (eds.), *For Roman Jakobson*, The Hague, S. 372-381.

Prince, A. (1983): »Relating to the Grid«, *Linguistic Inquiry 14*, S. 19 bis 100.

Selkirk, E. O. (1982): »The Syllable«. In: H. van der Hulst/N. Smith (eds.), *The Structure of Phonological Representations (Part II)*, Dordrecht, S. 337-383

– (1984): *Phonology and Syntax. The Relation between Sound and Structure*, Cambridge, Mass.

Stampe, D./Donegan, P. J. (1979): »The Study of Natural Phonology«. In: D. A. Dinnsen (ed.), *Current Approaches to Phonological Theory*, Bloomington/London, S. 126-173.

Stechow, A. v. (1984/85): *Phonetik und Phonologie*, Mskr. Universität Konstanz.

Tonelli, L./Hurch, B. (1982): »/Matto/ oder /mat:o/? Jedenfalls [mat:o]. Zum Problem der Langkonsonanten im Italienischen«, *Wiener Linguistische Gazette*.

Vennemann, T. (1986): *Neuere Entwicklungen in der Phonologie*, Berlin/New York/Amsterdam.

Wurzel, W. U. (1980): »Der deutsche Wortakzent. Fakten – Regeln – Prinzipien«, *Zeitschrift für Germanistik 3*, S. 249-336.
– (1981): »Phonologie: Segmentale Struktur«. In: K. E. Heidolph/W. Flämig/W. Motsch u. a. (eds.), *Grundzüge einer deutschen Grammatik*, Berlin, Kap. 7, S. 898-990.

Literatur zu Kapitel IV:
Syntax

Abraham, W. (1985) (ed.): *Erklärende Syntax des Deutschen*, Tübingen.
Belletti, A./Brandi, L./Rizzi, L. (1981) (eds.): *Theory of Markedness in Generative Grammar*, Scuola Normale Superiore, Pisa.
Bierwisch, M. (1963): *Grammatik des deutschen Verbs*, Studia Grammatika II, Berlin.
Bresnan, J. (1977): »Transformations and Categories in Syntax«. In: R. E. Butts/J. Hintikka (eds.), *Basic Problems in Methodology and Linguistics*, Dordrecht, S. 261-282.
Chomsky, N. (1955): *The Logical Structure of Linguistic Theory*, MIT, Cambridge, Mass. (erschienen als Chomsky, N. (1975)).
– (1957): *Syntactic Structures*, The Hague, (dt. als: *Strukturen der Syntax*, The Hague 1973).
– (1963): »Formal Properties of Grammars«. In: R. D. Luce/R. R. Bush/E. Galanter (eds.), *Handbook of Mathematical Psychology*, Vol. II, New York , S. 323-418.
– (1965): *Aspects of the Theory of Syntax*, Cambridge, Mass. (dt. als: *Aspekte der Syntax-Theorie*, Frankfurt/Main 1969).
– (1975): *The Logical Structure of Linguistic Theory*, New York/London.
– (1981): *Lectures on Government and Binding*, Dordrecht.
– (1986): *Knowledge of Language: Its Nature, Origins and Use*, New York/Westport/London.
Clahsen, H. (1982): *Spracherwerb in der Kindheit. Eine Untersuchung zur Entwicklung der Syntax bei Kleinkindern*, Tübingen.
Drach, E. (1937): *Grundgedanken der deutschen Satzlehre*, Frankfurt/Main (⁴1963, Darmstadt).
Emonds, J. (1985): *A Unified Theory of Syntactic Categories*, Dordrecht.
Fu, S. K. (1976): »Syntactic Pattern Recognition«. In: S. K. Fu (ed.), *Digital Pattern Recognition*, Berlin/Heidelberg/N. Y., S. 95-134.
Fuchs, G. B. (1964) (ed.): *Die Meisengeige. Zeitgenössische Nonsensverse*, München.
Gold, E. M. (1967): »Language Identification in the Limit«, *Information and Control 10* , S. 447-474.
Grewendorf, G. (1983): »Reflexivierung in deutschen A. c. I.-Konstruk-

tionen. Kein transformationsgrammatisches Dilemma mehr«, *Groninger Arbeiten zur Germanistischen Linguistik (GAGL) 23*, S. 120-196.
- (1984): »Reflexivierungsregeln im Deutschen«, *Deutsche Sprache 1*, S. 14-30.
- (1985): »Anaphern bei Objektkoreferenz im Deutschen. Ein Problem f. d. Rektions-Bindungs-Theorie«. In: W. Abraham (ed.), S. 137-171.
- (1985a): *Deutsche Syntax Teil 1*, Manuskript Universität Frankfurt/Main (erschienen als *Aspekte der deutschen Syntax*, Tübingen 1988).
- (1986): *Deutsche Syntax Teil 11*, Manuskript Universität Frankfurt/Main (erschienen als *Aspekte der deutschen Syntax*, Tübingen 1988).
- (1986a): *Ergativität im Deutschen*, Manuskript Universität Frankfurt/Main (erscheint als *Ergativity in German*, Dordrecht 1989).
Heidolph, K. E./Flämig, W./Motsch, W. u. a. (1981): *Grundzüge einer deutschen Grammatik*, Berlin.
Herman, G. T./Rozenberg, G./Lindenmayer, A. (1975): *Developmental Systems and Languages*, Amsterdam/New York.
Jackendoff, R. (1977): $\overline{X}$-*Syntax: A Study of Phrase Structure*, Cambridge, Mass.
Koster, J. (1978): *Locality Principles in Syntax*, Dordrecht.
Langacker, R. (1969): »On Pronominalization and the Chain of Command«. In: D. A. Reibel/S. A. Schane (eds.), *Modern Studies in English*, Englewood Cliffs, New Jersey, S. 160-186.
Nordmeyer E. (1883): »Die grammatischen Gesetze der deutschen Wortstellung«. In: 14. Programm der Guericke Schule (Ober-Realschule) zu Magdeburg, ... Magdeburg 1883. Progr. Nr. 242.
Osherson, D. N./Stob, M./Weinstein, S. (1986): *Systems that Learn. An Introduction to Learning Theory for Cognitive and Computer Scientists*, Cambridge, Mass.
Perlmutter, D. M./Soames, S. (1979): *Syntactic Argumentation and the Structure of English*, Berkeley/Los Angeles/London.
Plank, F. (1984): *Morphologie and Syntax*, Manuskript zur Ringvorlesung »Einführung in die Linguistik«, Universität Konstanz, Wintersemester 1984/85.
Radford, A. (1981): *Transformational Syntax: A Student's Guide to Chomsky's Extended Standard Theory*, Cambridge.
Reinhart, T. (1981): »A Second COMP-Position«. In: A. Belletti/L. Brandi/L. Rizzi (eds.); *Theory of Markedness in Generative Grammar*, S. 517-558.
- (1983): *Anaphora and Semantic Interpretation*, London.
Reis, M. (1976): »Reflexivierung in deutschen A. c. I.-Konstruktionen. Ein transformationsgrammatisches Dilemma«, *Papiere zur Linguistik 9*, S. 5-82.
- (1980): »On justifying topological frames: ›Positional field‹ and the order of nonverbal constituents in German«, *DRLAV. Revue de lingu-*

istique 22/23, S. 59-85.

– (1985): »Satzeinleitende Strukturen im Deutschen. Über COMP, Haupt- und Nebensätze, *W*-Bewegung und die Doppelkopfanalyse«. In: W. Abraham (ed.), *Erklärende Syntax des Deutschen*, S. 271-311.

Riemsdijk, H. v./Williams, E. (1986): *Introduction to the Theory of Grammar*, Cambridge, Mass.

Ries, J. (1931): *Was ist ein Satz?*, Prag.

Ross, J. R. (1967): *Constraints on Variables in Syntax*, MIT Diss., veröffentlicht als: Ross, J. R. (1986).

– (1986): *Infinite Syntax!*, Norwood, New Jersey.

Rudin, C. (1981): »Who what to whom said?: an Argument from Bulgarian cyclic wh-Movement«, *Papers from the seventeenth meeting of the Chicago Linguistic Society (CLS 17)*, S. 353-360.

Salomaa, A. K. (1978): *Formale Sprachen*, Berlin/Heidelberg/New York.

Scaglione, A. (1972): *The Classical Theory of Composition – from its Origins to the Present. A Historical Survey*, University of North Carolina Studies in Comparative Literature (deutsch als: Scaglione, A. (1981): *Komponierte Prosa von der Antike bis zur Gegenwart*, 2 Bände, Stuttgart).

Sells, P. (1985): *Lectures on Contemporary Syntactic Theories*, Stanford/ Chicago.

Stechow, A. v./Sternefeld, W. (1987): *Bausteine syntaktischen Wissens. Ein Lehrbuch der generativen Grammatik*, Opladen.

Sternefeld, W. (1985): »On Case and Binding Theory«. In: J. Toman (ed.): *Studies in German Grammar*, Dordrecht, S. 231-288.

– (1985a): »Deutsch ohne grammatische Funktionen: Ein Beitrag zur Rektions- und Bindungstheorie«, *Linguistische Berichte 99*, S. 394-439.

Stowell, T. A. (1981): *Origins of Phrase Structure*, MIT-Diss., Cambridge, Mass.

Tappe, H.-T. (1981): »Wer glaubst du hat recht? Einige Bemerkungen zur COMP-COMP-Bewegung im Deutschen«. In: M. Kohrt/J. Lenerz (eds.), *Sprache: Formen und Strukturen. Akten des 15. Linguistischen Kolloquiums (Bd. I)*, Tübingen. S. 203-212.

Thiersch, C. L. (1978): *Topics in German Syntax*, MIT-Diss., Cambridge, Mass.

Wexler, K./Culicover, P. (1980): *Formal Principles of Language Acquisition*, Cambridge, Mass.

Literatur zu Kapitel v:
Morphologie

Aronoff, M. (1976): *Word Formation in Generative Grammar*, Cambridge, Mass.

Bergenholtz, J./Mugdan, J. (1979): *Einführung in die Morphologie*, Stuttgart.

Boase-Beier, J./Toman, J. (1986): »On Θ-Role Assignment in German Compounds«, *Folia Linguistica* xx/3-4, S. 319-340.

Chomsky, N. (1957): *Syntactic Structures*, The Hague, (dt. als: *Strukturen der Syntax*, The Hague 1973)

– (1965): *Aspects of the Theory of Syntax*, Cambridge, Mass, (dt. als: *Aspekte der Syntax-Theorie*, Frankfurt/Main 1969).

– (1970): »Remarks on Nominalization«. In: A. Jacobs/J. Rosenbaum (eds.), *Readings in English Transformational Grammar*, Waltham, Mass., S. 184-221.

Fromkin, V. A. (1978): *Tone. A Linguistic Survey*, New York.

Giegerich, H. J. (1985): *Metrical Phonology and Phonological Structure. German and English*, Cambridge.

Halle, M. (1973): »Prolegomena to a Theory of Word Formation«, *Linguistic Inquiry* 4, S. 3-16.

Halle, M./Clements, G. N. (1983): *Problem Book in Phonology*, Cambridge, Mass.

Höhle, T. (1982): »Über Komposition und Derivation: Zur Konstituentenstruktur von Wortbildungsprodukten im Deutschen«, *Zeitschrift für Sprachwissenschaft 1*, S. 76-112 (überarbeitete englische Fassung auch als »On Composition and Derivation: The Constituent Structure of Secondary Words in German«. In: Toman, J. (1985), S. 319-376).

Holst, F. (1978): *Morphologie. Einführungspapier mit Arbeitsaufgaben*, KLAGE (Kölner Linguistische Arbeiten Germanistik) No. 2, verteilt durch L.A.U.T. (Linguistic Agency University of Trier).

Hulst, H. van der/Smith, N. (1984) (eds.): *The Structure of Phonological Representation, Part 1*, Dordrecht.

Jackendoff, R. (1975): »Morphological and Semantic Regularities in the Lexicon«, *Language 51*, S. 639-671.

Kiparsky, P. (1984): »From Cyclic to Lexical Phonology«. In: H. van der Hulst/N. Smith (1984), S. 131-175.

Lees, R. B. (1960): *The Grammar of English Nominalizations*, The Hague.

Lieber, R. (1980): *On the Organisation of the Lexicon*, Ph. D. Diss. Indiana University Linguistics Club 1981.

Lyons, J. (1968): *Introduction to Theoretical Linguistics*, Cambridge, (dt. als: *Einführung in die moderne Linguistik*, München 1971).

McCarthy, J. (1981): *Some Formal Problems in Semitic Phonology and Morphology*, MIT-Diss., vertrieben durch Indiana University Linguistics Club.

Olsen, S. (1986): *Wortbildung im Deutschen. Eine Einführung in die Theorie der Wortstruktur*, Stuttgart.

Plank, F. (1981): *Morphologische (Ir-)Regularitäten*, Tübingen.

Reis, M. (1983): »Gegen die Kompositionstheorie der Affigierung«, *Zeitschrift für Sprachwissenschaft 2*, S. 110-131 (überarbeitete englische Fassung als »Against Höhle's Compositional Theory of Affixation«. In: Toman, J. (1985), S. 377-407).

Scalise, S. (1984): *Generative Morphology*, Dordrecht.

Selkirk, L. (1982): *The Syntax of Words*, Cambridge, Mass.

Toman, J. (1985) (ed.): *Studies in German Grammar*, Dordrecht.

Williams, E. (1981): »Argument Structure and Morphology«, *The Linguistic Review 1*, S. 81-114.

Wunderlich, D. (1985): »Über die Argumente des Verbs«, *Linguistische Berichte 97*, S. 183-227.

Wurzel, W. U. (1984): *Morphologische Natürlichkeit*, Berlin.

Literatur zu Kapitel VI:
Semantik

Beckett, S. (1976): *Murphy*, Frankfurt.

Bierwisch, M. (1970): »Semantics«. In: J. Lyons (ed.), *New Horizons in Linguistics*, Harmondsworth, S. 166-184.

Carnap, R. (1947): *Meaning and Necessity*, Chicago, (dt. als: *Bedeutung und Notwendigkeit*, Wien 1972).

Coseriu, E. (1974): *Grundprobleme der strukturalen Semantik*, Tübingen.

Cresswell, M. (1978): »Semantic Competence«. In: F. Guenthner/M. Guenthner-Reutter (eds.), *Meaning and Translation*, London, S. 9-28.

– (1982): »The Autonomy of Semantics«. In: S. Peters/E. Saarinen (eds.), *Processes, Beliefs, and Questions*, Dordrecht, S. 69-86.

Dowty, D. (1979): *Word Meaning and Montague Grammar*, Dordrecht.

– (1985): »On Recent Analyses of the Semantics of Control«, *Linguistics and Philosophy 8*, S. 291-331.

Dowty, D./Wall, R./Peters, S. (1981): *Introduction to Montague Semantics*, Dordrecht.

Duden (1972), Band 8: *Sinn- und sachverwandte Wörter*, Mannheim.

Halmos, P. R. (1968), *Naive Mengenlehre*, Göttingen.

Hamm, F. (1986): »Generalisierte Quantoren und semantische Prinzipiensysteme«, *Linguistische Berichte 103*, S. 201-223.

Hodges, W. (1977): *Logic*, Harmondsworth.

– (1984): »Elementary Predicate Logic«. In: D. Gabbay/F. Guenthner (eds.), *Handbook of Philosophical Logic 1*, Dordrecht, S. 1-131.

Katz, J. (1966): *Philosophy of Language*, New York, (dt. als: *Philosophie der Sprache*, Frankfurt/Main) 1969.

Katz, J./Postal, P. (1964): *An Integrated Theory of Linguistic Description*, Cambridge, Mass.

Kripke, S. (1972): »Naming and Necessity«. In: D. Davidson/G. Harman (eds.), *Semantics of Natural Language*, Dordrecht, S. 69-86.

Leech, G. (1974): *Semantics*, Harmondsworth.

Lyons, J. (1968): *Introduction to Theoretical Linguistics*, Cambridge, (dt. als: *Einführung in die moderne Linguistik*, München 1971).

Lutzeier, P. (1985): *Linguistische Semantik*, Stuttgart.

Montague, R. (1974): *Formal Philosophy: Selected Papers of Richard Montague*, ed. by R. Thomason, New Haven.

– (1974a): »Universal Grammar«. In: Montague, R. (1974).

Partee, B. (1984): »Compositionality«. In: F. Landmann/F. Veltmann (eds.), *Varieties of Formal Semantics*, Dordrecht, S. 281-313.

Quine, W. (1974): *Grundzüge der Logik*, Frankfurt.

Russell, B. (1905): »On Denoting«, *Mind 14*, S. 479-493.

– (1973): *An Inquiry into Meaning and Truth*, Harmondsworth.

Vermazen, B. (1966): »Review of Katz/Postal (1964) and Katz (1966)«, *Synthese 17*, S. 350-364.

Wittgenstein, L. (1960): *Tractatus Logico-Philosophicus*, Frankfurt/Main.

Zimmermann, E. (1985), *Einführung in die Linguistik*, Vorlesungsskript, Universität Konstanz.

Literatur zu Kapitel VII:
Pragmatik

Abraham, W. (1986): »Pragmatik. Forschungsüberblick, Begriffsbildung«. In: *Kontroversen, alte und neue*, Akten des VII. Kongresses der Internationalen Vereinigung für germanistische Sprach- und Literaturwissenschaft, Band 3, S. 270-286.

Austin, J. L. (1972), *Zur Theorie der Sprechakte*, Stuttgart.

Bach, K./Harnisch, R. M. (1979): *Linguistic Communication and Speech Acts*, Cambridge, Mass./London.

Bäuerle, R. (1979): *Temporale Deixis, temporale Frage*, Tübingen.

Ballmer, T. (1979): »Zur Klassifikation von Sprechakten«. In: G. Grewendorf (ed.), *Sprechakttheorie und Semantik*, Frankfurt/Main, S. 247-274.

Blau, U. (1978): *Die dreiwertige Logik der Sprache*, Berlin.

Braunroth, M./Seyfert, G./Siegel, K./Vahle, F. (1975): *Ansätze und Aufgaben der linguistischen Pragmatik*, Frankfurt/Main.

Chomsky, N. (1981): *Regeln und Repräsentationen*, Frankfurt/Main.

Cole, P. (1975): »The Synchronic and the Diachronic Status of Conversational Implicature«. In: P. Cole/H. L. Morgan (eds.), *Speech Acts*, Syntax and Semantics vol. 3, London, S. 257-289.

– (1978) (ed.): *Pragmatics*, Syntax and Semantics vol. 9, London.

Cole, P./Morgan, H. L. (1975) (eds.): *Speech Acts*, Syntax and Semantics vol. 3, London.

Cresswell, M. J. (1973): *Logics and Languages*, London, (dt. als: *Die Sprache der Logik und die Logik der Sprache,* Berlin 1979).

Donnellan, K. (1966): »Reference and Definite Descriptions, *The Philosophical Review* 75, S. 281-304.

Franck, D. (1973): »Zur Problematik der Präsuppositionsdiskussion«. In: J. Petöfi/D. Franck (eds.), *Präsuppositionen in Philosophie und Linguistik*, Frankfurt/Main, S. 11-41.

– (1975): »Zur Analyse indirekter Sprechakte«. In: V. Ehrich/P. Finke (eds.), *Beiträge zur Grammatik und Pragmatik*, Kronberg, S. 219-231.

Frege, G. (1892): »Über Sinn und Bedeutung«, *Zeitschrift für Philosophie und philosophische Kritik, Neue Folge 100*, S. 25-50.

Gazdar, G. (1979): *Pragmatics*, London.

– (1980): »Pragmatic Constraints on Linguistic Production«. In: B. Butterworth (ed.), *Language Production*, London, S. 49-68.

Gazdar, G./Klein, E./Pullum, G. K. (1978): *A Bibliography of Contemporary Linguistic Research*, New York.

Grewendorf, G. (1976): »Ansätze einer linguistischen Pragmatik«. In: E. v. Savigny (ed.), *Probleme der sprachlichen Bedeutung*, Kronberg, S. 189-199.

– (1976a): »Fortschritte der Sprechakttheorie«. In: E. v. Savigny (ed.), *Probleme der sprachlichen Bedeutung*, Kronberg, S. 101-123.

– (1977): »Präsuppositionen bei disjunktiven Fragen«, *Linguistische Berichte 52*, S. 13-31.

– (1979) (ed.): *Sprechakttheorie und Semantik*, Frankfurt/Main.

– (1979a): »Haben explizit performative Äußerungen einen Wahrheitswert?«. In: G. Grewendorf (ed.), *Sprechakttheorie und Semantik*, Frankfurt/Main, S. 175-196.

– (1980): »Sprechakttheorie«. In: H. P. Althaus/H. Henne/H. E. Wiegand (eds.), *Lexikon der Germanistischen Linguistik*, zweite Auflage, Tübingen, S. 287-293.

– (1982): »Zur Pragmatik der Tempora im Deutschen«, *Deutsche Sprache 3*, S. 213-236.

– (1984): »On the Delimitation of Semantics and Pragmatics: The Case of Assertions«, *Journal of Pragmatics 8*, S. 517-538.

Grewendorf, G./Zaefferer, D. (1986): »Theorien der Satzmodi«. Erscheint in: A. v. Stechow/D. Wunderlich (eds.), *Handbuch Semantik*.

Grice, H. P. (1968): *Logic and Conversation*, Kap. II/III/V. Deutsch übersetzt teilweise in: Meggle, G. (1979).

- (1978): »Further Notes on Logic and Conversation«. In: P. Cole (ed.), *Pragmatics*, Syntax and Semantics vol. 9, London, S. 113-127.

Harras, G. (1983): *Handlungssprache und Sprechhandlung*, Berlin.

Hindelang, G. (1983): *Einführung in die Sprechakttheorie*, Tübingen.

Kamp, H. (1978): »Semantics versus Pragmatics«. In: F. Guenthner/ S. J. Schmidt (eds.), *Formal Semantics and Pragmatics for Natural Languages*, Dordrecht, S. 255-287.

Karttunen, L. (1973): »Implicative Verbs«. In: J. Petöfi/D. Franck (eds.), *Präsuppositionen in Philosophie und Linguistik*, Frankfurt/Main, S. 285-313.

Kasher, A. (1976): »Conversational Maxims and Rationality«. In: A. Kasher (ed.), *Language in Focus*, Dordrecht, S. 197-216.

Keenan, E. L. (1971): »Two Kinds of Presupposition in Natural Language«. In: C. J. Fillmore/D. T. Langendoen (eds.), *Studies in Linguistic Semantics*, New York, S. 45-52.

- (1977). »The Universality of Conversational Implicatures«, *Studies in Language Variation*, S. 255-268.

Keenan, E. L./Hull, R. D. (1973): »The Logical Presuppositions of Questions and Answers«. In: J. Petöfi/D. Franck (eds.), *Präsuppositionen in Philosophie und Linguistik*, Frankfurt/Main, S. 441-466.

Kemmerling, A. (1976): »Probleme der Referenz«. In E. v. Savigny (ed.), *Probleme der sprachlichen Bedeutung*, Kronberg, S. 39-71.

Kempson, R. (1975): *Presupposition and the Delimitation of Semantics*, Cambridge.

Kiefer, F. (1972): »Über Präsuppositionen«. In: F. Kiefer (ed.), *Semantik und generative Grammatik* II, Frankfurt/Main, S. 275-303.

Kiparsky, P./Kiparsky, C. (1973): »Fact«. In: J. Petöfi/D. Franck (eds.), *Präsuppositionen in Philosophie und Linguistik*, Frankfurt/Main, S. 315-354.

Kripke, S. A. (1977): »Speakers Reference and Semantic Reference«, *Midwest Studies in Philosophy* II, S. 255-277.

Leech, G. N. (1983): *Principles of Pragmatics*, London/New York.

Levinson, S. C. (1983): *Pragmatics*, Cambridge.

Lewis, D. (1972): »General Semantics«. In: D. Davidson/G. Harman (eds.), *Semantics of Natural Language*, Dordrecht, S. 169-218.

Meggle, G. (1979) (ed.): *Handlung, Kommunikation, Bedeutung*, Frankfurt/Main.

- (1981): *Grundbegriffe der Kommunikation*, Berlin/New York.

Meibauer, J. (1985): »Sprechakttheorie: Probleme und Entwicklungen in der neueren Forschung«, *Deutsche Sprache 1*, S. 32-72.

Morris, C. W. (1955): *Signs, Language, and Behavior*, New York, (dt. als: *Zeichen, Sprache und Verhalten*, Düsseldorf 1973).

Oh, D./Dinneen, D. (1979) (eds.): *Presupposition*, Syntax and Semantics vol. 11, New York.

457

Parret, M./Sbisà, M./Verschueren, J. (1981) (eds.): *Possibilities and Limitations of Pragmatics*, Amsterdam.

Petöfi, J./Franck, D. (1973) (eds.), *Präsuppositionen in Philosophie und Linguistik*, Frankfurt/Main.

Posner, R. (1979): »Bedeutung und Gebrauch der Satzverknüpfer in den natürlichen Sprachen«. In: G. Grewendorf (ed.), *Sprechakttheorie und Semantik*, Frankfurt/Main, S. 345-385.

Reis, M. (1977), *Präsuppositionen und Syntax*, Tübingen.

Rosengren, J. (1980): »The Indirect Speech Act«. In: G. Brettschneider/ C. Lehmann (eds.), *Wege zur Universalienforschung*, Tübingen, S. 462-468.

Russell, B. (1905): »On Denoting«, *Mind 14*, S. 479-493.

Sadock, J. M. (1974): *Toward a Linguistic Theory of Speech Acts*, N.Y.

– (1978): »On Testing for Conversational Implicature«. In: P. Cole (ed.), *Pragmatics*, Syntax and Semantics vol. 9, London, S. 281-297.

Savigny, E. v. (1974): *Die Philosophie der normalen Sprache*, Frankfurt/ Main.

Schlieben-Lange, B. (1975): *Linguistische Pragmatik*, Stuttgart.

Searle, J. R. (1968): »Austin on Locutionary and Illocutionary Acts«, *The Philosophical Review 77*, S. 405-424.

– (1971): *Sprechakte*, Frankfurt/Main.

– (1982): *Ausdruck und Bedeutung*, Frankfurt/Main.

– (1982a): »Eine Taxonomie illokutionärer Akte«. In: Searle, J. R. (1982), S. 17-50.

– (1982b): »Indirekte Sprechakte«. In: Searle, J. R. (1982), S. 51-79.

– (1985): »Notes on Conversation«. In: M. Dascal (ed.), *Dialogue: an Interdisciplinary Approach*, Amsterdam/Philadelphia.

Searle, J. R./Kiefer, F./Bierwisch, M. (1980) (eds.): *Speech Act Theory and Pragmatics*, Dordrecht.

Sökeland, W. (1980): *Indirektheit von Sprechhandlungen. Eine linguistische Untersuchung*, Tübingen.

Stalnaker, R. C. (1972): »Pragmatics«. In: D. Davidson/G. Harman (eds.), *Semantics of Natural Language*, Dordrecht, S. 380-397.

– (1974): »Pragmatic Presuppositions«. In: M. K. Munitz/P. K. Unger (eds.), *Semantics and Philosophy*, New York, S. 197-213.

Stickel, G. (1984) (ed.): *Pragmatik in der Grammatik. Jahrbuch des Instituts für Deutsche Sprache*, Düsseldorf.

Strawson, P. F. (1950): »On Referring«, *Mind 59*, S. 320-344.

Thomason, R. H. (1977): »Where Pragmatics Fits in«. In: A. Rogers/ B. Wall/J. P. Murphy (eds.), *Proceedings of the Texas Conference on Performatives, Presuppositions, and Implicatures*, Arlington, S. 161-166.

Verschueren, J. (1978): *Pragmatics: An Annotated Bibliography* (jährliche Ergänzungen in *Journal of Pragmatics*), Amsterdam.

Wittgenstein, L. (1960): *Philosophische Untersuchungen*, Schriften, Band
1, Frankfurt/Main.

Wunderlich, D. (1973): »Präsuppositionen in der Linguistik«. In: J. Pe-
töfi/D. Franck (eds.), *Präsuppositionen in Philosophie und Linguistik*,
Frankfurt/Main, S. 467-484.

- (1976): *Studien zur Sprechakttheorie*, Frankfurt/Main.
- (1976a): »Sprechakttheorie und Diskursanalyse«. In: K. O. Apel (ed.),
  Sprachpragmatik und Philosophie, Frankfurt/Main, S. 463-488.
- (1979): »Was ist das für ein Sprechakt?«. In: G. Grewendorf (ed.),
  Sprechakttheorie und Semantik, Frankfurt/Main, S. 275-324.

Index

NF 111/1/5.00

Charles Sanders Peirce. Phänomen und Logik der Zeichen. Herausgegeben und übersetzt von Helmut Pape. stw 425. 182 Seiten

Charles Sanders Peirce. Semiotische Schriften.Band I - III. Herausgegeben und übersetzt von Christian J. W. Kloesel und Helmut Pape. stw 1480-1481. Auch einzeln lieferbar

Ferdinand de Saussure. Linguistik und Semiologie. Notizen aus dem Nachlaß. Texte, Briefe, Dokumente. Übersetzt von Johannes Fehr. 606 Seiten. Gebunden

Gerhard Schönrich. Zeichenhandeln. Untersuchungen zum Begriff einer semiotischen Vernunft im Ausgang von Charles Sanders Peirce. 468 Seiten. Gebunden

Josef Simon (Hg.). Zeichen und Interpretation. stw 1158. 216 Seiten

Josef Simon (Hg.). Distanz im Verstehen. Zeichen und Interpretation II. stw 1212. 264 Seiten

Josef Simon (Hg.). Orientierung in Zeichen. Zeichen und Interpretation III. stw 1278. 296 Seiten

Josef Simon/Werner Stegmaier (Hg.). Fremde Vernunft. Zeichen und Interpretation IV. stw 1367. 289 Seiten

Werner Stegmaier (Hg.). Zeichen-Kunst. Zeichen und Interpretation V. stw 1447. 289 Seiten

Uwe Wirth. Die Welt als Zeichen und Hypothese. Perspektiven der Peirceschen Semiotik. stw 1479. 350 Seiten

Soziologie im Suhrkamp Verlag
Eine Auswahl

Pierre Bourdieu
- Die feinen Unterschiede. Kritik der gesellschaftlichen Urteilskraft. Übersetzt von Bernd Schwibs und Achim Russer. stw 658. 910 Seiten
- Homo academicus. Übersetzt von Bernd Schwibs. stw 1002. 455 Seiten
- Praktische Vernunft. Zur Theorie des Handels. Übersetzt von Hella Beister. es 1985. 226 Seiten
- Rede und Antwort. Übersetzt von Bernd Schwibs. es 1547. 237 Seiten
- Die Regeln der Kunst. Genese und Struktur des literischen Feldes. Übersetzt von Bernd Schwibs und Achim Russer 552 Seiten. Gebunden
- Sozialer Sinn. Kritik der theoretischen Vernunft. stw 1066. 503 Seiten
- Soziologische Fragen. Übersetzt von Hella Beister und Bernd Schwibs. es 1872. 256 Seiten
- Über das Fernsehen. Übersetzt von Achim Russer. es 2054. 140 Seiten
- Zur Soziologie der symbolischen Formen. Übersetzt von Wolfgang Fietkau. stw 107. 201 Seiten

Pierre Bourdieu/ Loïc J. D. Wacquant. Reflexive Anthropologie. Übersetzt von Hella Beister. 351 Seiten. Gebunden

Emile Durkheim
- Erziehung, Moral und Gesellschaft. Vorlesung an der Sorbonne 1902/1903. Einleitung: Paul Fauconnet. Übersetzt von Ludwig Schmidts. stw 487. 339 Seiten

NF 114/1/5.00

NF 114/2/5.00